KB087691

# 개념

# 해결의 법칙

최용준, 해법수학연구회

고등
# 기하

## 기본 개념 해결책

핵심 개념 정리와 이해하기 쉬운 설명
꼭 필요한 필수 유형 학습

천재교육

이 책을 검토해 주신
# 262명의 선생님들께
감사드립니다.

# 해결의 법칙

최용준, 해법수학연구회

고등

# 기하

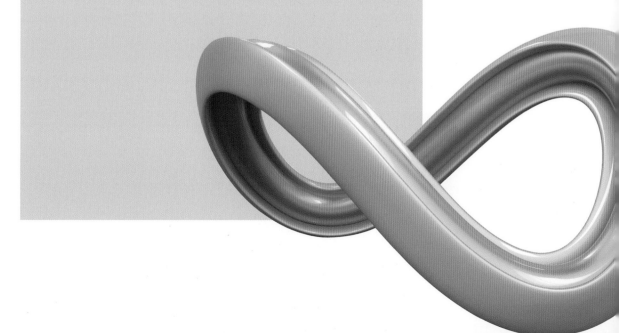

김성우  서울대 수학교육과 졸 / (현) 용인외대부고 교사
이한주  서울대 수학교육과 졸 / (현) 정의여고 교사
강경관  서울대 수학과 졸 / (현) 종로수학전문학원 강사

개념

# 해결의
# 법칙

book.chunjae.co.kr

**도움을 주신 선생님**

개념 해결의 법칙

이 책은 기초 실력을 다지고 교과서 수준을 마스터하려는 학생들에게 적합한 교재입니다.
수학을 처음으로 시작하는 학생이나 수학에 기초가 닦여 있지 않은 학생은
나도 수학을 잘 할 수 있다! 는 자신감을 가지고 다음과 같은 방법으로 학습하기를 바랍니다.

**첫째 ,**  쉬운 문제부터 풀어나가자.
어려운 문제와 씨름하는 것이 수학을 잘하는 길은 아닙니다.

**둘째 ,**  기본 원리를 확실하게 익히자.
무작정 문제만 많이 푼다고 해서 실력이 느는 것은 아닙니다.

**셋째 ,**  반복 연습을 통해 개념을 익히자.
문제 풀이에 대한 연습 없이는 수학을 정복할 수 없습니다.

수학은 투자하는 시간에 비례해서 실력이 향상된다.

수학은 단계적인 학문이기 때문에 빠른 시간 안에 성적을 끌어올리기는 쉽지 않습니다.
비록 거북이 걸음이라 할지라도 꾸준하게 노력하는 사람만이 수학에서 승리할 수 있습니다.
개념 해결의 법칙은 쉽고 빠르게 기본 실력을 다지는데 그 목표를 두었습니다.
이 책을 사용하는 학생 모두가 수학에 자신감을 갖게 되기를 바랍니다.

# 구성과 특징
# Structure

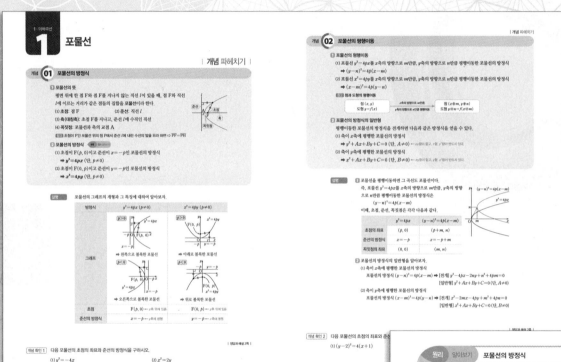

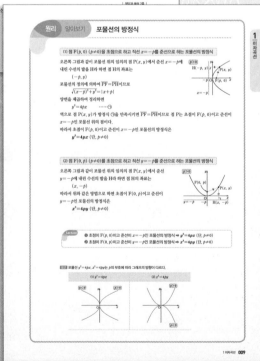

## 개념 파헤치기

기존 개념 설명과는 다른 방식인 '예'를 통해 직관적으로 개념을
이해, 적용할 수 있도록 하였습니다.
또한 Lecture를 통해 중요 내용은 다시 한번 정리하였습니다.

## 원리 알아보기

조금 어려운 개념이나 보충설명이 필요
한 개념을 원리 알아보기로 별도 구성하
였습니다.
또, 확인 문제로 공부한 개념을 바로 확
인할 수 있습니다.

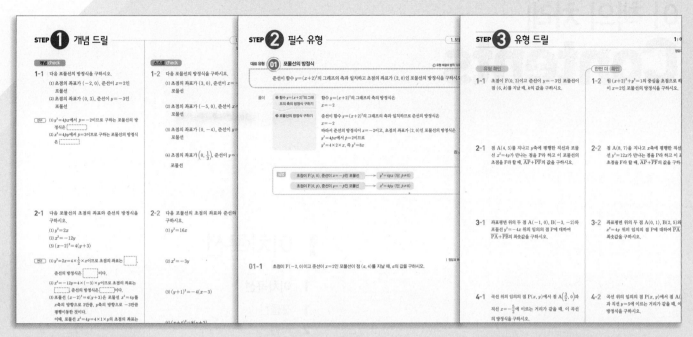

## STEP ① 개념 드릴

단원에서의 필수 핵심 개념을 반복 연습을 통해
익힐 수 있습니다.
개념 check에서 필수 개념을 간단히 확인해 보고
스스로 check를 통해 한번 더 개념을 익힐 수 있
습니다.

## STEP ② 필수 유형

교과서, 학교 시험에 나오는 필수 개념들을 문제를
통해 익히고, 그 해결 방법을 단계로 제시하여 개
념 적용 방법을 한눈에 볼 수 있게 정리하였습니
다. 또한 해법에서는 그 문제에 쓰인 개념과 원리
를 요약·정리하였습니다.

## STEP ③ 유형 드릴

필수 유형에서 학습한 개념과 유사한 문제들로 구
성하였습니다. '한번 더 확인'을 통해 비슷한 유형
의 문제를 다시 풀어 보면서 개념을 한번 더 다질
수 있습니다.

## 정답과 해설

자세하고 친절한 해설!

**해결 전략** 문제를 접근할 수 있는 실마리를 제공하였습니다.

**다른 풀이** 일반적인 풀이 방법도 중요하지만 다른 원리나 개
념으로도 풀 수 있음을 제시하였습니다.

**Lecture** 풀이를 이해하는 데 도움이 되는 내용, 풀이 과정에
서 범할 수 있는 실수들, 주의할 내용들을 짚어줍니다.

# 이 책의 차례
# Contents

# 1 이차곡선

이 단원에서는 이차곡선에 대해 배울 거야.

이차곡선에는 어떤 것이 있어요?

이전에 배웠던 원도 이차곡선이야. 비스듬히 던진 공이 날아가며 그리는
포물선 모양도 있고, 태양계 행성의 공전 궤도처럼 타원 모양도 있지. 물결
파의 간섭 현상에서 찾아볼 수 있는 쌍곡선 모양도 있단다.

## 개념 & 유형 map

**1. 포물선**

| | |
|---|---|
| 개념 01 포물선의 방정식 | 유형 01 포물선의 방정식 |
| | 유형 02 포물선의 정의의 활용 – 포물선 위의 점이 주어진 경우 |
| | 유형 03 포물선의 정의의 활용 – 선분의 길이의 합의 최솟값 |
| 개념 02 포물선의 평행이동 | 유형 04 꼭짓점이 원점이 아닌 포물선의 방정식 |
| | 유형 05 포물선의 방정식의 일반형 |

**2. 타원**

| | |
|---|---|
| 개념 01 타원의 방정식 | 유형 01 타원의 방정식 |
| | 유형 02 타원의 정의의 활용 – 삼각형의 둘레의 길이와 넓이 |
| | 유형 03 타원의 정의의 활용 – 최대 · 최소 |
| 개념 02 타원의 평행이동 | 유형 04 중심이 원점이 아닌 타원의 방정식 |
| | 유형 05 타원의 방정식의 일반형 |

**3. 쌍곡선**

| | |
|---|---|
| 개념 01 쌍곡선의 방정식 | 유형 01 쌍곡선의 방정식 |
| 개념 02 쌍곡선의 점근선 | 유형 02 쌍곡선의 점근선 |
| | 유형 03 쌍곡선의 정의의 활용 |
| | 유형 04 쌍곡선의 정의의 활용 – 이차곡선이 주어진 경우 |
| 개념 03 쌍곡선의 평행이동 | 유형 05 중심이 원점이 아닌 쌍곡선의 방정식 |
| | 유형 06 쌍곡선의 방정식의 일반형 |
| 개념 04 이차곡선 | 유형 07 포물선, 타원, 쌍곡선이 되기 위한 조건 |

# 1 포물선

### 개념 01 포물선의 방정식

**1 포물선의 뜻**

평면 위에 한 점 F와 점 F를 지나지 않는 직선 $l$이 있을 때, 점 F와 직선 $l$에 이르는 거리가 같은 점들의 집합을 **포물선**이라 한다.

(1) **초점**: 점 F 　　　　(2) **준선**: 직선 $l$

(3) **축(대칭축)**: 초점 F를 지나고, 준선 $l$에 수직인 직선

(4) **꼭짓점**: 포물선과 축의 교점 A

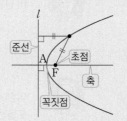

참고 초점이 F인 포물선 위의 점 P에서 준선 $l$에 내린 수선의 발을 H라 하면 ⇨ $\overline{PF}=\overline{PH}$

**2 포물선의 방정식** 　9쪽 원리 알아보기

(1) 초점이 $F(p, 0)$이고 준선이 $x=-p$인 포물선의 방정식

　➡ $y^2=4px$ (단, $p\neq0$)

(2) 초점이 $F(0, p)$이고 준선이 $y=-p$인 포물선의 방정식

　➡ $x^2=4py$ (단, $p\neq0$)

설명　　포물선의 그래프의 개형과 그 특징에 대하여 알아보자.

| 방정식 | $y^2=4px\ (p\neq0)$ | $x^2=4py\ (p\neq0)$ |
|---|---|---|
| 그래프 |  ➡ 왼쪽으로 볼록한 포물선 <br> ➡ 오른쪽으로 볼록한 포물선 | ➡ 아래로 볼록한 포물선 <br> ➡ 위로 볼록한 포물선 |
| 초점 | $F(p, 0)$ ← $x$축 위에 있음 | $F(0, p)$ ← $y$축 위에 있음 |
| 준선의 방정식 | $x=-p$ ← $y$축에 평행 | $y=-p$ ← $x$축에 평행 |

| 정답과 해설 2쪽 |

**개념 확인 1**　다음 포물선의 초점의 좌표와 준선의 방정식을 구하시오.

(1) $y^2=-4x$ 　　　　　　　　　　　　　　(2) $x^2=2y$

# 포물선의 방정식

## (1) 점 $F(p, 0)$ $(p \neq 0)$을 초점으로 하고 직선 $x = -p$를 준선으로 하는 포물선의 방정식

오른쪽 그림과 같이 포물선 위의 임의의 점 $P(x, y)$에서 준선 $x = -p$에 내린 수선의 발을 H라 하면 점 H의 좌표는

$$(-p, y)$$

포물선의 정의에 의하여 $\overline{PF} = \overline{PH}$이므로

$$\sqrt{(x-p)^2 + y^2} = |x+p|$$

양변을 제곱하여 정리하면

$$y^2 = 4px \qquad \cdots\cdots \text{㉠}$$

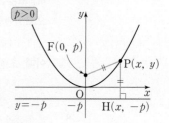

역으로 점 $P(x, y)$가 방정식 ㉠을 만족시키면 $\overline{PF} = \overline{PH}$이므로 점 P는 초점이 $F(p, 0)$이고 준선이 $x = -p$인 포물선 위의 점이다.

따라서 초점이 $F(p, 0)$이고 준선이 $x = -p$인 포물선의 방정식은

$$\boldsymbol{y^2 = 4px} \text{ (단, } p \neq 0)$$

## (2) 점 $F(0, p)$ $(p \neq 0)$를 초점으로 하고 직선 $y = -p$를 준선으로 하는 포물선의 방정식

오른쪽 그림과 같이 포물선 위의 임의의 점 $P(x, y)$에서 준선 $y = -p$에 내린 수선의 발을 H라 하면 점 H의 좌표는

$$(x, -p)$$

따라서 위와 같은 방법으로 하면 초점이 $F(0, p)$이고 준선이 $y = -p$인 포물선의 방정식은

$$\boldsymbol{x^2 = 4py} \text{ (단, } p \neq 0)$$

> **Lecture**
> ❶ 초점이 $F(p, 0)$이고 준선이 $x = -p$인 포물선의 방정식 ➡ $\boldsymbol{y^2 = 4px}$ (단, $p \neq 0$)
> ❷ 초점이 $F(0, p)$이고 준선이 $y = -p$인 포물선의 방정식 ➡ $\boldsymbol{x^2 = 4py}$ (단, $p \neq 0$)

참고 포물선 $y^2 = 4px$, $x^2 = 4py$는 $p$의 부호에 따라 그래프의 방향이 다르다.

| (1) $y^2 = 4px$ | (2) $x^2 = 4py$ |
|:---:|:---:|

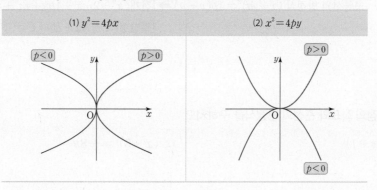

## 개념 **02** 포물선의 평행이동

### **1** 포물선의 평행이동

(1) 포물선 $y^2=4px$를 $x$축의 방향으로 $m$만큼, $y$축의 방향으로 $n$만큼 평행이동한 포물선의 방정식
➡ $(y-n)^2=4p(x-m)$

(2) 포물선 $x^2=4py$를 $x$축의 방향으로 $m$만큼, $y$축의 방향으로 $n$만큼 평행이동한 포물선의 방정식
➡ $(x-m)^2=4p(y-n)$

**참고** 점과 도형의 평행이동

| 점 $(x, y)$ <br> 도형 $y=f(x)$ | $x$축의 방향으로 $m$만큼, <br> $y$축의 방향으로 $n$만큼 평행이동 | 점 $(x+m, y+n)$ <br> 도형 $y-n=f(x-m)$ |
| --- | --- | --- |

### **2** 포물선의 방정식의 일반형

평행이동한 포물선의 방정식을 전개하면 다음과 같은 방정식을 얻을 수 있다.

(1) 축이 $x$축에 평행한 포물선의 방정식
➡ $y^2+Ax+By+C=0$ (단, $A \neq 0$) ← $xy$항이 없고, $x$항, $y^2$항이 반드시 있다.

(2) 축이 $y$축에 평행한 포물선의 방정식
➡ $x^2+Ax+By+C=0$ (단, $B \neq 0$) ← $xy$항이 없고, $y$항, $x^2$항이 반드시 있다.

---

**설명**

**1** 포물선을 평행이동하면 그 곡선도 포물선이다.

즉, 포물선 $y^2=4px$를 $x$축의 방향으로 $m$만큼, $y$축의 방향
으로 $n$만큼 평행이동한 포물선의 방정식은

$$(y-n)^2=4p(x-m)$$

이때, 초점, 준선, 꼭짓점은 각각 다음과 같다.

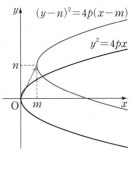

| | $y^2=4px$ | $(y-n)^2=4p(x-m)$ |
| --- | --- | --- |
| 초점의 좌표 | $(p, 0)$ | $(p+m, n)$ |
| 준선의 방정식 | $x=-p$ | $x=-p+m$ |
| 꼭짓점의 좌표 | $(0, 0)$ | $(m, n)$ |

**2** 포물선의 방정식의 일반형을 알아보자.

(1) 축이 $x$축에 평행한 포물선의 방정식

포물선의 방정식 $(y-n)^2=4p(x-m)$ ➡ [전개] $y^2-4px-2ny+n^2+4pm=0$
[일반형] $y^2+Ax+By+C=0$ (단, $A \neq 0$)

(2) 축이 $y$축에 평행한 포물선의 방정식

포물선의 방정식 $(x-m)^2=4p(y-n)$ ➡ [전개] $x^2-2mx-4py+m^2+4pn=0$
[일반형] $x^2+Ax+By+C=0$ (단, $B \neq 0$)

---

| 정답과 해설 2쪽 |

**개념 확인 2** 다음 포물선의 초점의 좌표와 준선의 방정식을 구하시오.

(1) $(y-2)^2=4(x+1)$　　　　　　　　　(2) $(x-3)^2=-8y$

**개념 check**

**1-1** 다음 포물선의 방정식을 구하시오.

(1) 초점의 좌표가 $(-2, 0)$, 준선이 $x=2$인 포물선

(2) 초점의 좌표가 $(0, 3)$, 준선이 $y=-3$인 포물선

연구 (1) $y^2=4px$에서 $p=-2$이므로 구하는 포물선의 방정식은 ☐

(2) $x^2=4py$에서 $p=3$이므로 구하는 포물선의 방정식은 ☐

**스스로 check**

**1-2** 다음 포물선의 방정식을 구하시오.

(1) 초점의 좌표가 $(3, 0)$, 준선이 $x=-3$인 포물선

(2) 초점의 좌표가 $(-5, 0)$, 준선이 $x=5$인 포물선

(3) 초점의 좌표가 $(0, -4)$, 준선이 $y=4$인 포물선

(4) 초점의 좌표가 $\left(0, \dfrac{1}{3}\right)$, 준선이 $y=-\dfrac{1}{3}$인 포물선

**2-1** 다음 포물선의 초점의 좌표와 준선의 방정식을 구하시오.

(1) $y^2=2x$

(2) $x^2=-12y$

(3) $(x-2)^2=4(y+3)$

연구 (1) $y^2=2x=4\times\dfrac{1}{2}\times x$이므로 초점의 좌표는 ☐, 준선의 방정식은 ☐ 이다.

(2) $x^2=-12y=4\times(-3)\times y$이므로 초점의 좌표는 ☐, 준선의 방정식은 ☐ 이다.

(3) 포물선 $(x-2)^2=4(y+3)$은 포물선 $x^2=4y$를 $x$축의 방향으로 2만큼, $y$축의 방향으로 $-3$만큼 평행이동한 것이다.

이때, 포물선 $x^2=4y=4\times1\times y$의 초점의 좌표는 $(0, 1)$, 준선의 방정식은 $y=-1$이므로 주어진 포물선의 초점의 좌표는 ☐, 준선의 방정식은 ☐ 이다.

**2-2** 다음 포물선의 초점의 좌표와 준선의 방정식을 구하시오.

(1) $y^2=16x$

(2) $x^2=-3y$

(3) $(y+1)^2=-4(x-3)$

(4) $(x+4)^2=8(y+2)$

## 대표 유형 01 포물선의 방정식

🔁 유형 해결의 법칙 12쪽 유형 01

준선이 함수 $y=(x+2)^2$의 그래프의 축과 일치하고 초점의 좌표가 $(2, 0)$인 포물선의 방정식을 구하시오.

**풀이**

**❶ 함수 $y=(x+2)^2$의 그래프의 축의 방정식 구하기**

함수 $y=(x+2)^2$의 그래프의 축의 방정식은

$x=-2$

**❷ 포물선의 방정식 구하기**

준선이 함수 $y=(x+2)^2$의 그래프의 축과 일치하므로 준선의 방정식은

$x=-2$

따라서 준선의 방정식이 $x=-2$이고, 초점의 좌표가 $(2, 0)$인 포물선의 방정식은

$y^2=4px$에서 $p=2$이므로

$y^2=4\times2\times x$, 즉 $y^2=8x$

📄 $y^2=8x$

**해법**

| 초점이 $F(p, 0)$, 준선이 $x=-p$인 포물선 | ⟶ | $y^2=4px$ (단, $p\neq0$) |
| 초점이 $F(0, p)$, 준선이 $y=-p$인 포물선 | ⟶ | $x^2=4py$ (단, $p\neq0$) |

| 정답과 해설 2쪽 |

**01-1** 초점이 $F(-2, 0)$이고 준선이 $x=2$인 포물선이 점 $(a, 4)$를 지날 때, $a$의 값을 구하시오.

**01-2** 원 $x^2+(y+3)^2=1$의 중심을 초점으로 하고 준선이 $y=3$인 포물선의 방정식을 구하시오.

대표 유형 **02** **포물선의 정의의 활용 – 포물선 위의 점이 주어진 경우**  ↺ 유형 해결의 법칙 12쪽 유형 02

포물선 $y^2 = -8x$ 위의 점 P$(a, b)$와 이 포물선의 초점 F 사이의 거리가 4일 때, $a+b$의 값을 구하시오.

(단, $b > 0$)

풀이

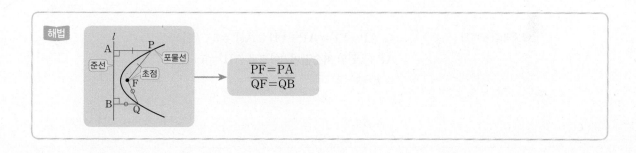

**①** 포물선의 초점의 좌표와 준선의 방정식 구하기

포물선 $y^2 = -8x = 4 \times (-2) \times x$의 초점은 F$(-2, 0)$, 준선의 방정식은 $x = 2$이다.

**②** $a+b$의 값 구하기

오른쪽 그림과 같이 준선 $x = 2$와 $x$축이 만나는 점을 A라 하면
$\overline{\text{FA}} = 4$
점 P에서 준선 $x = 2$에 내린 수선의 발을 H라 하면
$\overline{\text{PH}} = \overline{\text{PF}} = 4$이므로 점 P의 좌표는 $(-2, 4)$이다.
따라서 $a = -2$, $b = 4$이므로 $a+b = -2+4 = 2$

답 2

해법

$$\overline{\text{PF}} = \overline{\text{PA}}$$
$$\overline{\text{QF}} = \overline{\text{QB}}$$

| 정답과 해설 3쪽 |

**02-1** 오른쪽 그림의 포물선 $y^2 = 4x$ 위의 한 점 P에서 이 포물선의 준선 $l$에 내린 수선의 발을 Q라 하면 $\overline{\text{PQ}} = 5$이다. 이 포물선의 초점을 F라 할 때, 삼각형 PQF의 넓이를 구하시오.

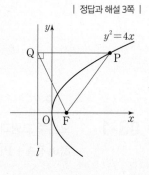

**02-2** 오른쪽 그림과 같이 곡선 위의 임의의 점 P$(x, y)$에서 점 A$(0, 2)$와 직선 $y = -2$에 이르는 거리가 같을 때, 이 곡선의 방정식을 구하시오.

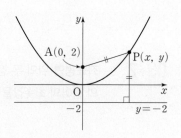

대표 유형 **03** **포물선의 정의의 활용 – 선분의 길이의 합의 최솟값** ↻ 유형 해결의 법칙 13쪽 유형 04

오른쪽 그림과 같은 포물선 $y^2=4kx$의 초점을 F라 하자. 점 A$(5, 7)$과 포물선 위의 임의의 점 P에 대하여 $\overline{AP}+\overline{PF}$의 최솟값이 8일 때, 양수 $k$의 값을 구하시오.

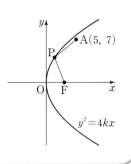

**풀이**

**❶ $\overline{AP}+\overline{PF}$가 최소가 되는 점 P의 위치 찾기**

포물선 $y^2=4kx$의 초점은 F$(k, 0)$, 준선의 방정식은 $x=-k$이다.
오른쪽 그림과 같이 점 P에서 준선 $x=-k$에 내린 수선의 발을 H라 하면 $\overline{PF}=\overline{PH}$이므로
$$\overline{AP}+\overline{PF}=\overline{AP}+\overline{PH}$$
이때, 점 A에서 준선에 내린 수선의 발을 H′이라 하면 점 P가 $\overline{AH'}$ 위에 있을 때 $\overline{AP}+\overline{PH}$는 최솟값을 갖는다.

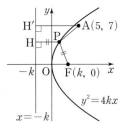

**❷ $k$의 값 구하기**

즉, $\overline{AP}+\overline{PF}=\overline{AP}+\overline{PH}\geq\overline{AH'}=5+k$이고
$\overline{AP}+\overline{PF}$의 최솟값이 8이므로 $\overline{AH'}=5+k=8$
$\therefore k=3$

**답** 3

**해법**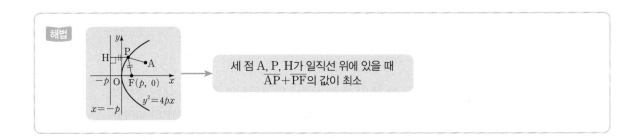

세 점 A, P, H가 일직선 위에 있을 때
$\overline{AP}+\overline{PF}$의 값이 최소

| 정답과 해설 3쪽 |

**03-1** 오른쪽 그림과 같이 포물선 $y^2=4x$ 위의 임의의 점 P와 두 점 A$(1, 0)$, B$(3, 2)$에 대하여 $\overline{PA}+\overline{PB}$의 최솟값을 구하시오.

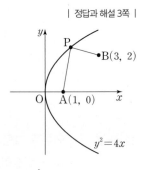

**03-2** 좌표평면 위의 두 점 A$(0, -1)$, B$(3, -5)$와 포물선 $x^2=-4y$ 위의 임의의 점 P에 대하여 삼각형 PAB의 둘레의 길이의 최솟값을 구하시오.

## 대표 유형 ④ 꼭짓점이 원점이 아닌 포물선의 방정식

유형 해결의 법칙 14쪽 유형 06

> 원 $x^2+(y-3)^2=1$의 중심을 초점으로 하고 준선이 $y=-5$인 포물선의 방정식을 구하시오.

**풀이**

**❶ 포물선의 초점의 좌표 구하기**

원 $x^2+(y-3)^2=1$의 중심의 좌표는 $(0, 3)$이므로 포물선의 초점의 좌표는 $(0, 3)$이다.

**❷ 포물선의 방정식 구하기**

포물선 위의 임의의 점 P의 좌표를 $(x, y)$, 포물선의 초점을 F, 점 P에서 직선 $y=-5$에 내린 수선의 발을 H라 하면 포물선의 정의에 의하여 $\overline{PF}=\overline{PH}$이므로

$$\sqrt{x^2+(y-3)^2}=|y+5|$$

양변을 제곱하면

$$x^2+(y-3)^2=(y+5)^2$$

$$\therefore x^2=16(y+1)$$

답 $x^2=16(y+1)$

**다른 풀이 1**

주어진 포물선의 준선이 $x$축에 평행하므로 주어진 포물선은 포물선 $x^2=4py$ $(p\neq0)$를 평행이동한 것이다.

주어진 포물선의 방정식을 $(x-m)^2=4p(y-n)$으로 놓으면 초점의 좌표는 $(m, p+n)$, 준선의 방정식은 $y=-p+n$이다.

이때, 초점의 좌표가 $(0, 3)$, 준선의 방정식이 $y=-5$이므로

$$m=0, p+n=3, -p+n=-5 \quad \therefore p=4, m=0, n=-1$$

따라서 구하는 포물선의 방정식은 $x^2=4\times4\times(y+1)$ $\quad \therefore x^2=16(y+1)$

**다른 풀이 2**

포물선의 초점의 좌표는 $(0, 3)$이고, 포물선의 꼭짓점에서 초점에 이르는 거리와 준선에 이르는 거리는 같으므로 꼭짓점의 좌표는 $(0, -1)$이다.

이때, 주어진 포물선의 준선 $y=-5$가 $x$축에 평행하므로 구하는 포물선의 방정식을

$$x^2=4p(y+1) \quad \cdots\cdots ㉠$$

로 놓을 수 있다.

포물선 ㉠은 포물선 $x^2=4py$를 $y$축의 방향으로 $-1$만큼 평행이동한 것이므로 포물선 ㉠의 초점의 좌표는 $(0, p-1)$이다.

즉, $p-1=3$에서 $p=4$

따라서 구하는 포물선의 방정식은 $x^2=4\times4\times(y+1)$ $\quad \therefore x^2=16(y+1)$

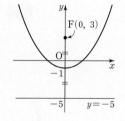

**해법**

| 꼭짓점이 원점이 아닌 포물선의 방정식 | → | 포물선 위의 임의의 점 P의 좌표를 $(x, y)$로 놓고 점 P에서 초점과 준선에 이르는 거리가 서로 같음을 이용하여 구한다. |

| 정답과 해설 3쪽 |

**04-1** 점 F$(4, 1)$과 직선 $x=2$로부터 같은 거리에 있는 점 P가 나타내는 도형의 방정식을 구하시오.

### 대표 유형 05 포물선의 방정식의 일반형

↪ 유형 해결의 법칙 14쪽 유형 07

포물선 $y^2+8x+2py+q=0$의 초점의 좌표가 $(-4, 1)$일 때, $p+q$의 값을 구하시오. (단, $p$, $q$는 상수)

**풀이**

**❶ 포물선의 방정식의 일반형을 표준형으로 고치기**

$y^2+8x+2py+q=0$에서 $(y+p)^2=-8x+p^2-q$

$\therefore (y+p)^2=-8\left(x-\dfrac{p^2-q}{8}\right)$

**❷ 포물선의 초점의 좌표를 $p$, $q$로 나타내기**

주어진 포물선은 포물선 $y^2=-8x$를 $x$축의 방향으로 $\dfrac{p^2-q}{8}$만큼, $y$축의 방향으로 $-p$만큼 평행이동한 것이다.

이때, 포물선 $y^2=-8x=4\times(-2)\times x$의 초점의 좌표는 $(-2, 0)$이므로 주어진 포물선의 초점의 좌표는 $\left(-2+\dfrac{p^2-q}{8}, -p\right)$이다.

**❸ $p+q$의 값 구하기**

따라서 $-2+\dfrac{p^2-q}{8}=-4$, $-p=1$이므로 두 식을 연립하여 풀면

$p=-1$, $q=17$

$\therefore p+q=-1+17=16$

🖪 16

**해법** 포물선의 방정식의 일반형 ➡ 표준형 $(y-n)^2=4p(x-m)$ 또는 $(x-m)^2=4p(y-n)$ 꼴로 고친 후 평행이동을 이용한다.

| 정답과 해설 4쪽 |

**05-1** 포물선 $y^2-8x+4y+28=0$의 초점의 좌표가 $(a, b)$, 준선의 방정식이 $x=c$일 때, $a+b+c$의 값을 구하시오.

(단, $c$는 상수)

**05-2** 세 점 $(0, 0)$, $(4, 0)$, $(3, -2)$를 지나고 축이 $y$축에 평행한 포물선의 방정식을 구하시오.

## 2 타원

### 개념 01 타원의 방정식

**1 타원의 뜻**

평면 위의 서로 다른 두 점 F, F′으로부터의 거리의 합이 일정한 점들의 집합을 **타원**이라 한다.

(1) **초점**: 두 점 F, F′

(2) **꼭짓점**: 타원과 두 축의 교점 A, A′, B, B′

(3) **장축**: 길이가 긴 선분 AA′   (4) **단축**: 길이가 짧은 선분 BB′

(5) **중심**: 장축과 단축의 교점(두 초점 F와 F′을 이은 선분의 중점)

참고 초점이 F, F′인 타원 위의 점 P에 대하여 $\overline{PF}+\overline{PF'}=$(일정), $\overline{PF}+\overline{PF'}>\overline{FF'}$

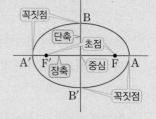

**2 타원의 방정식**   18쪽 원리 알아보기

(1) 두 초점 $F(c, 0)$, $F'(-c, 0)$으로부터의 거리의 합이 $2a$인 타원의 방정식

$$\Rightarrow \frac{x^2}{a^2}+\frac{y^2}{b^2}=1 \ (\text{단}, a>c>0, b^2=a^2-c^2)$$

(2) 두 초점 $F(0, c)$, $F'(0, -c)$로부터의 거리의 합이 $2b$인 타원의 방정식

$$\Rightarrow \frac{x^2}{a^2}+\frac{y^2}{b^2}=1 \ (\text{단}, b>c>0, a^2=b^2-c^2)$$

**설명** 타원의 그래프의 개형과 그 특징에 대하여 알아보자.

| 방정식 | $\frac{x^2}{a^2}+\frac{y^2}{b^2}=1 \ (a>c>0, b^2=a^2-c^2)$ | $\frac{x^2}{a^2}+\frac{y^2}{b^2}=1 \ (b>c>0, a^2=b^2-c^2)$ |
|---|---|---|
| 그래프 | ➡ 좌우로 긴 타원 | ➡ 상하로 긴 타원 |
| 초점 | $F(\sqrt{a^2-b^2}, 0)$, $F'(-\sqrt{a^2-b^2}, 0)$ | $F(0, \sqrt{b^2-a^2})$, $F'(0, -\sqrt{b^2-a^2})$ |
| 거리의 합 | $\overline{PF}+\overline{PF'}=2a$ | $\overline{PF}+\overline{PF'}=2b$ |
| 장축의 길이 | $2a$ | $2b$ |
| 단축의 길이 | $2b$ | $2a$ |

| 정답과 해설 4쪽 |

**개념 확인 1** 다음 타원의 초점의 좌표와 장축, 단축의 길이를 구하시오.

(1) $\frac{x^2}{5^2}+\frac{y^2}{4^2}=1$ 　　　　　　　　　(2) $\frac{x^2}{3^2}+\frac{y^2}{5^2}=1$

# 타원의 방정식

(1) 두 초점 $\mathrm{F}(c, 0)$, $\mathrm{F}'(-c, 0)$으로부터의 거리의 합이 $2a$ $(a>c>0)$인 타원의 방정식

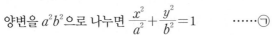

오른쪽 그림과 같이 타원 위의 임의의 점을 $\mathrm{P}(x, y)$라 하자.

이때, 타원의 정의에 의하여 $\overline{\mathrm{PF}}+\overline{\mathrm{PF}'}=2a$이므로

$$\sqrt{(x-c)^2+y^2}+\sqrt{(x+c)^2+y^2}=2a$$
$$\sqrt{(x-c)^2+y^2}=2a-\sqrt{(x+c)^2+y^2}$$

양변을 제곱하여 정리하면 $a\sqrt{(x+c)^2+y^2}=cx+a^2$

다시 양변을 제곱하여 정리하면 $(a^2-c^2)x^2+a^2y^2=a^2(a^2-c^2)$

$a>c>0$이므로 $a^2-c^2=b^2$으로 놓으면 $b^2x^2+a^2y^2=a^2b^2$

양변을 $a^2b^2$으로 나누면 $\dfrac{x^2}{a^2}+\dfrac{y^2}{b^2}=1$ ······㉠

역으로 점 $\mathrm{P}(x, y)$가 방정식 ㉠을 만족시키면 $\overline{\mathrm{PF}}+\overline{\mathrm{PF}'}=2a$이므로 점 P는 두 초점 $\mathrm{F}(c, 0)$, $\mathrm{F}'(-c, 0)$으로부터의 거리의 합이 $2a$인 타원 위의 점이다.

따라서 두 초점 $\mathrm{F}(c, 0)$, $\mathrm{F}'(-c, 0)$으로부터의 거리의 합이 $2a$인 타원의 방정식은

$$\frac{x^2}{a^2}+\frac{y^2}{b^2}=1 \ (\text{단}, \ b^2=a^2-c^2)$$

(2) 두 초점 $\mathrm{F}(0, c)$, $\mathrm{F}'(0, -c)$로부터의 거리의 합이 $2b$ $(b>c>0)$인 타원의 방정식

위와 같은 방법으로 하면 두 초점 $\mathrm{F}(0, c)$, $\mathrm{F}'(0, -c)$로부터의 거리의

합이 $2b$인 타원의 방정식은

$$\frac{x^2}{a^2}+\frac{y^2}{b^2}=1 \ (\text{단}, \ a^2=b^2-c^2)$$

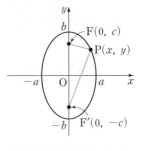

---

**Lecture**

❶ 두 초점 $\mathrm{F}(c, 0)$, $\mathrm{F}'(-c, 0)$으로부터의 거리의 합이 $2a$인 타원의 방정식

$\Rightarrow \dfrac{x^2}{a^2}+\dfrac{y^2}{b^2}=1$ (단, $a>c>0$, $b^2=a^2-c^2$)

❷ 두 초점 $\mathrm{F}(0, c)$, $\mathrm{F}'(0, -c)$로부터의 거리의 합이 $2b$인 타원의 방정식

$\Rightarrow \dfrac{x^2}{a^2}+\dfrac{y^2}{b^2}=1$ (단, $b>c>0$, $a^2=b^2-c^2$)

---

**참고** 타원 $\dfrac{x^2}{a^2}+\dfrac{y^2}{b^2}=1$의 초점의 좌표 구하기

(ⅰ) $a>b>0$일 때

초점이 $x$축 위에 있으므로 두 초점을 $\mathrm{F}(c, 0)$, $\mathrm{F}'(-c, 0)$ $(c>0)$이라 하면 점 $\mathrm{P}(0, b)$에 대하여 $\overline{\mathrm{PF}'}=\overline{\mathrm{PF}}$이므로

$\overline{\mathrm{PF}}+\overline{\mathrm{PF}'}=\overline{\mathrm{PF}}+\overline{\mathrm{PF}}=2a$ $\therefore \overline{\mathrm{PF}}=a$

이때, $\triangle\mathrm{POF}$는 직각삼각형이므로 $b^2+c^2=a^2$ $\therefore c=\sqrt{a^2-b^2}$

따라서 초점의 좌표는 $\mathrm{F}(\sqrt{a^2-b^2}, 0)$, $\mathrm{F}'(-\sqrt{a^2-b^2}, 0)$

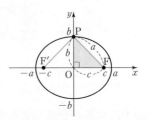

(ⅱ) $b>a>0$일 때

초점이 $y$축 위에 있으므로 두 초점을 $\mathrm{F}(0, c)$, $\mathrm{F}'(0, -c)$ $(c>0)$라 하고 위와 같은 방법으로 구하면 초점의 좌표는 $\mathrm{F}(0, \sqrt{b^2-a^2})$, $\mathrm{F}'(0, -\sqrt{b^2-a^2})$

개념 **02** 타원의 평행이동

**1 타원의 평행이동**

타원 $\dfrac{x^2}{a^2}+\dfrac{y^2}{b^2}=1$을 $x$축의 방향으로 $m$만큼, $y$축의 방향으로 $n$만큼 평행이동한 타원의 방정식

➡ $\dfrac{(x-m)^2}{a^2}+\dfrac{(y-n)^2}{b^2}=1$

**2 타원의 방정식의 일반형**

평행이동한 타원의 방정식을 전개하면 다음과 같은 방정식을 얻을 수 있다.

➡ $Ax^2+By^2+Cx+Dy+E=0$ (단, $AB>0$, $A\neq B$) ← $xy$항이 없고, $x^2$항, $y^2$항이 모두 있다.

---

설명

**1** 타원을 평행이동하면 그 곡선도 타원이다.

즉, 타원 $\dfrac{x^2}{a^2}+\dfrac{y^2}{b^2}=1\ (a>b>0)$을 $x$축의 방향으

로 $m$만큼, $y$축의 방향으로 $n$만큼 평행이동한 타

원의 방정식은

$$\dfrac{(x-m)^2}{a^2}+\dfrac{(y-n)^2}{b^2}=1 \qquad \cdots\cdots\bigcirc$$

이때, 중심, 초점, 꼭짓점, 장축, 단축은 각각 다음과 같다.

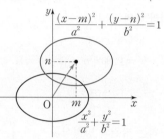

|  | $\dfrac{x^2}{a^2}+\dfrac{y^2}{b^2}=1\ (a>b>0)$ | $\dfrac{(x-m)^2}{a^2}+\dfrac{(y-n)^2}{b^2}=1$ |
|---|---|---|
| 중심의 좌표 | $(0,\ 0)$ | $(m,\ n)$ |
| 초점의 좌표 | $(\sqrt{a^2-b^2},\ 0),\ (-\sqrt{a^2-b^2},\ 0)$ | $(\sqrt{a^2-b^2}+m,\ n),\ (-\sqrt{a^2-b^2}+m,\ n)$ |
| 꼭짓점의 좌표 | $(a,\ 0),\ (-a,\ 0)$ $(0,\ b),\ (0,\ -b)$ | $(a+m,\ n),\ (-a+m,\ n)$ $(m,\ b+n),\ (m,\ -b+n)$ |
| 장축의 길이 | $2a$ | $2a$ |
| 단축의 길이 | $2b$ | $2b$ |

평행이동하여도 그 모양과 크기는 변하지 않으므로 장축과 단축의 길이는 변하지 않아. ☺

**2** 타원의 방정식의 일반형을 알아보자.

타원의 방정식 $\dfrac{(x-m)^2}{a^2}+\dfrac{(y-n)^2}{b^2}=1$

➡ [전개] $b^2x^2+a^2y^2-2b^2mx-2a^2ny+b^2m^2+a^2n^2-a^2b^2=0$

[일반형] $Ax^2+By^2+Cx+Dy+E=0$ (단, $AB>0$, $A\neq B$)

---

| 정답과 해설 4쪽 |

개념 확인 2  다음 타원의 초점의 좌표와 장축, 단축의 길이를 구하시오.

(1) $\dfrac{(x+1)^2}{9}+\dfrac{(y-2)^2}{5}=1$

(2) $\dfrac{(x-3)^2}{5}+\dfrac{(y+2)^2}{9}=1$

**개념 check**

**1-1** 다음 타원의 방정식을 구하시오.

(1) 두 점 $F(1, 0)$, $F'(-1, 0)$으로부터의 거리의 합이 6인 타원

(2) 두 초점이 $F(0, 2)$, $F'(0, -2)$이고 장축의 길이가 8인 타원

〔연구〕 (1) 구하는 타원의 방정식을 $\dfrac{x^2}{a^2}+\dfrac{y^2}{b^2}=1$ $(a>b>0)$

↳ 두 초점이 $x$축 위에 있는 경우

이라 하면

$2a=6$에서 $a=3$

$a^2-b^2=1^2$에서 $b^2=3^2-1^2=8$

$\therefore \dfrac{x^2}{\boxed{\phantom{00}}}+\dfrac{y^2}{\boxed{\phantom{00}}}=1$

(2) 구하는 타원의 방정식을 $\dfrac{x^2}{a^2}+\dfrac{y^2}{b^2}=1$ $(b>a>0)$

↳ 두 초점이 $y$축 위에 있는 경우

이라 하면

$2b=8$에서 $b=4$

$b^2-a^2=2^2$에서 $a^2=4^2-2^2=12$

$\therefore \dfrac{x^2}{\boxed{\phantom{00}}}+\dfrac{y^2}{\boxed{\phantom{00}}}=1$

**스스로 check**

**1-2** 다음 타원의 방정식을 구하시오.

(1) 두 점 $F(2, 0)$, $F'(-2, 0)$으로부터의 거리의 합이 10인 타원

(2) 두 점 $F(0, \sqrt{3})$, $F'(0, -\sqrt{3})$으로부터의 거리의 합이 12인 타원

(3) 두 초점이 $F(3, 0)$, $F'(-3, 0)$이고 장축의 길이가 $2\sqrt{11}$인 타원

(4) 두 초점이 $F(0, 4)$, $F'(0, -4)$이고 단축의 길이가 $2\sqrt{5}$인 타원

**2-1** 타원 $\dfrac{(x-2)^2}{8}+\dfrac{(y+3)^2}{4}=1$의 초점의 좌표와 장축, 단축의 길이를 구하시오.

〔연구〕 주어진 타원은 타원 $\dfrac{x^2}{8}+\dfrac{y^2}{4}=1$을 $x$축의 방향으로 2만큼, $y$축의 방향으로 $-3$만큼 평행이동한 것이다.

이때, 타원 $\dfrac{x^2}{8}+\dfrac{y^2}{4}=1$의 초점의 좌표는

$(\sqrt{8-4}, 0)$, $(-\sqrt{8-4}, 0)$, 즉 $(2, 0)$, $(-2, 0)$

이므로 주어진 타원의 초점의 좌표는 $\boxed{\phantom{0000}}$, $\boxed{\phantom{0000}}$이다.

평행이동하여도 장축, 단축의 길이는 변하지 않으므로 주어진 타원의 장축의 길이는 $2\times 2\sqrt{2}=\boxed{\phantom{00}}$, 단축의 길이는 $2\times 2=\boxed{\phantom{00}}$이다.

**2-2** 다음 타원의 초점의 좌표와 장축, 단축의 길이를 구하시오.

(1) $\dfrac{x^2}{17}+y^2=1$

(2) $\dfrac{(x-1)^2}{25}+\dfrac{(y-4)^2}{15}=1$

(3) $\dfrac{(x+5)^2}{10}+\dfrac{(y+1)^2}{16}=1$

**대표 유형 01 타원의 방정식** ↪ 유형 해결의 법칙 15쪽 유형 08, 09

오른쪽 그림에서 두 점 F, F′은 타원 $\dfrac{x^2}{25}+\dfrac{y^2}{9}=1$의 초점이다. 초점 F를 지나고 장축에 수직인 직선이 타원과 만나는 점을 A, B라 할 때, 선분 AB의 길이를 구하시오.

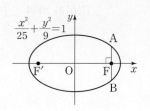

풀이

| ❶ 타원의 초점 F의 좌표 구하기 | 타원 $\dfrac{x^2}{25}+\dfrac{y^2}{9}=1$에서 $\sqrt{25-9}=4$이므로 F$(4, 0)$ |
|---|---|
| ❷ 점 A의 좌표 구하기 | 이때, 점 A의 $x$좌표가 4이므로 $x=4$를 $\dfrac{x^2}{25}+\dfrac{y^2}{9}=1$에 대입하면 $\dfrac{16}{25}+\dfrac{y^2}{9}=1$ <br> 즉, $y^2=\dfrac{81}{25}$에서 $y=\dfrac{9}{5}$ $(\because y>0)$   ∴ A$\left(4, \dfrac{9}{5}\right)$ |
| ❸ $\overline{AB}$의 길이 구하기 | ∴ $\overline{AB}=2\times\overline{AF}=2\times\dfrac{9}{5}=\dfrac{18}{5}$ |

🔖 $\dfrac{18}{5}$

**해법** 타원 $\dfrac{x^2}{a^2}+\dfrac{y^2}{b^2}=1$에 대하여

|  | $a>b>0$일 때 | $b>a>0$일 때 |
|---|---|---|
| 초점의 좌표 | $(\pm\sqrt{a^2-b^2}, 0)$ | $(0, \pm\sqrt{b^2-a^2})$ |
| 장축의 길이 | $2a$ | $2b$ |
| 단축의 길이 | $2b$ | $2a$ |

| 정답과 해설 5쪽 |

**01-1** 두 점 A$(5, 0)$, B$(0, k)$가 두 초점이 F$(3, 0)$, F′$(-3, 0)$인 타원 위의 점일 때, 양수 $k$의 값을 구하시오.

**01-2** 타원 $\dfrac{x^2}{a^2}+\dfrac{y^2}{b^2}=1$ $(b>a>0)$의 두 초점 F, F′을 지름의 양 끝점으로 하고 원점을 중심으로 하는 원이 오른쪽 그림과 같이 타원에 접하고 그 넓이가 $9\pi$일 때, 타원의 장축의 길이를 구하시오.

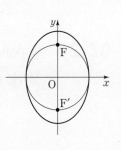

대표 유형 **02** **타원의 정의의 활용 – 삼각형의 둘레의 길이와 넓이** ↻ 유형 해결의 법칙 16쪽 유형 10

오른쪽 그림과 같이 타원 $4x^2+9y^2=36$ 위의 한 점을 P라 하고 두 초점을 F,
F′이라 하면 $\angle FPF'=90°$일 때, 삼각형 FPF′의 넓이를 구하시오.

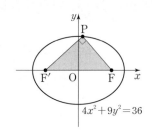

**풀이**

❶ 타원의 정의 적용하기

$4x^2+9y^2=36$에서 $\dfrac{x^2}{9}+\dfrac{y^2}{4}=1$　　$\therefore \overline{\text{PF}}+\overline{\text{PF}'}=2\times 3=6$　　　……㉠

❷ 타원의 초점 F, F′의 좌표 구하기

타원 $\dfrac{x^2}{9}+\dfrac{y^2}{4}=1$에서 $\sqrt{9-4}=\sqrt{5}$이므로 $\text{F}(\sqrt{5},0)$, $\text{F}'(-\sqrt{5},0)$

❸ 삼각형 FPF′의 넓이 구하기

$\therefore \overline{\text{FF}'}=2\times\sqrt{5}=2\sqrt{5}$

삼각형 FPF′은 $\angle FPF'=90°$인 직각삼각형이므로 피타고라스 정리에 의하여

$\overline{\text{PF}}^2+\overline{\text{PF}'}^2=\overline{\text{FF}'}^2=(2\sqrt{5})^2=20$　　　　　　……㉡

㉠, ㉡에서 $\overline{\text{PF}}\times\overline{\text{PF}'}=\dfrac{1}{2}\{(\overline{\text{PF}}+\overline{\text{PF}'})^2-(\overline{\text{PF}}^2+\overline{\text{PF}'}^2)\}=\dfrac{1}{2}(6^2-20)=8$

따라서 구하는 삼각형 FPF′의 넓이는 $\dfrac{1}{2}\times\overline{\text{PF}}\times\overline{\text{PF}'}=\dfrac{1}{2}\times 8=4$

답 4

---

**해법** 타원 $\dfrac{x^2}{a^2}+\dfrac{y^2}{b^2}=1$ 위의 점 P와 두 초점 F, F′에 대하여

❶ $a>b>0$일 때, $\overline{\text{PF}}+\overline{\text{PF}'}=2a$
❷ $b>a>0$일 때, $\overline{\text{PF}}+\overline{\text{PF}'}=2b$

---

| 정답과 해설 6쪽 |

**02-1** 오른쪽 그림과 같이 점 $\text{P}(1,0)$을 지나는 직선이 타원 $\dfrac{x^2}{4}+\dfrac{y^2}{3}=1$과 만나는 점을
A, B라 할 때, 점 $\text{C}(-1,0)$에 대하여 삼각형 ABC의 둘레의 길이를 구하시오.

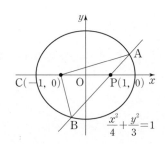

**02-2** 점 $\text{A}(0,4)$를 지나는 직선과 점 $\text{B}(0,-4)$를 지나는 직선이 타원 $\dfrac{x^2}{9}+\dfrac{y^2}{25}=1$ 위의 점 C에서 수직으로 만날 때,
삼각형 ABC의 넓이를 구하시오.

**대표 유형 03 타원의 정의의 활용 – 최대 · 최소**

↪ 유형 해결의 법칙 16쪽 유형 11

오른쪽 그림과 같이 타원 $\dfrac{x^2}{16}+\dfrac{y^2}{9}=1$의 제1사분면 위의 점 P에서 $x$축에 내린 수선의 발을 H라 할 때, 삼각형 POH의 넓이의 최댓값을 구하시오.

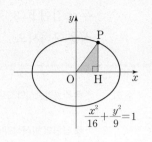

풀이

❶ P($a$, $b$)로 놓고 삼각형 POH의 넓이를 $a$, $b$로 나타내기

점 P의 좌표를 $(a, b)$라 하면 $a>0$, $b>0$이므로 $\overline{\text{OH}}=a$, $\overline{\text{PH}}=b$
이때, 삼각형 POH의 넓이는
$$\frac{1}{2}\times\overline{\text{OH}}\times\overline{\text{PH}}=\frac{1}{2}ab$$

❷ 삼각형 POH의 넓이의 최댓값 구하기

점 P($a$, $b$)는 주어진 타원 위의 점이므로 $\dfrac{a^2}{16}+\dfrac{b^2}{9}=1$

이때, $\dfrac{a^2}{16}>0$, $\dfrac{b^2}{9}>0$이므로 산술평균과 기하평균의 관계에 의하여

$$\frac{a^2}{16}+\frac{b^2}{9}\geq2\sqrt{\frac{a^2}{16}\times\frac{b^2}{9}}=\frac{ab}{6}\left(\text{단, 등호는 }\frac{a^2}{16}=\frac{b^2}{9}\text{일 때 성립}\right)$$

$ab\leq6$   $\therefore \dfrac{1}{2}ab\leq3$

따라서 삼각형 POH의 넓이의 최댓값은 3이다.

답 3

**참고** 산술평균과 기하평균의 관계

$a>0$, $b>0$일 때, $\dfrac{a+b}{2}\geq\sqrt{ab}$ (단, 등호는 $a=b$일 때 성립)

**해법** 합 또는 곱이 일정할 때의 최대 · 최소 ⟶ 산술평균과 기하평균의 관계 이용

| 정답과 해설 6쪽 |

**03-1** 타원 $9x^2+7y^2=63$의 두 초점 F, F′과 타원 위의 한 점 P에 대하여 $\overline{\text{PF}}\times\overline{\text{PF′}}$의 최댓값을 구하시오.

**03-2** 오른쪽 그림과 같이 가로, 세로가 각각 $x$축, $y$축에 평행하고 타원 $\dfrac{x^2}{4}+y^2=1$에 내접하는 직사각형의 넓이의 최댓값을 구하시오.

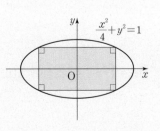

**대표 유형 04** **중심이 원점이 아닌 타원의 방정식**

유형 해결의 법칙 17쪽 유형 13

두 초점이 $F(3, 1)$, $F'(-3, 1)$인 타원 위의 임의의 점 $P$에 대하여 $\overline{PF} + \overline{PF'} = 10$일 때, 이 타원의 방정식을 구하시오.

**풀이**

**❶ 타원의 중심의 좌표 구하기**

타원의 중심은 두 초점의 중점이므로 $(0, 1)$이다.

**❷ 타원의 방정식 구하기**

이때, 두 초점의 $y$좌표가 같으므로 구하는 타원의 방정식을

$\dfrac{x^2}{a^2} + \dfrac{(y-1)^2}{b^2} = 1 \; (a > b > 0)$로 놓을 수 있다.

$\overline{PF} + \overline{PF'} = 2a$이므로 $2a = 10$ $\quad \therefore a = 5$

타원의 중심 $(0, 1)$에서 초점 $(3, 1)$까지의 거리를 $c$라 하면 $c = 3$이므로

$a^2 - b^2 = c^2$에서 $b^2 = a^2 - c^2 = 25 - 9 = 16$

따라서 구하는 타원의 방정식은

$\dfrac{x^2}{25} + \dfrac{(y-1)^2}{16} = 1$

답 $\dfrac{x^2}{25} + \dfrac{(y-1)^2}{16} = 1$

**다른 풀이**

점 $P$의 좌표를 $(x, y)$라 하면 $\overline{PF} + \overline{PF'} = 10$이므로 $\sqrt{(x-3)^2 + (y-1)^2} + \sqrt{(x+3)^2 + (y-1)^2} = 10$

$\sqrt{(x-3)^2 + (y-1)^2} = 10 - \sqrt{(x+3)^2 + (y-1)^2}$

양변을 제곱하면 $(x-3)^2 + (y-1)^2 = 100 - 20\sqrt{(x+3)^2 + (y-1)^2} + (x+3)^2 + (y-1)^2$

$3x + 25 = 5\sqrt{(x+3)^2 + (y-1)^2}$

다시 양변을 제곱하면 $9x^2 + 150x + 25^2 = 25\{(x+3)^2 + (y-1)^2\}$

$16x^2 + 25(y-1)^2 = 25 \times 16$ $\quad \therefore \dfrac{x^2}{25} + \dfrac{(y-1)^2}{16} = 1$

**해법**

타원의 중심의 좌표가 $(m, n)$일 때

두 초점의 $y$좌표가 같으면 ➡ $\dfrac{(x-m)^2}{a^2} + \dfrac{(y-n)^2}{b^2} = 1 \; (a > b > 0)$

두 초점의 $x$좌표가 같으면 ➡ $\dfrac{(x-m)^2}{a^2} + \dfrac{(y-n)^2}{b^2} = 1 \; (b > a > 0)$

| 정답과 해설 7쪽 |

**04-1** 두 초점이 $A(0, 0)$, $B(0, 8)$이고 장축의 길이가 12인 타원의 방정식을 구하시오.

## 대표 유형 05 타원의 방정식의 일반형

유형 해결의 법칙 17쪽 유형 14

타원 $2x^2+3y^2+4x-24y+26=0$의 제1사분면 위에 있는 초점 $F(a, b)$에 대하여 $a+b$의 값을 구하시오.

**풀이**

**❶ 타원의 방정식의 일반형을 표준형으로 고치기**

$2x^2+3y^2+4x-24y+26=0$에서 $2(x+1)^2+3(y-4)^2=24$

$\therefore \dfrac{(x+1)^2}{12}+\dfrac{(y-4)^2}{8}=1$

**❷ 타원의 초점의 좌표 구하기**

주어진 타원은 타원 $\dfrac{x^2}{12}+\dfrac{y^2}{8}=1$을 $x$축의 방향으로 $-1$만큼, $y$축의 방향으로 4만큼

평행이동한 것이다.

타원 $\dfrac{x^2}{12}+\dfrac{y^2}{8}=1$에서 $\sqrt{12-8}=2$이므로 초점의 좌표는

$(2, 0), (-2, 0)$

따라서 주어진 타원의 초점의 좌표는

$(1, 4), (-3, 4)$

**❸ $a+b$의 값 구하기**

그런데 초점 $F(a, b)$는 제1사분면 위의 점이므로

$a=1, b=4$　　$\therefore a+b=1+4=5$

**답** 5

---

**해법** 타원의 방정식의 일반형 ➡ 표준형 $\dfrac{(x-m)^2}{a^2}+\dfrac{(y-n)^2}{b^2}=1$ 꼴로 고친 후 평행이동을 이용한다.

---

| 정답과 해설 7쪽 |

**05-1** 타원 $x^2+5y^2-2x-20y+16=0$의 두 초점 사이의 거리를 구하시오.

**05-2** 타원 $2x^2+y^2-8x+6y+9=0$의 단축의 양 끝점을 A, B라 할 때, 삼각형 OAB의 넓이를 구하시오.

(단, O는 원점이다.)

# 3 쌍곡선

| 개념 파헤치기 |

## 개념 01 쌍곡선의 방정식

### 1 쌍곡선의 뜻

평면 위의 서로 다른 두 점 F, F′으로부터의 거리의 차가 일정한 점
들의 집합을 **쌍곡선**이라 한다.

(1) **초점**: 두 점 F, F′

(2) **꼭짓점**: 쌍곡선과 선분 FF′의 교점 A, A′

(3) **주축**: 선분 AA′

(4) **중심**: 선분 AA′의 중점

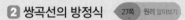

참고 초점이 F, F′인 쌍곡선 위의 점 P에서 $|\overline{PF}-\overline{PF'}|=$(일정), $|\overline{PF}-\overline{PF'}|<\overline{FF'}$

### 2 쌍곡선의 방정식 27쪽 원리 알아보기

(1) 두 초점 $F(c, 0)$, $F'(-c, 0)$으로부터의 거리의 차가 $2a$인 쌍곡선의 방정식

➡ $\dfrac{x^2}{a^2}-\dfrac{y^2}{b^2}=1$ (단, $c>a>0$, $b^2=c^2-a^2$)

(2) 두 초점 $F(0, c)$, $F'(0, -c)$로부터의 거리의 차가 $2b$인 쌍곡선의 방정식

➡ $\dfrac{x^2}{a^2}-\dfrac{y^2}{b^2}=-1$ (단, $c>b>0$, $a^2=c^2-b^2$)

설명 쌍곡선의 그래프의 개형과 그 특징에 대하여 알아보자.

| 방정식 | $\dfrac{x^2}{a^2}-\dfrac{y^2}{b^2}=1$ $(c>a>0, b^2=c^2-a^2)$ | $\dfrac{x^2}{a^2}-\dfrac{y^2}{b^2}=-1$ $(c>b>0, a^2=c^2-b^2)$ |
|---|---|---|
| 그래프 | 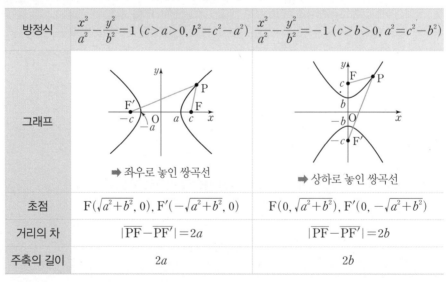 ➡ 좌우로 놓인 쌍곡선 | ➡ 상하로 놓인 쌍곡선 |
| 초점 | $F(\sqrt{a^2+b^2}, 0)$, $F'(-\sqrt{a^2+b^2}, 0)$ | $F(0, \sqrt{a^2+b^2})$, $F'(0, -\sqrt{a^2+b^2})$ |
| 거리의 차 | $|\overline{PF}-\overline{PF'}|=2a$ | $|\overline{PF}-\overline{PF'}|=2b$ |
| 주축의 길이 | $2a$ | $2b$ |

| 정답과 해설 7쪽 |

개념 확인 1 다음 쌍곡선의 초점의 좌표와 주축의 길이를 구하시오.

(1) $\dfrac{x^2}{3^2}-\dfrac{y^2}{4^2}=1$

(2) $\dfrac{x^2}{3^2}-\dfrac{y^2}{4^2}=-1$

## 원리 알아보기 쌍곡선의 방정식

(1) 두 초점 $F(c, 0)$, $F'(-c, 0)$으로부터의 거리의 차가 $2a$ $(c>a>0)$인 쌍곡선의 방정식

오른쪽 그림과 같이 쌍곡선 위의 임의의 점을 $P(x, y)$라 하자.

이때, 쌍곡선의 정의에 의하여 $|\overline{PF}-\overline{PF'}|=2a$이므로

$$|\sqrt{(x-c)^2+y^2}-\sqrt{(x+c)^2+y^2}|=2a$$
$$\sqrt{(x-c)^2+y^2}=\sqrt{(x+c)^2+y^2}\pm2a$$

양변을 제곱하여 정리하면

$$cx+a^2=\pm a\sqrt{(x+c)^2+y^2}$$

다시 양변을 제곱하여 정리하면

$$(c^2-a^2)x^2-a^2y^2=a^2(c^2-a^2)$$

$c>a>0$이므로 $c^2-a^2=b^2$으로 놓으면

$$b^2x^2-a^2y^2=a^2b^2$$

양변을 $a^2b^2$으로 나누면

$$\frac{x^2}{a^2}-\frac{y^2}{b^2}=1 \qquad \cdots\cdots \text{㉠}$$

역으로 점 $P(x, y)$가 방정식 ㉠을 만족시키면 $|\overline{PF}-\overline{PF'}|=2a$이므로 점 P는 두 초점 $F(c, 0)$, $F'(-c, 0)$으로부터의 거리의 차가 $2a$인 쌍곡선 위의 점이다.

따라서 두 초점 $F(c, 0)$, $F'(-c, 0)$으로부터의 거리의 차가 $2a$인 쌍곡선의 방정식은

$$\frac{x^2}{a^2}-\frac{y^2}{b^2}=1 \text{ (단, } b^2=c^2-a^2)$$

(2) 두 초점 $F(0, c)$, $F'(0, -c)$로부터의 거리의 차가 $2b$ $(c>b>0)$인 쌍곡선의 방정식

위와 같은 방법으로 하면 두 초점 $F(0, c)$, $F'(0, -c)$로부터의 거리의 차가 $2b$인 쌍곡선의 방정식은

$$\frac{x^2}{a^2}-\frac{y^2}{b^2}=-1 \text{ (단, } a^2=c^2-b^2)$$

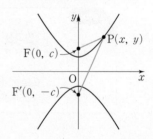

Lecture

❶ 두 초점 $F(c, 0)$, $F'(-c, 0)$으로부터의 거리의 차가 $2a$인 쌍곡선의 방정식

➡ $\frac{x^2}{a^2}-\frac{y^2}{b^2}=1$ (단, $c>a>0$, $b^2=c^2-a^2$)

❷ 두 초점 $F(0, c)$, $F'(0, -c)$로부터의 거리의 차가 $2b$인 쌍곡선의 방정식

➡ $\frac{x^2}{a^2}-\frac{y^2}{b^2}=-1$ (단, $c>b>0$, $a^2=c^2-b^2$)

## 개념 **02** 쌍곡선의 점근선

(1) **점근선**: 어떤 곡선이 한 직선에 한없이 가까워질 때, 이 직선을 점근선이라 한다.

(2) **쌍곡선의 점근선**

$$쌍곡선 \ \frac{x^2}{a^2} - \frac{y^2}{b^2} = \pm 1의 \ 점근선의 \ 방정식 \ \Rightarrow \ y = \pm \frac{b}{a} x$$

**설명**　쌍곡선의 점근선의 방정식을 구해 보자.

쌍곡선의 방정식 $\dfrac{x^2}{a^2} - \dfrac{y^2}{b^2} = 1$ ······㉠을 $y$에 대하여 풀면

$$y = \pm \frac{b}{a} x \sqrt{1 - \frac{a^2}{x^2}}$$

여기서 $|x|$의 값이 한없이 커지면 $\dfrac{a^2}{x^2}$의 값이 0에 한없이 가까워지므로 쌍곡선 ㉠은 두 직

선 $y = \pm \dfrac{b}{a} x$에 한없이 가까워진다.

이 두 직선을 쌍곡선 ㉠의 점근선이라 한다.

같은 방법으로 쌍곡선 $\dfrac{x^2}{a^2} - \dfrac{y^2}{b^2} = -1$의 점근선도 $y = \pm \dfrac{b}{a} x$이다.

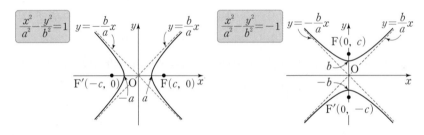

**예**　쌍곡선 $\dfrac{x^2}{5^2} - \dfrac{y^2}{4^2} = 1$의 점근선의 방정식은 $a = 5$, $b = 4$이므로 $y = \pm \dfrac{4}{5} x$

**Lecture**

| 쌍곡선 $\dfrac{x^2}{a^2} - \dfrac{y^2}{b^2} = 1$의 점근선의 방정식 | → | $y = \pm \dfrac{b}{a} x$ | |
|---|---|---|---|
| 쌍곡선 $\dfrac{x^2}{a^2} - \dfrac{y^2}{b^2} = -1$의 점근선의 방정식 | → | $y = \pm \dfrac{b}{a} x$ | 같다. |

| 정답과 해설 7쪽 |

**개념 확인 2**　다음 쌍곡선의 점근선의 방정식을 구하시오.

(1) $\dfrac{x^2}{9} - \dfrac{y^2}{16} = 1$

(2) $\dfrac{x^2}{9} - \dfrac{y^2}{16} = -1$

개념 **03** 쌍곡선의 평행이동

**1** 쌍곡선의 평행이동

쌍곡선 $\dfrac{x^2}{a^2}-\dfrac{y^2}{b^2}=\pm1$을 $x$축의 방향으로 $m$만큼, $y$축의 방향으로 $n$만큼 평행이동한 쌍곡선의

방정식 ➡ $\dfrac{(x-m)^2}{a^2}-\dfrac{(y-n)^2}{b^2}=\pm1$

**2** 쌍곡선의 방정식의 일반형

평행이동한 쌍곡선의 방정식을 전개하면 다음과 같은 방정식을 얻을 수 있다.

➡ $Ax^2+By^2+Cx+Dy+E=0$ (단, $AB<0$) ← $xy$항이 없고, $x^2$항, $y^2$항이 모두 있다.

설명

**1** 쌍곡선을 평행이동하면 그 곡선도 쌍곡선이다.

즉, 쌍곡선 $\dfrac{x^2}{a^2}-\dfrac{y^2}{b^2}=1$을 $x$축의 방향으로 $m$만큼,

$y$축의 방향으로 $n$만큼 평행이동한 쌍곡선의 방정식은

$$\dfrac{(x-m)^2}{a^2}-\dfrac{(y-n)^2}{b^2}=1 \quad \cdots\cdots ㉠$$

이때, 중심, 초점, 꼭짓점, 주축, 점근선은 각각 다음과 같다.

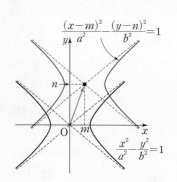

|  | $\dfrac{x^2}{a^2}-\dfrac{y^2}{b^2}=1$ | $\dfrac{(x-m)^2}{a^2}-\dfrac{(y-n)^2}{b^2}=1$ |
|---|---|---|
| 중심의 좌표 | $(0,\,0)$ | $(m,\,n)$ |
| 초점의 좌표 | $(\sqrt{a^2+b^2},\,0),\,(-\sqrt{a^2+b^2},\,0)$ | $(\sqrt{a^2+b^2}+m,\,n),\,(-\sqrt{a^2+b^2}+m,\,n)$ |
| 꼭짓점의 좌표 | $(a,\,0),\,(-a,\,0)$ | $(a+m,\,n),\,(-a+m,\,n)$ |
| 주축의 길이 | $2a$ | $2a$ |
| 점근선의 방정식 | $y=\pm\dfrac{b}{a}x$ | $y=\pm\dfrac{b}{a}(x-m)+n$ |

평행이동하여도 그 모양과 크기는 변하지 않으므로 주축의 길이는 변하지 않아.

**2** 쌍곡선의 방정식의 일반형을 알아보자.

쌍곡선의 방정식 $\dfrac{(x-m)^2}{a^2}-\dfrac{(y-n)^2}{b^2}=\pm1$

➡ [전개] $b^2x^2-a^2y^2-2b^2mx+2a^2ny+b^2m^2-a^2n^2\pm a^2b^2=0$

[일반형] $Ax^2+By^2+Cx+Dy+E=0$ (단, $AB<0$)

| 정답과 해설 7쪽 |

개념 확인 **3** 다음 쌍곡선의 초점의 좌표와 꼭짓점의 좌표를 구하시오.

(1) $\dfrac{(x-1)^2}{10}-\dfrac{(y-2)^2}{6}=1$

(2) $\dfrac{(x+2)^2}{5}-\dfrac{(y-3)^2}{4}=-1$

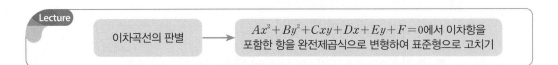

## 개념 04 이차곡선

계수가 실수인 두 일차식의 곱으로 인수분해되지 않는 $x$, $y$에 대한 이차방정식

$$Ax^2 + By^2 + Cxy + Dx + Ey + F = 0 \ (A, B, C, D, E, F는 \ 상수)$$

이 나타내는 곡선을 **이차곡선**이라 한다.

참고 원, 포물선, 타원, 쌍곡선은 모두 이차곡선이다.

설명 원, 포물선, 타원, 쌍곡선의 방정식은 모두 $x$, $y$에 대한 이차방정식 $f(x, y) = 0$ 꼴로 나타낼 수 있다. 예를 들면 다음과 같다.

| 원 | $(x-2)^2 + y^2 = 4 \Longleftrightarrow x^2 + y^2 - 4x = 0$ |
|---|---|
| 포물선 | $y^2 = 4(x+2) \Longleftrightarrow y^2 - 4x - 8 = 0$ |
| 타원 | $\dfrac{x^2}{9} + \dfrac{y^2}{2} = 1 \Longleftrightarrow 2x^2 + 9y^2 - 18 = 0$ |
| 쌍곡선 | $\dfrac{x^2}{9} - \dfrac{(y-1)^2}{4} = 1 \Longleftrightarrow 4x^2 - 9y^2 + 18y - 45 = 0$ |

일반적으로 $x$, $y$에 대한 이차방정식

$$Ax^2 + By^2 + Cxy + Dx + Ey + F = 0$$

의 그래프는 특수한 경우를 제외하면 원, 포물선, 타원, 쌍곡선 중 하나로 나타나는데, 이들을 이차곡선이라 한다.

참고 $x$, $y$에 대한 이차방정식 중에는 다음과 같이 특수한 경우도 있다.
(1) 그 그래프가 도형이 안 되는 경우 ➡ $x^2 + y^2 = -1$
(2) 한 점이 되는 경우 ➡ $x^2 + y^2 = 0$
(3) 두 직선이 되는 경우 ➡ $x^2 - y^2 = 0$

예 $2x^2 + y^2 - 8x + 2 = 0$에서 $2(x-2)^2 + y^2 = 6$ $\therefore \dfrac{(x-2)^2}{3} + \dfrac{y^2}{6} = 1$

따라서 방정식 $2x^2 + y^2 - 8x + 2 = 0$은 타원을 나타낸다.

Lecture

| 이차곡선의 판별 | ➡ | $Ax^2 + By^2 + Cxy + Dx + Ey + F = 0$에서 이차항을 포함한 항을 완전제곱식으로 변형하여 표준형으로 고치기 |

| 정답과 해설 7쪽 |

개념 확인 4 다음 방정식이 나타내는 이차곡선을 말하시오.

(1) $4x^2 + y^2 - 8 = 0$          (2) $x^2 + y^2 + 4x - 3 = 0$

(3) $x^2 - 2y^2 + 6x + 3 = 0$          (4) $y^2 - 2x + 8y + 4 = 0$

**개념 check**

**1-1** 다음 쌍곡선의 방정식을 구하시오.

(1) 두 점 $F(4, 0)$, $F'(-4, 0)$으로부터의 거리의 차가 6인 쌍곡선

(2) 두 초점이 $F(0, 3)$, $F'(0, -3)$이고 꼭짓점의 좌표가 $(0, \sqrt{3})$, $(0, -\sqrt{3})$인 쌍곡선

(3) 두 초점이 $F(0, 13)$, $F'(0, -13)$이고 주축의 길이가 10인 쌍곡선

연구 (1) 구하는 쌍곡선의 방정식을 $\dfrac{x^2}{a^2} - \dfrac{y^2}{b^2} = 1$ $(a > 0,$ $b > 0)$이라 하면 $2a = 6$에서 $a = 3$ ⌐→ 두 초점이 $x$축 위에 있는 경우

$a^2 + b^2 = 4^2$에서 $b^2 = 4^2 - 3^2 = 7$

$\therefore \dfrac{x^2}{\boxed{\phantom{00}}} - \dfrac{y^2}{\boxed{\phantom{00}}} = 1$

(2) 구하는 쌍곡선의 방정식을 $\dfrac{x^2}{a^2} - \dfrac{y^2}{(\sqrt{3})^2} = -1$이라

하면 $a^2 + (\sqrt{3})^2 = 3^2$에서 ⌐→ 두 초점이 $y$축 위에 있는 경우

$a^2 = 3^2 - (\sqrt{3})^2 = 6$

$\therefore \dfrac{x^2}{\boxed{\phantom{00}}} - \dfrac{y^2}{\boxed{\phantom{00}}} = -1$

(3) 구하는 쌍곡선의 방정식을 $\dfrac{x^2}{a^2} - \dfrac{y^2}{b^2} = -1$ $(a > 0,$ $b > 0)$이라 하면 $2b = 10$에서 $b = 5$ ⌐→ 두 초점이 $y$축 위에 있는 경우

$a^2 + b^2 = 13^2$에서 $a^2 = 13^2 - 5^2 = 144$

$\therefore \dfrac{x^2}{\boxed{\phantom{00}}} - \dfrac{y^2}{\boxed{\phantom{00}}} = -1$

**스스로 check**

**1-2** 다음 쌍곡선의 방정식을 구하시오.

(1) 두 점 $F(0, 5)$, $F'(0, -5)$로부터의 거리의 차가 8인 쌍곡선

(2) 두 초점이 $F(3, 0)$, $F'(-3, 0)$이고 꼭짓점의 좌표가 $(\sqrt{2}, 0)$, $(-\sqrt{2}, 0)$인 쌍곡선

(3) 두 초점이 $F(0, 4)$, $F'(0, -4)$이고 꼭짓점의 좌표가 $(0, \sqrt{15})$, $(0, -\sqrt{15})$인 쌍곡선

(4) 두 초점이 $F(7, 0)$, $F'(-7, 0)$이고 주축의 길이가 12인 쌍곡선

(5) 두 초점이 $F(0, 6)$, $F'(0, -6)$이고 주축의 길이가 10인 쌍곡선

**2-1** 쌍곡선 $\dfrac{(x+1)^2}{6} - \dfrac{(y-4)^2}{3} = 1$의 초점의 좌표와 점근선의 방정식을 구하시오.

연구 주어진 쌍곡선은 쌍곡선 $\dfrac{x^2}{6} - \dfrac{y^2}{3} = 1$을 $x$축의 방향으로 $-1$만큼, $y$축의 방향으로 4만큼 평행이동한 것이다.

이때, 쌍곡선 $\dfrac{x^2}{6} - \dfrac{y^2}{3} = 1$의 초점의 좌표는

$(\sqrt{6+3}, 0)$, $(-\sqrt{6+3}, 0)$, 즉 $(3, 0)$, $(-3, 0)$

이고 점근선의 방정식은 $y = \pm \dfrac{\sqrt{3}}{\sqrt{6}} x$, 즉 $y = \pm \dfrac{\sqrt{2}}{2} x$

이므로 주어진 쌍곡선의 초점의 좌표는 $\boxed{\phantom{000000}}$,

$\boxed{\phantom{000000}}$, 점근선의 방정식은 $\boxed{\phantom{00000000}}$이다.

**2-2** 다음 쌍곡선의 초점의 좌표와 점근선의 방정식을 구하시오.

(1) $x^2 - \dfrac{y^2}{15} = 1$

(2) $\dfrac{(x-2)^2}{9} - \dfrac{y^2}{36} = -1$

(3) $\dfrac{(x+4)^2}{4} - \dfrac{(y+1)^2}{16} = 1$

**대표 유형 01** **쌍곡선의 방정식**

 유형 해결의 법칙 18쪽 유형 15, 16

곡선 위의 임의의 점에서 두 점 $F(\sqrt{5},\ 0)$, $F'(-\sqrt{5},\ 0)$에 이르는 거리의 차는 4이다. 이 곡선 위의 점 $P(m,\ n)$에서 원점에 이르는 거리가 3일 때, $m^2-n^2$의 값을 구하시오.

**풀이**

**❶ 쌍곡선의 방정식 구하기**

두 점에 이르는 거리의 차가 일정한 점이 나타내는 도형은 쌍곡선이므로 두 점 $F(\sqrt{5},\ 0)$, $F'(-\sqrt{5},\ 0)$은 쌍곡선의 초점이다.

두 초점이 $x$축 위에 있으므로 쌍곡선의 방정식을 $\dfrac{x^2}{a^2}-\dfrac{y^2}{b^2}=1\ (a>0,\ b>0)$이라 하면

$2a=4$에서 $a=2$

$a^2+b^2=(\sqrt{5})^2$에서 $b^2=(\sqrt{5})^2-2^2=1$

$\therefore \dfrac{x^2}{4}-y^2=1$ ······㉠

**❷ $m^2-n^2$의 값 구하기**

점 $P(m,\ n)$은 쌍곡선 ㉠ 위의 점이므로 $\dfrac{m^2}{4}-n^2=1$ ······㉡

한편, 점 $P(m,\ n)$에서 원점에 이르는 거리가 3이므로 $m^2+n^2=9$ ······㉢

㉡, ㉢을 연립하여 풀면 $m^2=8$, $n^2=1$

$\therefore m^2-n^2=8-1=7$

**답** 7

**해법**

| 두 초점 $F(c, 0)$, $F'(-c, 0)$으로부터의 거리의 차가 $2a$인 쌍곡선 | $\longrightarrow$ | $\dfrac{x^2}{a^2}-\dfrac{y^2}{b^2}=1$ (단, $c>a>0$, $b^2=c^2-a^2$) |
| --- | --- | --- |
| 두 초점 $F(0, c)$, $F'(0, -c)$로부터의 거리의 차가 $2b$인 쌍곡선 | $\longrightarrow$ | $\dfrac{x^2}{a^2}-\dfrac{y^2}{b^2}=-1$ (단, $c>b>0$, $a^2=c^2-b^2$) |

| 정답과 해설 9쪽 |

**01-1** 두 초점이 모두 $x$축 위에 있고 두 초점 사이의 거리가 10, 주축의 길이가 6, 중심이 원점인 쌍곡선의 방정식을 구하시오.

**01-2** 원 $x^2+y^2=1$에 접하고 두 초점이 모두 $y$축 위에 있는 쌍곡선의 점근선이 $y=3x$, $y=-3x$일 때, 이 쌍곡선의 방정식을 구하시오.

**대표 유형 ②2** **쌍곡선의 점근선**　　　　　　　　　　　　　　　🔵 유형 해결의 법칙 19쪽 유형 17

오른쪽 그림과 같이 쌍곡선 $\dfrac{x^2}{9}-\dfrac{y^2}{4}=1$의 두 초점 F, F′을 지름의 양 끝점

으로 하는 원이 쌍곡선의 두 점근선과 네 점 A, B, C, D에서 만날 때, 사각

형 ABCD의 넓이를 구하시오.

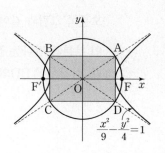

**풀이**

**❶ 쌍곡선의 초점의 좌표 구하기**

쌍곡선 $\dfrac{x^2}{9}-\dfrac{y^2}{4}=1$에서 $\sqrt{9+4}=\sqrt{13}$이므로

$F(\sqrt{13},\,0),\ F'(-\sqrt{13},\,0)$

**❷ 원의 방정식 구하기**

따라서 두 초점 F, F′을 지름의 양 끝점으로 하는 원의 방정식은

$x^2+y^2=13$ ……㉠

**❸ 쌍곡선의 점근선의 방정식 구하기**

쌍곡선 $\dfrac{x^2}{9}-\dfrac{y^2}{4}=1$의 점근선의 방정식은 $y=\pm\dfrac{2}{3}x$

이 식의 양변을 제곱하면 $y^2=\dfrac{4}{9}x^2$ ……㉡

**❹ 사각형 ABCD의 넓이 구하기**

네 점 A, B, C, D는 ㉠과 ㉡의 교점이므로 연립하여 풀면 $x^2=9,\ y^2=4$

따라서 네 점 A, B, C, D의 좌표는 차례로

$(3,\,2),\ (-3,\,2),\ (-3,\,-2),\ (3,\,-2)$

이므로 $\overline{AB}=6,\ \overline{AD}=4$

$\therefore \square ABCD=6\times4=24$

답 24

**해법**　쌍곡선 $\dfrac{x^2}{a^2}-\dfrac{y^2}{b^2}=\pm1$의 점근선의 방정식　→　$y=\pm\dfrac{b}{a}x$

| 정답과 해설 9쪽 |

 **02-1** 쌍곡선 $\dfrac{x^2}{9}-\dfrac{y^2}{3}=1$의 두 점근선이 이루는 예각의 크기를 $\theta$라 할 때, $10\cos\theta$의 값을 구하시오.

**02-2** 점 $(3, 4)$를 지나는 쌍곡선 $\dfrac{x^2}{a^2}-\dfrac{y^2}{b^2}=-1$의 두 점근선이 서로 수직으로 만날 때, $a^2+b^2$의 값을 구하시오.

(단, $a$, $b$는 상수)

대표 유형 **03** 쌍곡선의 정의의 활용

🔁 유형 해결의 법칙 19쪽 유형 18

오른쪽 그림과 같이 점 $C(3, 0)$을 지나는 직선이 쌍곡선 $\dfrac{x^2}{4} - \dfrac{y^2}{5} = 1$의 $x > 0$

인 부분과 만나는 점을 A, B라 하자. $\overline{AB} = 5$이고 점 D의 좌표가 $(-3, 0)$일

때, 삼각형 ABD의 둘레의 길이를 구하시오.

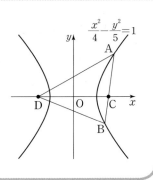

풀이

❶ 두 점 C, D가 쌍곡선의 초점임을 알기

쌍곡선 $\dfrac{x^2}{4} - \dfrac{y^2}{5} = 1$에서 $\sqrt{4+5} = 3$이므로 두 점 $C(3, 0)$, $D(-3, 0)$은 모두 쌍곡선

의 초점이다.

❷ 삼각형 ABD의 둘레의 길이 구하기

또, 쌍곡선의 주축의 길이는 $2 \times \sqrt{4} = 4$이므로 쌍곡선의 정의에 의하여

$\overline{AD} - \overline{AC} = 4$, $\overline{BD} - \overline{BC} = 4$

두 식의 양변을 각각 더하면

$\overline{AD} - \overline{AC} + \overline{BD} - \overline{BC} = 8$

$\overline{AD} + \overline{BD} - \overline{AB} = 8$ $(\because \overline{AC} + \overline{BC} = \overline{AB})$

$\therefore \overline{AD} + \overline{BD} = 13$ $(\because \overline{AB} = 5)$

따라서 삼각형 ABD의 둘레의 길이는

$\overline{AD} + \overline{BD} + \overline{AB} = 13 + 5 = 18$

🖹 18

해법  쌍곡선 위의 한 점에서 두 초점에 이르는 거리의 차는 주축의 길이와 같다.

| 정답과 해설 10쪽 |

**03-1**  오른쪽 그림과 같이 쌍곡선 $\dfrac{x^2}{9} - \dfrac{y^2}{16} = 1$의 두 초점을 F, F′이라 하자. 한 초점

F′$(-5, 0)$으로부터의 거리가 각각 10, 15인 두 점 P, Q가 이 쌍곡선 위에 있을 때,

$\overline{PF} + \overline{QF}$의 값을 구하시오.

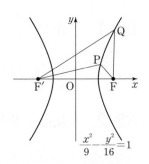

**대표 유형 04 쌍곡선의 정의의 활용 - 이차곡선이 주어진 경우**

↪ 유형 해결의 법칙 20쪽 유형 19

> 쌍곡선 $\dfrac{x^2}{A}-\dfrac{y^2}{5}=1$과 타원 $\dfrac{x^2}{25}+\dfrac{y^2}{16}=1$이 두 초점 F, F′을 공유한다. 이 쌍곡선과 타원의 한 교점을 P 라 할 때, $|\overline{PF}^2-\overline{PF'}^2|$의 값을 구하시오. (단, $A$는 상수)

**풀이**

**❶ $A$의 값 구하기**

쌍곡선 $\dfrac{x^2}{A}-\dfrac{y^2}{5}=1$과 타원 $\dfrac{x^2}{25}+\dfrac{y^2}{16}=1$이 두 초점을 공유하므로

$A+5=25-16$  $\therefore A=4$

**❷ $|\overline{PF}^2-\overline{PF'}^2|$의 값 구 하기**

점 P는 이 쌍곡선과 타원의 한 교점이므로

쌍곡선의 정의에 의하여 $|\overline{PF}-\overline{PF'}|=2\sqrt{A}=4$

타원의 정의에 의하여 $\overline{PF}+\overline{PF'}=2\times5=10$

$\therefore |\overline{PF}^2-\overline{PF'}^2|$

$=|(\overline{PF}-\overline{PF'})(\overline{PF}+\overline{PF'})|$

$=|\overline{PF}-\overline{PF'}|\times|\overline{PF}+\overline{PF'}|$

$=|\overline{PF}-\overline{PF'}|\times(\overline{PF}+\overline{PF'})\ (\because \overline{PF}+\overline{PF'}>0)$

$=4\times10=40$

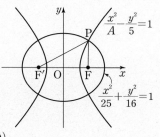

🔑 **40**

---

**해법**

쌍곡선 $\dfrac{x^2}{a^2}-\dfrac{y^2}{b^2}=1$과 타원 $\dfrac{x^2}{c^2}+\dfrac{y^2}{d^2}=1\ (c>d>0)$이 두 초점을 공유할 조건 ⟶ $a^2+b^2=c^2-d^2$

---

| 정답과 해설 10쪽 |

**04-1** 오른쪽 그림과 같이 쌍곡선 $\dfrac{x^2}{16}-\dfrac{y^2}{9}=1$의 두 초점을 F, F′이라 하고, 두 점 F, F′ 을 지름의 양 끝점으로 하는 원과 이 쌍곡선이 만나는 점 중 하나를 P라 할 때, 삼각 형 PFF′의 넓이를 구하시오.

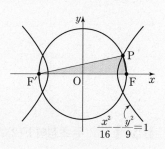

대표 유형 **05** 중심이 원점이 아닌 쌍곡선의 방정식　⟳ 유형 해결의 법칙 20쪽 유형 21

두 초점이 $F(8, 0)$, $F'(-2, 0)$인 쌍곡선 위의 임의의 점 P에 대하여 $|\overline{PF} - \overline{PF'}| = 6$일 때, 이 쌍곡선의 방정식을 구하시오.

**풀이**

❶ 쌍곡선의 중심의 좌표 구하기

쌍곡선의 중심은 두 초점의 중점이므로 $(3, 0)$이다.

❷ 쌍곡선의 방정식 구하기

이때, 두 초점의 $y$좌표가 같으므로 구하는 쌍곡선의 방정식을

$$\frac{(x-3)^2}{a^2} - \frac{y^2}{b^2} = 1 \ (a > 0, b > 0)$$로 놓을 수 있다.

$|\overline{PF} - \overline{PF'}| = 2a$이므로 $2a = 6$　∴ $a = 3$

쌍곡선의 중심 $(3, 0)$에서 초점 $(8, 0)$까지의 거리를 $c$라 하면 $c = 5$이므로

$a^2 + b^2 = c^2$에서 $b^2 = c^2 - a^2 = 25 - 9 = 16$

따라서 구하는 쌍곡선의 방정식은

$$\frac{(x-3)^2}{9} - \frac{y^2}{16} = 1$$

답 $\dfrac{(x-3)^2}{9} - \dfrac{y^2}{16} = 1$

**다른 풀이**

점 P의 좌표를 $(x, y)$라 하면 $|\overline{PF} - \overline{PF'}| = 6$이므로 $|\sqrt{(x-8)^2 + y^2} - \sqrt{(x+2)^2 + y^2}| = 6$

$\sqrt{(x-8)^2 + y^2} = \sqrt{(x+2)^2 + y^2} \pm 6$

양변을 제곱하면 $(x-8)^2 + y^2 = (x+2)^2 + y^2 \pm 12\sqrt{(x+2)^2 + y^2} + 36$

$-5x + 6 = \pm 3\sqrt{(x+2)^2 + y^2}$

다시 양변을 제곱하면 $25x^2 - 60x + 36 = 9\{(x+2)^2 + y^2\}$

$16(x-3)^2 - 9y^2 = 144$　∴ $\dfrac{(x-3)^2}{9} - \dfrac{y^2}{16} = 1$

해법　쌍곡선의 중심의 좌표가 $(m, n)$일 때

두 초점의 $y$좌표가 같으면 ➡ $\dfrac{(x-m)^2}{a^2} - \dfrac{(y-n)^2}{b^2} = 1 \ (a > 0, b > 0)$

두 초점의 $x$좌표가 같으면 ➡ $\dfrac{(x-m)^2}{a^2} - \dfrac{(y-n)^2}{b^2} = -1 \ (a > 0, b > 0)$

| 정답과 해설 10쪽 |

**05-1** 두 초점이 $F(2, \sqrt{5})$, $F'(2, -\sqrt{5})$이고 주축의 길이가 4인 쌍곡선의 방정식을 구하시오.

## 대표 유형 06 쌍곡선의 방정식의 일반형

↻ 유형 해결의 법칙 21쪽 유형 22

쌍곡선 $5x^2-4y^2-10x+16y-31=0$의 초점의 좌표와 점근선의 방정식을 구하시오.

**풀이**

**①** 쌍곡선의 방정식의 일반형을 표준형으로 고치기

$5x^2-4y^2-10x+16y-31=0$에서 $5(x-1)^2-4(y-2)^2=20$

$\therefore \dfrac{(x-1)^2}{4}-\dfrac{(y-2)^2}{5}=1$

**②** 쌍곡선의 초점의 좌표와 점근선의 방정식 구하기

주어진 쌍곡선은 쌍곡선 $\dfrac{x^2}{4}-\dfrac{y^2}{5}=1$을 $x$축의 방향으로 1만큼, $y$축의 방향으로 2만큼 평행이동한 것이다.

쌍곡선 $\dfrac{x^2}{4}-\dfrac{y^2}{5}=1$에서

$\sqrt{4+5}=3$이므로 초점의 좌표는 $(3,0)$, $(-3,0)$

점근선의 방정식은 $y=\pm\dfrac{\sqrt{5}}{2}x$

따라서 주어진 쌍곡선의 초점의 좌표는 $(4,2)$, $(-2,2)$

점근선의 방정식은 $y=\pm\dfrac{\sqrt{5}}{2}(x-1)+2$

📖 초점의 좌표: $(4,2)$, $(-2,2)$, 점근선의 방정식: $y=\pm\dfrac{\sqrt{5}}{2}(x-1)+2$

**해법** 쌍곡선의 방정식의 일반형 ⟶ 표준형 $\dfrac{(x-m)^2}{a^2}-\dfrac{(y-n)^2}{b^2}=\pm1$ 꼴로 고친 후 평행이동을 이용한다.

| 정답과 해설 10쪽 |

**06-1** 쌍곡선 $x^2-y^2+6y-11=0$의 두 초점을 F, F′이라 할 때, 삼각형 OFF′의 넓이를 구하시오. (단, O는 원점이다.)

**06-2** 쌍곡선 $4x^2-5y^2+8x+20y+4=0$의 초점의 좌표는 $(p,5)$, $(-1,q)$이고 점근선의 방정식은 $y=\pm\dfrac{m}{\sqrt{5}}(x+1)+n$이다. 이때, 상수 $m$, $n$에 대하여 $pqmn$의 값을 구하시오. (단, $m>0$)

**대표 유형 07** **포물선, 타원, 쌍곡선이 되기 위한 조건**

↪ 유형 해결의 법칙 21쪽 유형 23

방정식 $x^2+2y^2-4y+4+k(x^2+y^2)=0$이 나타내는 도형이 포물선이 되도록 하는 상수 $k$의 값을 구하시오.

**풀이**

**❶ 주어진 방정식 정리하기**

$x^2+2y^2-4y+4+k(x^2+y^2)=0$에서

$(k+1)x^2+(k+2)y^2-4y+4=0$

**❷ $k$의 값 구하기**

이 방정식이 나타내는 도형이 포물선이려면

$k+1\neq0$이고 $k+2=0$

$\therefore k=-2$

답 $-2$

참고 $k+1=0$, 즉 $k=-1$이면 주어진 방정식은

$y^2-4y+4=0$

이 방정식에는 $x$항이 없으므로 포물선이 아니다.

---

해법 주어진 방정식이 포물선, 타원, 쌍곡선의 방정식이 되도록 하는 조건을 생각한다.

❶ 축이 $x$축에 평행한 포물선의 방정식 ➡ $y^2+Ax+By+C=0$ (단, $A\neq0$)

　축이 $y$축에 평행한 포물선의 방정식 ➡ $x^2+Ax+By+C=0$ (단, $B\neq0$)

❷ 타원의 방정식　➡ $Ax^2+By^2+Cx+Dy+E=0$ (단, $AB>0$, $A\neq B$)

❸ 쌍곡선의 방정식 ➡ $Ax^2+By^2+Cx+Dy+E=0$ (단, $AB<0$)

---

| 정답과 해설 11쪽 |

**07-1** 방정식 $2x^2+ky^2-2ky+k^2+k-16=0$이 나타내는 도형이 타원이 되도록 하는 정수 $k$의 최댓값을 구하시오.

**07-2** 방정식 $x^2-ay^2+2ay-4=0$이 나타내는 도형이 $x$축에 평행한 주축을 갖는 쌍곡선이 되도록 하는 모든 정수 $a$의 값의 합을 구하시오.

**1-1** 초점이 F$(0, 3)$이고 준선이 $y=-3$인 포물선이 점 $(6, k)$를 지날 때, $k$의 값을 구하시오.

**1-2** 원 $(x+2)^2+y^2=1$의 중심을 초점으로 하고 준선이 $x=2$인 포물선의 방정식을 구하시오.

**2-1** 점 A$(4, 5)$를 지나고 $y$축에 평행한 직선과 포물선 $x^2=4y$가 만나는 점을 P라 하고 이 포물선의 초점을 F라 할 때, $\overline{AP}+\overline{PF}$의 값을 구하시오.

**2-2** 점 A$(8, 7)$을 지나고 $x$축에 평행한 직선과 포물선 $y^2=12x$가 만나는 점을 P라 하고 이 포물선의 초점을 F라 할 때, $\overline{AP}+\overline{PF}$의 값을 구하시오.

**3-1** 좌표평면 위의 두 점 A$(-1, 0)$, B$(-3, -2)$와 포물선 $y^2=-4x$ 위의 임의의 점 P에 대하여 $\overline{PA}+\overline{PB}$의 최솟값을 구하시오.

**3-2** 좌표평면 위의 두 점 A$(0, 1)$, B$(2, 5)$와 포물선 $x^2=4y$ 위의 임의의 점 P에 대하여 $\overline{PA}+\overline{PB}$의 최솟값을 구하시오.

**4-1** 곡선 위의 임의의 점 P$(x, y)$에서 점 A$\left(\dfrac{3}{2}, 0\right)$과 직선 $x=-\dfrac{5}{2}$에 이르는 거리가 같을 때, 이 곡선의 방정식을 구하시오.

**4-2** 곡선 위의 임의의 점 P$(x, y)$에서 점 A$(0, -3)$과 직선 $y=5$에 이르는 거리가 같을 때, 이 곡선의 방정식을 구하시오.

유형 확인

**5-1** 오른쪽 그림과 같이 원점을 중심으로 하는 타원의 한 초점을 F라 하고, 이 타원이 $y$축과 만나는 한 점을 A라 하자. 직선 AF의 방정식이 $y=\dfrac{2}{3}x-2$일 때, 이 타원의 방정식을 구하시오.

（단, 초점 F는 $x$축 위에 있다.）

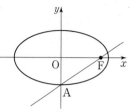

한번 더 확인

**5-2** 오른쪽 그림과 같이 타원 $\dfrac{x^2}{a^2}+\dfrac{y^2}{b^2}=1\ (b>a>0)$ 과 $x$축이 만나는 점을 A, B라 하고, 두 초점을 F, F′이라 하자. 사각형 AFBF′이 정사각형이고 $\overline{FF'}=6$일 때, $a^2+b^2$의 값을 구하시오.

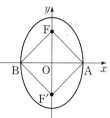

**6-1** 오른쪽 그림과 같이 장축의 길이가 10, 단축의 길이가 8인 타원에 내접하는 직사각형의 넓이의 최댓값을 구하시오.

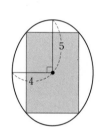

**6-2** 좌표평면 위의 두 점 A(4, 0), B(−4, 0)과 타원 $\dfrac{x^2}{25}+\dfrac{y^2}{9}=1$ 위의 임의의 점 P에 대하여 $\overline{PA}\times\overline{PB}$의 최댓값을 구하시오.

**7-1** 다음 그림에서 타원 $x^2+4y^2-4x-8y+4=0$의 두 초점을 F, F′이라 할 때, 사각형 AFBF′의 둘레의 길이를 구하시오.

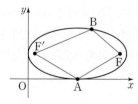

**7-2** 다음 그림에서 타원 $4x^2+3y^2-8x-12y+4=0$의 두 초점을 F, F′이라 하고 두 선분 AF, BF′의 교점을 P라 할 때, 두 삼각형 APF′, BFP의 둘레의 길이의 합을 구하시오.

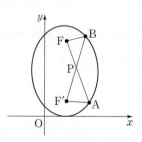

**유형 확인**

**8-1** 쌍곡선 $\dfrac{x^2}{4}-\dfrac{y^2}{5}=1$의 한 초점을 지나고 $x$축에 수직인 직선이 쌍곡선과 만나는 점을 P, Q라 할 때, 선분 PQ의 길이를 구하시오.

**9-1** 쌍곡선 $9x^2-16y^2=-144$의 꼭짓점을 지나고 점근선과 평행한 4개의 직선으로 둘러싸인 도형의 넓이를 구하시오.

**10-1** 다음 그림과 같이 쌍곡선 $\dfrac{x^2}{16}-\dfrac{y^2}{9}=1$의 한 초점 F$(c,\,0)$을 중심으로 하고 $y$축에 접하는 원이 있다. 이 원과 쌍곡선의 교점 중 제1사분면 위의 점을 P라 할 때, 다른 한 초점 F$'$에 대하여 선분 PF$'$의 길이를 구하시오. (단, $c>0$)

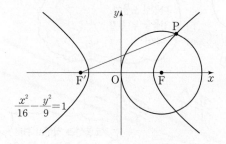

**11-1** 쌍곡선 $x^2-4y^2-2x+24y-39=0$의 두 꼭짓점을 A, B라 할 때, 삼각형 OAB의 넓이를 구하시오. (단, O는 원점이다.)

**한번 더 확인**

**8-2** 쌍곡선 $\dfrac{x^2}{7}-\dfrac{y^2}{9}=-1$의 한 초점을 지나고 $y$축에 수직인 직선이 쌍곡선과 만나는 점을 P, Q라 할 때, 선분 PQ의 길이를 구하시오.

**9-2** 쌍곡선 $8x^2-25y^2-200=0$의 꼭짓점을 지나고 점근선과 평행한 4개의 직선으로 둘러싸인 도형의 넓이를 구하시오.

**10-2** 다음 그림과 같이 쌍곡선 $\dfrac{x^2}{4}-\dfrac{y^2}{5}=1$의 한 초점 F$'(-c,\,0)$을 중심으로 하고 다른 초점 F를 지나는 원이 있다. 이 원과 쌍곡선의 교점 중 제1사분면 위의 점을 P라 할 때, 선분 PF의 길이를 구하시오. (단, $c>0$)

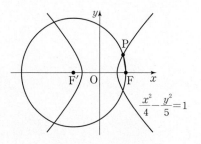

**11-2** 쌍곡선 $5x^2-4y^2-20x+8y+36=0$의 두 초점을 F, F$'$이라 할 때, 삼각형 OFF$'$의 넓이를 구하시오. (단, O는 원점이다.)

# 2 이차곡선과 직선

이 단원에서는 무엇을 공부해요?

이차곡선과 직선의 위치 관계와 이차곡선의 접선의 방정식에 대해서 배운단다.

수학(상)에서 원과 직선의 위치 관계와 원의 접선의 방정식을 배웠던 것 기억나지? 같은 원리니까 쉽게 이해할 수 있을 거야.

## 개념 & 유형 map

# 1 이차곡선과 직선의 위치 관계

| **개념** 파헤치기 |

### 개념 01 이차곡선과 직선의 위치 관계

이차곡선과 직선의 위치 관계는 다음과 같이 판별식을 이용하여 판별할 수 있다.

이차곡선과 직선의 방정식을 연립하여 얻은 이차방정식의 판별식을 $D$라 하면

(1) $D > 0$인 경우 ➡ 서로 다른 두 점에서 만난다.

(2) $D = 0$인 경우 ➡ 한 점에서 만난다. (접한다.)

(3) $D < 0$인 경우 ➡ 만나지 않는다.

**설명**

이차곡선과 직선의 위치 관계를 알아보자.

포물선과 직선의 방정식을 각각

$$y^2 = 4px, \quad y = mx + n \ (m \neq 0)$$

이라 할 때, $y = mx + n$을 $y^2 = 4px$에 대입하여 정리하면

$$m^2 x^2 + 2(mn - 2p)x + n^2 = 0 \quad \cdots\cdots \text{㉠}$$

이때, 포물선 $y^2 = 4px$와 직선 $y = mx + n$의 교점의 개수는 이차방정식 ㉠의 실근의 개수와 같다.

따라서 ㉠의 판별식을 $D$라 하면 포물선과 직선의 위치 관계는 다음과 같다.

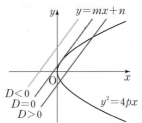
판별식의 값의 부호에 따라 위치 관계가 달라져.

| 판별식의 값의 부호 | 포물선과 직선의 위치 관계 |
| --- | --- |
| $D > 0$ | 서로 다른 두 점에서 만난다. |
| $D = 0$ | 한 점에서 만난다. (접한다.) |
| $D < 0$ | 만나지 않는다. |

타원, 쌍곡선과 직선의 위치 관계도 포물선과 직선의 위치 관계와 마찬가지로 이차방정식의 판별식을 이용하여 구할 수 있다.

**Lecture**

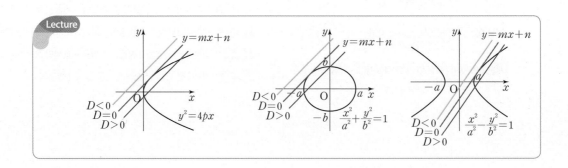

| 정답과 해설 16쪽 |

**개념 확인 1** 다음 이차곡선과 직선 $y = x + 2$의 위치 관계를 조사하시오.

(1) $y^2 = 5x$

(2) $3x^2 + y^2 = 6$

**개념 check**

**1-1** 다음 이차곡선과 직선의 위치 관계를 조사하시오.

(1) $y^2=-8x$, $y=x$

(2) $x^2-2y^2=2$, $y=-x+1$

(3) $4x^2+5y^2=12$, $x-y+3=0$

[연구] (1) $y=x$를 $y^2=-8x$에 대입하면

$x^2=-8x$  $\therefore x^2+8x=0$

이 이차방정식의 판별식을 $D$라 하면

$\dfrac{D}{4}=4^2-1\times0=16 \boxed{\phantom{a}} 0$

이므로 $\boxed{\phantom{aaaaaaaaaa}}$

(2) $y=-x+1$을 $x^2-2y^2=2$에 대입하면

$x^2-2(-x+1)^2=2$

$x^2-2x^2+4x-2=2$

$\therefore x^2-4x+4=0$

이 이차방정식의 판별식을 $D$라 하면

$\dfrac{D}{4}=(-2)^2-1\times4=\boxed{\phantom{a}}$

이므로 $\boxed{\phantom{aaaaaaaaaa}}$

(3) $x-y+3=0$, 즉 $y=x+3$을 $4x^2+5y^2=12$에 대입하면

$4x^2+5(x+3)^2=12$

$4x^2+5x^2+30x+45=12$

$\therefore 3x^2+10x+11=0$

이 이차방정식의 판별식을 $D$라 하면

$\dfrac{D}{4}=5^2-3\times11=-8\boxed{\phantom{a}}0$

이므로 $\boxed{\phantom{aaaaaaaaaa}}$

**스스로 check**

**1-2** 다음 이차곡선과 직선의 위치 관계를 조사하시오.

(1) $x^2=-4y$, $x+y=0$

(2) $5x^2+3y^2=2$, $y=2x-1$

(3) $3x^2-y^2=8$, $3x-y-2=0$

(4) $10x^2-3y^2=15$, $2x+y+1=0$

## STEP 2 필수 유형

**대표 유형 01** 이차곡선과 직선의 위치 관계    ↻ 유형 해결의 법칙 32, 36, 39쪽 유형 01, 08, 14

> 포물선 $y^2=4x$와 직선 $y=x+k$가 다음 조건을 만족시킬 때, 실수 $k$의 값 또는 $k$의 값의 범위를 구하시오.
>
> (1) 서로 다른 두 점에서 만난다.    (2) 한 점에서 만난다.        (3) 만나지 않는다.

**풀이**

포물선의 방정식과 직선의 방정식을 연립한 이차방정식의 판별식 $D$ 구하기

$y=x+k$를 $y^2=4x$에 대입하면
$(x+k)^2=4x$
$\therefore x^2+2(k-2)x+k^2=0$
이 이차방정식의 판별식을 $D$라 하면
$$\frac{D}{4}=(k-2)^2-1\times k^2=-4k+4=-4(k-1)$$

(1) 서로 다른 두 점에서 만날 조건 구하기

$\frac{D}{4}=-4(k-1)>0$이어야 하므로 $k-1<0$    $\therefore k<1$

(2) 한 점에서 만날 조건 구하기

$\frac{D}{4}=-4(k-1)=0$이어야 하므로 $k=1$

(3) 만나지 않을 조건 구하기

$\frac{D}{4}=-4(k-1)<0$이어야 하므로 $k-1>0$    $\therefore k>1$

**답** (1) $k<1$  (2) $k=1$  (3) $k>1$

**해법** 이차곡선과 직선의 위치 관계 → 이차곡선과 직선의 방정식을 연립하여 얻은 이차방정식의 판별식 $D$의 부호 조사하기 → 서로 다른 두 점에서 만날 조건: $D>0$
한 점에서 만날 조건: $D=0$
만나지 않을 조건: $D<0$

| 정답과 해설 16쪽 |

**01-1** 쌍곡선 $2x^2-y^2=1$과 직선 $2x+y+k=0$이 다음 조건을 만족시킬 때, 실수 $k$의 값 또는 $k$의 값의 범위를 구하시오.

(1) 서로 다른 두 점에서 만난다.     (2) 한 점에서 만난다.            (3) 만나지 않는다.

**01-2** 타원 $4x^2+y^2-k=0$과 직선 $y=x+5$가 서로 다른 두 점에서 만나도록 하는 실수 $k$의 값의 범위를 구하시오.

# 2 이차곡선의 접선의 방정식

## 개념 01 이차곡선의 접선의 방정식 – 기울기가 주어진 경우

포물선, 타원, 쌍곡선에 접하고 기울기가 $m$인 접선의 방정식은 다음과 같다.

| 이차곡선 | | 접선의 방정식 |
|---|---|---|
| 포물선 | $y^2=4px$ | $y=mx+\dfrac{p}{m}$ (단, $m\neq0$) |
| 타원 | $\dfrac{x^2}{a^2}+\dfrac{y^2}{b^2}=1$ | $y=mx\pm\sqrt{a^2m^2+b^2}$ |
| 쌍곡선 | $\dfrac{x^2}{a^2}-\dfrac{y^2}{b^2}=1$ | $y=mx\pm\sqrt{a^2m^2-b^2}$ (단, $a^2m^2-b^2>0$) |
| | $\dfrac{x^2}{a^2}-\dfrac{y^2}{b^2}=-1$ | $y=mx\pm\sqrt{b^2-a^2m^2}$ (단, $b^2-a^2m^2>0$) |

**설명**

쌍곡선 $\dfrac{x^2}{a^2}-\dfrac{y^2}{b^2}=1$에 접하고 기울기가 $m$인 접선의 방정식을 구해 보자.

구하는 접선의 방정식을 $y=mx+n$이라 하고,

쌍곡선의 방정식 $\dfrac{x^2}{a^2}-\dfrac{y^2}{b^2}=1$에 대입하여 정리하면

$$(a^2m^2-b^2)x^2+2a^2mnx+a^2(n^2+b^2)=0$$

이 이차방정식의 판별식을 $D$라 하면

$$D=4a^2b^2(-a^2m^2+n^2+b^2)=0$$

여기서 $a^2m^2-b^2<0$이면 $D>0$이므로 접선이 아니다.

$n^2=a^2m^2-b^2$에서 $a^2m^2-b^2>0$이면

$n=\pm\sqrt{a^2m^2-b^2}$이므로 구하는 접선의 방정식은

$$y=mx\pm\sqrt{a^2m^2-b^2}\ (단,\ a^2m^2-b^2>0)$$

같은 방법으로 기울기가 주어진 포물선과 타원의 접선의 방정식도 구할 수 있다.

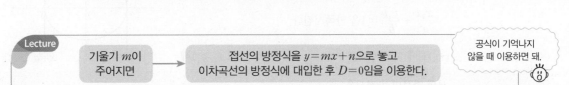

**Lecture** 기울기 $m$이 주어지면 ➡ 접선의 방정식을 $y=mx+n$으로 놓고 이차곡선의 방정식에 대입한 후 $D=0$임을 이용한다.

공식이 기억나지 않을 때 이용하면 돼.

| 정답과 해설 17쪽 |

**개념 확인 1** 다음 이차곡선에 접하고 기울기가 1인 접선의 방정식을 구하시오.

(1) $y^2=16x$

(2) $\dfrac{x^2}{4}+\dfrac{y^2}{5}=1$

(3) $\dfrac{x^2}{16}-\dfrac{y^2}{9}=1$

**개념 02 이차곡선의 접선의 방정식 – 접점의 좌표가 주어진 경우**

포물선, 타원, 쌍곡선 위의 점 $(x_1, y_1)$에서의 접선의 방정식은 다음과 같다.

| | 이차곡선 | 접선의 방정식 |
|---|---|---|
| 포물선 | $y^2 = 4px$ | $y_1y = 2p(x + x_1)$ |
| | $x^2 = 4py$ | $x_1x = 2p(y + y_1)$ |
| 타원 | $\dfrac{x^2}{a^2} + \dfrac{y^2}{b^2} = 1$ | $\dfrac{x_1x}{a^2} + \dfrac{y_1y}{b^2} = 1$ |
| 쌍곡선 | $\dfrac{x^2}{a^2} - \dfrac{y^2}{b^2} = \pm 1$ | $\dfrac{x_1x}{a^2} - \dfrac{y_1y}{b^2} = \pm 1$ (복호동순) |

참고 미적분을 이수한 학생은 음함수의 미분법을 이용하여 위의 공식을 유도할 수 있다.  49쪽 원리 알아보기

설명 타원 $\dfrac{x^2}{a^2} + \dfrac{y^2}{b^2} = 1$ 위의 점 $P(x_1, y_1)$에서의 접선의 방정식을 구해 보자.

(i) $y_1 \neq 0$일 때

접선의 기울기를 $m$이라 하면 접선의 방정식은

$$y - y_1 = m(x - x_1) \quad \cdots\cdots \text{㉠}$$

㉠을 타원의 방정식에 대입하여 얻은 이차방정식의

판별식을 $D$라 하면 $D = 0$이므로

$$(a^2 - x_1^2)m^2 + 2x_1y_1m + b^2 - y_1^2 = 0$$

또, 점 $P(x_1, y_1)$은 타원 위의 점이므로 $\dfrac{x_1^2}{a^2} + \dfrac{y_1^2}{b^2} = 1$이다.

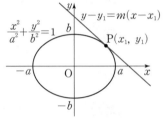

따라서 $\left(\dfrac{a}{b}y_1\right)^2 m^2 + 2x_1y_1m + \left(\dfrac{b}{a}x_1\right)^2 = 0$이므로 $m = -\dfrac{b^2x_1}{a^2y_1}$

이것을 ㉠에 대입하여 정리하면 구하는 접선의 방정식은 $\dfrac{x_1x}{a^2} + \dfrac{y_1y}{b^2} = 1$이다.

$a^2 - x_1^2 = \dfrac{a^2}{b^2}y_1^2, \ b^2 - y_1^2 = \dfrac{b^2}{a^2}x_1^2$

(ii) $y_1 = 0$일 때

즉, 꼭짓점 $(a, 0)$에서의 접선의 방정식 $x = a$와 꼭짓

점 $(-a, 0)$에서의 접선의 방정식 $x = -a$는 모두

$\dfrac{x_1x}{a^2} + \dfrac{y_1y}{b^2} = 1$을 만족시킨다.

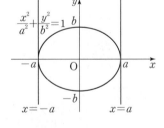

(i), (ii)에 의하여 타원 $\dfrac{x^2}{a^2} + \dfrac{y^2}{b^2} = 1$ 위의 점 $P(x_1, y_1)$에

서의 접선의 방정식은

$$\dfrac{x_1x}{a^2} + \dfrac{y_1y}{b^2} = 1$$

같은 방법으로 포물선과 쌍곡선 위의 한 점에서의 접선의 방정식도 구할 수 있다.

| 정답과 해설 17쪽 |

개념 확인 2 다음 이차곡선 위의 점에서의 접선의 방정식을 구하시오.

(1) $y^2 = -16x \quad (-1, -4)$　　　(2) $\dfrac{x^2}{4} + \dfrac{y^2}{12} = 1 \quad (-1, 3)$　　　(3) $\dfrac{x^2}{5} - \dfrac{y^2}{4} = 1 \quad (5, 4)$

## 음함수의 미분법과 이차곡선의 접선의 방정식

48쪽에서는 이차곡선의 접선의 방정식을 이차방정식의 판별식을 이용하여 구했지만, 미적분을 이수한 학생은 음함수의 미분법을 이용하여 다음과 같이 구할 수 있다.

> 타원 $\dfrac{x^2}{a^2}+\dfrac{y^2}{b^2}=1$ 위의 점 $(x_1, y_1)$에서의 접선의 방정식

❶ 음함수의 미분법을 이용하여 $\dfrac{dy}{dx}$ 구하기

$\dfrac{x^2}{a^2}+\dfrac{y^2}{b^2}=1$의 양변을 $x$에 대하여 미분하면 $\dfrac{2x}{a^2}+\dfrac{2y}{b^2}\times\dfrac{dy}{dx}=0$　∴ $\dfrac{dy}{dx}=-\dfrac{b^2 x}{a^2 y}$ $(y\neq0)$

❷ 타원 위의 점에서의 접선의 기울기 구하기

타원 위의 점 $(x_1, y_1)$에서의 접선의 기울기 $m$은 $m=-\dfrac{b^2 x_1}{a^2 y_1}$ $(y_1\neq0)$

❸ 타원 위의 점에서의 접선의 방정식 구하기

구하는 접선의 방정식은 $y-y_1=-\dfrac{b^2 x_1}{a^2 y_1}(x-x_1)$

∴ $\dfrac{y_1 y}{b^2}=-\dfrac{x_1 x}{a^2}+\dfrac{x_1^2}{a^2}+\dfrac{y_1^2}{b^2}$ ......㉠

이때, 점 $(x_1, y_1)$은 타원 $\dfrac{x^2}{a^2}+\dfrac{y^2}{b^2}=1$ 위의 점이므로 $\dfrac{x_1^2}{a^2}+\dfrac{y_1^2}{b^2}=1$ ......㉡

㉠, ㉡에서 구하는 접선의 방정식은

$\dfrac{y_1 y}{b^2}=-\dfrac{x_1 x}{a^2}+1$　∴ $\dfrac{x_1 x}{a^2}+\dfrac{y_1 y}{b^2}=1$ ← 48쪽의 이차방정식의 판별식을 이용하여 구한 공식과 동일하다.

같은 방법으로 포물선과 쌍곡선 위의 한 점에서의 접선의 방정식도 구할 수 있다.

---

**Lecture** **이차곡선 위의 점 $(x_1, y_1)$에서의 접선의 방정식 구하는 방법**

❶ 음함수의 미분법을 이용하여 $\dfrac{dy}{dx}$를 구한다.

❷ $x=x_1$, $y=y_1$을 위 ❶에서 구한 $\dfrac{dy}{dx}$에 대입하여 접선의 기울기 $m$을 구한다.

❸ 구하는 접선의 방정식은 다음과 같다.

$y-y_1=m(x-x_1)$

---

[개념 확인] 포물선 $y^2=8x$ 위의 점 $(2, -4)$에서의 접선의 방정식을 음함수의 미분법을 이용하여 구하시오.

풀이　$y^2=8x$의 양변을 $x$에 대하여 미분하면 $2y\times\dfrac{dy}{dx}=8$　∴ $\dfrac{dy}{dx}=\dfrac{4}{y}$ $(y\neq0)$

포물선 위의 점 $(2, -4)$에서의 접선의 기울기는 $\dfrac{4}{-4}=-1$이므로 구하는 접선의 방정식은

$y+4=-(x-2)$　∴ $y=-x-2$

## 개념 **03** 이차곡선 밖의 한 점에서 그은 접선의 방정식

이차곡선 밖의 한 점에서 이차곡선에 그은 접선의 방정식은 다음과 같은 순서로 구한다.

(ⅰ) 접점의 좌표를 $(x_1, y_1)$로 놓고 접선의 방정식을 구한다.

(ⅱ) 접선이 주어진 점을 지나고, 접점이 이차곡선 위의 점임을 이용하여 $x_1, y_1$의 값을 구한다.

(ⅲ)(ⅱ)에서 구한 $x_1, y_1$의 값을 (ⅰ)에 대입하여 접선의 방정식을 구한다.

 점 $(-2, 1)$에서 포물선 $y^2=4x$에 그은 접선의 방정식을 구해 보자.

접점의 좌표를 $(x_1, y_1)$이라 하면 포물선 $y^2=4x=4\times1\times x$

위의 점 $(x_1, y_1)$에서의 접선의 방정식은

$$y_1y=2(x+x_1)$$

이 직선이 점 $(-2, 1)$을 지나므로

$$y_1=2(-2+x_1) \qquad \cdots\cdots \text{㉠}$$

또, 접점 $(x_1, y_1)$이 포물선 $y^2=4x$ 위의 점이므로

$$y_1^2=4x_1 \qquad \cdots\cdots \text{㉡}$$

㉠, ㉡을 연립하여 풀면 $x_1=1, y_1=-2$ 또는 $x_1=4, y_1=4$

따라서 구하는 접선의 방정식은 $-2y=2(x+1)$ 또는 $4y=2(x+4)$

$$\therefore y=-x-1 \text{ 또는 } y=\frac{1}{2}x+2$$

다른
풀이

접선의 기울기를 $m$이라 하면 기울기가 $m$이고 점 $(-2, 1)$을 지나는 직선의 방정식은

$$y-1=m(x+2) \qquad \therefore y=mx+2m+1$$

이때, 포물선 $y^2=4x=4\times1\times x$에 접하고 기울기가 $m$인 접선의 방정식은 $y=mx+\dfrac{1}{m}$이므로

$$mx+2m+1=mx+\frac{1}{m}, 2m^2+m-1=0$$

$$(m+1)(2m-1)=0 \qquad \therefore m=-1 \text{ 또는 } m=\frac{1}{2}$$

따라서 구하는 접선의 방정식은 $y=-x-1$ 또는 $y=\dfrac{1}{2}x+2$

Lecture

이차곡선 밖의 한 점이 주어지면 접점의 좌표를 $(x_1, y_1)$로 놓고 $\longrightarrow$ $x^2$ 대신 $x_1x$, $y^2$ 대신 $y_1y$, $x$ 대신 $\dfrac{x+x_1}{2}$, $y$ 대신 $\dfrac{y+y_1}{2}$ 을 대입하여 접선의 방정식을 구한다.

| 정답과 해설 17쪽 |

개념 확인 **3** 점 $(-4, 2)$에서 타원 $3x^2+4y^2=16$에 그은 접선의 방정식을 구하시오.

**개념** check

**1-1** 다음 이차곡선에 접하고 기울기가 $m$인 접선의 방정식을 구하시오.

(1) $y^2 = -8x$, $m = 2$

(2) $\dfrac{x^2}{3} + \dfrac{y^2}{6} = 1$, $m = -2$

(3) $5x^2 - 9y^2 = 45$, $m = -1$

연구   (1) $y^2 = -8x = 4 \times (-2) \times x$에서 $p = -2$이므로 기울기가 2인 접선의 방정식은

$$y = 2x + \dfrac{-2}{2} \qquad \therefore y = \boxed{\phantom{xxxx}}$$

(2) $\dfrac{x^2}{3} + \dfrac{y^2}{6} = 1$에서 $a^2 = 3$, $b^2 = 6$이므로 기울기가 $-2$인 접선의 방정식은

$$y = -2x \pm \sqrt{3 \times (-2)^2 + 6}$$
$$\therefore y = \boxed{\phantom{xxxx}}$$

(3) $5x^2 - 9y^2 = 45$에서 $\dfrac{x^2}{9} - \dfrac{y^2}{5} = 1$이므로

$a^2 = 9$, $b^2 = 5$

따라서 기울기가 $-1$인 접선의 방정식은

$$y = -x \pm \sqrt{9 \times (-1)^2 - 5} \quad \therefore y = \boxed{\phantom{xxxx}}$$

**스스로** check

**1-2** 다음 이차곡선에 접하고 기울기가 $m$인 접선의 방정식을 구하시오.

(1) $y^2 = 8x$, $m = -4$

(2) $\dfrac{x^2}{12} + \dfrac{y^2}{13} = 1$, $m = \dfrac{1}{2}$

(3) $\dfrac{x^2}{27} - \dfrac{y^2}{2} = 1$, $m = \dfrac{1}{3}$

(4) $16x^2 - 3y^2 = -48$, $m = 2$

**2-1** 다음 이차곡선 위의 점에서의 접선의 방정식을 구하시오.

(1) $x^2 = 16y$    $(4, 1)$

(2) $\dfrac{x^2}{8} + \dfrac{y^2}{2} = 1$    $(2, -1)$

(3) $\dfrac{x^2}{4} - \dfrac{y^2}{5} = -1$    $(-4, 5)$

연구   (1) $x^2 = 16y = 4 \times 4 \times y$에서 $p = 4$이므로 포물선 $x^2 = 16y$ 위의 점 $(4, 1)$에서의 접선의 방정식은

$$4x = 2 \times 4 \times (y + 1) \qquad \therefore y = \boxed{\phantom{xxxx}}$$

(2) $\dfrac{2 \times x}{8} + \dfrac{(-1) \times y}{2} = 1 \qquad \therefore y = \boxed{\phantom{xxxx}}$

(3) $\dfrac{(-4) \times x}{4} - \dfrac{5 \times y}{5} = -1 \qquad \therefore y = \boxed{\phantom{xxxx}}$

**2-2** 다음 이차곡선 위의 점에서의 접선의 방정식을 구하시오.

(1) $y^2 = -9x$    $(-1, -3)$

(2) $\dfrac{x^2}{16} + \dfrac{y^2}{12} = 1$    $(2, 3)$

(3) $\dfrac{x^2}{16} - \dfrac{y^2}{18} = -1$    $(4, -6)$

(4) $4x^2 - 7y^2 = 36$    $(-4, 2)$

**대표 유형  이차곡선의 접선의 방정식 – 기울기가 주어진 경우**    ⟳ 유형 해결의 법칙 32, 36, 39쪽 유형 02, 09, 15

> 포물선 $y^2=-12x$에 접하고 직선 $y=2x+1$에 수직인 직선이 점 $(4, a)$를 지날 때, $a$의 값을 구하시오.

**풀이**

**① 수직인 직선의 기울기 구하기**

직선 $y=2x+1$에 수직인 직선의 기울기를 $m$이라 하면

$$2m=-1 \qquad \therefore m=-\frac{1}{2}$$

> 수직인 두 직선의 기울기의 곱은 $-1$이야. ☺

**② 접선의 방정식 구하기**

$y^2=-12x=4\times(-3)\times x$에서 $p=-3$이므로 기울기가 $-\frac{1}{2}$인 접선의 방정식은

$$y=-\frac{1}{2}x+\frac{-3}{-\frac{1}{2}} \qquad \therefore y=-\frac{1}{2}x+6$$

**③ $a$의 값 구하기**

이때, 이 직선이 점 $(4, a)$를 지나므로 $a=-\frac{1}{2}\times 4+6=4$

답 4

**다른 풀이**

직선 $y=2x+1$에 수직인 접선의 방정식을 $y=-\frac{1}{2}x+n$으로 놓고 $y^2=-12x$에 대입하면

$$\left(-\frac{1}{2}x+n\right)^2=-12x \qquad \therefore x^2-4(n-12)x+4n^2=0$$

이 이차방정식의 판별식을 $D$라 하면 $D=0$일 때 접한다.

즉, $\dfrac{D}{4}=4(n-12)^2-4n^2=0$에서 $-24(n-6)=0 \qquad \therefore n=6$

따라서 접선의 방정식은 $y=-\frac{1}{2}x+6$

이때, 이 직선이 점 $(4, a)$를 지나므로 $a=4$

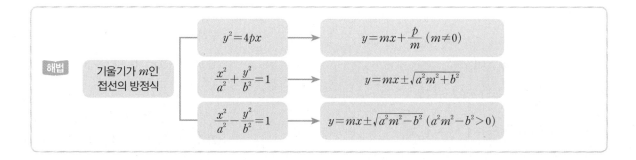

해법 | 기울기가 $m$인 접선의 방정식

| | |
|---|---|
| $y^2=4px$ | $y=mx+\dfrac{p}{m}\ (m\neq 0)$ |
| $\dfrac{x^2}{a^2}+\dfrac{y^2}{b^2}=1$ | $y=mx\pm\sqrt{a^2m^2+b^2}$ |
| $\dfrac{x^2}{a^2}-\dfrac{y^2}{b^2}=1$ | $y=mx\pm\sqrt{a^2m^2-b^2}\ (a^2m^2-b^2>0)$ |

| 정답과 해설 18쪽 |

**01-1** 쌍곡선 $\dfrac{x^2}{3}-y^2=1$에 접하고 $x$축의 양의 방향과 이루는 각의 크기가 $45°$인 직선의 방정식이 $y=mx+n$일 때, 상수 $m$, $n$에 대하여 $m^2-n^2$의 값을 구하시오. (단, $n>0$)

**대표 유형 02** **이차곡선의 접선의 방정식의 활용 – 기울기가 주어진 경우**

→ 유형 해결의 법칙 33, 36, 40쪽 유형 03, 10, 16

타원 $3x^2+y^2=3$ 위의 두 점 A$(1, 0)$, B$(0, -\sqrt{3})$과 이 타원 위의 임의의 점 P를 꼭짓점으로 하는 삼각형 APB의 넓이의 최댓값을 구하시오.

**풀이**

**❶ 삼각형 APB의 넓이가 최대일 조건 알아보기**

삼각형 APB의 넓이가 최대이려면 오른쪽 그림과 같이 타원 $3x^2+y^2=3$ 위의 점 P에서의 접선이 직선 AB와 평행하고, 점 P가 제2사분면 위의 점이어야 한다.

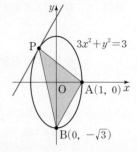

**❷ 직선 AB와 평행한 접선의 방정식 구하기**

A$(1, 0)$, B$(0, -\sqrt{3})$이므로 직선 AB의 기울기는 $\dfrac{-\sqrt{3}-0}{0-1}=\sqrt{3}$

타원 $3x^2+y^2=3$, 즉 $x^2+\dfrac{y^2}{3}=1$에서 기울기가 $\sqrt{3}$인 접선의 방정식은

$y=\sqrt{3}x\pm\sqrt{1\times(\sqrt{3})^2+3}$  ∴ $y=\sqrt{3}x\pm\sqrt{6}$

**❸ 삼각형 APB의 넓이의 최댓값 구하기**

이때, 점 A$(1, 0)$에서 접선 $y=\sqrt{3}x+\sqrt{6}$, 즉 $\sqrt{3}x-y+\sqrt{6}=0$에 이르는 거리는

$\dfrac{|\sqrt{3}+\sqrt{6}|}{\sqrt{(\sqrt{3})^2+(-1)^2}}=\dfrac{\sqrt{3}+\sqrt{6}}{2}$

이고 $\overline{AB}=\sqrt{(0-1)^2+(-\sqrt{3}-0)^2}=2$이므로 삼각형 APB의 넓이의 최댓값은

$\dfrac{1}{2}\times 2\times\dfrac{\sqrt{3}+\sqrt{6}}{2}=\dfrac{\sqrt{3}+\sqrt{6}}{2}$

답 $\dfrac{\sqrt{3}+\sqrt{6}}{2}$

**참고** 점과 직선 사이의 거리

점 P$(x_1, y_1)$과 직선 $ax+by+c=0$ 사이의 거리 $d$는

$d=\dfrac{|ax_1+by_1+c|}{\sqrt{a^2+b^2}}$

**해법** 접선의 기울기를 이용하여 이차곡선의 접선의 방정식을 구한 후 직선의 $x$절편, $y$절편과 점과 직선 사이의 거리 등을 이용하여 문제를 해결한다.

| 정답과 해설 18쪽 |

**02-1** 두 점 A$(-4, 0)$, B$(-1, 3)$과 포물선 $y^2=4x$ 위의 임의의 점 P에 대하여 삼각형 APB의 넓이의 최솟값을 구하시오.

대표 유형 **03** **이차곡선의 접선의 방정식 – 접점의 좌표가 주어진 경우**  ◑ 유형 해결의 법칙 33, 37, 40쪽 유형 04, 11, 17

쌍곡선 $4x^2 - y^2 = -12$ 위의 점 $(1, 4)$에서의 접선을 $l_1$, 점 $(1, -4)$에서의 접선을 $l_2$라 할 때, 두 직선 $l_1$, $l_2$가 만나는 점의 좌표를 구하시오.

**풀이**

**❶ 접선 $l_1$의 방정식 구하기**

쌍곡선 $4x^2 - y^2 = -12$ 위의 점 $(1, 4)$에서의 접선 $l_1$의 방정식은

$4 \times 1 \times x - 4 \times y = -12$    $\therefore y = x + 3$    ……㉠

**❷ 접선 $l_2$의 방정식 구하기**

쌍곡선 $4x^2 - y^2 = -12$ 위의 점 $(1, -4)$에서의 접선 $l_2$의 방정식은

$4 \times 1 \times x - (-4) \times y = -12$    $\therefore y = -x - 3$    ……㉡

**❸ 두 직선 $l_1$, $l_2$가 만나는 점의 좌표 구하기**

㉠, ㉡을 연립하여 풀면 $x = -3$, $y = 0$

따라서 두 직선 $l_1$, $l_2$가 만나는 점의 좌표는 $(-3, 0)$이다.

**답** $(-3, 0)$

해법  접점 $(x_1, y_1)$에서의 접선의 방정식

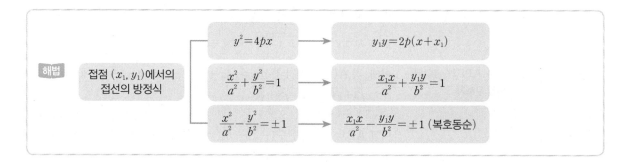

| | |
|---|---|
| $y^2 = 4px$ | $y_1 y = 2p(x + x_1)$ |
| $\dfrac{x^2}{a^2} + \dfrac{y^2}{b^2} = 1$ | $\dfrac{x_1 x}{a^2} + \dfrac{y_1 y}{b^2} = 1$ |
| $\dfrac{x^2}{a^2} - \dfrac{y^2}{b^2} = \pm 1$ | $\dfrac{x_1 x}{a^2} - \dfrac{y_1 y}{b^2} = \pm 1$ (복호동순) |

| 정답과 해설 19쪽 |

**03-1** 포물선 $y^2 = -4x$ 위의 점 $(0, 0)$에서의 접선을 $l_1$, 점 $(-4, 4)$에서의 접선을 $l_2$라 할 때, 두 직선 $l_1$, $l_2$가 만나는 점의 좌표를 구하시오.

**03-2** 오른쪽 그림과 같은 타원 위의 점 P에서의 접선과 $x$축이 만나는 점의 좌표를 구하시오. (단, 점 P는 제1사분면에 있고 점 P의 $x$좌표는 1이다.)

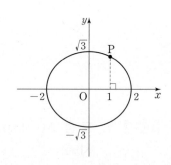

대표 유형  **이차곡선의 접선의 방정식의 활용 – 접점의 좌표가 주어진 경우** ↪유형 해결의 법칙 34, 38, 41쪽 유형 05, 12, 18

> 포물선 $y^2=2x$ 위의 점 $(a, b)$와 직선 $y=x+2$ 사이의 거리가 최소일 때, $a+b$의 값을 구하시오.

풀이

**❶ 점과 직선 사이의 거리가 최소일 조건 알아보기**

점 $(a, b)$와 직선 $y=x+2$ 사이의 거리가 최소이려면 오른쪽 그림과 같이 점 $(a, b)$에서의 접선이 직선 $y=x+2$와 평행해야 한다.

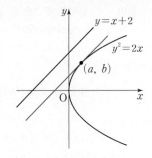

**❷ $a, b$의 값 구하기**

$y^2=2x=4\times\dfrac{1}{2}\times x$에서 $p=\dfrac{1}{2}$이므로 포물선 $y^2=2x$ 위의 점 $(a, b)$에서의 접선의 방정식은

$$by=2\times\dfrac{1}{2}\times(x+a) \qquad \therefore y=\dfrac{1}{b}x+\dfrac{a}{b}$$

이 접선의 기울기가 1이 되어야 하므로 $\dfrac{1}{b}=1$ $\qquad \therefore b=1$

점 $(a, b)$는 포물선 $y^2=2x$ 위의 점이므로 $b^2=2a$ $\qquad \therefore a=\dfrac{1}{2}$

**❸ $a+b$의 값 구하기**

$$\therefore a+b=\dfrac{1}{2}+1=\dfrac{3}{2}$$

답 $\dfrac{3}{2}$

---

해법 | 이차곡선 위의 점 $(x_1, y_1)$에서의 접선의 방정식 → 이차곡선의 식에서 다음을 대입한 결과와 같다.

$x^2$ 대신 $x_1x$, $y^2$ 대신 $y_1y$, $x$ 대신 $\dfrac{x+x_1}{2}$, $y$ 대신 $\dfrac{y+y_1}{2}$

| 정답과 해설 19쪽 |

**04-1** 제1사분면에 있는 타원 $x^2+4y^2=12$ 위의 점 $\mathrm{P}(a, b)$에서의 접선이 $x$축, $y$축과 만나는 점을 각각 A, B라 할 때, 삼각형 OAB의 넓이의 최솟값을 구하시오. (단, O는 원점이다.)

**04-2** 쌍곡선 $\dfrac{x^2}{12}-\dfrac{y^2}{8}=1$ 위의 점 $(a, b)$에서의 접선이 타원 $\dfrac{(x-2)^2}{4}+y^2=1$의 넓이를 이등분할 때, $a^2+b^2$의 값을 구하시오.

대표 유형 **05** 이차곡선 밖의 한 점에서 그은 접선의 방정식

↻ 유형 해결의 법칙 35, 38, 41쪽 유형 07, 13, 19

점 $(2, 1)$에서 타원 $4x^2+y^2=4$에 그은 두 접선의 기울기를 $m_1$, $m_2$라 할 때, $m_1 m_2$의 값을 구하시오.

풀이

**❶ 타원에 그은 두 접선의 방정식 구하기**

타원 $4x^2+y^2=4$, 즉 $x^2+\dfrac{y^2}{4}=1$에서 $a^2=1$, $b^2=4$이므로 기울기가 $m$인 접선의 방정식은

$$y=mx \pm \sqrt{1 \times m^2+4}$$

**❷ $m_1 m_2$의 값 구하기**

이 직선이 점 $(2, 1)$을 지나므로

$$1=2m \pm \sqrt{m^2+4}$$

$$\therefore \pm\sqrt{m^2+4}=-2m+1$$

이 식의 양변을 제곱하여 정리하면

$$3m^2-4m-3=0$$

이 이차방정식의 두 근 $m_1$, $m_2$가 각각 두 접선의 기울기이므로 이차방정식의 근과 계수의 관계에 의하여

$$m_1 m_2 = \frac{-3}{3} = -1$$

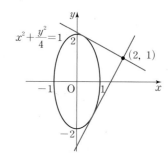

답 $-1$

해법  이차곡선 밖의 한 점에서 그은 접선 ⟶ 기울기가 $m$인 접선 공식 또는 이차곡선 위의 점 $(x_1, y_1)$에서의 접선 공식 적용

| 정답과 해설 20쪽 |

**05-1** 점 $(a, 2)$에서 포물선 $y^2=4x$에 그은 두 접선이 수직일 때, $a$의 값을 구하시오.

**05-2** 점 $(2, 0)$에서 쌍곡선 $x^2-2y^2=8$에 그은 두 접선과 $y$축으로 둘러싸인 삼각형의 넓이를 구하시오.

**유형 확인**

**1-1** 포물선 $x^2=4y$와 직선 $y=mx+n$이 오직 한 점 $(2, 1)$에서 만날 때, 상수 $m$, $n$에 대하여 $m+n$의 값을 구하시오.

**한번 더 확인**

**1-2** 포물선 $y^2=-8x$와 직선 $x+ay+b=0$이 오직 한 점 $(-2, 4)$에서 만날 때, 상수 $a$, $b$에 대하여 $a+b$의 값을 구하시오.

**2-1** 타원 $4x^2+y^2=1$과 직선 $y=mx+n$은 서로 다른 두 점에서 만난다. 두 교점 중 하나의 좌표가 $(0, 1)$일 때, 다음 중 $m$의 값이 될 수 없는 것은?

(단, $m$, $n$은 실수)

① $-1$      ② $0$      ③ $1$
④ $2$      ⑤ $3$

**2-2** 타원 $x^2+2y^2=4$와 직선 $x+ay+b=0$은 서로 다른 두 점에서 만난다. 두 교점 중 하나의 좌표가 $(2, 0)$일 때, 다음 중 $a$의 값이 될 수 없는 것은?

(단, $a$, $b$는 실수)

① $-1$      ② $0$      ③ $1$
④ $2$      ⑤ $3$

**3-1** 직선 $y=x+n$은 원 $(x+1)^2+y^2=2$와 한 점에서 만나고 쌍곡선 $x^2-2y^2=4$와 만나지 않을 때, 실수 $n$의 값을 구하시오.

**3-2** 직선 $y=2x+n$은 쌍곡선 $2x^2-y^2=3$과 한 점에서 만나고 타원 $2(x-1)^2+y^2=1$과 만나지 않을 때, 실수 $n$의 값을 구하시오.

**4-1** 포물선 $y^2-4x+8=0$에 접하고 $x$축의 양의 방향과 이루는 각의 크기가 $45°$인 직선의 방정식을 구하시오.

**4-2** 포물선 $(x-1)^2+4y=0$에 접하고 기울기가 $-1$인 직선의 방정식을 구하시오.

정답과 해설 22쪽

유형 확인

**5-1** 포물선 $x^2=4y$ 위의 임의의 점 A와 두 점 B$(-1, -3)$, C$(3, 1)$을 꼭짓점으로 하는 삼각형 ABC의 넓이의 최솟값을 구하시오.

한번 더 확인

**5-2** 포물선 $y^2=8x$와 직선 $y=2x+11$에 동시에 접하는 원 중에서 반지름의 길이가 최소인 원의 넓이를 구하시오.

**6-1** 타원 $2x^2+y^2=3$ 위의 점 $(1, 1)$에서의 접선과 포물선 $y^2+16x=0$ 위의 점 $(a, b)$에서의 접선이 평행할 때, $a+b$의 값을 구하시오.

**6-2** 타원 $\dfrac{x^2}{20}+\dfrac{y^2}{5}=1$ 위의 점 $(4, -1)$에서의 접선과 포물선 $x^2-8y=0$ 위의 점 $(a, b)$에서의 접선이 평행할 때, $a+b$의 값을 구하시오.

**7-1** 포물선 $y^2=4x$와 타원 $\dfrac{x^2}{3}+\dfrac{y^2}{6}=1$의 교점 중 제1사분면 위의 점에서 포물선에 그은 접선과 타원에 그은 접선이 이루는 각의 크기를 구하시오.

**7-2** 포물선 $x^2=y$와 타원 $x^2+2y^2=3$의 교점 중 제1사분면 위의 점에서 포물선에 그은 접선과 타원에 그은 접선이 이루는 각의 크기를 구하시오.

**8-1** 타원 $\dfrac{x^2}{5}+\dfrac{y^2}{3}=1$ 위의 점 $(a, b)$와 직선 $\dfrac{x}{5}+\dfrac{y}{3}=0$ 사이의 거리가 최대일 때, $a^2+b^2$의 값을 구하시오.

**8-2** 타원 $\dfrac{x^2}{4}+\dfrac{y^2}{3}=1$ 위의 점 $(a, b)$와 직선 $\dfrac{x}{4}+\dfrac{y}{3}=1$ 사이의 거리가 최소일 때, $a+b$의 값을 구하시오.

**9-1** 타원 $\dfrac{x^2}{4}+y^2=1$이 $x$축, $y$축의 양의 부분과 만나는 점을 각각 A, B라 하고, 제1사분면의 타원 위를 움직이는 점을 P라 할 때, 사각형 OAPB의 넓이의 최댓값을 구하시오. (단, O는 원점이다.)

**9-2** 타원 $x^2+4y^2=20$과 직선 $y=x$가 만나는 두 점을 A, B라 하고, 이 타원 위를 움직이는 두 점을 P, Q라 할 때, 이 네 점을 꼭짓점으로 하는 사각형의 넓이의 최댓값을 구하시오.

**10-1** 점 $(-1, 2)$에서 포물선 $y^2=8x$에 그은 두 접선의 기울기의 곱을 구하시오.

**10-2** 점 $(3, -4)$에서 포물선 $y^2=-12x$에 그은 두 접선의 기울기의 합을 구하시오.

**11-1** 다음 그림과 같이 타원 $\dfrac{x^2}{16}+\dfrac{y^2}{B}=1$의 한 초점 F에서 쌍곡선 $\dfrac{x^2}{16}-\dfrac{y^2}{7}=1$에 그은 두 접선이 서로 직교할 때, 양수 $B$의 값을 구하시오. (단, $B>16$)

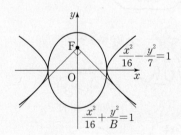

**11-2** 다음 그림과 같이 포물선 $y^2=4px$의 초점 F에서 쌍곡선 $\dfrac{x^2}{7}-\dfrac{y^2}{16}=-1$에 그은 두 접선이 서로 직교할 때, 양수 $p$의 값을 구하시오.

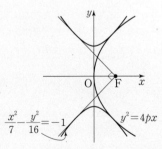

# 3 벡터의 연산

이 단원에서는 벡터에 대해 배울 거야.

벡터요? 생소한데요.

예를 들면, 컬링 경기와 같은 스포츠에서는 힘의 크기와 방향을 정확하게 제어할 수 있는 기술이 중요해. 이로 인해 오늘날에는 스포츠와 운동을 과학적으로 분석하는 것이 대중화되고 있고, 이때 벡터의 개념이 활용된단다.

## 개념 & 유형 map

**1. 벡터의 뜻**

| 개념 **01** | 벡터의 뜻 | 유형 **01** | 벡터의 크기 |
| 개념 **02** | 서로 같은 벡터 | 유형 **02** | 서로 같은 벡터 |

**2. 벡터의 덧셈과 뺄셈**

| 개념 **01** | 벡터의 덧셈 | 유형 **01** | 벡터의 덧셈과 뺄셈 |
| 개념 **02** | 벡터의 덧셈에 대한 성질 | | |
| 개념 **03** | 벡터의 뺄셈 | | |

**3. 벡터의 실수배**

| 개념 **01** | 벡터의 실수배 | 유형 **01** | 벡터의 실수배에 대한 연산 |
| 개념 **02** | 벡터의 실수배에 대한 성질 | 유형 **02** | 벡터의 연산과 도형 |
| | | 유형 **03** | 벡터가 서로 같을 조건 |
| 개념 **03** | 벡터의 평행 | 유형 **04** | 벡터의 평행 |
| 개념 **04** | 세 점이 한 직선 위에 있을 조건 | 유형 **05** | 세 점이 한 직선 위에 있을 조건 |

# 1 벡터의 뜻

## 개념 01 벡터의 뜻

(1) **벡터**: 크기와 방향을 함께 갖는 양

(2) **평면벡터**: 평면에서의 벡터

(3) **벡터 AB($\overrightarrow{AB}$)**: 점 A에서 점 B로 향하는 방향과 크기가 주어진 선분 AB

점 A를 벡터 $\overrightarrow{AB}$의 시점, 점 B를 벡터 $\overrightarrow{AB}$의 종점이라 한다.

(4) **벡터 $\overrightarrow{AB}$의 크기 ($|\overrightarrow{AB}|$)**: 선분 AB의 길이

(5) **단위벡터**: 크기가 1인 벡터

(6) **영벡터($\vec{0}$)**: 시점과 종점이 일치하는 벡터 → 영벡터의 크기는 0이고, 그 방향은 생각하지 않는다.

**참고** (1) 벡터를 한 문자로 $\vec{a}$, $\vec{b}$, $\vec{c}$와 같이 나타내기도 한다. 또, 벡터 $\vec{a}$의 크기는 $|\vec{a}|$와 같이 나타낸다.

(2) 벡터 $\overrightarrow{AB}$는 시점이 A, 종점이 B인 벡터이고, 벡터 $\overrightarrow{BA}$는 시점이 B, 종점이 A인 벡터이다.

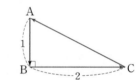

**예** 오른쪽 그림과 같이 $\overline{AB}=1$, $\overline{BC}=2$인 직각삼각형 ABC에서

(1) $\overline{AB}=1$, $\overline{BC}=2$이므로

$$\overline{CA}=\sqrt{1^2+2^2}=\sqrt{5}$$

$$\therefore |\overrightarrow{BC}|=\overline{BC}=2, |\overrightarrow{CA}|=\overline{CA}=\sqrt{5}$$

(2) $|\overrightarrow{AB}|=1$이므로 벡터 $\overrightarrow{AB}$는 단위벡터이다.

**Lecture**
❶ $\overrightarrow{AB}$ ➡ 점 A에서 점 B로 향하는 방향과 크기가 주어진 선분 AB
❷ $|\overrightarrow{AB}|$ ➡ 선분 AB의 길이

| 정답과 해설 25쪽 |

**개념 확인 1** 다음 벡터의 시점과 종점을 각각 말하시오.

(1) $\overrightarrow{AD}$　　　　(2) $\overrightarrow{DC}$

**개념 확인 2** 오른쪽 그림과 같이 $\overline{AB}=3$, $\overline{BC}=5$인 직각삼각형 ABC에서 다음 벡터의 크기를 구하시오.

(1) $\overrightarrow{AB}$　　　　(2) $\overrightarrow{CA}$

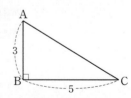

## 개념 **02** 서로 같은 벡터

**1 서로 같은 벡터**

두 벡터 $\vec{a}$, $\vec{b}$의 크기와 방향이 각각 같을 때, 두 벡터는 서로 같다고 하고 기호로 $\vec{a}=\vec{b}$와 같이 나타낸다.

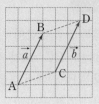

> **참고** 두 벡터의 시점과 종점이 다르더라도 크기와 방향이 각각 같으면 두 벡터는 서로 같다.
> 즉, 한 벡터를 평행이동하여 포개지는 벡터는 모두 같은 벡터이다.

**2 크기가 같고 방향이 반대인 벡터**

벡터 $\vec{a}$와 크기는 같지만 방향이 반대인 벡터를 기호로 $-\vec{a}$와 같이 나타낸다.

> **참고** 벡터 $\overrightarrow{AB}$에 대하여 $\overrightarrow{BA}=-\overrightarrow{AB}$, $|\overrightarrow{AB}|=|-\overrightarrow{AB}|$

---

예

오른쪽 그림에서
(1) 두 벡터 $\vec{a}$, $\vec{b}$는 크기와 방향이 각각 같으므로 $\vec{a}=\vec{b}$
(2) 두 벡터 $\vec{c}$, $\vec{d}$는 크기는 같지만 방향이 반대이므로 $\vec{c}=-\vec{d}$

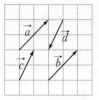

**Lecture**

크기가 같은
두 벡터 $\vec{a}$, $\vec{b}$
→ 방향이 같으면 → $\vec{a}=\vec{b}$
→ 방향이 반대이면 → $\vec{a}=-\vec{b}$

---

| 정답과 해설 25쪽 |

개념 확인 **3** 오른쪽 그림을 보고 다음을 구하시오.

(1) $\vec{a}$와 크기가 같은 벡터

(2) $\vec{a}$와 방향이 같은 벡터

(3) $\vec{a}$와 서로 같은 벡터

(4) $\vec{a}$와 크기가 같고 방향이 반대인 벡터

**개념 check**

**1-1** 오른쪽 그림과 같이 $\overline{AB}=2$, $\overline{BC}=3$인 직사각형 ABCD에서 다음 벡터의 크기를 구하시오.

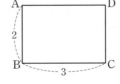

(1) $\overrightarrow{AD}$

(2) $\overrightarrow{CD}$

(3) $\overrightarrow{BD}$

연구 (1) $|\overrightarrow{AD}|=\overline{AD}=\overline{BC}=$ ☐

(2) $|\overrightarrow{CD}|=\overline{CD}=\overline{AB}=$ ☐

(3) $|\overrightarrow{BD}|=\overline{BD}=\sqrt{2^2+3^2}=$ ☐

**스스로 check**

**1-2** 오른쪽 그림과 같이 $\overrightarrow{AB}=3$, $\overrightarrow{AD}=4$인 직사각형 ABCD에서 다음 벡터의 크기를 구하시오.

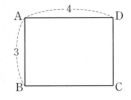

(1) $\overrightarrow{BC}$

(2) $\overrightarrow{CD}$

(3) $\overrightarrow{AC}$

**2-1** 오른쪽 그림과 같이 한 변의 길이가 1인 정육각형 ABCDEF에서 세 대각선 AD, BE, CF의 교점을 O라 할 때, 다음 물음에 답하시오.

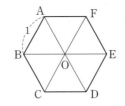

(1) $|\overrightarrow{AD}|$를 구하시오.

(2) $\overrightarrow{AB}$와 서로 같은 벡터를 모두 구하시오.

(3) $\overrightarrow{AF}$와 크기가 같고 방향이 반대인 벡터를 모두 구하시오.

연구 (1) $\overrightarrow{AO}=\overrightarrow{OD}=$ ☐ 이므로 $\overrightarrow{AD}=$ ☐

∴ $|\overrightarrow{AD}|=\overline{AD}=$ ☐

(2) 서로 같은 벡터는 시점의 위치에 관계없이 크기와 방향이 각각 같은 벡터이므로 $\overrightarrow{AB}$와 서로 같은 벡터는 ☐

(3) $\overrightarrow{AF}$와 크기가 같고 방향이 반대인 벡터는 ☐

**2-2** 오른쪽 그림과 같이 한 변의 길이가 2인 정삼각형 ABC에서 세 변 AB, BC, CA의 중점을 각각 D, E, F라 할 때, 다음 물음에 답하시오.

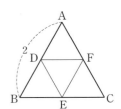

(1) $|\overrightarrow{EF}|$를 구하시오.

(2) $\overrightarrow{AD}$와 서로 같은 벡터를 모두 구하시오.

(3) $\overrightarrow{DF}$와 크기가 같고 방향이 반대인 벡터를 모두 구하시오.

# STEP ② 필수 유형

**대표 유형 ①1 벡터의 크기**

↪ 유형 해결의 법칙 51쪽 유형 01

오른쪽 그림과 같이 한 변의 길이가 2인 정육각형 ABCDEF에서 세 대각선 AD, BE, CF의 교점을 O라 할 때, 다음 물음에 답하시오.

(1) $|\overrightarrow{BF}|$를 구하시오.

(2) $\overrightarrow{AD}$와 크기가 같은 벡터를 모두 구하시오.

(3) 시점이 A이고 $\overrightarrow{BF}$와 크기가 같은 벡터를 모두 구하시오.

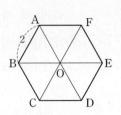

**풀이** (1) **①** $\overrightarrow{BF}$의 길이 구하기

마름모 ABOF에서 $\overline{AO}$, $\overline{BF}$의 교점을 M이라 하면 $\overline{BM}$은 정삼각형 ABO의 높이이다.

따라서 $\overline{BM} = \dfrac{\sqrt{3}}{2} \times 2 = \sqrt{3}$이므로

$$\overline{BF} = 2\overline{BM} = 2\sqrt{3}$$

**②** $|\overrightarrow{BF}|$ 구하기

$\therefore |\overrightarrow{BF}| = \overline{BF} = 2\sqrt{3}$

(2) $\overrightarrow{AD}$와 크기가 같은 벡터 구하기

$\overline{AD} = \overline{BE} = \overline{CF} = 4$이므로 $\overrightarrow{AD}$와 크기가 같은 벡터는

$\overrightarrow{DA}$, $\overrightarrow{BE}$, $\overrightarrow{EB}$, $\overrightarrow{CF}$, $\overrightarrow{FC}$

(3) 시점이 A이고 $\overrightarrow{BF}$와 크기가 같은 벡터 구하기

$\overline{AC} = \overline{AE} = 2\sqrt{3}$이므로 시점이 A이고 $\overrightarrow{BF}$와 크기가 같은 벡터는

$\overrightarrow{AC}$, $\overrightarrow{AE}$

**圁** (1) $2\sqrt{3}$ (2) $\overrightarrow{DA}$, $\overrightarrow{BE}$, $\overrightarrow{EB}$, $\overrightarrow{CF}$, $\overrightarrow{FC}$ (3) $\overrightarrow{AC}$, $\overrightarrow{AE}$

**해법** 벡터 $\overrightarrow{AB}$의 크기 ⟶ $|\overrightarrow{AB}|$ ⟶ 선분 AB의 길이

| 정답과 해설 26쪽 |

**01-1** 오른쪽 그림과 같이 한 변의 길이가 6인 정삼각형 ABC에서 세 변 AB, BC, CA의 중점을 각각 D, E, F라 할 때, 다음 물음에 답하시오.

(1) $|\overrightarrow{AE}|$를 구하시오.

(2) $\overrightarrow{AE}$와 크기가 같은 벡터를 모두 구하시오.

대표 유형 **02** 서로 같은 벡터

↻ 유형 해결의 법칙 51쪽 유형 02

오른쪽 그림과 같은 정육각형 ABCDEF에서 세 대각선 AD, BE, CF의 교점을 O 라 할 때, 다음 물음에 답하시오.

(1) $\overrightarrow{\mathrm{BF}}$와 서로 같은 벡터를 구하시오.

(2) $\overrightarrow{\mathrm{BF}}$와 크기가 같고 방향이 반대인 벡터를 모두 구하시오.

(3) $\overrightarrow{\mathrm{OA}}=\vec{a}$, $\overrightarrow{\mathrm{OB}}=\vec{b}$, $\overrightarrow{\mathrm{OC}}=\vec{c}$라 할 때, 세 벡터 $\overrightarrow{\mathrm{FE}}$, $\overrightarrow{\mathrm{CD}}$, $\overrightarrow{\mathrm{DE}}$를 각각 $\vec{a}$, $\vec{b}$, $\vec{c}$로 나타 내시오.

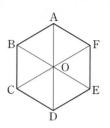

풀이

(1) $\overrightarrow{\mathrm{BF}}$와 서로 같은 벡터는 $\overrightarrow{\mathrm{CE}}$이다.

(2) $\overrightarrow{\mathrm{BF}}$와 크기가 같고 방향이 반대인 벡터는 $\overrightarrow{\mathrm{FB}}$, $\overrightarrow{\mathrm{EC}}$이다.

(3) $\overrightarrow{\mathrm{FE}}=\overrightarrow{\mathrm{AO}}=-\overrightarrow{\mathrm{OA}}$이므로 $\overrightarrow{\mathrm{FE}}=-\vec{a}$

$\overrightarrow{\mathrm{CD}}=\overrightarrow{\mathrm{BO}}=-\overrightarrow{\mathrm{OB}}$이므로 $\overrightarrow{\mathrm{CD}}=-\vec{b}$

$\overrightarrow{\mathrm{DE}}=\overrightarrow{\mathrm{CO}}=-\overrightarrow{\mathrm{OC}}$이므로 $\overrightarrow{\mathrm{DE}}=-\vec{c}$

벡터 $\vec{a}$와 크기가 같고 방향이 반대인 벡터를 $-\vec{a}$로 나타내.

답 (1) $\overrightarrow{\mathrm{CE}}$  (2) $\overrightarrow{\mathrm{FB}}$, $\overrightarrow{\mathrm{EC}}$  (3) $\overrightarrow{\mathrm{FE}}=-\vec{a}$, $\overrightarrow{\mathrm{CD}}=-\vec{b}$, $\overrightarrow{\mathrm{DE}}=-\vec{c}$

해법

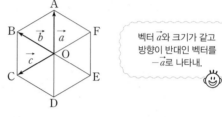

크기가 같은 두 벡터 $\vec{a}$, $\vec{b}$

방향이 같으면 → $\vec{a}=\vec{b}$

방향이 반대이면 → $\vec{a}=-\vec{b}$

---

**02-1**

| 정답과 해설 26쪽 |

오른쪽 그림과 같은 직사각형 ABCD에서 두 대각선 AC, BD의 교점을 O라 하자. $\overrightarrow{\mathrm{OA}}=\vec{a}$, $\overrightarrow{\mathrm{OB}}=\vec{b}$라 할 때, 다음 벡터를 $\vec{a}$, $\vec{b}$로 나타내시오.

(1) $\overrightarrow{\mathrm{AO}}$

(2) $\overrightarrow{\mathrm{BO}}$

(3) $\overrightarrow{\mathrm{CO}}$

(4) $\overrightarrow{\mathrm{DO}}$

# 2 벡터의 덧셈과 뺄셈

## 개념 01 벡터의 덧셈

**1 벡터의 덧셈**

두 벡터 $\vec{a}$, $\vec{b}$에 대하여 $\vec{a}=\overrightarrow{\mathrm{AB}}$, $\vec{b}=\overrightarrow{\mathrm{BC}}$일 때

$$\vec{a}+\vec{b}=\overrightarrow{\mathrm{AB}}+\overrightarrow{\mathrm{BC}}=\overrightarrow{\mathrm{AC}}$$

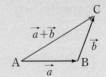

**2 평행사변형을 이용한 벡터의 덧셈**

평행사변형 ABCD에서 $\vec{a}=\overrightarrow{\mathrm{AB}}$, $\vec{b}=\overrightarrow{\mathrm{AD}}$일 때

$$\vec{a}+\vec{b}=\underbrace{\overrightarrow{\mathrm{AB}}+\overrightarrow{\mathrm{AD}}}_{\overrightarrow{\mathrm{AB}}+\overrightarrow{\mathrm{BC}}}=\overrightarrow{\mathrm{AC}}$$

참고 평행사변형을 이용하여 두 벡터 $\vec{a}$, $\vec{b}$의 합을 구할 때는 벡터 $\vec{a}$의 시점과 벡터 $\vec{b}$의 시점을 일치시킨다.

---

예 다음 두 벡터 $\vec{a}$, $\vec{b}$에 대하여 $\vec{a}+\vec{b}$를 삼각형과 평행사변형을 이용하여 그림으로 나타내 보자.

|  | (1) 삼각형을 이용 | (2) 평행사변형을 이용 |
|---|---|---|
| 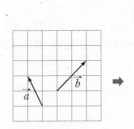 | 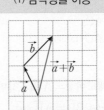 | 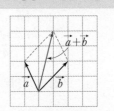 |
|  | $\vec{b}$의 시점이 $\vec{a}$의 종점과 일치하도록 $\vec{b}$를 평행이동 | $\vec{a}$, $\vec{b}$의 시점이 일치하도록 $\vec{b}$를 평행이동 |

**Lecture**

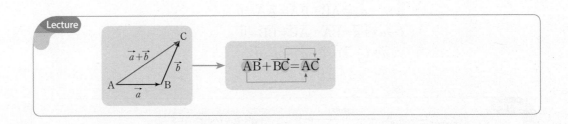

---

| 정답과 해설 26쪽 |

개념 확인 1 두 벡터 $\vec{a}$, $\vec{b}$가 다음과 같을 때, $\vec{a}+\vec{b}$를 그림으로 나타내시오.

(1)
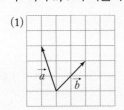

(2)
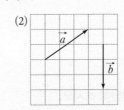

## 개념 **02** 벡터의 덧셈에 대한 성질

**1 벡터의 덧셈에 대한 성질**

세 벡터 $\vec{a}$, $\vec{b}$, $\vec{c}$에 대하여

(1) 교환법칙: $\vec{a}+\vec{b}=\vec{b}+\vec{a}$

(2) 결합법칙: $(\vec{a}+\vec{b})+\vec{c}=\vec{a}+(\vec{b}+\vec{c})$ → 벡터의 덧셈에서 결합법칙이 성립하므로 괄호를 사용하지 않고 $\vec{a}+\vec{b}+\vec{c}$로 나타낸다.

**2 영벡터의 성질**

영벡터 $\vec{0}$와 임의의 벡터 $\vec{a}$에 대하여

(1) $\vec{a}+\vec{0}=\vec{0}+\vec{a}=\vec{a}$

(2) $\vec{a}+(-\vec{a})=(-\vec{a})+\vec{a}=\vec{0}$

**설명**

**1** 세 벡터 $\vec{a}$, $\vec{b}$, $\vec{c}$에 대하여 다음 교환법칙과 결합법칙이 성립함을 알아보자.

| (1) 교환법칙 | (2) 결합법칙 |
|---|---|
| 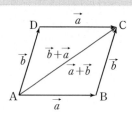 | 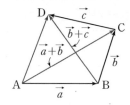 |
| $\vec{a}+\vec{b}=\overrightarrow{AB}+\overrightarrow{BC}=\overrightarrow{AC}$, <br> $\vec{b}+\vec{a}=\overrightarrow{AD}+\overrightarrow{DC}=\overrightarrow{AC}$이므로 <br> $\vec{a}+\vec{b}=\vec{b}+\vec{a}$ | $(\vec{a}+\vec{b})+\vec{c}=\overrightarrow{AC}+\overrightarrow{CD}=\overrightarrow{AD}$, <br> $\vec{a}+(\vec{b}+\vec{c})=\overrightarrow{AB}+\overrightarrow{BD}=\overrightarrow{AD}$이므로 <br> $(\vec{a}+\vec{b})+\vec{c}=\vec{a}+(\vec{b}+\vec{c})$ |

**2** (1) 임의의 벡터 $\vec{a}$에 대하여 $\vec{a}=\overrightarrow{AB}$라 하면

$$\vec{a}+\vec{0}=\overrightarrow{AB}+\overrightarrow{BB}=\overrightarrow{AB}=\vec{a}$$
$$\vec{0}+\vec{a}=\overrightarrow{AA}+\overrightarrow{AB}=\overrightarrow{AB}=\vec{a}$$
$$\therefore \vec{a}+\vec{0}=\vec{0}+\vec{a}=\vec{a}$$

$\overrightarrow{AA}=\overrightarrow{BB}=\overrightarrow{CC}=\cdots=\vec{0}$이고 방향은 생각하지 않아.

(2) 임의의 벡터 $\vec{a}$에 대하여 $\vec{a}=\overrightarrow{AB}$라 하면 $-\vec{a}=\overrightarrow{BA}$이므로

$$\vec{a}+(-\vec{a})=\overrightarrow{AB}+\overrightarrow{BA}=\overrightarrow{AA}=\vec{0}$$
$$(-\vec{a})+\vec{a}=\overrightarrow{BA}+\overrightarrow{AB}=\overrightarrow{BB}=\vec{0}$$
$$\therefore \vec{a}+(-\vec{a})=(-\vec{a})+\vec{a}=\vec{0}$$

**Lecture**

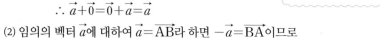

세 벡터 $\vec{a}$, $\vec{b}$, $\vec{c}$에 대하여

교환법칙 → $\vec{a}+\vec{b}=\vec{b}+\vec{a}$

결합법칙 → $(\vec{a}+\vec{b})+\vec{c}=\vec{a}+(\vec{b}+\vec{c})$

| 정답과 해설 26쪽 |

**개념 확인 2** $\overrightarrow{AB}+\overrightarrow{BC}+\overrightarrow{CD}$를 간단히 하시오.

## 개념 03 벡터의 뺄셈

두 벡터 $\vec{a}, \vec{b}$에 대하여 $\vec{a}=\overrightarrow{AB}, \vec{b}=\overrightarrow{AC}$일 때
$$\vec{a}-\vec{b}=\overrightarrow{AB}-\overrightarrow{AC}=\overrightarrow{CB}$$

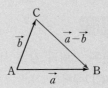

참고 $\vec{a}-\vec{b}$는 $\vec{a}$와 $\vec{b}$의 시점을 일치시켰을 때, $\vec{b}$의 종점을 시점으로 하고 $\vec{a}$의 종점을 종점으로 하는 벡터이다.

설명 두 벡터의 뺄셈은 평행사변형을 이용해서 할 수도 있다.
오른쪽 그림과 같이 $\vec{a}=\overrightarrow{AB}, \vec{b}=\overrightarrow{AC}$일 때, 사각형 ABDC가
평행사변형이 되도록 점 D를 잡으면

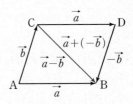

$$\vec{a}-\vec{b}=\overrightarrow{CB}$$
$$=\overrightarrow{CD}+\overrightarrow{DB}$$
$$=\vec{a}+(-\vec{b})$$

따라서 $\vec{a}-\vec{b}$는 두 벡터 $\vec{a}, -\vec{b}$의 합과 같음을 알 수 있다.

예 다음 두 벡터 $\vec{a}, \vec{b}$에 대하여 $\vec{a}-\vec{b}$를 삼각형과 평행사변형을 이용하여 그림으로 나타내 보자.

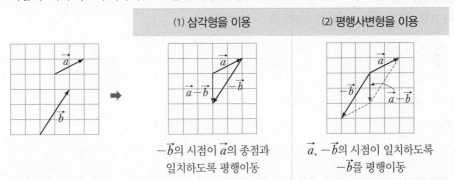

| (1) 삼각형을 이용 | (2) 평행사변형을 이용 |
|---|---|
| $-\vec{b}$의 시점이 $\vec{a}$의 종점과 일치하도록 평행이동 | $\vec{a}, -\vec{b}$의 시점이 일치하도록 $-\vec{b}$를 평행이동 |

Lecture

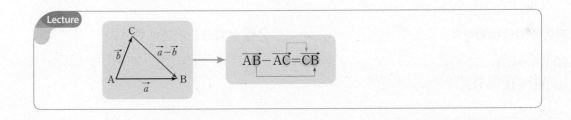

| 정답과 해설 26쪽 |

개념 확인 3 두 벡터 $\vec{a}, \vec{b}$가 다음과 같을 때, $\vec{a}-\vec{b}$를 그림으로 나타내시오.

(1)
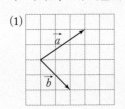

(2)
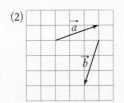

3 | 벡터의 연산

**개념 check**

**1-1** 오른쪽 그림과 같은 사각형 ABCD에서
$$\overrightarrow{AB}+\overrightarrow{CD}=\overrightarrow{AD}+\overrightarrow{CB}$$
가 성립함을 보이시오.

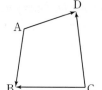

연구  $\overrightarrow{AB}+\overrightarrow{CD}$
$=(\overrightarrow{AD}+\overrightarrow{DB})+(\overrightarrow{CB}+\overrightarrow{BD})$  ⎤ $\boxed{\phantom{xxx}}$ 법칙
$=\overrightarrow{AD}+(\overrightarrow{DB}+\overrightarrow{CB})+\overrightarrow{BD}$  ←  $\boxed{\phantom{xxx}}$ 법칙
$=\overrightarrow{AD}+(\overrightarrow{CB}+\overrightarrow{DB})+\overrightarrow{BD}$  ←  $\boxed{\phantom{xxx}}$ 법칙
$=(\overrightarrow{AD}+\overrightarrow{CB})+(\overrightarrow{DB}+\overrightarrow{BD})$  ⎦
$=(\overrightarrow{AD}+\overrightarrow{CB})+\vec{0}$
$=\overrightarrow{AD}+\overrightarrow{CB}$
따라서 $\overrightarrow{AB}+\overrightarrow{CD}=\overrightarrow{AD}+\overrightarrow{CB}$가 성립한다.

**스스로 check**

**1-2** 오른쪽 그림과 같은 삼각형 ABC에서
$$\overrightarrow{AB}+\overrightarrow{BC}+\overrightarrow{CA}=\vec{0}$$
임을 보이시오.

**2-1** 다음을 간단히 하시오.
(1) $\overrightarrow{BA}-\overrightarrow{CA}$
(2) $\overrightarrow{AB}+\overrightarrow{BC}+\overrightarrow{DA}$

연구  (1) $\overrightarrow{BA}-\overrightarrow{CA}=\overrightarrow{BA}+\overrightarrow{AC}=\boxed{\phantom{xxx}}$
(2) $\overrightarrow{AB}+\overrightarrow{BC}+\overrightarrow{DA}=(\overrightarrow{AB}+\overrightarrow{BC})+\overrightarrow{DA}$
$=\overrightarrow{AC}+\overrightarrow{DA}$
$=\overrightarrow{AC}-\overrightarrow{AD}=\boxed{\phantom{xxx}}$

**2-2** 다음을 간단히 하시오.
(1) $\overrightarrow{AB}-\overrightarrow{CB}$

(2) $\overrightarrow{BC}+\overrightarrow{AB}+\overrightarrow{DE}+\overrightarrow{CD}$

**대표 유형 01   벡터의 덧셈과 뺄셈**      ↻ 유형 해결의 법칙 52쪽 유형 03

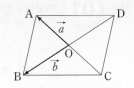

오른쪽 그림과 같은 평행사변형 ABCD의 두 대각선의 교점을 O라 하고 $\overrightarrow{OA}=\vec{a}$, $\overrightarrow{OB}=\vec{b}$라 할 때, 다음 벡터를 $\vec{a}$, $\vec{b}$로 나타내시오.

(1) $\overrightarrow{AB}$                    (2) $\overrightarrow{BC}$

풀이    (1) △ABO에서 $\overrightarrow{AB}$를 구하면

$\overrightarrow{AB}=\overrightarrow{AO}+\overrightarrow{OB}=-\overrightarrow{OA}+\overrightarrow{OB}=-\vec{a}+\vec{b}$

(2) △OBC에서 $\overrightarrow{BC}$를 구하면

$\overrightarrow{BC}=\overrightarrow{OC}-\overrightarrow{OB}=-\overrightarrow{OA}-\overrightarrow{OB}=-\vec{a}-\vec{b}$

답 (1) $-\vec{a}+\vec{b}$    (2) $-\vec{a}-\vec{b}$

해법    ❶ 벡터의 덧셈                          ❷ 벡터의 뺄셈

$\overrightarrow{AB}+\overrightarrow{BC}=\overrightarrow{AC}$                      $\overrightarrow{AB}-\overrightarrow{AC}=\overrightarrow{CB}$

**3 | 벡터의 연산**

| 정답과 해설 26쪽 |

**01-1**    오른쪽 그림과 같은 평행사변형 ABCD에서 $\overrightarrow{AB}=\vec{a}$, $\overrightarrow{AD}=\vec{b}$라 할 때, 다음 벡터를 $\vec{a}$, $\vec{b}$로 나타내시오.

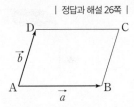

(1) $\overrightarrow{BD}$                    (2) $\overrightarrow{CA}$

**01-2**    오른쪽 그림과 같은 정육각형 ABCDEF에서 세 대각선 AD, BE, CF의 교점을 O라 하고 $\overrightarrow{AB}=\vec{a}$, $\overrightarrow{BC}=\vec{b}$라 할 때, 다음 벡터를 $\vec{a}$, $\vec{b}$로 나타내시오.

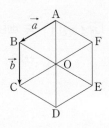

(1) $\overrightarrow{BO}$                    (2) $\overrightarrow{EO}$

(3) $\overrightarrow{DF}$

# 3 벡터의 실수배

## 개념 01 벡터의 실수배

(1) **벡터의 실수배**: 실수 $k$와 벡터 $\vec{a}$의 곱 $k\vec{a}$를 $\vec{a}$의 **실수배**라 한다.

(2) 실수 $k$와 벡터 $\vec{a}$에 대하여

① $\vec{a} \neq \vec{0}$일 때

　(ⅰ) $k > 0$이면 $k\vec{a}$는 $\vec{a}$와 방향이 같고 크기가 $k|\vec{a}|$인 벡터이다.

　(ⅱ) $k < 0$이면 $k\vec{a}$는 $\vec{a}$와 방향이 반대이고 크기가 $|k||\vec{a}|$인 벡터이다.

　(ⅲ) $k = 0$이면 $k\vec{a} = \vec{0}$이다.

② $\vec{a} = \vec{0}$일 때, $k\vec{a} = \vec{0}$이다.

참고 $1\vec{a} = \vec{a}$, $(-1)\vec{a} = -\vec{a}$, $0\vec{a} = \vec{0}$

**설명**　영벡터가 아닌 임의의 벡터 $\vec{a}$에 대하여 $\vec{a} + \vec{a}$는 $\vec{a}$와 방향이 같고, 크기가 $|\vec{a}|$의 2배인 벡터이다. 이것을 $\vec{a} + \vec{a} = 2\vec{a}$와 같이 나타낸다.

또, $(-\vec{a}) + (-\vec{a})$는 $\vec{a}$와 방향이 반대이고, 크기가 $|\vec{a}|$의 2배인 벡터이다. 이것을 $(-\vec{a}) + (-\vec{a}) = -2\vec{a}$와 같이 나타낸다.

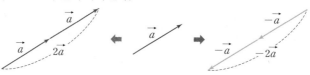

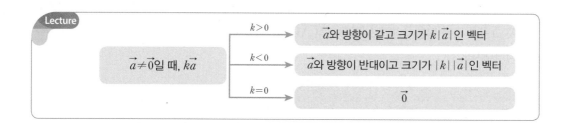

**개념 확인 1** 두 벡터 $\vec{a}$, $\vec{b}$가 오른쪽 그림과 같을 때, 다음 벡터를 그림으로 나타내시오.

| 정답과 해설 26쪽 |

(1) $2\vec{a}$

(2) $-3\vec{b}$

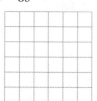

(3) $2\vec{a} - 3\vec{b}$

## 개념 **02** 벡터의 실수배에 대한 성질

두 실수 $k$, $l$과 두 벡터 $\vec{a}$, $\vec{b}$에 대하여
(1) 결합법칙: $k(l\vec{a}) = (kl)\vec{a}$
(2) 분배법칙: $(k+l)\vec{a} = k\vec{a} + l\vec{a}$, $k(\vec{a} + \vec{b}) = k\vec{a} + k\vec{b}$

**설명**

두 벡터 $\vec{a}$, $\vec{b}$에 대하여 $2(3\vec{a})$, $3\vec{a} + 2\vec{a}$, $3(\vec{a} + \vec{b})$는 다음 그림과 같이 각각 $6\vec{a}$, $5\vec{a}$, $3\vec{a} + 3\vec{b}$임을 알 수 있다.

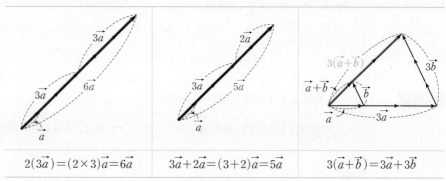

| $2(3\vec{a}) = (2 \times 3)\vec{a} = 6\vec{a}$ | $3\vec{a} + 2\vec{a} = (3+2)\vec{a} = 5\vec{a}$ | $3(\vec{a} + \vec{b}) = 3\vec{a} + 3\vec{b}$ |

**예**

$$5(-\vec{a} + 3\vec{b}) + 3(\vec{a} - \vec{b}) = 5(-\vec{a}) + 5(3\vec{b}) + 3\vec{a} + 3(-\vec{b})$$
$$= -5\vec{a} + 15\vec{b} + 3\vec{a} - 3\vec{b}$$
$$= (-5+3)\vec{a} + (15-3)\vec{b}$$
$$= -2\vec{a} + 12\vec{b}$$

결합법칙
분배법칙

**Lecture**

벡터의 실수배에 대한 연산 → 실수를 계수, 벡터를 문자로 생각하여 다항식의 연산과 같은 방법으로 간단히 한다.

| 정답과 해설 26쪽 |

**개념 확인 2** 다음을 간단히 하시오.

(1) $3(\vec{a} - \vec{b}) + 4(3\vec{a} + \vec{b})$

(2) $4(\vec{a} - 3\vec{b}) - 3(-\vec{a} + \vec{b})$

**3** 벡터의 연산

## 개념 **03** 벡터의 평행

**1 벡터의 평행**

영벡터가 아닌 두 벡터 $\vec{a}$, $\vec{b}$의 방향이 같거나 반대일 때, $\vec{a}$와 $\vec{b}$는 서로 평행하다고 하고 기호로 $\vec{a} /\!/ \vec{b}$와 같이 나타낸다.

**2 두 벡터가 평행할 조건**

영벡터가 아닌 두 벡터 $\vec{a}$, $\vec{b}$에 대하여

$$\vec{a} /\!/ \vec{b} \Longleftrightarrow \vec{b} = k\vec{a} \ (\text{단, } k \text{는 } 0\text{이 아닌 실수})$$

> $\vec{b}$가 영벡터가 아니므로 $k \neq 0$이다.

**참고** 영벡터가 아닌 두 벡터 $\vec{a}$, $\vec{b}$가 서로 평행하지 않을 때, 실수 $m$, $n$, $m'$, $n'$에 대하여

(1) $m\vec{a} + n\vec{b} = \vec{0} \Longleftrightarrow m = n = 0$

(2) $m\vec{a} + n\vec{b} = m'\vec{a} + n'\vec{b} \Longleftrightarrow m = m', \ n = n'$

---

**설명** 다음은 두 벡터 $\vec{a}$, $\vec{b}$가 서로 평행한 경우이다.

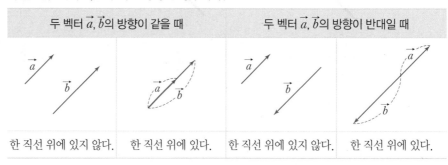

| 두 벡터 $\vec{a}$, $\vec{b}$의 방향이 같을 때 | | 두 벡터 $\vec{a}$, $\vec{b}$의 방향이 반대일 때 | |
|---|---|---|---|
| 한 직선 위에 있지 않다. | 한 직선 위에 있다. | 한 직선 위에 있지 않다. | 한 직선 위에 있다. |

**예** 영벡터가 아닌 두 벡터 $\vec{p} = 3\vec{a} - 6\vec{b}$, $\vec{q} = \vec{a} - 2\vec{b}$에 대하여

$$\vec{p} = 3\vec{a} - 6\vec{b} = 3(\vec{a} - 2\vec{b}) = 3\vec{q}$$

➡ $\vec{p}$가 $\vec{q}$의 3배이다.

➡ $\vec{p}$와 $\vec{q}$는 서로 평행하다.

> 한 벡터가 다른 벡터의 0이 아닌 실수배이면 두 벡터는 서로 평행해.

---

**Lecture**

영벡터가 아닌 두 벡터 $\vec{a}$, $\vec{b}$에 대하여

$$\vec{a} /\!/ \vec{b} \Longleftrightarrow \vec{b} = k\vec{a} \ (\text{단, } k \text{는 } 0\text{이 아닌 실수})$$

---

| 정답과 해설 26쪽 |

**개념 확인 3** 세 벡터 $\vec{p} = 3\vec{a} - 4\vec{b}$, $\vec{q} = -\vec{a} + 2\vec{b}$, $\vec{r} = 3\vec{a} - 2\vec{b}$에 대하여 영벡터가 아닌 두 벡터 $\vec{p} + \vec{q}$, $\vec{q} - \vec{r}$는 서로 평행함을 보이시오.

## 개념 **04** 세 점이 한 직선 위에 있을 조건

서로 다른 세 점 A, B, C가 한 직선 위에 있다.

$\iff \overrightarrow{AB} /\!/ \overrightarrow{AC}$

$\iff \overrightarrow{AC} = k\overrightarrow{AB}$ (단, $k$는 0이 아닌 실수)

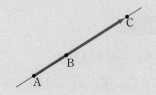

참고 서로 다른 세 점 A, B, C가 한 직선 위에 있을 조건으로
$\overrightarrow{AC} = k\overrightarrow{BC}$ 또는 $\overrightarrow{AB} = k\overrightarrow{BC}$ ($k$는 0이 아닌 실수)
를 이용할 수도 있다.

설명
서로 다른 세 점 A, B, C에 대하여 $\overrightarrow{AC} = k\overrightarrow{AB}$를 만족시키는 0이 아닌 실수 $k$가 존재하면
$\overrightarrow{AB} /\!/ \overrightarrow{AC}$이므로 세 점 A, B, C는 한 직선 위에 있다.
역으로 세 점 A, B, C가 한 직선 위에 있으면 $\overrightarrow{AC} = k\overrightarrow{AB}$를 만족시키는 0이 아닌 실수 $k$
가 존재한다.

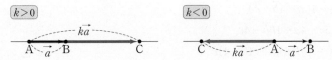

예
평면 위의 서로 다른 네 점 O, A, B, C에 대하여 $\overrightarrow{OA} = \vec{a}$, $\overrightarrow{OB} = \vec{b}$, $\overrightarrow{OC} = -2\vec{a} + 3\vec{b}$일 때

➡ $\overrightarrow{AB}$, $\overrightarrow{AC}$를 각각 $\vec{a}$, $\vec{b}$로 나타내면
$\overrightarrow{AB} = \overrightarrow{OB} - \overrightarrow{OA} = \vec{b} - \vec{a}$
$\overrightarrow{AC} = \overrightarrow{OC} - \overrightarrow{OA} = (-2\vec{a} + 3\vec{b}) - \vec{a} = -3\vec{a} + 3\vec{b} = 3(\vec{b} - \vec{a})$

➡ $\overrightarrow{AC} = 3\overrightarrow{AB}$

➡ 세 점 A, B, C는 한 직선 위에 있다.

Lecture
서로 다른 세 점 A, B, C가 한 직선 위에 있다.
$\iff \overrightarrow{AB} /\!/ \overrightarrow{AC}$
$\iff \overrightarrow{AC} = k\overrightarrow{AB}$ (단, $k$는 0이 아닌 실수)

| 정답과 해설 26쪽 |

개념 확인 4  평면 위의 서로 다른 네 점 O, A, B, C에 대하여
$\overrightarrow{OA} = \vec{a}$, $\overrightarrow{OB} = \vec{b}$, $\overrightarrow{OC} = -\vec{a} + 2\vec{b}$
일 때, 세 점 A, B, C가 한 직선 위에 있음을 보이시오.

개념 check

**1-1** 다음을 간단히 하시오.

(1) $4(\vec{a}+5\vec{b})+6(-\vec{a}+\vec{b})$

(2) $5(\vec{a}-\vec{b}+3\vec{c})-4(\vec{a}-4\vec{b}+\vec{c})$

(3) $4(\vec{a}+\vec{b}-\vec{c})+3(-\vec{a}-\vec{b}-3\vec{c})$

연구 (1) $4(\vec{a}+5\vec{b})+6(-\vec{a}+\vec{b})$

$=4\vec{a}+20\vec{b}-6\vec{a}+6\vec{b}$

$=(4-6)\vec{a}+(20+6)\vec{b}$

$=\boxed{\phantom{xxxxx}}$

(2) $5(\vec{a}-\vec{b}+3\vec{c})-4(\vec{a}-4\vec{b}+\vec{c})$

$=5\vec{a}-5\vec{b}+15\vec{c}-4\vec{a}+16\vec{b}-4\vec{c}$

$=(5-4)\vec{a}+(-5+16)\vec{b}+(15-4)\vec{c}$

$=\boxed{\phantom{xxxxx}}$

(3) $4(\vec{a}+\vec{b}-\vec{c})+3(-\vec{a}-\vec{b}-3\vec{c})$

$=4\vec{a}+4\vec{b}-4\vec{c}-3\vec{a}-3\vec{b}-9\vec{c}$

$=(4-3)\vec{a}+(4-3)\vec{b}+(-4-9)\vec{c}$

$=\boxed{\phantom{xxxxx}}$

스스로 check

**1-2** 다음을 간단히 하시오.

(1) $3(-\vec{a}+\vec{b})-3(5\vec{a}-\vec{b})$

(2) $2(\vec{a}+2\vec{b}-\vec{c})-3(-4\vec{a}+\vec{b}-\vec{c})$

(3) $3(-\vec{a}+3\vec{b}-\vec{c})+5(3\vec{a}-\vec{b}-\vec{c})$

**2-1** 다음 등식을 만족시키는 벡터 $\vec{x}$를 $\vec{a}, \vec{b}$로 나타내시오.

(1) $3\vec{a}-\vec{x}=4\vec{a}+\vec{b}$

(2) $3(2\vec{a}+\vec{x})-4(\vec{x}+\vec{b})=\vec{0}$

연구 (1) $3\vec{a}-\vec{x}=4\vec{a}+\vec{b}$에서

$-\vec{x}=\vec{a}+\vec{b}$ $\quad\therefore \vec{x}=\boxed{\phantom{xxx}}$

(2) $3(2\vec{a}+\vec{x})-4(\vec{x}+\vec{b})=\vec{0}$에서

$6\vec{a}+3\vec{x}-4\vec{x}-4\vec{b}=\vec{0}$

$-\vec{x}=-6\vec{a}+4\vec{b}$ $\quad\therefore \vec{x}=\boxed{\phantom{xxx}}$

**2-2** 다음 등식을 만족시키는 벡터 $\vec{x}$를 $\vec{a}, \vec{b}$로 나타내시오.

(1) $4\vec{a}-5\vec{x}=3\vec{a}-\vec{x}$

(2) $2(\vec{a}+\vec{x})+3(\vec{b}-\vec{x})=\vec{a}$

**대표 유형 ① 벡터의 실수배에 대한 연산**

↻ 유형 해결의 법칙 52쪽 유형 04

두 벡터 $\vec{a}, \vec{b}$에 대하여 $3\vec{x}-2\vec{y}=\vec{a}$, $\vec{x}+2\vec{y}=\vec{b}$일 때, 다음 물음에 답하시오.

(1) $\vec{x}, \vec{y}$를 각각 $\vec{a}, \vec{b}$로 나타내시오.

(2) $\vec{x}-\vec{y}$를 $\vec{a}, \vec{b}$로 나타내시오.

**풀이** (1)

❶ $\vec{x}$를 $\vec{a}, \vec{b}$로 나타내기

$3\vec{x}-2\vec{y}=\vec{a}$ ······ ㉠

$\vec{x}+2\vec{y}=\vec{b}$ ······ ㉡

㉠+㉡을 하면 $4\vec{x}=\vec{a}+\vec{b}$

$\therefore \vec{x}=\dfrac{1}{4}\vec{a}+\dfrac{1}{4}\vec{b}$

❷ $\vec{y}$를 $\vec{a}, \vec{b}$로 나타내기

이것을 ㉡에 대입하면 $\dfrac{1}{4}\vec{a}+\dfrac{1}{4}\vec{b}+2\vec{y}=\vec{b}$

$\therefore \vec{y}=-\dfrac{1}{8}\vec{a}+\dfrac{3}{8}\vec{b}$

(2) $\vec{x}-\vec{y}$를 $\vec{a}, \vec{b}$로 나타내기

$\vec{x}-\vec{y}=\left(\dfrac{1}{4}\vec{a}+\dfrac{1}{4}\vec{b}\right)-\left(-\dfrac{1}{8}\vec{a}+\dfrac{3}{8}\vec{b}\right)=\dfrac{3}{8}\vec{a}-\dfrac{1}{8}\vec{b}$

📄 (1) $\vec{x}=\dfrac{1}{4}\vec{a}+\dfrac{1}{4}\vec{b}$, $\vec{y}=-\dfrac{1}{8}\vec{a}+\dfrac{3}{8}\vec{b}$ (2) $\dfrac{3}{8}\vec{a}-\dfrac{1}{8}\vec{b}$

**해법**

벡터의 실수배에 대한 연산 → 실수를 계수, 벡터를 문자로 생각하여 다항식의 연산과 같은 방법으로 간단히 한다.

| 정답과 해설 27쪽 |

**01-1** 벡터 $\vec{a}$에 대하여 $\vec{x}-2\vec{y}=3\vec{a}$, $3\vec{x}+\vec{y}=2\vec{a}$일 때, $\vec{x}+3\vec{y}$를 $\vec{a}$로 나타내시오.

**01-2** 두 벡터 $\vec{a}, \vec{b}$에 대하여 $\vec{x}+2\vec{y}=-3\vec{b}$, $2\vec{x}+2\vec{y}=\vec{a}-2\vec{b}$일 때, $\vec{x}-\vec{y}$를 $\vec{a}, \vec{b}$로 나타내시오.

대표 유형 **02** **벡터의 연산과 도형**

유형 해결의 법칙 53쪽 유형 05

오른쪽 그림과 같은 정육각형 ABCDEF에서
$$\overrightarrow{AB}=\vec{a}, \overrightarrow{AC}=\vec{b}$$
라 할 때, 다음 벡터를 $\vec{a}, \vec{b}$로 나타내시오.

(1) $\overrightarrow{CF}$      (2) $\overrightarrow{AD}$      (3) $\overrightarrow{EB}$

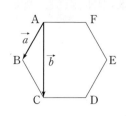

**풀이** (1) $\overrightarrow{CF}=2\overrightarrow{BA}=-2\overrightarrow{AB}=-2\vec{a}$

(2) $\overrightarrow{AD}=2\overrightarrow{BC}=2(\overrightarrow{AC}-\overrightarrow{AB})$
$\qquad =2(\vec{b}-\vec{a})=-2\vec{a}+2\vec{b}$

(3) $\overrightarrow{EB}=2\overrightarrow{FA}=-2\overrightarrow{AF}$
$\qquad =-2(\overrightarrow{AD}+\overrightarrow{DF})=-2\overrightarrow{AD}-2\overrightarrow{DF}$
$\qquad =-2(-2\vec{a}+2\vec{b})-2(-\vec{b})$
$\qquad =4\vec{a}-4\vec{b}+2\vec{b}=4\vec{a}-2\vec{b}$

🔲 (1) $-2\vec{a}$   (2) $-2\vec{a}+2\vec{b}$   (3) $4\vec{a}-2\vec{b}$

**해법** $\overrightarrow{AB}/\!/\overrightarrow{CD}$이고 $\overrightarrow{AB}=\overrightarrow{CD}$이면 ➡ $\overrightarrow{AB}=\overrightarrow{CD}$ 또는 $\overrightarrow{AB}=\overrightarrow{DC}$

---

| 정답과 해설 28쪽 |

**02-1** 오른쪽 그림과 같은 정육각형 ABCDEF에서 $\overrightarrow{AB}=\vec{a}, \overrightarrow{BC}=\vec{b}$라 할 때, 다음 벡터를 $\vec{a}, \vec{b}$로 나타내시오.

(1) $\overrightarrow{BD}$      (2) $\overrightarrow{CE}$

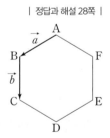

**02-2** 오른쪽 그림과 같이 $\overline{AD}/\!/\overline{BC}$인 사다리꼴 ABCD에서 $\overline{BC}=2\overline{AD}$이다. $\overrightarrow{AB}=\vec{a}$, $\overrightarrow{AD}=\vec{b}$라 할 때, $\overrightarrow{BD}+\overrightarrow{AC}$를 $\vec{a}, \vec{b}$로 나타내시오.

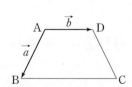

대표 유형 **03** 벡터가 서로 같을 조건

⟳ 유형 해결의 법칙 55쪽 유형 07

다음 물음에 답하시오.

(1) 영벡터가 아닌 두 벡터 $\vec{a}, \vec{b}$가 서로 평행하지 않을 때,
$$4(m-n)\vec{a}+(m+1)\vec{b}=(1-3n)\vec{a}+(2m-n+1)\vec{b}$$
를 만족시키는 실수 $m, n$의 값을 구하시오.

(2) 영벡터가 아닌 두 벡터 $\vec{a}, \vec{b}$가 서로 평행하지 않을 때, $\overrightarrow{OA}=\vec{a}, \overrightarrow{OB}=\vec{b}, \overrightarrow{OC}=k\vec{a}-3\vec{b}$이다.
$3\overrightarrow{AC}=m\overrightarrow{BA}$일 때, 실수 $k$의 값을 구하시오. (단, $m$은 실수)

**풀이** (1) ❶ 벡터가 서로 같을 조건을 이용하여 $m, n$에 대한 식 구하기

$4(m-n)\vec{a}+(m+1)\vec{b}=(1-3n)\vec{a}+(2m-n+1)\vec{b}$에서
$\vec{a}, \vec{b}$가 서로 평행하지 않으므로
$4(m-n)=1-3n, m+1=2m-n+1$
∴ $4m-n=1, m-n=0$

❷ $m, n$의 값 구하기

두 식을 연립하여 풀면 $m=\dfrac{1}{3}, n=\dfrac{1}{3}$

(2) ❶ $\overrightarrow{AC}, \overrightarrow{BA}$를 각각 $\vec{a}, \vec{b}$로 나타내기

$\overrightarrow{AC}=\overrightarrow{OC}-\overrightarrow{OA}=k\vec{a}-3\vec{b}-\vec{a}=(k-1)\vec{a}-3\vec{b}$
$\overrightarrow{BA}=\overrightarrow{OA}-\overrightarrow{OB}=\vec{a}-\vec{b}$

❷ ❶에서 구한 식을 $3\overrightarrow{AC}=m\overrightarrow{BA}$에 대입하여 $k$의 값 구하기

$3\overrightarrow{AC}=m\overrightarrow{BA}$에서 $3(k-1)\vec{a}-9\vec{b}=m\vec{a}-m\vec{b}$
$\vec{a}, \vec{b}$가 서로 평행하지 않으므로
$3(k-1)=m, -9=-m$
두 식을 연립하여 풀면 $m=9, k=4$

📋 **답** (1) $m=\dfrac{1}{3}, n=\dfrac{1}{3}$ (2) 4

해법 영벡터가 아닌 두 벡터 $\vec{a}, \vec{b}$가 서로 평행하지 않을 때 ⟶ $m\vec{a}+n\vec{b}=m'\vec{a}+n'\vec{b} \Longleftrightarrow m=m', n=n'$ (단, $m, n, m', n'$은 실수)

| 정답과 해설 28쪽 |

**03-1** 영벡터가 아닌 두 벡터 $\vec{a}, \vec{b}$가 서로 평행하지 않을 때,
$$(m+3n)\vec{a}+(5m+4n)\vec{b}=2(m+n-2)\vec{a}+(7m+n)\vec{b}$$
를 만족시키는 실수 $m, n$의 값을 구하시오.

**03-2** 영벡터가 아닌 두 벡터 $\vec{a}, \vec{b}$가 서로 평행하지 않을 때, $\vec{p}=2\vec{a}+\vec{b}, \vec{q}=\vec{a}-\vec{b}, \vec{r}=2\vec{a}+k\vec{b}$이다. $m(\vec{p}-\vec{q})=\vec{q}+\vec{r}$일 때, 실수 $k$의 값을 구하시오. (단, $m$은 실수)

**3** 벡터의 연산

**벡터의 평행**

↪ 유형 해결의 법칙 55쪽 유형 08

> 서로 평행하지 않고 영벡터가 아닌 두 벡터 $\vec{a}, \vec{b}$에 대하여
> $$\vec{p}=\vec{a}+2\vec{b},\ \vec{q}=2\vec{a}-\vec{b},\ \vec{r}=m\vec{a}-5\vec{b}$$
> 일 때, 두 벡터 $\vec{p}+\vec{q},\ \vec{q}-\vec{r}$가 서로 평행하도록 하는 실수 $m$의 값을 구하시오.

풀이

 $\vec{p}+\vec{q},\ \vec{q}-\vec{r}$를 각각 $\vec{a}, \vec{b}$ 로 나타내기

$$\vec{p}+\vec{q}=(\vec{a}+2\vec{b})+(2\vec{a}-\vec{b})=3\vec{a}+\vec{b}$$
$$\vec{q}-\vec{r}=(2\vec{a}-\vec{b})-(m\vec{a}-5\vec{b})=(2-m)\vec{a}+4\vec{b}$$

❷ 두 벡터가 평행할 조건을 이용하여 식 세우기

$\vec{p}+\vec{q},\ \vec{q}-\vec{r}$가 서로 평행하므로
$$\vec{q}-\vec{r}=k(\vec{p}+\vec{q})\ (k\neq0)$$
를 만족시키는 실수 $k$가 존재한다.
$$(2-m)\vec{a}+4\vec{b}=3k\vec{a}+k\vec{b}$$

❸ $m$의 값 구하기

이때, $\vec{a}, \vec{b}$가 서로 평행하지 않으므로
$$2-m=3k,\ 4=k$$
$$\therefore k=4,\ m=-10$$

답 $-10$

해법

서로 평행하지 않고 영벡터가 아닌 두 벡터 $\vec{a}, \vec{b}$에 대하여 $\vec{p}=m\vec{a}+n\vec{b},\ \vec{q}=m'\vec{a}+n'\vec{b}$ ($m, n, m', n'$은 실수)일 때

→ $\vec{p}\ /\!/\ \vec{q} \iff \vec{p}=k\vec{q} \iff m=km',\ n=kn'$ (단, $k$는 0이 아닌 실수)

| 정답과 해설 28쪽 |

**04-1** 서로 평행하지 않고 영벡터가 아닌 두 벡터 $\vec{a}, \vec{b}$에 대하여
$$\vec{p}=m\vec{a}+2\vec{b},\ \vec{q}=-5\vec{a}+4\vec{b},\ \vec{r}=-8\vec{a}+7\vec{b}$$
일 때, 두 벡터 $\vec{p}+\vec{q},\ \vec{q}-\vec{r}$가 서로 평행하도록 하는 실수 $m$의 값을 구하시오.

**04-2** 서로 평행하지 않고 영벡터가 아닌 두 벡터 $\vec{a}, \vec{b}$에 대하여
$$\overrightarrow{OA}=2\vec{a}-\vec{b},\ \overrightarrow{OB}=\vec{a}+2\vec{b},\ \overrightarrow{OC}=-\vec{a}+m\vec{b}$$
일 때, 두 벡터 $\overrightarrow{AB}, \overrightarrow{AC}$가 서로 평행하도록 하는 실수 $m$의 값을 구하시오.

## 대표 유형  세 점이 한 직선 위에 있을 조건

↪ 유형 해결의 법칙 56쪽 유형 09

서로 평행하지 않고 영벡터가 아닌 두 벡터 $\vec{a}, \vec{b}$에 대하여

$$\overrightarrow{OA}=3\vec{a}+\vec{b}, \ \overrightarrow{OB}=\vec{a}-\vec{b}, \ \overrightarrow{OC}=m\vec{a}+3\vec{b}$$

일 때, 세 점 A, B, C가 한 직선 위에 있도록 하는 실수 $m$의 값을 구하시오.

**풀이**

**❶ $\overrightarrow{AC}=k\overrightarrow{AB}$임을 알기**

세 점 A, B, C가 한 직선 위에 있으려면

$$\overrightarrow{AC}=k\overrightarrow{AB} \ (k\neq0)$$

인 실수 $k$가 존재해야 한다.

**❷ $\overrightarrow{AC}, \overrightarrow{AB}$를 각각 $\vec{a}, \vec{b}$로 나타내고 $\overrightarrow{AC}=k\overrightarrow{AB}$에 대입하기**

$$\overrightarrow{AC}=\overrightarrow{OC}-\overrightarrow{OA}=(m\vec{a}+3\vec{b})-(3\vec{a}+\vec{b})=(m-3)\vec{a}+2\vec{b}$$
$$\overrightarrow{AB}=\overrightarrow{OB}-\overrightarrow{OA}=(\vec{a}-\vec{b})-(3\vec{a}+\vec{b})=-2\vec{a}-2\vec{b}$$
$$\therefore \ (m-3)\vec{a}+2\vec{b}=-2k\vec{a}-2k\vec{b}$$

**❸ $m$의 값 구하기**

이때, $\vec{a}, \vec{b}$가 서로 평행하지 않으므로

$$m-3=-2k, \ 2=-2k$$
$$\therefore \ k=-1, \ m=5$$

답 5

**해법** 서로 다른 세 점 A, B, C가 한 직선 위에 있다.

$$\Longleftrightarrow \overrightarrow{AB} \ /\!/ \ \overrightarrow{AC}$$
$$\Longleftrightarrow \overrightarrow{AC}=k\overrightarrow{AB} \ (단, k는 0이 아닌 실수)$$

| 정답과 해설 28쪽 |

**05-1** 서로 평행하지 않고 영벡터가 아닌 두 벡터 $\vec{a}, \vec{b}$에 대하여

$$\overrightarrow{OA}=2\vec{a}+2\vec{b}, \ \overrightarrow{OB}=5\vec{a}-2\vec{b}, \ \overrightarrow{OC}=m\vec{a}+6\vec{b}$$

일 때, 세 점 A, B, C가 한 직선 위에 있도록 하는 실수 $m$의 값을 구하시오.

**3** 벡터의 연산

유형 확인

**1-1** 원 $x^2+y^2=9$ 위의 한 점 P와 두 점 A$(-4, 0)$, B$(-6, 0)$에 대하여 $|\overrightarrow{AP}-\overrightarrow{AB}|$의 최댓값과 최솟값의 합을 구하시오.

한번 더 확인

**1-2** 타원 $\dfrac{x^2}{16}+\dfrac{y^2}{9}=1$ 위의 한 점 P와 두 점 A$(-4, 0)$, B$(4, 0)$에 대하여 $|\overrightarrow{PA}+\overrightarrow{PB}|$의 최댓값과 최솟값의 합을 구하시오.

**2-1** 오른쪽 그림과 같이 한 변의 길이가 1인 정사각형 ABCD에서 $\overrightarrow{AB}=\vec{a}$, $\overrightarrow{AD}=\vec{b}$, $\overrightarrow{AC}=\vec{c}$라 할 때, $|\vec{a}-\vec{b}+\vec{c}|$를 구하시오.

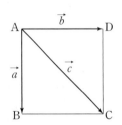

**2-2** 오른쪽 그림과 같이 한 변의 길이가 1인 정육각형 ABCDEF에서 $\overrightarrow{AB}=\vec{a}$, $\overrightarrow{BC}=\vec{b}$, $\overrightarrow{CD}=\vec{c}$라 할 때, $|\vec{a}+\vec{b}-\vec{c}|$를 구하시오.

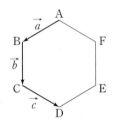

**3-1** 영벡터가 아닌 두 벡터 $\vec{a}$, $\vec{b}$가 서로 평행하지 않을 때, $\vec{p}=-4\vec{a}+3\vec{b}$, $\vec{q}=6\vec{a}-5\vec{b}$이다. $\vec{b}-\vec{a}=x\vec{p}+y\vec{q}$일 때, $x+y$의 값을 구하시오.
(단, $x$, $y$는 실수)

**3-2** 오른쪽 그림과 같은 평행사변형 ABCD에서 변 BC, CD의 중점을 각각 M, N이라 하자. $\overrightarrow{AC}=p\overrightarrow{AM}+q\overrightarrow{AN}$일 때, $p+q$의 값을 구하시오. (단, $p$, $q$는 실수)

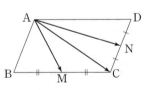

유형 확인

**4-1** 서로 평행하지 않고 영벡터가 아닌 두 벡터 $\vec{a}, \vec{b}$에 대하여

$$\overrightarrow{OA}=2\vec{a}+\vec{b}, \ \overrightarrow{OB}=\vec{a}-\vec{b}, \ \overrightarrow{OC}=4\vec{a}+m\vec{b}$$

일 때, 두 벡터 $\overrightarrow{AB}, \overrightarrow{AC}$가 서로 평행하도록 하는 실수 $m$의 값을 구하시오.

한번 더 확인

**4-2** 서로 평행하지 않고 영벡터가 아닌 두 벡터 $\vec{a}, \vec{b}$에 대하여 $\vec{c}=2\vec{a}+3\vec{b}$일 때, **보기** 중 $\vec{a}+\vec{b}$와 평행한 벡터만을 있는 대로 고르시오.

┤보기├
ㄱ. $\vec{a}+\vec{c}$   　　　ㄴ. $\vec{a}-\vec{c}$
ㄷ. $\vec{b}+\vec{c}$   　　　ㄹ. $\vec{b}-\vec{c}$

**5-1** 서로 평행하지 않고 영벡터가 아닌 두 벡터 $\vec{a}, \vec{b}$에 대하여

$$\overrightarrow{OA}=3\vec{a}+2\vec{b}, \ \overrightarrow{OB}=\vec{a}-\vec{b}, \ \overrightarrow{OC}=4\vec{a}+m\vec{b}$$

일 때, 세 점 A, B, C가 한 직선 위에 있도록 하는 실수 $m$의 값을 구하시오.

**5-2** 서로 평행하지 않고 영벡터가 아닌 두 벡터 $\vec{a}, \vec{b}$에 대하여 $\overrightarrow{OA}=\vec{a}, \overrightarrow{OB}=\vec{b}$이고 $\overrightarrow{OP}=\vec{a}-2\vec{b}$, $\overrightarrow{OQ}=2\vec{a}+\vec{b}$, $\overrightarrow{OR}=m\vec{a}+n\vec{b}$이다. 세 점 P, Q, R가 한 직선 위에 있고 세 점 A, B, R가 한 직선 위에 있을 때, $m-n$의 값을 구하시오.

(단, $m$, $n$은 실수)

**6-1** 오른쪽 그림과 같은 삼각형 OAB에서 변 OA의 삼등분점 중에서 점 O에 가까운 점을 M, 변 OB의 중점을 N, 두 선분 AN, BM의 교점을 P라 하자. $\overrightarrow{OA}=\vec{a}, \overrightarrow{OB}=\vec{b}$라 할 때, $\overrightarrow{OP}$를 $\vec{a}, \vec{b}$로 나타내시오.

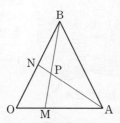

**6-2** 오른쪽 그림과 같은 평행사변형 ABCD에서 변 AB의 중점을 M, 두 선분 AC, MD의 교점을 N이라 하자. $\overrightarrow{BN}=m\overrightarrow{BA}+n\overrightarrow{BC}$라 할 때, $m-n$의 값을 구하시오. (단, $m$, $n$은 실수)

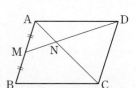

# 4 평면벡터의 성분과 내적

이 단원에서는 위치벡터, 평면벡터의 성분과 내적, 벡터를 이용하여
직선과 원의 방정식을 나타내는 방법에 대하여 배울 거야.

많은 것을 배우네요. 어려울 것 같아요.

앞에서 배운 벡터의 연산을 다시 복습해 놓으면
이 단원도 어렵지 않게 배울 수 있을 거야.

## 개념 & 유형 map

### 1. 위치벡터

| 개념 01 | 위치벡터 | 유형 01 | 위치벡터 |
| 개념 02 | 선분의 내분점과 외분점의 위치벡터 | 유형 02 | 선분의 내분점과 외분점의 위치벡터 |
| | | 유형 03 | 삼각형의 무게중심의 위치벡터 |

### 2. 평면벡터의 성분

| 개념 01 | 평면벡터의 성분 | 유형 01 | 성분으로 나타내어진 평면벡터의 연산 |
| 개념 02 | 평면벡터의 크기와 두 평면벡터가 서로 같을 조건 | 유형 02 | 성분으로 나타내어진 평면벡터의 크기 |
| | | 유형 03 | 두 평면벡터가 서로 같을 조건 |
| 개념 03 | 평면벡터의 성분에 의한 연산 | 유형 04 | 두 점에 의한 평면벡터의 성분과 크기 |

### 3. 평면벡터의 내적

| 개념 01 | 평면벡터의 내적 | 유형 01 | 평면벡터의 내적과 성분 |
| 개념 02 | 평면벡터의 내적과 성분 | | |
| 개념 03 | 평면벡터의 내적의 성질 | 유형 02 | 평면벡터의 내적의 연산법칙 |
| 개념 04 | 두 평면벡터가 이루는 각의 크기 | 유형 03 | 두 평면벡터가 이루는 각의 크기 |
| 개념 05 | 두 평면벡터의 수직 조건과 평행 조건 | 유형 04 | 두 평면벡터의 수직 |

### 4. 직선과 원의 방정식

| 개념 01 | 한 점과 방향벡터가 주어진 직선의 방정식 | 유형 01 | 한 점과 방향벡터가 주어진 직선의 방정식 |
| 개념 02 | 두 점을 지나는 직선의 방정식 | | |
| 개념 03 | 한 점과 법선벡터가 주어진 직선의 방정식 | 유형 02 | 한 점과 법선벡터가 주어진 직선의 방정식 |
| 개념 04 | 두 직선이 이루는 각의 크기 | 유형 03 | 두 직선이 이루는 각의 크기 |
| 개념 05 | 두 직선의 수직 조건과 평행 조건 | 유형 04 | 두 직선의 수직과 평행 |
| 개념 06 | 평면벡터를 이용한 원의 방정식 | 유형 05 | 평면벡터를 이용한 원의 방정식 |

# 위치벡터

## 개념 **01** 위치벡터

(1) **위치벡터**: 한 점 O를 시점으로 하는 벡터 $\overrightarrow{OA}$를 점 O에 대한 점 A의 **위치벡터**라 한다.

(2) 두 점 A, B의 위치벡터를 각각 $\vec{a}$, $\vec{b}$라 하면

$$\overrightarrow{AB}=\overrightarrow{OB}-\overrightarrow{OA}=\vec{b}-\vec{a}$$

참고 일반적으로 위치벡터의 시점 O는 좌표평면의 원점으로 잡는다.

설명

(1) 평면에서 한 점 O를 고정하면 임의의 벡터 $\vec{a}$에 대하여

$\vec{a}=\overrightarrow{OA}$가 되도록 점 A의 위치를 하나로 정할 수 있다.

역으로 임의의 점 A에 대하여 $\overrightarrow{OA}=\vec{a}$인 벡터 $\vec{a}$가 하나로 정해진다.

즉, 시점을 한 점 O로 고정하면 벡터 $\overrightarrow{OA}$와 한 점 A는 일대일로 대응한다.

이때, 한 점 O를 시점으로 하는 벡터 $\overrightarrow{OA}$를 점 O에 대한 점 A의 위치벡터라 한다.

(2) 오른쪽 그림과 같이 두 점 A, B에 대하여

$$\overrightarrow{AB}=\overrightarrow{OB}-\overrightarrow{OA}$$

이므로 두 점 A, B의 위치벡터를 각각 $\vec{a}$, $\vec{b}$라 하면

$$\overrightarrow{AB}=\vec{b}-\vec{a}$$

예

세 점 A, B, C의 위치벡터를 각각 $\vec{a}$, $\vec{b}$, $\vec{c}$라 할 때,

$\overrightarrow{OA}=\vec{a}$, $\overrightarrow{OB}=\vec{b}$, $\overrightarrow{OC}=\vec{c}$이므로

(1) $\overrightarrow{BC}=\overrightarrow{OC}-\overrightarrow{OB}=\vec{c}-\vec{b}$

(2) $\overrightarrow{CA}=\overrightarrow{OA}-\overrightarrow{OC}=\vec{a}-\vec{c}$

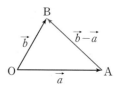

모든 벡터의 시점이
점 O가 되도록
시점을 통일해.

Lecture

두 점 A, B의 위치벡터를 각각 $\vec{a}$, $\vec{b}$라 하면 $\longrightarrow$ $\overrightarrow{AB}=\overrightarrow{OB}-\overrightarrow{OA}=\vec{b}-\vec{a}$

| 정답과 해설 31쪽 |

개념 확인 1 다음은 세 점 A, B, C의 위치벡터를 각각 $\vec{a}$, $\vec{b}$, $\vec{c}$라 할 때, $3\overrightarrow{AB}+\overrightarrow{BC}+3\overrightarrow{CA}$를 $\vec{a}$, $\vec{b}$, $\vec{c}$로 나타내는 과정이다.

㈎~㈐에 알맞은 것을 써넣으시오.

$$\overrightarrow{AB}=\overrightarrow{OB}-\overrightarrow{OA}=\boxed{\text{㈎}}, \ \overrightarrow{BC}=\overrightarrow{OC}-\overrightarrow{OB}=\vec{c}-\vec{b}, \ \overrightarrow{CA}=\overrightarrow{OA}-\overrightarrow{OC}=\boxed{\text{㈏}}$$

$$\therefore \ 3\overrightarrow{AB}+\overrightarrow{BC}+3\overrightarrow{CA}=3(\boxed{\text{㈎}})+(\vec{c}-\vec{b})+3(\boxed{\text{㈏}})$$

$$=\boxed{\text{㈐}}$$

## 개념 02 선분의 내분점과 외분점의 위치벡터

**1 선분의 내분점과 외분점의 위치벡터**

두 점 A, B의 위치벡터를 각각 $\vec{a}$, $\vec{b}$라 할 때, 선분 AB를 $m : n$
$(m>0, n>0)$으로 내분하는 점 P와 외분하는 점 Q의 위치벡터를 각각
$\vec{p}$, $\vec{q}$라 하면

$$\vec{p}=\frac{m\vec{b}+n\vec{a}}{m+n}, \quad \vec{q}=\frac{m\vec{b}-n\vec{a}}{m-n} \ (단, m\neq n)$$

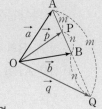

**참고** 두 점 A, B의 위치벡터를 각각 $\vec{a}$, $\vec{b}$라 할 때, 선분 AB의 중점 M의 위치벡터를 $\vec{m}$이라 하면

$$\vec{m}=\frac{\vec{a}+\vec{b}}{2}$$

**2 삼각형의 무게중심의 위치벡터**

세 점 A, B, C의 위치벡터를 각각 $\vec{a}$, $\vec{b}$, $\vec{c}$라 할 때, 삼각형 ABC의 무게
중심 G의 위치벡터를 $\vec{g}$라 하면

$$\vec{g}=\frac{\vec{a}+\vec{b}+\vec{c}}{3}$$

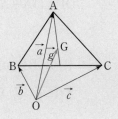

---

**예**

두 점 A, B의 위치벡터를 각각 $\vec{a}$, $\vec{b}$라 할 때

(1) 선분 AB를 2 : 3으로 내분하는 점 P의 위치벡터 $\vec{p}$는 ➡ $\vec{p}=\dfrac{2\vec{b}+3\vec{a}}{2+3}=\dfrac{3}{5}\vec{a}+\dfrac{2}{5}\vec{b}$

(2) 선분 AB를 2 : 3으로 외분하는 점 Q의 위치벡터 $\vec{q}$는 ➡ $\vec{q}=\dfrac{2\vec{b}-3\vec{a}}{2-3}=3\vec{a}-2\vec{b}$

---

**Lecture**

❶ 두 점 A, B의 위치벡터를 각각 $\vec{a}$, $\vec{b}$라 할 때, 선분 AB를 $m : n(m>0, n>0)$으로

┌ 내분하는 점의 위치벡터 ➡ $\dfrac{m\vec{b}+n\vec{a}}{m+n}$

└ 외분하는 점의 위치벡터 ➡ $\dfrac{m\vec{b}-n\vec{a}}{m-n}$ (단, $m\neq n$)

❷ 세 점 A, B, C의 위치벡터를 각각 $\vec{a}$, $\vec{b}$, $\vec{c}$라 할 때, 삼각형 ABC의 무게중심의 위치벡터

➡ $\dfrac{\vec{a}+\vec{b}+\vec{c}}{3}$

---

| 정답과 해설 31쪽 |

**개념 확인 2** 두 점 A, B의 위치벡터를 각각 $\vec{a}$, $\vec{b}$라 할 때, 다음 위치벡터를 $\vec{a}$, $\vec{b}$로 나타내시오.

(1) 선분 AB를 3 : 4로 내분하는 점 P의 위치벡터 $\vec{p}$

(2) 선분 AB를 3 : 4로 외분하는 점 Q의 위치벡터 $\vec{q}$

(3) 선분 AB의 중점 M의 위치벡터 $\vec{m}$

# 선분의 내분점과 외분점의 위치벡터

## 선분의 내분점과 외분점의 위치벡터

두 점 A, B의 위치벡터를 각각 $\vec{a}$, $\vec{b}$라 할 때

(1) 선분 AB를 $m : n\,(m>0,\ n>0)$으로 내분하는 점 P의 위치벡터 $\vec{p}$를 $\vec{a}$, $\vec{b}$로 나타내 보자.

$$\overrightarrow{AB}=\vec{b}-\vec{a},\ \overrightarrow{AP}=\frac{m}{m+n}\overrightarrow{AB}\text{이므로}$$

$$\overrightarrow{AP}=\frac{m}{m+n}(\vec{b}-\vec{a})\qquad\longrightarrow\ |\overrightarrow{AP}|:|\overrightarrow{BP}|=m:n$$

$$\overrightarrow{OP}=\overrightarrow{OA}+\overrightarrow{AP}\text{이므로}$$

$$\vec{p}=\vec{a}+\frac{m}{m+n}(\vec{b}-\vec{a})=\frac{m\vec{b}+n\vec{a}}{m+n}$$

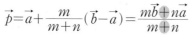

(2) 선분 AB를 $m : n\,(m>0,\ n>0,\ m\neq n)$으로 외분하는 점 Q의 위치벡터 $\vec{q}$를 $\vec{a}$, $\vec{b}$로 나타내 보자.

$$\overrightarrow{AB}=\vec{b}-\vec{a},\ \overrightarrow{AQ}=\frac{m}{m-n}\overrightarrow{AB}$$

이므로 $\qquad\longrightarrow\ |\overrightarrow{AQ}|:|\overrightarrow{BQ}|=m:n$

$$\overrightarrow{AQ}=\frac{m}{m-n}(\vec{b}-\vec{a})$$

$$\overrightarrow{OQ}=\overrightarrow{OA}+\overrightarrow{AQ}\text{이므로}$$

$$\vec{q}=\vec{a}+\frac{m}{m-n}(\vec{b}-\vec{a})$$

$$=\frac{m\vec{b}-n\vec{a}}{m-n}$$

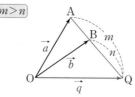

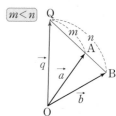

## 삼각형의 무게중심의 위치벡터

세 점 A, B, C의 위치벡터를 각각 $\vec{a}$, $\vec{b}$, $\vec{c}$라 할 때, 삼각형 ABC의 무게중심 G의 위치벡터 $\vec{g}$를 $\vec{a}$, $\vec{b}$, $\vec{c}$로 나타내 보자.

오른쪽 그림과 같이 선분 BC의 중점을 M이라 하면 점 M의 위치벡터 $\vec{m}$은

$$\vec{m}=\frac{\vec{b}+\vec{c}}{2}$$

삼각형 ABC의 무게중심 G는 중선 AM을 $2 : 1$로 내분하는 점이므로

$$\vec{g}=\frac{2\vec{m}+\vec{a}}{2+1}=\frac{2\times\dfrac{\vec{b}+\vec{c}}{2}+\vec{a}}{3}=\frac{\vec{a}+\vec{b}+\vec{c}}{3}$$

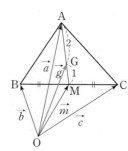

개념 check

**1-1** 세 점 A, B, C의 위치벡터를 각각 $\vec{a}$, $\vec{b}$, $\vec{c}$라 할 때, $4\overrightarrow{AB}+\overrightarrow{CB}$를 $\vec{a}$, $\vec{b}$, $\vec{c}$로 나타내시오.

연구 $\overrightarrow{OA}=\vec{a}$, $\overrightarrow{OB}=\vec{b}$, $\overrightarrow{OC}=\vec{c}$이므로
$\overrightarrow{AB}=\overrightarrow{OB}-\overrightarrow{OA}=\vec{b}-\vec{a}$,
$\overrightarrow{CB}=\overrightarrow{OB}-\overrightarrow{OC}=\vec{b}-\vec{c}$
$\therefore 4\overrightarrow{AB}+\overrightarrow{CB}=4(\vec{b}-\vec{a})+(\vec{b}-\vec{c})$
$\qquad\qquad\qquad = \boxed{\phantom{xxxxxxxx}}$

스스로 check

**1-2** 세 점 A, B, C의 위치벡터를 각각 $\vec{a}$, $\vec{b}$, $\vec{c}$라 할 때, $\overrightarrow{BA}-2\overrightarrow{CA}$를 $\vec{a}$, $\vec{b}$, $\vec{c}$로 나타내시오.

**2-1** 네 점 O, A, B, C에 대하여 $\overrightarrow{OA}=\vec{a}$, $\overrightarrow{OB}=\vec{b}$, $\overrightarrow{OC}=3\vec{a}-2\vec{b}$일 때, $\overrightarrow{AC}+2\overrightarrow{CB}$를 $\vec{a}$, $\vec{b}$로 나타내시오.

연구 $\overrightarrow{OC}=3\vec{a}-2\vec{b}=\vec{c}$라 하면
$\overrightarrow{AC}+2\overrightarrow{CB}=(\vec{c}-\vec{a})+2(\vec{b}-\vec{c})$
$\qquad\qquad\qquad = -\vec{a}+2\vec{b}-\vec{c}$
$\qquad\qquad\qquad = -\vec{a}+2\vec{b}-(3\vec{a}-2\vec{b})$
$\qquad\qquad\qquad = \boxed{\phantom{xxxxxxxx}}$

**2-2** 네 점 O, A, B, C에 대하여 $\overrightarrow{OA}=\vec{a}$, $\overrightarrow{OB}=\vec{b}$, $\overrightarrow{OC}=\vec{a}+3\vec{b}$일 때, $3\overrightarrow{AB}-\overrightarrow{BC}$를 $\vec{a}$, $\vec{b}$로 나타내시오.

**3-1** 두 점 A, B의 위치벡터를 각각 $\vec{a}$, $\vec{b}$라 할 때, 다음 위치벡터를 $\vec{a}$, $\vec{b}$로 나타내시오.

(1) 선분 AB를 3 : 5로 내분하는 점 P의 위치벡터 $\vec{p}$

(2) 선분 AB를 5 : 3으로 외분하는 점 Q의 위치벡터 $\vec{q}$

연구 (1) $\vec{p}=\dfrac{3\vec{b}+5\vec{a}}{3+5}=\boxed{\phantom{xxxxx}}$

(2) $\vec{q}=\dfrac{5\vec{b}-3\vec{a}}{5-3}=\boxed{\phantom{xxxxx}}$

**3-2** 두 점 A, B의 위치벡터를 각각 $\vec{a}$, $\vec{b}$라 할 때, 다음 위치벡터를 $\vec{a}$, $\vec{b}$로 나타내시오.

(1) 선분 AB를 1 : 3으로 내분하는 점 P의 위치벡터 $\vec{p}$

(2) 선분 AB를 3 : 1로 외분하는 점 Q의 위치벡터 $\vec{q}$

**대표 유형 01 위치벡터**

↩ 유형 해결의 법칙 65쪽 유형 01

오른쪽 그림에서 $\overrightarrow{OA}=\vec{a}$, $\overrightarrow{OB}=\vec{b}$라 할 때, 다음을 $\vec{a}$, $\vec{b}$로 나타내시오.

(1) $\overrightarrow{OC}+\overrightarrow{DE}$

(2) $\overrightarrow{AD}+2\overrightarrow{CD}$

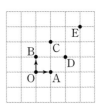

**풀이** (1) ❶ $\overrightarrow{OC}$, $\overrightarrow{OD}$, $\overrightarrow{OE}$를 각각 $\vec{a}$, $\vec{b}$로 나타내기

$\overrightarrow{OC}+\overrightarrow{DE}=\overrightarrow{OC}+\overrightarrow{OE}-\overrightarrow{OD}$

이때, $\overrightarrow{OC}=\vec{a}+2\vec{b}$, $\overrightarrow{OD}=2\vec{a}+\vec{b}$, $\overrightarrow{OE}=3\vec{a}+3\vec{b}$이므로

❷ $\overrightarrow{OC}+\overrightarrow{DE}$를 $\vec{a}$, $\vec{b}$로 나타내기

$\overrightarrow{OC}+\overrightarrow{DE}=(\vec{a}+2\vec{b})+(3\vec{a}+3\vec{b})-(2\vec{a}+\vec{b})$
$=2\vec{a}+4\vec{b}$

(2) ❶ $\overrightarrow{AD}$, $\overrightarrow{CD}$를 각각 $\vec{a}$, $\vec{b}$로 나타내기

$\overrightarrow{AD}=\vec{a}+\vec{b}$,
$\overrightarrow{CD}=\overrightarrow{OD}-\overrightarrow{OC}=(2\vec{a}+\vec{b})-(\vec{a}+2\vec{b})=\vec{a}-\vec{b}$

❷ $\overrightarrow{AD}+2\overrightarrow{CD}$를 $\vec{a}$, $\vec{b}$로 나타내기

$\therefore \overrightarrow{AD}+2\overrightarrow{CD}=(\vec{a}+\vec{b})+2(\vec{a}-\vec{b})=3\vec{a}-\vec{b}$

目 (1) $2\vec{a}+4\vec{b}$ (2) $3\vec{a}-\vec{b}$

**해법** 두 점 A, B의 위치벡터를 각각 $\vec{a}$, $\vec{b}$라 하면 → 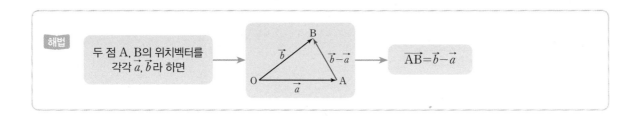 → $\overrightarrow{AB}=\vec{b}-\vec{a}$

| 정답과 해설 32쪽 |

**01-1** 오른쪽 그림과 같은 평행사변형 OABC에서 두 점 A, B의 위치벡터를 각각 $\vec{a}$, $\vec{b}$라 할 때, 점 C의 위치벡터를 $\vec{a}$, $\vec{b}$로 나타내시오.

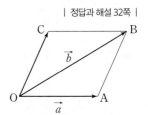

대표 유형 **02** 선분의 내분점과 외분점의 위치벡터

➡ 유형 해결의 법칙 65쪽 유형 02

두 점 A, B의 위치벡터를 각각 $\vec{a}, \vec{b}$라 할 때, 선분 AB를 $2 : 1$로 내분하는 점을 P, $1 : 3$으로 외분하는 점을 Q라 하자. 선분 PQ의 중점 M의 위치벡터가 $\vec{m} = x\vec{a} + y\vec{b}$일 때, 실수 $x, y$의 값을 각각 구하시오.

풀이

❶ 두 점 P, Q의 위치벡터 구하기

두 점 P, Q의 위치벡터를 각각 $\vec{p}, \vec{q}$라 하면

$$\vec{p} = \frac{2\vec{b} + \vec{a}}{2 + 1} = \frac{1}{3}\vec{a} + \frac{2}{3}\vec{b}, \quad \vec{q} = \frac{\vec{b} - 3\vec{a}}{1 - 3} = \frac{3}{2}\vec{a} - \frac{1}{2}\vec{b}$$

❷ 선분 PQ의 중점 M의 위치벡터 구하기

따라서 선분 PQ의 중점 M의 위치벡터 $\vec{m}$은

$$\vec{m} = \frac{\vec{p} + \vec{q}}{2} = \frac{1}{2}\left\{\left(\frac{1}{3}\vec{a} + \frac{2}{3}\vec{b}\right) + \left(\frac{3}{2}\vec{a} - \frac{1}{2}\vec{b}\right)\right\} = \frac{11}{12}\vec{a} + \frac{1}{12}\vec{b}$$

$$\therefore x = \frac{11}{12}, \ y = \frac{1}{12}$$

🗒 $x = \frac{11}{12}, y = \frac{1}{12}$

해법 두 점 A, B의 위치벡터를 각각 $\vec{a}, \vec{b}$라 할때, 선분 AB를 $m : n (m > 0, n > 0)$으로

❶ 내분하는 점의 위치벡터는 $\dfrac{m\vec{b} + n\vec{a}}{m + n}$

❷ 외분하는 점의 위치벡터는 $\dfrac{m\vec{b} - n\vec{a}}{m - n}$ (단, $m \neq n$)

| 정답과 해설 32쪽 |

**02-1** 두 점 A, B의 위치벡터를 각각 $\vec{a}, \vec{b}$라 하고 선분 AB를 $1 : 4$로 내분하는 점 P와 외분하는 점 Q의 위치벡터를 각각 $\vec{p}, \vec{q}$라 하자. $\vec{p} + \vec{q} = m\vec{a} + n\vec{b}$를 만족시키는 실수 $m, n$의 값을 각각 구하시오.

**02-2** 오른쪽 그림과 같은 삼각형 ABC에서 $\overline{AC}$의 중점을 D, $\overline{BC}$를 $2 : 1$로 내분하는 점을 E라 하자. $\overrightarrow{AB} = \vec{a}, \overrightarrow{AC} = \vec{b}$라 할 때, $\overrightarrow{DE} = m\vec{a} + n\vec{b}$를 만족시키는 실수 $m, n$의 값을 각각 구하시오.

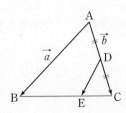

**대표 유형 03 삼각형의 무게중심의 위치벡터**

↪ 유형 해결의 법칙 66쪽 유형 03

평면 위의 점 P와 삼각형 ABC 사이에 $\overrightarrow{PA}+\overrightarrow{PB}=\overrightarrow{CP}$의 관계가 성립한다. 삼각형 ABC의 넓이가 30일 때, 삼각형 PBC의 넓이를 구하시오.

풀이

❶ $\overrightarrow{PA}+\overrightarrow{PB}=\overrightarrow{CP}$를 위치벡터로 나타내기

$\overrightarrow{PA}+\overrightarrow{PB}=\overrightarrow{CP}$에서 $\overrightarrow{CP}=-\overrightarrow{PC}$이므로

$\overrightarrow{PA}+\overrightarrow{PB}+\overrightarrow{PC}=\vec{0}$

네 점 A, B, C, P의 위치벡터를 각각 $\vec{a}$, $\vec{b}$, $\vec{c}$, $\vec{p}$라 하면

$(\vec{a}-\vec{p})+(\vec{b}-\vec{p})+(\vec{c}-\vec{p})=\vec{0}$

$\therefore \vec{p}=\dfrac{\vec{a}+\vec{b}+\vec{c}}{3}$

❷ △PBC의 넓이 구하기

따라서 점 P는 삼각형 ABC의 무게중심이므로

$\triangle PBC=\dfrac{1}{3}\triangle ABC=\dfrac{1}{3}\times 30=10$

🔲 10

다음 그림에서 점 G가 삼각형 ABC의 무게중심일 때

$\triangle ABG=\triangle BCG=\triangle ACG=\dfrac{1}{3}\triangle ABC$

해법 세 점 A, B, C의 위치벡터를 각각 $\vec{a},\vec{b},\vec{c}$라 할 때, △ABC의 무게중심의 위치벡터 ➡ $\dfrac{\vec{a}+\vec{b}+\vec{c}}{3}$

| 정답과 해설 32쪽 |

**03-1** 오른쪽 그림과 같이 삼각형 ABC의 무게중심을 G라 할 때,
$$\overrightarrow{GA}+\overrightarrow{GB}+\overrightarrow{GC}=\vec{0}$$
임을 보이시오.

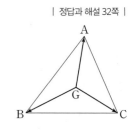

**03-2** 오른쪽 그림의 삼각형 AOB에서 변 AB의 중점을 M, 삼각형 AOB의 무게중심을 G라 하자. $\overrightarrow{OA}=\vec{a}$, $\overrightarrow{OB}=\vec{b}$라 할 때, $\overrightarrow{BG}=m\vec{a}+n\vec{b}$를 만족시키는 실수 $m$, $n$의 값을 각각 구하시오.

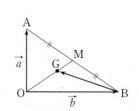

# 2 평면벡터의 성분

## 개념 01 평면벡터의 성분

### 1 평면의 단위벡터

좌표평면 위의 두 점 $E_1(1, 0)$, $E_2(0, 1)$의 원점 O에 대한 위치벡터를 각각 단위벡터 $\vec{e_1}$, $\vec{e_2}$로 나타낸다. ➡ $\overrightarrow{OE_1}=\vec{e_1}$, $\overrightarrow{OE_2}=\vec{e_2}$

참고 $|\vec{e_1}|=|\vec{e_2}|=1$이므로 두 벡터 $\vec{e_1}$, $\vec{e_2}$는 모두 단위벡터이다.

### 2 평면벡터의 성분

좌표평면 위의 임의의 벡터 $\vec{a}$에 대하여 $\vec{a}=\overrightarrow{OA}$가 되도록 점 $A(a_1, a_2)$를 잡을 때,

$$\vec{a}=a_1\vec{e_1}+a_2\vec{e_2}$$

와 같이 나타낼 수 있다.

이때, 두 실수 $a_1$, $a_2$를 **벡터 $\vec{a}$의 성분**이라 하고, $a_1$을 $x$성분, $a_2$를 $y$성분이라 한다.

또, 벡터 $\vec{a}$를 성분을 이용하여 $\vec{a}=(a_1, a_2)$와 같이 나타낸다.

$$\vec{a}=a_1\vec{e_1}+a_2\vec{e_2}$$
$$=(a_1, a_2)$$
$x$성분 ⌐  ⌐ $y$성분

---

설명

오른쪽 그림과 같이 임의의 벡터 $\vec{a}$에 대하여 $\vec{a}=\overrightarrow{OA}$가 되도록 점 $A(a_1, a_2)$를 잡고, 점 A에서 $x$축, $y$축에 내린 수선의 발을 각각 $A_1(a_1, 0)$, $A_2(0, a_2)$라 하면

$$\vec{a}=\overrightarrow{OA}=\overrightarrow{OA_1}+\overrightarrow{OA_2}$$

이때, $\overrightarrow{OA_1}=a_1\vec{e_1}$, $\overrightarrow{OA_2}=a_2\vec{e_2}$이므로

$$\vec{a}=a_1\vec{e_1}+a_2\vec{e_2}$$

와 같이 나타낼 수 있다.

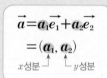

예

(1) 점 $E_1(1, 0)$의 위치벡터 $\vec{e_1}$ ➡ $\vec{e_1}=(1, 0)$

(2) 점 $E_2(0, 1)$의 위치벡터 $\vec{e_2}$ ➡ $\vec{e_2}=(0, 1)$

(3) 점 $A(3, 5)$의 위치벡터 $\vec{a}$ ➡ $\vec{a}=3\vec{e_1}+5\vec{e_2}$ ➡ $\vec{a}=(3, 5)$

Lecture

좌표평면 위의 점 $(a_1, a_2)$의 위치벡터를 $\vec{a}$라 하면 ⟶ $\vec{a}=a_1\vec{e_1}+a_2\vec{e_2}=(a_1, a_2)$

| 정답과 해설 32쪽 |

개념 확인 1  $\vec{e_1}=(1, 0)$, $\vec{e_2}=(0, 1)$일 때, 다음 벡터를 성분으로 나타내시오.

(1) $\vec{a}=-\vec{e_1}+\vec{e_2}$

(2) $\vec{b}=3\vec{e_1}-\vec{e_2}$

## 개념 **02** 평면벡터의 크기와 두 평면벡터가 서로 같을 조건

**1** 평면벡터의 크기

$\vec{a}=(a_1, a_2)$일 때

$$|\vec{a}|=\sqrt{a_1^2+a_2^2}$$

**2** 두 벡터가 서로 같을 조건

$\vec{a}=(a_1, a_2), \vec{b}=(b_1, b_2)$일 때

$$\vec{a}=\vec{b} \Longleftrightarrow a_1=b_1, a_2=b_2$$

**참고** $\vec{a}=\vec{0}$이면 $a_1=0, a_2=0$이다.

**설명**    오른쪽 그림과 같은 좌표평면에서 $\vec{a}=(a_1, a_2)$일 때,

점 $A(a_1, a_2)$에 대하여 $\vec{a}=\overrightarrow{OA}$이므로 벡터 $\vec{a}$의 크기는 선분 OA

의 길이와 같다. 즉,

$$|\vec{a}|=\overline{OA}=\sqrt{a_1^2+a_2^2}$$

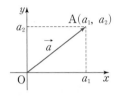

**예**    $\vec{a}=(2, 3), \vec{b}=(p, q)$일 때

(1) $|\vec{a}|=\sqrt{2^2+3^2}=\sqrt{13}$

(2) $\vec{a}=\vec{b} \Longleftrightarrow p=2, q=3$

두 벡터가 서로 같으려면
$x$성분끼리 서로 같고
$y$성분끼리도 서로 같아야 해.

**Lecture**

$\vec{a}=(a_1, a_2), \vec{b}=(b_1, b_2)$

벡터의 크기 → $|\vec{a}|=\sqrt{a_1^2+a_2^2}$

두 벡터가 서로 같을 조건 → $\vec{a}=\vec{b} \Longleftrightarrow a_1=b_1, a_2=b_2$

| 정답과 해설 32쪽 |

**개념 확인 2**   다음 벡터의 크기를 구하시오.

(1) $\vec{a}=(3, -4)$                      (2) $\vec{b}=(-2, 1)$

**개념 확인 3**   두 벡터 $\vec{a}=(2k, -3), \vec{b}=(2, l)$에 대하여 $\vec{a}=\vec{b}$일 때, 실수 $k, l$의 값을 각각 구하시오.

### 개념 **03** 평면벡터의 성분에 의한 연산

$\vec{a}=(a_1, a_2), \vec{b}=(b_1, b_2)$일 때

(1) $\vec{a}+\vec{b}=(a_1+b_1, a_2+b_2)$

(2) $\vec{a}-\vec{b}=(a_1-b_1, a_2-b_2)$

(3) $k\vec{a}=(ka_1, ka_2)$ (단, $k$는 실수)

**설명**

좌표평면에서 두 벡터 $\vec{a}=(a_1, a_2), \vec{b}=(b_1, b_2)$와 실수 $k$에 대하여

$\vec{a}=a_1\vec{e_1}+a_2\vec{e_2}, \ \vec{b}=b_1\vec{e_1}+b_2\vec{e_2}$이므로

(1) $\vec{a}+\vec{b}=(a_1\vec{e_1}+a_2\vec{e_2})+(b_1\vec{e_1}+b_2\vec{e_2})$

$\qquad =(a_1+b_1)\vec{e_1}+(a_2+b_2)\vec{e_2}$

$\qquad =(a_1+b_1, a_2+b_2)$

(2) $\vec{a}-\vec{b}=(a_1\vec{e_1}+a_2\vec{e_2})-(b_1\vec{e_1}+b_2\vec{e_2})$

$\qquad =(a_1-b_1)\vec{e_1}+(a_2-b_2)\vec{e_2}$

$\qquad =(a_1-b_1, a_2-b_2)$

(3) $k\vec{a}=k(a_1\vec{e_1}+a_2\vec{e_2})$

$\qquad =ka_1\vec{e_1}+ka_2\vec{e_2}$

$\qquad =(ka_1, ka_2)$

> 좌표평면에서 벡터의 연산은 성분을 이용해서 나타낼 수 있어.

**예**

$\vec{a}=(1, 3), \vec{b}=(-3, 4)$일 때

(1) $\vec{a}+\vec{b}=(1+(-3), 3+4)=(-2, 7)$

(2) $\vec{a}-\vec{b}=(1-(-3), 3-4)=(4, -1)$

(3) $3\vec{a}=3(1, 3)=(3\times1, 3\times3)=(3, 9)$

> 평면벡터의 덧셈과 뺄셈은 $x$성분끼리, $y$성분끼리 계산해.

**Lecture**

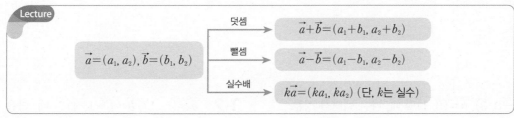

$\vec{a}=(a_1, a_2), \vec{b}=(b_1, b_2)$

덧셈 → $\vec{a}+\vec{b}=(a_1+b_1, a_2+b_2)$

뺄셈 → $\vec{a}-\vec{b}=(a_1-b_1, a_2-b_2)$

실수배 → $k\vec{a}=(ka_1, ka_2)$ (단, $k$는 실수)

**4** 평면벡터의 성분과 내적

| 정답과 해설 32쪽 |

**개념 확인 4** $\vec{a}=(2, 5), \vec{b}=(-1, 3)$일 때, 다음 벡터를 성분으로 나타내시오.

(1) $\vec{a}+2\vec{b}$

(2) $3\vec{a}-\vec{b}$

개념 check

**1-1** 다음 벡터의 크기를 구하시오.

(1) $\vec{a}=(-3, 0)$　　(2) $\vec{b}=(5, -3)$

연구　(1) $|\vec{a}|=\sqrt{(-3)^2+0^2}=\boxed{\phantom{00}}$
　　　(2) $|\vec{b}|=\sqrt{5^2+(-3)^2}=\boxed{\phantom{00}}$

스스로 check

**1-2** 다음 벡터의 크기를 구하시오.

(1) $\vec{a}=(-4, 1)$

(2) $\vec{b}=(-3, -3)$

**2-1** 다음 두 벡터 $\vec{a}$, $\vec{b}$에 대하여 $\vec{a}=\vec{b}$일 때, 실수 $k$, $l$의 값을 각각 구하시오.

(1) $\vec{a}=(3, k+1)$, $\vec{b}=(3l, 4)$

(2) $\vec{a}=(k-l, 1)$, $\vec{b}=(5, 3k+l)$

연구　(1) $(3, k+1)=(3l, 4)$에서
　　　$3=3l$, $k+1=4$이므로
　　　$k=\boxed{\phantom{0}}$, $l=\boxed{\phantom{0}}$
　　　(2) $(k-l, 1)=(5, 3k+l)$에서
　　　$k-l=5$, $1=3k+l$이므로
　　　$k=\boxed{\phantom{0}}$, $l=\boxed{\phantom{0}}$

**2-2** 다음 두 벡터 $\vec{a}$, $\vec{b}$에 대하여 $\vec{a}=\vec{b}$일 때, 실수 $k$, $l$의 값을 각각 구하시오.

(1) $\vec{a}=(3k-3, 5)$, $\vec{b}=(3, l-1)$

(2) $\vec{a}=(6, k+2l)$, $\vec{b}=(k-3l, 11)$

**3-1** $\vec{a}=(-3, 5)$, $\vec{b}=(3, 1)$일 때, 다음 벡터를 성분으로 나타내시오.

(1) $\vec{a}-3\vec{b}$

(2) $2\vec{a}-2(\vec{b}-\vec{a})$

연구　(1) $\vec{a}-3\vec{b}=(-3, 5)-3(3, 1)$
　　　　　　　$=(-3, 5)-(9, 3)$
　　　　　　　$=\boxed{\phantom{0000}}$
　　　(2) $2\vec{a}-2(\vec{b}-\vec{a})=4\vec{a}-2\vec{b}$
　　　　　　　$=4(-3, 5)-2(3, 1)$
　　　　　　　$=(-12, 20)-(6, 2)$
　　　　　　　$=\boxed{\phantom{0000}}$

**3-2** $\vec{a}=(5, 1)$, $\vec{b}=(-3, 4)$일 때, 다음 벡터를 성분으로 나타내시오.

(1) $3\vec{a}+5\vec{b}$

(2) $5(\vec{a}+\vec{b})-(\vec{a}-\vec{b})$

**대표 유형 01 성분으로 나타내어진 평면벡터의 연산** 〈유형 해결의 법칙 67쪽 유형 06

다음 물음에 답하시오.

(1) $\vec{a}=(1, -2)$, $\vec{b}=(2, -1)$, $\vec{c}=(3, -6)$일 때, $2(-3\vec{a}+\vec{b}+2\vec{c})-(5\vec{a}-\vec{b}+2\vec{c})$를 성분으로 나타내시오.

(2) $\vec{a}=(-2, 2)$, $\vec{b}=(1, -3)$일 때, $4\vec{a}-\vec{x}=3\vec{a}+\vec{b}$를 만족시키는 벡터 $\vec{x}$를 성분으로 나타내시오.

풀이 (1)

| ❶ 주어진 벡터를 간단히 하기 | $2(-3\vec{a}+\vec{b}+2\vec{c})-(5\vec{a}-\vec{b}+2\vec{c})$ <br> $=-11\vec{a}+3\vec{b}+2\vec{c}$ |
| --- | --- |
| ❷ 주어진 벡터를 성분으로 나타내기 | $=-11(1, -2)+3(2, -1)+2(3, -6)$ <br> $=(1, 7)$ |

(2)

| ❶ $\vec{x}$를 $\vec{a}$, $\vec{b}$로 나타내기 | $4\vec{a}-\vec{x}=3\vec{a}+\vec{b}$에서 $\vec{x}=\vec{a}-\vec{b}$ |
| --- | --- |
| ❷ $\vec{x}$를 성분으로 나타내기 | $\therefore \vec{x}=\vec{a}-\vec{b}=(-2, 2)-(1, -3)=(-3, 5)$ |

📋 (1) $(1, 7)$  (2) $(-3, 5)$

해법

$\vec{a}=(a_1, a_2)$, $\vec{b}=(b_1, b_2)$ ⟶ $m\vec{a}+n\vec{b}=(ma_1+nb_1, ma_2+nb_2)$ (단, $m$, $n$은 실수)

| 정답과 해설 33쪽 |

**01-1** $\vec{a}=(2, 3)$, $\vec{b}=(-1, -1)$, $\vec{c}=(5, 1)$일 때, $2(-\vec{a}+\vec{b}+\vec{c})-3(2\vec{a}-\vec{b}+2\vec{c})$를 성분으로 나타내시오.

**01-2** $\vec{a}=(3, 5)$, $\vec{b}=(-3, -6)$일 때, $\vec{a}-2\vec{x}=3(\vec{a}-\vec{b}-\vec{x})$를 만족시키는 벡터 $\vec{x}$를 성분으로 나타내시오.

## 대표 유형 **02** 성분으로 나타내어진 평면벡터의 크기

● 유형 해결의 법칙 67쪽 유형 07

다음 물음에 답하시오.

(1) 두 벡터 $\vec{a}=\left(k, \dfrac{1}{5}\right)$, $\vec{b}=\left(-1, \dfrac{2}{5}\right)$에 대하여 $2\vec{a}+\vec{b}$가 단위벡터일 때, 실수 $k$의 값을 모두 구하시오.

(2) 두 벡터 $\vec{a}=(1, -3)$, $\vec{b}=(-2, 1)$에 대하여 $\vec{p}=\vec{a}+k\vec{b}$일 때, $|\vec{p}|$의 최솟값을 구하시오. (단, $k$는 실수)

**풀이 (1)**

**❶ $2\vec{a}+\vec{b}$를 성분으로 나타내기**

$2\vec{a}+\vec{b}=2\left(k, \dfrac{1}{5}\right)+\left(-1, \dfrac{2}{5}\right)=\left(2k-1, \dfrac{4}{5}\right)$

**❷ 식 세우기**

이때, $|2\vec{a}+\vec{b}|=1$이므로 $\sqrt{(2k-1)^2+\left(\dfrac{4}{5}\right)^2}=1$

**❸ $k$의 값 구하기**

양변을 제곱하여 정리하면 $25k^2-25k+4=0$

$(5k-1)(5k-4)=0$ $\quad \therefore k=\dfrac{1}{5}$ 또는 $k=\dfrac{4}{5}$

**(2) ❶ $\vec{p}$를 성분으로 나타내기**

$\vec{p}=\vec{a}+k\vec{b}=(1, -3)+k(-2, 1)=(1-2k, -3+k)$

**❷ $|\vec{p}|$ 구하기**

$\therefore |\vec{p}|=\sqrt{(1-2k)^2+(-3+k)^2}=\sqrt{5k^2-10k+10}$
$\qquad =\sqrt{5(k-1)^2+5}$

**❸ $|\vec{p}|$의 최솟값 구하기**

따라서 $|\vec{p}|$는 $k=1$일 때 최솟값 $\sqrt{5}$를 갖는다.

**目** (1) $\dfrac{1}{5}$, $\dfrac{4}{5}$ (2) $\sqrt{5}$

---

**해법** $\vec{a}=(a_1, a_2)$, $\vec{b}=(b_1, b_2)$ $\longrightarrow$ $|m\vec{a}+n\vec{b}|=\sqrt{(ma_1+nb_1)^2+(ma_2+nb_2)^2}$
(단, $m$, $n$은 실수)

---

| 정답과 해설 33쪽 |

**02-1** 두 벡터 $\vec{a}=(-2, 3)$, $\vec{b}=(2, k)$에 대하여 $|2\vec{a}-3\vec{b}|=10$이 성립할 때, 실수 $k$의 값을 구하시오.

**02-2** 두 벡터 $\vec{a}=(-1, 1)$, $\vec{b}=(1, 3)$에 대하여 $\vec{p}=k\vec{a}+\vec{b}$일 때, $|\vec{p}|$의 최솟값을 구하시오. (단, $k$는 실수)

유형 해결의 법칙 68쪽 유형 08

세 벡터 $\vec{a}=(1, -2)$, $\vec{b}=(3, 4)$, $\vec{c}=(3, -5)$에 대하여 $\vec{c}=k\vec{a}+l\vec{b}$를 만족시키는 실수 $k$, $l$의 값을 각각 구하시오.

풀이

❶ $\vec{c}=k\vec{a}+l\vec{b}$를 성분으로 나타내기

$\vec{c}=k\vec{a}+l\vec{b}$에서

$(3, -5)=k(1, -2)+l(3, 4)$

$\qquad\quad =(k+3l, -2k+4l)$

❷ 두 평면벡터가 서로 같을 조건을 이용하여 $k$, $l$의 값 구하기

$\therefore k+3l=3, -2k+4l=-5$

두 식을 연립하여 풀면 $k=\dfrac{27}{10}$, $l=\dfrac{1}{10}$

> 두 평면벡터가 서로 같다는 것은 $x$성분끼리, $y$성분끼리 각각 같다는 뜻이야.

답 $k=\dfrac{27}{10}$, $l=\dfrac{1}{10}$

해법

$\vec{a}=(a_1, a_2)$, $\vec{b}=(b_1, b_2)$, $\vec{c}=(c_1, c_2)$ ⟶ $\vec{c}=m\vec{a}+n\vec{b} \iff c_1=ma_1+nb_1,\ c_2=ma_2+nb_2$
(단, $m$, $n$은 실수)

| 정답과 해설 33쪽 |

**4** 평면벡터의 성분과 내적

**03-1** 두 벡터 $\vec{a}=(2, -2)$, $\vec{b}=(5, -3)$에 대하여 $\vec{c}=(-3, 1)$을 $k\vec{a}+l\vec{b}$의 꼴로 나타내시오. (단, $k$, $l$은 실수)

**03-2** 세 벡터 $\vec{a}=(p, -8)$, $\vec{b}=(5, p-q)$, $\vec{c}=(-3q, 4)$에 대하여 $\vec{c}=\vec{a}+2\vec{b}$를 만족시키는 실수 $p$, $q$의 값을 각각 구하시오.

**대표 유형 04 두 점에 의한 평면벡터의 성분과 크기**

↻ 유형 해결의 법칙 68쪽 유형 09

좌표평면 위의 두 점 $A(2, 4)$, $B(4, 2)$에 대하여 직선 $y=x$ 위를 움직이는 점 P가
$|\overrightarrow{PA}+\overrightarrow{PB}|=16\sqrt{2}$를 만족시킬 때, 점 P의 좌표를 모두 구하시오.

**풀이**

**❶ $\overrightarrow{PA}+\overrightarrow{PB}$를 성분으로 나타내기**

점 P가 직선 $y=x$ 위에 있으므로 $P(x, x)$라 하면
$\overrightarrow{PA}=\overrightarrow{OA}-\overrightarrow{OP}=(2, 4)-(x, x)=(2-x, 4-x)$,
$\overrightarrow{PB}=\overrightarrow{OB}-\overrightarrow{OP}=(4, 2)-(x, x)=(4-x, 2-x)$
$\therefore \overrightarrow{PA}+\overrightarrow{PB}=(2-x, 4-x)+(4-x, 2-x)=(6-2x, 6-2x)$

**❷ $|\overrightarrow{PA}+\overrightarrow{PB}|=16\sqrt{2}$를 만족시키는 점 P의 좌표 구하기**

이때, $|\overrightarrow{PA}+\overrightarrow{PB}|=\sqrt{(6-2x)^2+(6-2x)^2}=\sqrt{8(x-3)^2}$이므로
$|\overrightarrow{PA}+\overrightarrow{PB}|=16\sqrt{2}$에서 $\sqrt{8(x-3)^2}=16\sqrt{2}$
양변을 제곱하여 정리하면 $x^2-6x-55=0$
$(x+5)(x-11)=0$
$\therefore x=-5$ 또는 $x=11$
따라서 구하는 점 P의 좌표는 $(-5, -5)$, $(11, 11)$이다.

**달** $(-5, -5), (11, 11)$

**해법** $A(a_1, a_2), B(b_1, b_2)$ ⟶ $\overrightarrow{AB}=(b_1-a_1, b_2-a_2)$ ⟶ $|\overrightarrow{AB}|=\sqrt{(b_1-a_1)^2+(b_2-a_2)^2}$

| 정답과 해설 34쪽 |

**04-1** 세 점 $A(-3, 4)$, $B(0, 3)$, $C(3, 6)$에 대하여 $\overrightarrow{AB}=\overrightarrow{CD}$를 만족시키는 점 D의 좌표를 구하시오.

**04-2** 좌표평면 위의 두 점 $A(4, 2)$, $B(1, -2)$와 $x$축 위를 움직이는 점 $P(k, 0)$에 대하여 $|\overrightarrow{PA}-\overrightarrow{PB}|=k$가 성립할 때, $|\overrightarrow{PA}+\overrightarrow{PB}|$의 값을 구하시오.

# 3 평면벡터의 내적

| **개념 파헤치기** |

## 개념 **01** 평면벡터의 내적

**1 두 벡터가 이루는 각의 크기**

영벡터가 아닌 두 평면벡터 $\vec{a}$, $\vec{b}$에 대하여 $\vec{a}=\overrightarrow{OA}$, $\vec{b}=\overrightarrow{OB}$일 때

$$\theta=\angle AOB\,(0°\le\theta\le180°)$$

를 두 벡터 $\vec{a}$, $\vec{b}$가 이루는 각의 크기라 한다.

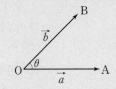

**2 평면벡터의 내적**

영벡터가 아닌 두 평면벡터 $\vec{a}$, $\vec{b}$가 이루는 각의 크기가 $\theta$일 때, $\vec{a}$와 $\vec{b}$의 **내적**을 각 $\theta$의 크기에 따라 다음과 같이 정의하고, 기호로 $\vec{\boldsymbol{a}} \cdot \vec{\boldsymbol{b}}$와 같이 나타낸다.

(1) $0°\le\theta\le90°$이면 $\vec{\boldsymbol{a}} \cdot \vec{\boldsymbol{b}}=|\vec{\boldsymbol{a}}|\,|\vec{\boldsymbol{b}}|\cos\theta$

(2) $90°<\theta\le180°$이면 $\vec{\boldsymbol{a}} \cdot \vec{\boldsymbol{b}}=-|\vec{\boldsymbol{a}}|\,|\vec{\boldsymbol{b}}|\cos(180°-\theta)$

두 벡터 $\vec{a}$, $\vec{b}$의 내적 $\vec{a} \cdot \vec{b}$는 실수야.

**참고** (1) $\vec{a}=\vec{0}$ 또는 $\vec{b}=\vec{0}$일 때는 $\vec{a} \cdot \vec{b}=0$으로 정한다.

(2) 임의의 벡터 $\vec{a}$에 대하여 $\vec{a} \cdot \vec{a}=|\vec{a}|\,|\vec{a}|\cos0°=|\vec{a}|^2$이다.

**예** $|\vec{a}|=2$, $|\vec{b}|=3$인 두 벡터 $\vec{a}$, $\vec{b}$가 이루는 각의 크기 $\theta$가 다음과 같을 때, $\vec{a} \cdot \vec{b}$를 구해 보자.

| (1) $\theta=30°$ | (2) $\theta=120°$ |
|---|---|

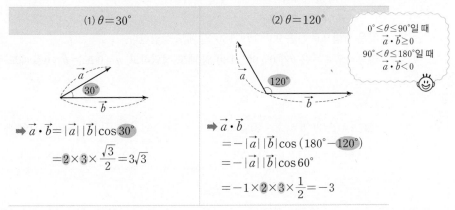

$0°\le\theta\le90°$일 때 $\vec{a} \cdot \vec{b}\ge0$

$90°<\theta\le180°$일 때 $\vec{a} \cdot \vec{b}<0$

➡ $\vec{a} \cdot \vec{b}=|\vec{a}|\,|\vec{b}|\cos30°$

$\qquad =2\times3\times\dfrac{\sqrt{3}}{2}=3\sqrt{3}$

➡ $\vec{a} \cdot \vec{b}$

$\quad =-|\vec{a}|\,|\vec{b}|\cos(180°-120°)$

$\quad =-|\vec{a}|\,|\vec{b}|\cos60°$

$\quad =-1\times2\times3\times\dfrac{1}{2}=-3$

**Lecture**

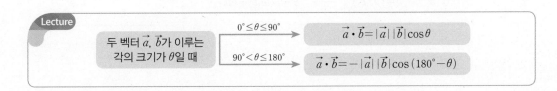

두 벡터 $\vec{a}$, $\vec{b}$가 이루는 각의 크기가 $\theta$일 때

$0°\le\theta\le90°$ → $\vec{a} \cdot \vec{b}=|\vec{a}|\,|\vec{b}|\cos\theta$

$90°<\theta\le180°$ → $\vec{a} \cdot \vec{b}=-|\vec{a}|\,|\vec{b}|\cos(180°-\theta)$

| 정답과 해설 34쪽 |

**개념 확인 1** $|\vec{a}|=3$, $|\vec{b}|=4$인 두 벡터 $\vec{a}$, $\vec{b}$가 이루는 각의 크기가 다음과 같을 때, $\vec{a} \cdot \vec{b}$를 구하시오.

(1) $60°$ (2) $150°$

## 개념 **02** 평면벡터의 내적과 성분

두 평면벡터 $\vec{a}=(a_1, a_2)$, $\vec{b}=(b_1, b_2)$에 대하여
$$\vec{a} \cdot \vec{b}=a_1b_1+a_2b_2$$

**설명**

영벡터가 아닌 두 평면벡터
$$\overrightarrow{OA}=(a_1, a_2),\ \overrightarrow{OB}=(b_1, b_2)$$
가 이루는 각의 크기를 $\theta$라 하고, $\overrightarrow{OA}=\vec{a}$, $\overrightarrow{OB}=\vec{b}$라 하자.
$0°<\theta<90°$일 때, 점 B에서 직선 OA에 내린 수선의 발을
H라 하면
$$\overline{BH}=\overline{OB}\sin\theta,\ \overline{AH}=\overline{OA}-\overline{OH}=\overline{OA}-\overline{OB}\cos\theta$$
이때, 삼각형 BHA는 직각삼각형이므로 피타고라스 정리에 의하여
$$\overline{AB}^2=\overline{BH}^2+\overline{AH}^2$$
이 성립한다. 즉,

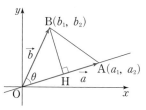

$$\overline{AB}^2=(\overline{OB}\sin\theta)^2+(\overline{OA}-\overline{OB}\cos\theta)^2 \leftarrow \text{삼각형 OBH에서 } \sin\theta=\frac{\overline{BH}}{\overline{OB}}, \cos\theta=\frac{\overline{OH}}{\overline{OB}}\text{이므로}$$

위의 식을 정리하면
$$\sin^2\theta+\cos^2\theta=\frac{\overline{BH}^2+\overline{OH}^2}{\overline{OB}^2}=\frac{\overline{OB}^2}{\overline{OB}^2}=1$$

$$\overline{AB}^2=\overline{OA}^2+\overline{OB}^2-2\overline{OA}\times\overline{OB}\cos\theta$$

또, $\overline{AB}^2=|\vec{b}-\vec{a}|^2$, $\overline{OA}^2=|\vec{a}|^2$, $\overline{OB}^2=|\vec{b}|^2$이므로
$$(b_1-a_1)^2+(b_2-a_2)^2=(a_1{}^2+a_2{}^2)+(b_1{}^2+b_2{}^2)-2(\vec{a}\cdot\vec{b})$$
이고, 이를 정리하면
$$\vec{a}\cdot\vec{b}=a_1b_1+a_2b_2 \qquad \cdots\cdots ㉠$$
같은 방법으로 ㉠은 $90°<\theta<180°$일 때도 성립한다.
일반적으로 ㉠은 $\theta$가 $0°$, $90°$, $180°$일 때도 성립하고, $\vec{a}=\vec{0}$ 또는 $\vec{b}=\vec{0}$일 때도 성립한다.

**예**

| (1) $\vec{a}=(5, 1)$, $\vec{b}=(3, -3)$일 때 | (2) $\vec{a}=(-3, 1)$, $\vec{b}=(1, 4)$일 때 |
|---|---|
| $\vec{a}\cdot\vec{b}=5\times3+1\times(-3)=12$ | $\vec{a}\cdot\vec{b}=(-3)\times1+1\times4=1$ |

**Lecture**

$$\vec{a}=(a_1, a_2), \vec{b}=(b_1, b_2) \longrightarrow \vec{a}\cdot\vec{b}=a_1b_1+a_2b_2$$

| 정답과 해설 34쪽 |

**개념 확인 2** 다음 두 벡터 $\vec{a}$, $\vec{b}$의 내적을 구하시오.

(1) $\vec{a}=(-2, 3)$, $\vec{b}=(0, 2)$ ㅤㅤㅤㅤㅤㅤㅤㅤ(2) $\vec{a}=(5, 0)$, $\vec{b}=(-4, -3)$

## 개념 **03** 평면벡터의 내적의 성질

세 평면벡터 $\vec{a}$, $\vec{b}$, $\vec{c}$와 실수 $k$에 대하여

(1) **교환법칙**: $\vec{a} \cdot \vec{b} = \vec{b} \cdot \vec{a}$

(2) **분배법칙**: $\vec{a} \cdot (\vec{b}+\vec{c}) = \vec{a} \cdot \vec{b} + \vec{a} \cdot \vec{c}$

$\quad\quad\quad\quad (\vec{a}+\vec{b}) \cdot \vec{c} = \vec{a} \cdot \vec{c} + \vec{b} \cdot \vec{c}$

(3) **결합법칙**: $(k\vec{a}) \cdot \vec{b} = \vec{a} \cdot (k\vec{b}) = k(\vec{a} \cdot \vec{b})$

---

**설명**

세 평면벡터 $\vec{a}=(a_1, a_2)$, $\vec{b}=(b_1, b_2)$, $\vec{c}=(c_1, c_2)$와 임의의 실수 $k$에 대하여

(1) $\vec{a} \cdot \vec{b} = a_1 b_1 + a_2 b_2 = b_1 a_1 + b_2 a_2 = \vec{b} \cdot \vec{a}$

(2) $\vec{a} \cdot (\vec{b}+\vec{c}) = (a_1, a_2) \cdot (b_1+c_1, b_2+c_2)$

$\quad\quad\quad\quad\quad = a_1(b_1+c_1) + a_2(b_2+c_2)$

$\quad\quad\quad\quad\quad = a_1 b_1 + a_1 c_1 + a_2 b_2 + a_2 c_2$

$\quad\quad\quad\quad\quad = (a_1 b_1 + a_2 b_2) + (a_1 c_1 + a_2 c_2)$

$\quad\quad\quad\quad\quad = \vec{a} \cdot \vec{b} + \vec{a} \cdot \vec{c}$

같은 방법으로 $(\vec{a}+\vec{b}) \cdot \vec{c} = \vec{a} \cdot \vec{c} + \vec{b} \cdot \vec{c}$도 성립한다.

(3) $(k\vec{a}) \cdot \vec{b} = (ka_1, ka_2) \cdot (b_1, b_2)$

$\quad\quad\quad\quad = (ka_1)b_1 + (ka_2)b_2$

$\quad\quad\quad\quad = k(a_1 b_1 + a_2 b_2)$

$\quad\quad\quad\quad = k(\vec{a} \cdot \vec{b})$

같은 방법으로 $\vec{a} \cdot (k\vec{b}) = k(\vec{a} \cdot \vec{b})$도 성립한다.

---

**예**

$|\vec{a}+\vec{b}|^2 = (\vec{a}+\vec{b}) \cdot (\vec{a}+\vec{b})$    ┐ 분배법칙

$\quad\quad\quad = \vec{a} \cdot (\vec{a}+\vec{b}) + \vec{b} \cdot (\vec{a}+\vec{b})$    ┐ 분배법칙

$\quad\quad\quad = \vec{a} \cdot \vec{a} + \vec{a} \cdot \vec{b} + \vec{b} \cdot \vec{a} + \vec{b} \cdot \vec{b}$    ┐ 교환법칙

$\quad\quad\quad = \vec{a} \cdot \vec{a} + \vec{a} \cdot \vec{b} + \vec{a} \cdot \vec{b} + \vec{b} \cdot \vec{b}$

$\quad\quad\quad = |\vec{a}|^2 + 2\vec{a} \cdot \vec{b} + |\vec{b}|^2$

> 같은 방법으로
> $|\vec{a}-\vec{b}|^2 = |\vec{a}|^2 - 2\vec{a} \cdot \vec{b} + |\vec{b}|^2$
> 도 성립해.

---

**Lecture**

| $\vec{a} \cdot \vec{b} = \vec{b} \cdot \vec{a}$ | $\vec{a} \cdot (\vec{b}+\vec{c}) = \vec{a} \cdot \vec{b} + \vec{a} \cdot \vec{c}$ <br> $(\vec{a}+\vec{b}) \cdot \vec{c} = \vec{a} \cdot \vec{c} + \vec{b} \cdot \vec{c}$ | $(k\vec{a}) \cdot \vec{b} = \vec{a} \cdot (k\vec{b}) = k(\vec{a} \cdot \vec{b})$ <br> (단, $k$는 실수) |

---

| 정답과 해설 34쪽 |

**개념 확인 3**   다음은 등식 $(\vec{a}+\vec{b}) \cdot (\vec{a}-\vec{b}) = |\vec{a}|^2 - |\vec{b}|^2$이 성립함을 증명하는 과정이다. ㈎~㈐에 알맞은 것을 써넣으시오.

┤ 증명 ├

$(\vec{a}+\vec{b}) \cdot (\vec{a}-\vec{b}) = \vec{a} \cdot (\vec{a}-\vec{b}) + \vec{b} \cdot (\boxed{\text{㈎}})$

$\quad\quad\quad\quad\quad = (\boxed{\text{㈏}}) - \vec{a} \cdot \vec{b} + \vec{b} \cdot \vec{a} - (\boxed{\text{㈐}})$

$\quad\quad\quad\quad\quad = |\vec{a}|^2 - |\vec{b}|^2$

## 개념 **04** 두 평면벡터가 이루는 각의 크기

영벡터가 아닌 두 평면벡터 $\vec{a}=(a_1, a_2)$, $\vec{b}=(b_1, b_2)$가 이루는 각의 크기가 $\theta$ $(0°\leq\theta\leq180°)$일 때

(1) $\vec{a}\cdot\vec{b}\geq0$이면 $\cos\theta=\dfrac{\vec{a}\cdot\vec{b}}{|\vec{a}||\vec{b}|}=\dfrac{a_1b_1+a_2b_2}{\sqrt{a_1^2+a_2^2}\sqrt{b_1^2+b_2^2}}$

(2) $\vec{a}\cdot\vec{b}<0$이면 $\cos(180°-\theta)=-\dfrac{\vec{a}\cdot\vec{b}}{|\vec{a}||\vec{b}|}=-\dfrac{a_1b_1+a_2b_2}{\sqrt{a_1^2+a_2^2}\sqrt{b_1^2+b_2^2}}$

**설명**

영벡터가 아닌 두 평면벡터 $\vec{a}=(a_1, a_2)$, $\vec{b}=(b_1, b_2)$가 이루는 각의 크기를 $\theta$ $(0°\leq\theta\leq180°)$라 할 때, 내적을 이용하여 두 벡터 $\vec{a}$, $\vec{b}$가 이루는 각의 크기를 구해 보자.

(1) $\vec{a}\cdot\vec{b}\geq0$일 때

$\vec{a}\cdot\vec{b}=|\vec{a}||\vec{b}|\cos\theta$이므로

$$\cos\theta=\dfrac{\vec{a}\cdot\vec{b}}{|\vec{a}||\vec{b}|}$$
$$=\dfrac{a_1b_1+a_2b_2}{\sqrt{a_1^2+a_2^2}\sqrt{b_1^2+b_2^2}}$$

(2) $\vec{a}\cdot\vec{b}<0$일 때

$\vec{a}\cdot\vec{b}=-|\vec{a}||\vec{b}|\cos(180°-\theta)$이므로

$$\cos(180°-\theta)=-\dfrac{\vec{a}\cdot\vec{b}}{|\vec{a}||\vec{b}|}$$
$$=-\dfrac{a_1b_1+a_2b_2}{\sqrt{a_1^2+a_2^2}\sqrt{b_1^2+b_2^2}}$$

**예**

두 벡터 $\vec{a}=(2, 3)$, $\vec{b}=(5, 1)$이 이루는 각의 크기가 $\theta$일 때

➡ $\vec{a}\cdot\vec{b}=2\times5+3\times1=13>0$

➡ $\cos\theta=\dfrac{13}{\sqrt{2^2+3^2}\sqrt{5^2+1^2}}=\dfrac{13}{\sqrt{13}\sqrt{26}}=\dfrac{\sqrt{2}}{2}$

➡ $\theta=45°$

> $\vec{a}\cdot\vec{b}\geq0$일 때
> $0°\leq\theta\leq90°$이고
> $\vec{a}\cdot\vec{b}<0$일 때
> $90°<\theta\leq180°$야.

**Lecture**

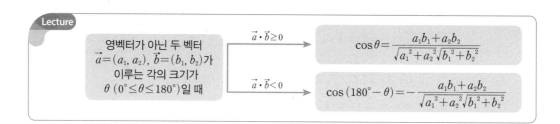

영벡터가 아닌 두 벡터 $\vec{a}=(a_1, a_2)$, $\vec{b}=(b_1, b_2)$가 이루는 각의 크기가 $\theta$ $(0°\leq\theta\leq180°)$일 때

$\vec{a}\cdot\vec{b}\geq0$ ⟶ $\cos\theta=\dfrac{a_1b_1+a_2b_2}{\sqrt{a_1^2+a_2^2}\sqrt{b_1^2+b_2^2}}$

$\vec{a}\cdot\vec{b}<0$ ⟶ $\cos(180°-\theta)=-\dfrac{a_1b_1+a_2b_2}{\sqrt{a_1^2+a_2^2}\sqrt{b_1^2+b_2^2}}$

| 정답과 해설 34쪽 |

**개념 확인 4** 두 벡터 $\vec{a}=(1, 2)$, $\vec{b}=(1, -3)$이 이루는 각의 크기 $\theta$를 구하시오.

## 개념 **05** 두 평면벡터의 수직 조건과 평행 조건

**1** 두 평면벡터의 수직

영벡터가 아닌 두 평면벡터 $\vec{a}$, $\vec{b}$가 이루는 각의 크기가 $90°$일 때, 두 벡터 $\vec{a}$, $\vec{b}$는 서로 **수직**이라 하며, 이것을 기호로 $\vec{a} \perp \vec{b}$와 같이 나타낸다.

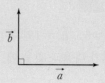

**2** 평면벡터의 수직 조건과 평행 조건

영벡터가 아닌 두 평면벡터 $\vec{a}$, $\vec{b}$에 대하여

(1) **수직 조건**: $\vec{a} \perp \vec{b} \Longleftrightarrow \vec{a} \cdot \vec{b} = 0$

(2) **평행 조건**: $\vec{a} /\!/ \vec{b} \Longleftrightarrow \vec{a} \cdot \vec{b} = \pm |\vec{a}| |\vec{b}|$

> **참고** $\vec{a} = (a_1, a_2)$, $\vec{b} = (b_1, b_2)$일 때
> (1) $\vec{a} \perp \vec{b} \Longleftrightarrow a_1 b_1 + a_2 b_2 = 0$
> (2) $\vec{a} /\!/ \vec{b} \Longleftrightarrow \vec{b} = k\vec{a} \Longleftrightarrow b_1 = ka_1$, $b_2 = ka_2$ (단, $k$는 $0$이 아닌 실수)

**설명**

(1) 영벡터가 아닌 두 평면벡터 $\vec{a}$, $\vec{b}$가 서로 수직이면 두 벡터가 이루는 각의 크기는 $90°$이므로

$$\vec{a} \cdot \vec{b} = |\vec{a}| |\vec{b}| \cos 90° = 0$$

따라서 $\vec{a} \perp \vec{b}$이면 $\vec{a} \cdot \vec{b} = 0$이고, 그 역도 성립한다.

(2) 영벡터가 아닌 두 평면벡터 $\vec{a}$, $\vec{b}$가 서로 평행하면 두 벡터 $\vec{a}$, $\vec{b}$는 방향이 같거나 반대이다.

  (i) 두 벡터 $\vec{a}$, $\vec{b}$의 방향이 같으면 $\vec{a}$, $\vec{b}$가 이루는 각의 크기는 $0°$이므로

$$\vec{a} \cdot \vec{b} = |\vec{a}| |\vec{b}| \cos 0° = |\vec{a}| |\vec{b}|$$

  (ii) 두 벡터 $\vec{a}$, $\vec{b}$의 방향이 반대이면 $\vec{a}$, $\vec{b}$가 이루는 각의 크기는 $180°$이므로

$$\vec{a} \cdot \vec{b} = -|\vec{a}| |\vec{b}| \cos(180° - 180°)$$
$$= -|\vec{a}| |\vec{b}| \cos 0° = -|\vec{a}| |\vec{b}|$$

따라서 $\vec{a} /\!/ \vec{b}$이면 $\vec{a} \cdot \vec{b} = \pm |\vec{a}| |\vec{b}|$이고, 그 역도 성립한다.

**예**

| (1) $\vec{a} = (2, 1)$, $\vec{b} = (3, -6)$일 때 | (2) $\vec{a} = (-4, 6)$, $\vec{b} = (-2, 3)$일 때 |
|---|---|
| $\vec{a} \cdot \vec{b} = 2 \times 3 + 1 \times (-6) = 0$ <br> ➡ 두 벡터 $\vec{a}$, $\vec{b}$는 서로 수직이다. | $\vec{a} \cdot \vec{b} = (-4) \times (-2) + 6 \times 3 = 26$, <br> $\|\vec{a}\| \|\vec{b}\| = \sqrt{(-4)^2 + 6^2} \sqrt{(-2)^2 + 3^2} = 26$ <br> ➡ 두 벡터 $\vec{a}$, $\vec{b}$는 서로 평행하다. |

**Lecture**

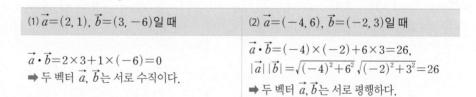

영벡터가 아닌 두 벡터 $\vec{a}$, $\vec{b}$에 대하여

$\vec{a} \perp \vec{b} \Longleftrightarrow \vec{a} \cdot \vec{b} = 0$

$\vec{a} /\!/ \vec{b} \Longleftrightarrow \vec{a} \cdot \vec{b} = \pm |\vec{a}| |\vec{b}|$

| 정답과 해설 34쪽 |

**개념 확인 5** 두 벡터 $\vec{a} = (1, -5)$, $\vec{b} = (x, 1)$에 대하여 $\vec{a} \perp \vec{b}$일 때, 실수 $x$의 값을 구하시오.

**4** 평면벡터의 성분과 내적

**개념 check**

**1-1** $|\vec{a}|=6$, $|\vec{b}|=1$인 두 벡터 $\vec{a}$, $\vec{b}$가 이루는 각의 크기가 다음과 같을 때, $\vec{a}\cdot\vec{b}$를 구하시오.

(1) $0°$

(2) $30°$

(3) $120°$

연구  (1) $\vec{a}\cdot\vec{b}=|\vec{a}||\vec{b}|\cos 0°$

$=6\times1\times\boxed{\phantom{x}}=\boxed{\phantom{x}}$

(2) $\vec{a}\cdot\vec{b}=|\vec{a}||\vec{b}|\cos 30°$

$=6\times1\times\boxed{\phantom{x}}=\boxed{\phantom{x}}$

(3) $\vec{a}\cdot\vec{b}=-|\vec{a}||\vec{b}|\cos(180°-120°)$

$=-|\vec{a}||\vec{b}|\cos 60°$

$=-1\times6\times1\times\boxed{\phantom{x}}=\boxed{\phantom{x}}$

**스스로 check**

**1-2** $|\vec{a}|=3$, $|\vec{b}|=5$인 두 벡터 $\vec{a}$, $\vec{b}$가 이루는 각의 크기가 다음과 같을 때, $\vec{a}\cdot\vec{b}$를 구하시오.

(1) $45°$

(2) $60°$

(3) $180°$

**2-1** 다음 두 벡터 $\vec{a}$, $\vec{b}$의 내적을 구하시오.

(1) $\vec{a}=(2,-3)$, $\vec{b}=(1,-2)$

(2) $\vec{a}=(1,5)$, $\vec{b}=(-3,1)$

연구  (1) $\vec{a}\cdot\vec{b}=\boxed{\phantom{x}}\times1+(\boxed{\phantom{x}})\times(-2)=\boxed{\phantom{x}}$

(2) $\vec{a}\cdot\vec{b}=1\times(\boxed{\phantom{x}})+\boxed{\phantom{x}}\times1=\boxed{\phantom{x}}$

**2-2** 다음 두 벡터 $\vec{a}$, $\vec{b}$의 내적을 구하시오.

(1) $\vec{a}=(-3,4)$, $\vec{b}=(6,0)$

(2) $\vec{a}=(5,-3)$, $\vec{b}=(3,4)$

**3-1** 두 벡터 $\vec{a}$, $\vec{b}$에 대하여

$|\vec{a}|=2$, $|\vec{b}|=1$, $\vec{a}\cdot\vec{b}=1$

일 때, $(\vec{a}+\vec{b})\cdot(\vec{a}-2\vec{b})$를 구하시오.

연구  $(\vec{a}+\vec{b})\cdot(\vec{a}-2\vec{b})$

$=\vec{a}\cdot\vec{a}-2\vec{a}\cdot\vec{b}+\vec{b}\cdot\vec{a}-2\vec{b}\cdot\vec{b}$

$=|\vec{a}|^2-\boxed{\phantom{x}}-2|\vec{b}|^2$

$=2^2-\boxed{\phantom{x}}-2\times1^2=\boxed{\phantom{x}}$

**3-2** 두 벡터 $\vec{a}$, $\vec{b}$에 대하여

$|\vec{a}|=3$, $|\vec{b}|=6$, $\vec{a}\cdot\vec{b}=-9$

일 때, $(2\vec{a}-\vec{b})\cdot(\vec{a}+3\vec{b})$를 구하시오.

**개념 check**

**4-1** 다음 두 벡터 $\vec{a}, \vec{b}$가 이루는 각의 크기를 구하시오.

(1) $\vec{a}=(3, 1), \vec{b}=(1, 2)$

(2) $\vec{a}=(0, 1), \vec{b}=(2\sqrt{3}, -2)$

연구 (1) $\vec{a} \cdot \vec{b}=3 \times 1+1 \times 2=5>0$이므로 두 벡터가 이루는 각의 크기를 $\theta$ $(0° \leq \theta \leq 180°)$라 하면

$$\cos\theta=\frac{5}{\sqrt{3^2+1^2}\sqrt{1^2+2^2}}$$

$$=\frac{5}{\sqrt{10}\sqrt{5}}=\frac{\sqrt{2}}{2}$$

$\therefore \theta=\boxed{\phantom{xx}}$

(2) $\vec{a} \cdot \vec{b}=0 \times 2\sqrt{3}+1 \times (-2)=-2<0$이므로 두 벡터가 이루는 각의 크기를 $\theta$ $(0° \leq \theta \leq 180°)$라 하면

$$\cos(180°-\theta)=-\frac{-2}{\sqrt{0^2+1^2}\sqrt{(2\sqrt{3})^2+(-2)^2}}$$

$$=\frac{2}{1 \times 4}=\frac{1}{2}$$

따라서 $180°-\theta=60°$이므로 $\theta=\boxed{\phantom{xx}}$

**스스로 check**

**4-2** 다음 두 벡터 $\vec{a}, \vec{b}$가 이루는 각의 크기를 구하시오.

(1) $\vec{a}=(\sqrt{3}, 1), \vec{b}=(0, \sqrt{3})$

(2) $\vec{a}=(\sqrt{3}, -1), \vec{b}=(-3, 3\sqrt{3})$

**5-1** 두 벡터 $\vec{a}=(5, -2), \vec{b}=(2, x+3)$에 대하여 다음을 만족시키는 실수 $x$의 값을 구하시오.

(1) $\vec{a} \perp \vec{b}$

(2) $\vec{a} /\!/ \vec{b}$

연구 (1) $\vec{a} \perp \vec{b}$이므로 $\vec{a} \cdot \vec{b}=\boxed{\phantom{xx}}$에서

$5 \times 2+(-2) \times (x+3)=0$

$-2x+4=0$ $\therefore x=\boxed{\phantom{xx}}$

(2) $\vec{b}=k\vec{a}$ ($k$는 0이 아닌 실수)라 하면

$(2, x+3)=k(5, -2)$

$2=5k, x+3=-2k$

$\therefore k=\boxed{\phantom{xx}}, x=\boxed{\phantom{xx}}$

**5-2** 두 벡터 $\vec{a}=(3, -6), \vec{b}=(x+1, x-3)$에 대하여 다음을 만족시키는 실수 $x$의 값을 구하시오.

(1) $\vec{a} \perp \vec{b}$

(2) $\vec{a} /\!/ \vec{b}$

**대표 유형 01** 평면벡터의 내적과 성분

🔗 유형 해결의 법칙 69, 70쪽 유형 11, 12

오른쪽 그림과 같이 한 변의 길이가 2인 정사각형 ABCD에서 변 CD, DA의 중점을 각각 P, Q라 할 때, $\overrightarrow{BP} \cdot \overrightarrow{BQ}$를 구하시오.

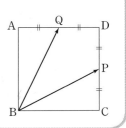

**풀이**

| ❶ 두 점 P, Q를 좌표로 나타내기 | 오른쪽 그림과 같이 정사각형 ABCD를 점 B를 원점으로 하는 좌표평면 위에 놓으면 점 P의 좌표는 $(2, 1)$이고 점 Q의 좌표는 $(1, 2)$이다. |
|---|---|
| ❷ $\overrightarrow{BP} \cdot \overrightarrow{BQ}$ 구하기 | 따라서 두 벡터 $\overrightarrow{BP}$, $\overrightarrow{BQ}$를 각각 성분으로 나타내면 $\overrightarrow{BP}=(2, 1)$, $\overrightarrow{BQ}=(1, 2)$이므로 $\overrightarrow{BP} \cdot \overrightarrow{BQ}=2 \times 1 + 1 \times 2 = 4$ |

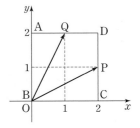

답 4

> **해법**    $\vec{a}=(a_1, a_2), \vec{b}=(b_1, b_2)$  ⟶  $\vec{a} \cdot \vec{b}=a_1 b_1 + a_2 b_2$

---

| 정답과 해설 35쪽 |

**01-1**   두 벡터 $\vec{a}=(2, x)$, $\vec{b}=(1, x+2)$에 대하여 $\vec{a} \cdot \vec{b}=5$일 때, 양수 $x$의 값을 구하시오.

**01-2**   오른쪽 그림과 같이 한 변의 길이가 2인 정사각형 ABCD에서 변 CD, DA의 중점을 각각 P, Q라 할 때, $\overrightarrow{BQ} \cdot \overrightarrow{PQ}$를 구하시오.

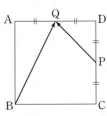

**대표 유형 02** 평면벡터의 내적의 연산법칙

유형 해결의 법칙 70, 71쪽 유형 13, 14

다음 물음에 답하시오.

(1) 두 벡터 $\vec{a}$, $\vec{b}$에 대하여 $|\vec{a}|=4$, $|\vec{b}|=4$, $|\vec{a}-2\vec{b}|=8$일 때, $\vec{a}\cdot\vec{b}$를 구하시오.

(2) 두 벡터 $\vec{a}$, $\vec{b}$가 이루는 각의 크기가 $60°$이고 $|\vec{a}|=4$, $|\vec{b}|=1$일 때, $(\vec{a}-\vec{b})\cdot(3\vec{a}-\vec{b})$를 구하시오.

**풀이** (1)

**❶** $|\vec{a}-2\vec{b}|=8$의 양변을 제곱하기

$|\vec{a}-2\vec{b}|=8$의 양변을 제곱하면

$|\vec{a}|^2-4\vec{a}\cdot\vec{b}+4|\vec{b}|^2=64$

**❷** $\vec{a}\cdot\vec{b}$ 구하기

$4^2-4\vec{a}\cdot\vec{b}+4\times4^2=64$

$\therefore \vec{a}\cdot\vec{b}=4$

(2)

**❶** $\vec{a}\cdot\vec{b}$ 구하기

$\vec{a}\cdot\vec{b}=|\vec{a}||\vec{b}|\cos60°=4\times1\times\dfrac{1}{2}=2$이므로

**❷** $(\vec{a}-\vec{b})\cdot(3\vec{a}-\vec{b})$ 구하기

$(\vec{a}-\vec{b})\cdot(3\vec{a}-\vec{b})=3|\vec{a}|^2-4\vec{a}\cdot\vec{b}+|\vec{b}|^2$

$=3\times4^2-4\times2+1^2=41$

**답** (1) 4 (2) 41

**해법**

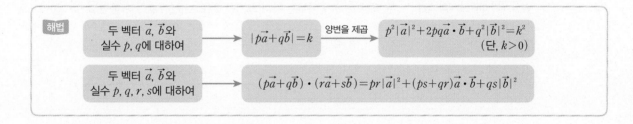

두 벡터 $\vec{a}$, $\vec{b}$와 실수 $p$, $q$에 대하여 → $|p\vec{a}+q\vec{b}|=k$ —양변을 제곱→ $p^2|\vec{a}|^2+2pq\vec{a}\cdot\vec{b}+q^2|\vec{b}|^2=k^2$ (단, $k>0$)

두 벡터 $\vec{a}$, $\vec{b}$와 실수 $p$, $q$, $r$, $s$에 대하여 → $(p\vec{a}+q\vec{b})\cdot(r\vec{a}+s\vec{b})=pr|\vec{a}|^2+(ps+qr)\vec{a}\cdot\vec{b}+qs|\vec{b}|^2$

| 정답과 해설 35쪽 |

**02-1** 두 벡터 $\vec{a}$, $\vec{b}$에 대하여 $|\vec{a}|=4$, $|\vec{b}|=2$, $|\vec{a}-3\vec{b}|=8$일 때, $\vec{a}\cdot\vec{b}$를 구하시오.

**02-2** 두 벡터 $\vec{a}$, $\vec{b}$가 이루는 각의 크기가 $45°$이고 $|\vec{a}|=2$, $|\vec{a}-\vec{b}|=\sqrt{2}$일 때, $|\vec{b}|$를 구하시오.

↻ 유형 해결의 법칙 72쪽 유형 17, 18

**대표 유형 03 두 평면벡터가 이루는 각의 크기**

다음 물음에 답하시오.

(1) 두 벡터 $\vec{a}=(3, 4)$, $\vec{b}=(-1, 2)$에 대하여 두 벡터 $\vec{a}+\vec{b}$, $\vec{a}-\vec{b}$가 이루는 각의 크기를 구하시오.

(2) 두 벡터 $\vec{a}$, $\vec{b}$에 대하여 $|\vec{a}|=3$, $|\vec{b}|=2$, $|2\vec{a}-3\vec{b}|=6$일 때, 두 벡터 $\vec{a}$, $\vec{b}$가 이루는 각의 크기를 구하시오.

**풀이** (1) **❶ $(\vec{a}+\vec{b})\cdot(\vec{a}-\vec{b})$ 구하기**

$\vec{a}+\vec{b}=(3, 4)+(-1, 2)=(2, 6)$, $\vec{a}-\vec{b}=(3, 4)-(-1, 2)=(4, 2)$이므로

$(\vec{a}+\vec{b})\cdot(\vec{a}-\vec{b})=2\times4+6\times2=20$

**❷ $\vec{a}+\vec{b}$, $\vec{a}-\vec{b}$가 이루는 각의 크기 구하기**

두 벡터 $\vec{a}+\vec{b}$, $\vec{a}-\vec{b}$가 이루는 각의 크기를 $\theta$ $(0°\leq\theta\leq180°)$라 하면

$(\vec{a}+\vec{b})\cdot(\vec{a}-\vec{b})>0$이므로

$\cos\theta=\dfrac{20}{\sqrt{2^2+6^2}\sqrt{4^2+2^2}}=\dfrac{20}{2\sqrt{10}\times2\sqrt{5}}=\dfrac{\sqrt{2}}{2}$   $\therefore \theta=45°$

(2) **❶ $\vec{a}\cdot\vec{b}$ 구하기**

$|2\vec{a}-3\vec{b}|=6$의 양변을 제곱하면

$4|\vec{a}|^2-12\vec{a}\cdot\vec{b}+9|\vec{b}|^2=36$

$4\times3^2-12\vec{a}\cdot\vec{b}+9\times2^2=36$   $\therefore \vec{a}\cdot\vec{b}=3$

**❷ $\vec{a}$, $\vec{b}$가 이루는 각의 크기 구하기**

두 벡터 $\vec{a}$, $\vec{b}$가 이루는 각의 크기를 $\theta$ $(0°\leq\theta\leq180°)$라 하면 $\vec{a}\cdot\vec{b}>0$이므로

$\cos\theta=\dfrac{3}{3\times2}=\dfrac{1}{2}$   $\therefore \theta=60°$

답 (1) 45°   (2) 60°

**해법** 영벡터가 아닌 두 벡터 $\vec{a}=(a_1, a_2)$, $\vec{b}=(b_1, b_2)$가 이루는 각의 크기가 $\theta$ $(0°\leq\theta\leq180°)$일 때

$\vec{a}\cdot\vec{b}\geq0$ ⟶ $\cos\theta=\dfrac{a_1b_1+a_2b_2}{\sqrt{a_1^2+a_2^2}\sqrt{b_1^2+b_2^2}}$

$\vec{a}\cdot\vec{b}<0$ ⟶ $\cos(180°-\theta)=-\dfrac{a_1b_1+a_2b_2}{\sqrt{a_1^2+a_2^2}\sqrt{b_1^2+b_2^2}}$

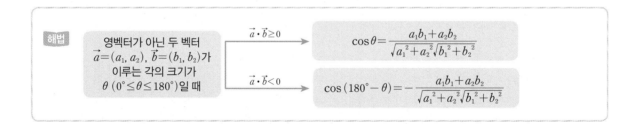

| 정답과 해설 35쪽 |

**03-1** 세 벡터 $\vec{a}=(2, 1)$, $\vec{b}=(1, -1)$, $\vec{c}=(-3, -3)$에 대하여 두 벡터 $\vec{a}-\vec{b}$, $\vec{b}-\vec{c}$가 이루는 각의 크기를 $\theta$라 할 때, $\cos\theta$의 값을 구하시오.

**03-2** 크기가 1인 두 벡터 $\vec{a}$, $\vec{b}$가 $|\vec{a}-\vec{b}|=1$을 만족시킬 때, 두 벡터 $\vec{a}$, $\vec{b}$가 이루는 각의 크기를 구하시오.

대표 유형 **04** **두 평면벡터의 수직**

유형 해결의 법칙 73쪽 유형 19

두 벡터 $\vec{a}=(1, -2)$, $\vec{b}=(2, 4)$에 대하여 $\vec{a}+k\vec{b}$와 $\vec{a}-\vec{b}$가 서로 수직일 때, 실수 $k$의 값을 구하시오.

풀이

❶ $\vec{a}+k\vec{b}$, $\vec{a}-\vec{b}$를 각각 성분으로 나타내기

$\vec{a}+k\vec{b}=(1, -2)+k(2, 4)=(1+2k, -2+4k)$,
$\vec{a}-\vec{b}=(1, -2)-(2, 4)=(-1, -6)$

❷ 두 벡터가 서로 수직일 조건을 이용하여 $k$의 값 구하기

이때, $\vec{a}+k\vec{b}$와 $\vec{a}-\vec{b}$가 서로 수직이므로
$(\vec{a}+k\vec{b}) \cdot (\vec{a}-\vec{b})=0$
$(1+2k, -2+4k) \cdot (-1, -6)=0$
$-(1+2k)-6(-2+4k)=0$
$26k=11$ $\therefore k=\dfrac{11}{26}$

답 $\dfrac{11}{26}$

해법 영벡터가 아닌 두 벡터 $\vec{a}=(a_1, a_2)$, $\vec{b}=(b_1, b_2)$에 대하여

$\boxed{\vec{a} \perp \vec{b}} \iff \boxed{\vec{a} \cdot \vec{b}=0} \iff \boxed{a_1 b_1 + a_2 b_2 = 0}$

| 정답과 해설 36쪽 |

**04-1** 두 벡터 $\vec{a}=(-1, 2)$, $\vec{b}=(1, 3)$에 대하여 $k\vec{a}+\vec{b}$와 $\vec{a}-2\vec{b}$가 서로 수직일 때, 실수 $k$의 값을 구하시오.

**04-2** 두 벡터 $\vec{a}$, $\vec{b}$에 대하여 $|\vec{a}|=2$, $|\vec{b}|=3$이고, $2\vec{a}+\vec{b}$와 $\vec{a}-2\vec{b}$가 서로 수직이다. 두 벡터 $\vec{a}$, $\vec{b}$가 이루는 각의 크기를 $\theta$라 할 때, $\cos(180°-\theta)$의 값을 구하시오.

**4**
평면벡터의 성분과 내적

# 4 직선과 원의 방정식

## 개념 01 한 점과 방향벡터가 주어진 직선의 방정식

(1) 점 A를 지나고 영벡터가 아닌 벡터 $\vec{u}$에 평행한 직선 $l$ 위의 임의의 점을 P라 하면 직선 $l$의 방정식은

$$\vec{p}=\vec{a}+t\vec{u}\ (\text{단, } \overrightarrow{OA}=\vec{a},\ \overrightarrow{OP}=\vec{p},\ t\text{는 실수}) \leftarrow \text{직선 } l\text{의 벡터방정식}$$

이때, 벡터 $\vec{u}$를 직선 $l$의 **방향벡터**라 한다.

(2) 점 $A(x_1, y_1)$을 지나고 방향벡터가 $\vec{u}=(a, b)$인 직선의 방정식은

$$\frac{x-x_1}{a}=\frac{y-y_1}{b}\ (\text{단, } ab\neq 0) \quad \substack{\rightarrow\ a=0,\ b\neq0\text{이면 직선의 방정식은 } x=x_1,\\ a\neq0,\ b=0\text{이면 직선의 방정식은 } y=y_1}$$

---

**설명**　좌표평면에서 점 A를 지나고 영벡터가 아닌 벡터 $\vec{u}$에 평행한 직선 $l$의 방정식을 구해 보자.

(1) 오른쪽 그림과 같이 직선 $l$ 위의 임의의 점을 P라 하면
　　$\overrightarrow{AP} /\!/ \vec{u}$이므로 $\overrightarrow{AP}=t\vec{u}$인 실수 $t$가 존재한다.
　　이때, 두 점 A, P의 위치벡터를 각각 $\vec{a}$, $\vec{p}$라 하면
　　$\overrightarrow{AP}=\vec{p}-\vec{a}$이므로 $\vec{p}=\vec{a}+\overrightarrow{AP}$, 즉
　　　　$\vec{p}=\vec{a}+t\vec{u}$　　　　　$\cdots\cdots\ \bigcirc$

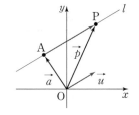

　가 성립한다.
　　역으로 방정식 $\bigcirc$을 만족시키는 벡터 $\vec{p}$를 위치벡터로 하는 점 P는 직선 $l$ 위에 있다.
　　따라서 방정식 $\bigcirc$은 점 A를 지나고 벡터 $\vec{u}$에 평행한 직선 $l$을 나타낸다.

(2) 좌표평면에서 $\vec{a}=(x_1, y_1)$, $\vec{u}=(a, b)$, $\vec{p}=(x, y)$라 할
　때, 직선 $l$을 나타내는 방정식 $\bigcirc$을 성분으로 나타내면
　　$(x, y)=(x_1, y_1)+t(a, b)=(x_1+at, y_1+bt)$
　　$x=x_1+at,\ y=y_1+bt$　　　$\cdots\cdots\ \bigcirc\!\bigcirc$
　따라서 방정식 $\bigcirc\!\bigcirc$에서 $ab\neq0$일 때, $t=\dfrac{x-x_1}{a},\ t=\dfrac{y-y_1}{b}$

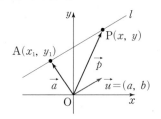

　이므로 $t$를 소거하여 직선 $l$의 방정식을 다음과 같이 나타낼 수 있다.

　　$\dfrac{x-x_1}{a}=\dfrac{y-y_1}{b}$

---

**Lecture**

점 $A(x_1, y_1)$을 지나고 방향벡터가
$\vec{u}=(a, b)$인 직선의 방정식
$\quad\longrightarrow\quad$
$\dfrac{x-x_1}{a}=\dfrac{y-y_1}{b}$ (단, $ab\neq0$)

---

| 정답과 해설 36쪽 |

**개념 확인 1**　점 $(-3, 3)$을 지나고 방향벡터가 $\vec{u}=(2, -1)$인 직선의 방정식을 구하시오.

## 개념 **02** 두 점을 지나는 직선의 방정식

두 점 $A(x_1, y_1)$, $B(x_2, y_2)$를 지나는 직선의 방정식은

$$\frac{x-x_1}{x_2-x_1}=\frac{y-y_1}{y_2-y_1} \ (\text{단, } x_1 \neq x_2, y_1 \neq y_2)$$

**설명**

서로 다른 두 점 $A(x_1, y_1)$, $B(x_2, y_2)$를 지나는 직선의 방향벡터는

$$\overrightarrow{AB}=(x_2-x_1, y_2-y_1)$$

이므로 점 $A(x_1, y_1)$을 지나고 방향벡터가 $\overrightarrow{AB}=(x_2-x_1, y_2-y_1)$인 직선의 방정식은

$$\frac{x-x_1}{x_2-x_1}=\frac{y-y_1}{y_2-y_1} \ (\text{단, } x_1 \neq x_2, y_1 \neq y_2)$$

**예**

벡터를 이용하여 두 점 $A(3, 1)$, $B(-2, 3)$을 지나는 직선의 방정식을 구해 보자.
구하는 직선의 방향벡터는 $\overrightarrow{AB}$이므로

$$\overrightarrow{AB}=(-2-3, 3-1)=(-5, 2)$$

따라서 점 $A(3, 1)$을 지나고 방향벡터가 $\overrightarrow{AB}=(-5, 2)$인
직선의 방정식은

$$\frac{x-3}{-5}=\frac{y-1}{2}$$

> 두 점을 지나는 직선의 방정식도 방향벡터만 알면 쉽게 구할 수 있어.

**Lecture**

| 두 점 $A(x_1, y_1)$, $B(x_2, y_2)$를 지나는 직선의 방정식 | → | $\dfrac{x-x_1}{x_2-x_1}=\dfrac{y-y_1}{y_2-y_1}$ (단, $x_1 \neq x_2, y_1 \neq y_2$) |

| 정답과 해설 36쪽 |

**개념 확인 2** 다음 두 점을 지나는 직선의 방정식을 구하시오.

(1) $A(5, 1)$, $B(-3, 6)$

(2) $A(-3, 4)$, $B(-1, 3)$

## 개념 **03** 한 점과 법선벡터가 주어진 직선의 방정식

(1) 점 A를 지나고 영벡터가 아닌 벡터 $\vec{n}$에 수직인 직선 $l$ 위의 임의의 점을 P라 하면 직선 $l$의 방정식은

$$(\vec{p}-\vec{a}) \cdot \vec{n}=0 \ (단, \overrightarrow{OA}=\vec{a}, \overrightarrow{OP}=\vec{p})$$

이때, 벡터 $\vec{n}$을 직선 $l$의 **법선벡터**라 한다.

(2) 점 $A(x_1, y_1)$을 지나고 법선벡터가 $\vec{n}=(a, b)$인 직선의 방정식은

$$a(x-x_1)+b(y-y_1)=0$$

**설명**  좌표평면에서 점 A를 지나고 영벡터가 아닌 벡터 $\vec{n}$에 수직인 직선 $l$의 방정식을 구해 보자.

(1) 오른쪽 그림과 같이 직선 $l$ 위의 임의의 점을 P라 하면

$\overrightarrow{AP}\perp\vec{n}$이므로

$$\overrightarrow{AP} \cdot \vec{n}=0$$

이때, 두 점 A, P의 위치벡터를 각각 $\vec{a}, \vec{p}$라 하면

$\overrightarrow{AP}=\vec{p}-\vec{a}$이므로

$$(\vec{p}-\vec{a}) \cdot \vec{n}=0 \qquad \cdots\cdots \ \unicode{x326C}$$

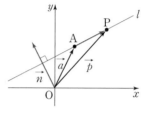

이 성립한다.

역으로 방정식 $\unicode{x326C}$을 만족시키는 벡터 $\vec{p}$를 위치벡터로 하는 점 P는 직선 $l$ 위에 있다.

따라서 방정식 $\unicode{x326C}$은 점 A를 지나고 벡터 $\vec{n}$에 수직인 직선 $l$을 나타낸다.

(2) 좌표평면에서 $\vec{a}=(x_1, y_1), \vec{n}=(a, b), \vec{p}=(x, y)$라 할 때, 직선 $l$을 나타내는 방정식 $\unicode{x326C}$을 성분으로 나타내면

$$(x-x_1, y-y_1) \cdot (a, b)=0$$

따라서 직선 $l$의 방정식을 다음과 같이 나타낼 수 있다.

$$a(x-x_1)+b(y-y_1)=0$$

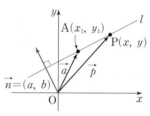

**Lecture**

점 $A(x_1, y_1)$을 지나고 법선벡터가 $\vec{n}=(a, b)$인 직선의 방정식 $\longrightarrow$ $a(x-x_1)+b(y-y_1)=0$

| 정답과 해설 36쪽 |

개념 확인 **3**  점 $(-5, 1)$을 지나고 법선벡터가 $\vec{n}=(3, 4)$인 직선의 방정식을 구하시오.

## 개념 **04** 두 직선이 이루는 각의 크기

방향벡터가 각각 $\vec{u_1}=(a_1,\,b_1)$, $\vec{u_2}=(a_2,\,b_2)$인 두 직선 $l_1$, $l_2$가 이루는 각의 크기를 $\theta$ $(0°\leq\theta\leq90°)$라 하면

$$\cos\theta=\frac{|\vec{u_1}\cdot\vec{u_2}|}{|\vec{u_1}||\vec{u_2}|}=\frac{|a_1a_2+b_1b_2|}{\sqrt{a_1{}^2+b_1{}^2}\sqrt{a_2{}^2+b_2{}^2}}$$

**설명**

두 직선 $l_1$, $l_2$의 방향벡터를 각각 $\vec{u_1}=(a_1,\,b_1)$, $\vec{u_2}=(a_2,\,b_2)$라 하고, 두 벡터 $\vec{u_1}$, $\vec{u_2}$가 이루는 각의 크기를 $\alpha$라 하자.

이때, 두 직선이 이루는 각의 크기 $\theta$ $(0°\leq\theta\leq90°)$는 $\alpha$와 $180°-\alpha$ 중에서 크지 않은 것과 같다. 따라서 다음이 성립한다.

(ⅰ) $0°\leq\alpha\leq90°$일 때

$\theta=\alpha$, $\vec{u_1}\cdot\vec{u_2}\geq0$이므로

$\cos\theta=\cos\alpha$

$=\dfrac{\vec{u_1}\cdot\vec{u_2}}{|\vec{u_1}||\vec{u_2}|}=\dfrac{|\vec{u_1}\cdot\vec{u_2}|}{|\vec{u_1}||\vec{u_2}|}$

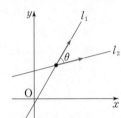

(ⅱ) $90°<\alpha\leq180°$일 때

$\theta=180°-\alpha$, $\vec{u_1}\cdot\vec{u_2}<0$이므로

$\cos\theta=\cos(180°-\alpha)$

$=-\dfrac{\vec{u_1}\cdot\vec{u_2}}{|\vec{u_1}||\vec{u_2}|}=\dfrac{|\vec{u_1}\cdot\vec{u_2}|}{|\vec{u_1}||\vec{u_2}|}$

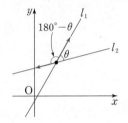

**Lecture**

방향벡터가 각각 $\vec{u_1}=(a_1,\,b_1)$, $\vec{u_2}=(a_2,\,b_2)$인 두 직선 $l_1$, $l_2$가 이루는 각의 크기를 $\theta$ $(0°\leq\theta\leq90°)$라 할 때

➡ $\cos\theta=\dfrac{|\vec{u_1}\cdot\vec{u_2}|}{|\vec{u_1}||\vec{u_2}|}=\dfrac{|a_1a_2+b_1b_2|}{\sqrt{a_1{}^2+b_1{}^2}\sqrt{a_2{}^2+b_2{}^2}}$

**4**
평면벡터의 성분과 내적

| 정답과 해설 36쪽 |

**개념 확인 4** 두 직선 $\dfrac{x-1}{-3}=y+2$, $\dfrac{x-3}{3}=\dfrac{y}{4}$가 이루는 각의 크기를 $\theta$ $(0°\leq\theta\leq90°)$라 할 때, $\cos\theta$의 값을 구하시오.

## 개념 **05** 두 직선의 수직 조건과 평행 조건

두 직선 $l_1$, $l_2$의 방향벡터가 각각 $\overrightarrow{u_1}=(a_1, b_1)$, $\overrightarrow{u_2}=(a_2, b_2)$일 때

(1) **수직 조건:** $l_1 \perp l_2 \Longleftrightarrow \overrightarrow{u_1} \perp \overrightarrow{u_2}$

$\Longleftrightarrow \overrightarrow{u_1} \cdot \overrightarrow{u_2}=0$

$\Longleftrightarrow a_1a_2+b_1b_2=0$

(2) **평행 조건:** $l_1 /\!/ l_2 \Longleftrightarrow \overrightarrow{u_1} /\!/ \overrightarrow{u_2}$

$\Longleftrightarrow \overrightarrow{u_1}=k\overrightarrow{u_2}$ (단, $k$는 0이 아닌 실수)

$\Longleftrightarrow a_1=ka_2, b_1=kb_2$

참고 두 직선이 서로 수직이면 두 직선의 방향벡터도 서로 수직이고, 두 직선이 서로 평행하면 두 직선의 방향벡터도 서로 평행하다.

예

| (1) $l_1: \dfrac{x+1}{-3}=\dfrac{y-2}{2}$, $l_2: \dfrac{x-1}{2}=\dfrac{y+5}{3}$ | (2) $l_1: \dfrac{x-4}{-1}=y-1$, $l_2: x+2=\dfrac{y-5}{-1}$ |
| --- | --- |
| 두 직선 $l_1$, $l_2$의 방향벡터를 각각 $\overrightarrow{u_1}$, $\overrightarrow{u_2}$라 하면 | 두 직선 $l_1$, $l_2$의 방향벡터를 각각 $\overrightarrow{u_1}$, $\overrightarrow{u_2}$라 하면 |
| ➡ $\overrightarrow{u_1}=(-3, 2)$, $\overrightarrow{u_2}=(2, 3)$ | ➡ $\overrightarrow{u_1}=(-1, 1)$, $\overrightarrow{u_2}=(1, -1)$ |
| ➡ $\overrightarrow{u_1} \cdot \overrightarrow{u_2}=(-3) \times 2+2 \times 3=0$ | ➡ $\overrightarrow{u_1}=-\overrightarrow{u_2}$ |
| ➡ 두 직선 $l_1$, $l_2$는 서로 수직이다. | ➡ 두 직선 $l_1$, $l_2$는 서로 평행하다. |

**Lecture**

두 직선 $l_1$, $l_2$의 방향벡터가 각각 $\overrightarrow{u_1}=(a_1, b_1)$, $\overrightarrow{u_2}=(a_2, b_2)$일 때

| $l_1 \perp l_2$ | $\Longleftrightarrow$ | $\overrightarrow{u_1} \perp \overrightarrow{u_2}$ | $\Longleftrightarrow$ | $\overrightarrow{u_1} \cdot \overrightarrow{u_2}=0$ | $\Longleftrightarrow$ | $a_1a_2+b_1b_2=0$ |
| --- | --- | --- | --- | --- | --- | --- |
| $l_1 /\!/ l_2$ | $\Longleftrightarrow$ | $\overrightarrow{u_1} /\!/ \overrightarrow{u_2}$ | $\Longleftrightarrow$ | $\overrightarrow{u_1}=k\overrightarrow{u_2}$ (단, $k \neq 0$) | $\Longleftrightarrow$ | $a_1=ka_2, b_1=kb_2$ |

| 정답과 해설 36쪽 |

개념 확인 5 두 직선 $\dfrac{x+1}{a}=y-12$, $\dfrac{x-3}{3}=y-5$에 대하여 다음을 구하시오.

(1) 두 직선이 서로 수직일 때, 상수 $a$의 값

(2) 두 직선이 서로 평행할 때, 상수 $a$의 값

**평면벡터를 이용한 원의 방정식**

(1) 점 C와 $|\overrightarrow{\text{CP}}|=r$를 만족시키는 점 P에 대하여 두 점 C, P의 위치벡터를 각각 $\vec{c}$, $\vec{p}$라 할 때, 점 C를 중심으로 하고 반지름의 길이가 $r$인 원의 방정식은

$$|\vec{p}-\vec{c}|=r \Longleftrightarrow (\vec{p}-\vec{c})\cdot(\vec{p}-\vec{c})=r^2$$

(2) 점 C$(a,\ b)$를 중심으로 하고 반지름의 길이가 $r$인 원의 방정식은

$$(x-a)^2+(y-b)^2=r^2$$

**설명** 　좌표평면에서 점 C를 중심으로 하고 반지름의 길이가 $r$인 원의 방정식을 구해 보자.

(1) 오른쪽 그림과 같이 중심이 C인 원 위의 임의의 점을 P라
하면 벡터 $\overrightarrow{\text{CP}}$의 크기는 $r$로 일정하므로

$$|\overrightarrow{\text{CP}}|=r$$

이때, 두 점 C, P의 위치벡터를 각각 $\vec{c}$, $\vec{p}$라 하면

$\overrightarrow{\text{CP}}=\vec{p}-\vec{c}$이므로

$$|\vec{p}-\vec{c}|=r \qquad \cdots\cdots \text{㉠}$$

역으로 방정식 ㉠을 만족시키는 벡터 $\vec{p}$를 위치벡터로 하는 점 P는 원 C 위에 있다.

따라서 방정식 ㉠은 중심이 점 C이고, 반지름의 길이가 $r$인 원을 나타낸다.

이때, 방정식 ㉠은 $|\vec{p}-\vec{c}|^2=r^2$, 즉

$$(\vec{p}-\vec{c})\cdot(\vec{p}-\vec{c})=r^2 \qquad \cdots\cdots \text{㉡}$$

이다.

(2) 좌표평면에서 $\vec{c}=(a,\ b)$, $\vec{p}=(x,\ y)$라 할 때, 원 C를 나타
내는 방정식 ㉡을 성분으로 나타내면

$\vec{p}-\vec{c}=(x-a,\ y-b)$이므로

$$(x-a,\ y-b)\cdot(x-a,\ y-b)=r^2$$
$$\therefore (x-a)^2+(y-b)^2=r^2$$

**Lecture** 　원의 중심 C와 원 위의 임의의 점 P의 위치벡터를 각각 $\vec{c}$, $\vec{p}$라 할 때

| 반지름의 길이가 $r$인 원의 방정식 | → | $|\vec{p}-\vec{c}|=r$ 또는 $(\vec{p}-\vec{c})\cdot(\vec{p}-\vec{c})=r^2$ |

| 정답과 해설 36쪽 |

**개념 확인 6** 　두 점 C$(3,\ -1)$, P$(x,\ y)$의 위치벡터를 각각 $\vec{c}$, $\vec{p}$라 할 때, $|\vec{p}-\vec{c}|=3$을 만족시키는 점 P가 나타내는 도형을 말하시오.

**개념 check**

**1-1** 다음 직선의 방정식을 구하시오.

(1) 점 $(2, 1)$을 지나고 방향벡터가 $\vec{u}=(3, -2)$인 직선

(2) 점 $(2, -3)$을 지나고 벡터 $\vec{u}=(1, -3)$에 평행한 직선

연구  (1) 점 $(2, 1)$을 지나고 방향벡터가 $\vec{u}=(3, -2)$인 직선의 방정식은

$$\frac{x-2}{\boxed{\phantom{0}}}=\frac{y-1}{\boxed{\phantom{0}}}$$

(2) 방향벡터가 $\vec{u}=(1, -3)$이므로

$$\frac{x-\boxed{\phantom{0}}}{1}=\frac{y-(-3)}{\boxed{\phantom{0}}}$$

$$\therefore x-\boxed{\phantom{0}}=\frac{y+3}{\boxed{\phantom{0}}}$$

**스스로 check**

**1-2** 다음 직선의 방정식을 구하시오.

(1) 점 $(3, 1)$을 지나고 방향벡터가 $\vec{u}=(-1, 2)$인 직선

(2) 점 $(-4, 1)$을 지나고 벡터 $\vec{u}=(5, -2)$에 평행한 직선

**2-1** 다음 두 점을 지나는 직선의 방정식을 구하시오.

(1) $A(-2, 5)$, $B(1, 4)$

(2) $A(3, -3)$, $B(-4, 1)$

연구  (1) 구하는 직선의 방향벡터는 $\overrightarrow{AB}$이므로

$$\overrightarrow{AB}=(1-(-2), 4-5)=(3, -1)$$

따라서 점 $A(-2, 5)$를 지나고 방향벡터가 $\overrightarrow{AB}=(3, -1)$인 직선의 방정식은

$$\frac{x-(-2)}{\boxed{\phantom{0}}}=\frac{y-\boxed{\phantom{0}}}{-1}$$

$$\therefore \frac{x+2}{\boxed{\phantom{0}}}=\frac{y-\boxed{\phantom{0}}}{-1}$$

(2) 구하는 직선의 방향벡터는 $\overrightarrow{AB}$이므로

$$\overrightarrow{AB}=(-4-3, 1-(-3))=(-7, 4)$$

따라서 점 $A(3, -3)$을 지나고 방향벡터가 $\overrightarrow{AB}=(-7, 4)$인 직선의 방정식은

$$\frac{x-\boxed{\phantom{0}}}{-7}=\frac{y-(-3)}{\boxed{\phantom{0}}}$$

$$\therefore \frac{x-\boxed{\phantom{0}}}{-7}=\frac{y+3}{\boxed{\phantom{0}}}$$

**2-2** 다음 두 점을 지나는 직선의 방정식을 구하시오.

(1) $A(2, -3)$, $B(-3, 1)$

(2) $A(3, 5)$, $B(5, 4)$

**3-1** 다음 직선의 방정식을 구하시오.

(1) 점 $(4, 1)$을 지나고 법선벡터가 $\vec{n}=(2, -3)$인 직선

(2) 점 $(3, -1)$을 지나고 벡터 $\vec{n}=(-4, 5)$에 수직인 직선

연구 (1) $2(x-\boxed{\phantom{0}})-3(y-1)=0$에서

$\qquad 2x-3y-\boxed{\phantom{0}}=0$

(2) 법선벡터가 $\vec{n}=(\boxed{\phantom{0}}, 5)$이므로

$\qquad -4(x-\boxed{\phantom{0}})+5\{y-(-1)\}=0$

$\qquad \therefore -4x+5y+\boxed{\phantom{0}}=0$

**4-1** 두 직선 $\dfrac{x-4}{5}=y+3$, $\dfrac{x+1}{2}=\dfrac{y}{3}$가 이루는 각의 크기 $\theta$를 구하시오. (단, $0°\leq\theta\leq90°$)

연구 두 직선 $\dfrac{x-4}{5}=y+3$, $\dfrac{x+1}{2}=\dfrac{y}{3}$의 방향벡터를 각각 $\vec{u_1}$, $\vec{u_2}$라 하면

$\vec{u_1}=(5, 1)$, $\vec{u_2}=(2, 3)$

두 직선이 이루는 각의 크기가 $\theta$이므로

$\cos\theta=\dfrac{|5\times2+1\times3|}{\sqrt{5^2+1^2}\sqrt{2^2+3^2}}$

$\qquad =\dfrac{13}{\sqrt{26}\sqrt{13}}=\dfrac{\sqrt{2}}{2}$

이때, $0°\leq\theta\leq90°$이므로 $\theta=\boxed{\phantom{0}}$

**5-1** 두 점 $C(2, 3)$, $P(x, y)$의 위치벡터를 각각 $\vec{c}$, $\vec{p}$라 할 때, $|\vec{p}-\vec{c}|=1$을 만족시키는 점 P가 나타내는 도형을 말하시오.

연구 $|\vec{p}-\vec{c}|=|(x-2, y-3)|=1$이므로

$(x-2, y-3)\cdot(x-2, y-3)=1^2$

$(x-2)^2+(y-3)^2=1$

따라서 점 P가 나타내는 도형은 중심이 $C(\boxed{\phantom{0}}, \boxed{\phantom{0}})$이고 반지름의 길이가 $\boxed{\phantom{0}}$인 원이다.

**3-2** 다음 직선의 방정식을 구하시오.

(1) 점 $(-3, 5)$를 지나고 법선벡터가 $\vec{n}=(-1, 3)$인 직선

(2) 점 $(1, 4)$를 지나고 벡터 $\vec{n}=(3, -4)$에 수직인 직선

**4-2** 두 직선 $\dfrac{x+1}{4}=\dfrac{3-y}{3}$, $\dfrac{x-1}{3}=\dfrac{y-2}{4}$가 이루는 각의 크기 $\theta$를 구하시오. (단, $0°\leq\theta\leq90°$)

**5-2** 두 점 $C(-3, 5)$, $P(x, y)$의 위치벡터를 각각 $\vec{c}$, $\vec{p}$라 할 때, $|\vec{p}-\vec{c}|=5$를 만족시키는 점 P가 나타내는 도형을 말하시오.

**4** 평면벡터의 성분과 내적

대표 유형 **01** **한 점과 방향벡터가 주어진 직선의 방정식**
↻ 유형 해결의 법칙 74쪽 유형 20

다음 직선의 방정식을 구하시오.

(1) 점 $(3, 4)$를 지나고 직선 $-2(x-1)=3(y+1)$에 평행한 직선

(2) 두 점 $A(-3, 4)$, $B(1, 5)$를 지나는 직선에 평행하고 점 $(2, 3)$을 지나는 직선

풀이 (1) ❶ 방향벡터 구하기

$-2(x-1)=3(y+1)$의 양변을 $-6$으로 나누면 $\dfrac{x-1}{3} = \dfrac{y+1}{-2}$ 이므로 이 직선의 방향

벡터를 $\vec{u}$라 하면

$\vec{u}=(3, -2)$

❷ 직선의 방정식 구하기

따라서 점 $(3, 4)$를 지나고 방향벡터가 $\vec{u}=(3, -2)$인 직선의 방정식은

$\dfrac{x-3}{3} = \dfrac{y-4}{-2}$

(2) ❶ 방향벡터 구하기

두 점 $A(-3, 4)$, $B(1, 5)$를 지나는 직선의 방향벡터는

$\vec{AB}=(1, 5)-(-3, 4)=(4, 1)$

❷ 직선의 방정식 구하기

따라서 점 $(2, 3)$을 지나고 방향벡터가 $\vec{AB}=(4, 1)$인 직선의 방정식은

$\dfrac{x-2}{4}=y-3$

답 (1) $\dfrac{x-3}{3} = \dfrac{y-4}{-2}$  (2) $\dfrac{x-2}{4}=y-3$

해법

| 점 $A(x_1, y_1)$을 지나고 방향벡터가 $\vec{u}=(a, b)$인 직선의 방정식 | → | $\dfrac{x-x_1}{a} = \dfrac{y-y_1}{b}$ (단, $ab \neq 0$) |
|---|---|---|
| 두 점 $A(x_1, y_1)$, $B(x_2, y_2)$를 지나는 직선의 방정식 | → | $\dfrac{x-x_1}{x_2-x_1} = \dfrac{y-y_1}{y_2-y_1}$ (단, $x_1 \neq x_2$, $y_1 \neq y_2$) |

| 정답과 해설 37쪽 |

**01-1** 점 $(1, 2)$를 지나고 직선 $3(x-5)=4(y+7)$에 평행한 직선이 점 $(-3, k)$를 지날 때, 실수 $k$의 값을 구하시오.

**01-2** 두 점 $A(-2, 3)$, $B(3, 1)$을 지나는 직선에 평행하고 점 $(3, -4)$를 지나는 직선의 $x$절편을 구하시오.

## 대표 유형 02 한 점과 법선벡터가 주어진 직선의 방정식

유형 해결의 법칙 74쪽 유형 21

다음 직선의 방정식을 구하시오.

(1) 점 $(2, 4)$를 지나고 직선 $x-5=2(y+2)$에 수직인 직선

(2) 두 점 $A(-3, 5)$, $B(4, -4)$를 지나는 직선에 수직이고 점 $(2, -3)$을 지나는 직선

**풀이** (1) **❶ 법선벡터 구하기**

$x-5=2(y+2)$의 양변을 2로 나누면 $\dfrac{x-5}{2}=y+2$이고, 이 직선의 방향벡터는

$(2, 1)$이므로 구하는 직선의 법선벡터를 $\vec{n}$이라 하면

$\vec{n}=(2, 1)$

**❷ 직선의 방정식 구하기**

따라서 점 $(2, 4)$를 지나고 법선벡터가 $\vec{n}=(2, 1)$인 직선의 방정식은

$2(x-2)+(y-4)=0$    $\therefore 2x+y-8=0$

(2) **❶ 법선벡터 구하기**

두 점 $A(-3, 5)$, $B(4, -4)$를 지나는 직선의 방향벡터는

$\overrightarrow{AB}=(4, -4)-(-3, 5)=(7, -9)$

이므로 구하는 직선의 법선벡터는 $\overrightarrow{AB}=(7, -9)$이다.

**❷ 직선의 방정식 구하기**

따라서 점 $(2, -3)$을 지나고 법선벡터가 $\overrightarrow{AB}=(7, -9)$인 직선의 방정식은

$7(x-2)-9(y+3)=0$    $\therefore 7x-9y-41=0$

**답** (1) $2x+y-8=0$  (2) $7x-9y-41=0$

**해법** 점 $A(x_1, y_1)$을 지나고 법선벡터가 $\vec{n}=(a, b)$인 직선의 방정식 $\longrightarrow$ $a(x-x_1)+b(y-y_1)=0$

정답과 해설 38쪽

**02-1** 점 $(1, 2)$를 지나고 직선 $x+6=-3(y-4)$에 수직인 직선이 점 $(2, k)$를 지날 때, 실수 $k$의 값을 구하시오.

**02-2** 두 점 $A(-2, -3)$, $B(3, 6)$을 지나는 직선에 수직이고 점 $(2, -1)$을 지나는 직선의 $y$절편을 구하시오.

**4 | 평면벡터의 성분과 내적**

**대표 유형 03** 두 직선이 이루는 각의 크기

🔄 유형 해결의 법칙 74쪽 유형 22

다음 물음에 답하시오.

(1) 두 직선 $\dfrac{x+2}{3}=\dfrac{y-1}{-4}$, $x-6=\dfrac{y-5}{2}$ 가 이루는 각의 크기를 $\theta$라 할 때, $\tan\theta$의 값을 구하시오.

(단, $0°\leq\theta\leq90°$)

(2) 세 점 $A(1, 1)$, $B(2, a)$, $C(3, 2)$에 대하여 두 점 $A$, $B$를 지나는 직선을 $l$, 두 점 $A$, $C$를 지나는 직선을 $m$이라 하자. 두 직선 $l$, $m$이 이루는 각의 크기가 $\theta$이고 $\cos\theta=\dfrac{\sqrt{5}}{5}$일 때, 실수 $a$의 값을 구하시오.

(단, $0°\leq\theta\leq90°$)

**풀이** (1) ❶ 두 직선의 방향벡터 구하기

두 직선 $\dfrac{x+2}{3}=\dfrac{y-1}{-4}$, $x-6=\dfrac{y-5}{2}$ 의 방향벡터를 각각 $\vec{u_1}$, $\vec{u_2}$라 하면

$\vec{u_1}=(3, -4)$, $\vec{u_2}=(1, 2)$

❷ $\cos\theta$의 값 구하기

$\therefore \cos\theta=\dfrac{|\vec{u_1}\cdot\vec{u_2}|}{|\vec{u_1}||\vec{u_2}|}=\dfrac{|3\times1+(-4)\times2|}{\sqrt{3^2+(-4)^2}\sqrt{1^2+2^2}}=\dfrac{1}{\sqrt{5}}$

❸ $\tan\theta$의 값 구하기

이때, $0°\leq\theta\leq90°$이므로 오른쪽 그림에서

$\tan\theta=2$

(2) ❶ 두 직선의 방향벡터 구하기

두 직선 $l$, $m$의 방향벡터를 각각 $\vec{u_1}$, $\vec{u_2}$라 하면

$\vec{u_1}=\overrightarrow{AB}=(2, a)-(1, 1)=(1, a-1)$,

$\vec{u_2}=\overrightarrow{AC}=(3, 2)-(1, 1)=(2, 1)$

❷ $\cos\theta=\dfrac{|\vec{u_1}\cdot\vec{u_2}|}{|\vec{u_1}||\vec{u_2}|}$임을 이용하여 식 세우기

따라서 $\cos\theta=\dfrac{|\vec{u_1}\cdot\vec{u_2}|}{|\vec{u_1}||\vec{u_2}|}=\dfrac{|2+(a-1)|}{\sqrt{1^2+(a-1)^2}\sqrt{2^2+1^2}}=\dfrac{\sqrt{5}}{5}$ 이므로

$|a+1|=\sqrt{a^2-2a+2}$

❸ $a$의 값 구하기

양변을 제곱하면 $a^2+2a+1=a^2-2a+2$

$4a=1$ $\quad\therefore a=\dfrac{1}{4}$

🔑 (1) 2 (2) $\dfrac{1}{4}$

**해법** 방향벡터가 각각 $\vec{u_1}=(a_1, b_1)$, $\vec{u_2}=(a_2, b_2)$인 두 직선 $l_1$, $l_2$가 이루는 각의 크기를 $\theta$ $(0°\leq\theta\leq90°)$라 할 때

➡ $\cos\theta=\dfrac{|\vec{u_1}\cdot\vec{u_2}|}{|\vec{u_1}||\vec{u_2}|}=\dfrac{|a_1a_2+b_1b_2|}{\sqrt{a_1^2+b_1^2}\sqrt{a_2^2+b_2^2}}$

| 정답과 해설 38쪽 |

**03-1**  두 직선 $\dfrac{x-3}{a}=y-1$, $\dfrac{x+5}{-3}=y-2$가 이루는 각의 크기가 $45°$일 때, 양수 $a$의 값을 구하시오.

**대표 유형 04 두 직선의 수직과 평행**

↻ 유형 해결의 법칙 75쪽 유형 23

두 점 $A(1, -2)$, $B(7, 2)$를 지나는 직선 $l$과 직선 $m: \dfrac{x-5}{a} = \dfrac{y+1}{a+2}$에 대하여 다음 물음에 답하시오.

(1) 두 직선 $l$, $m$이 수직일 때, 실수 $a$의 값을 구하시오.

(2) 두 직선 $l$, $m$이 평행할 때, 실수 $a$의 값을 구하시오.

**풀이**

| 방향벡터 구하기 | 두 직선 $l$, $m$의 방향벡터를 각각 $\overrightarrow{u_1}$, $\overrightarrow{u_2}$라 하면 |
|---|---|

$$\overrightarrow{u_1} = \overrightarrow{AB} = (7, 2) - (1, -2) = (6, 4), \quad \overrightarrow{u_2} = (a, a+2)$$

(1) $\overrightarrow{u_1} \perp \overrightarrow{u_2}$임을 이용하여 $a$의 값 구하기

두 직선 $l$, $m$이 서로 수직이려면 $\overrightarrow{u_1} \perp \overrightarrow{u_2}$이어야 하므로

$$\overrightarrow{u_1} \cdot \overrightarrow{u_2} = 0$$

$$(6, 4) \cdot (a, a+2) = 0$$

$$6a + 4(a+2) = 0 \qquad \therefore a = -\frac{4}{5}$$

(2) $\overrightarrow{u_1} /\!/ \overrightarrow{u_2}$임을 이용하여 $a$의 값 구하기

두 직선 $l$, $m$이 서로 평행하려면 $\overrightarrow{u_1} /\!/ \overrightarrow{u_2}$이어야 하므로

$$\overrightarrow{u_2} = k\overrightarrow{u_1} \, (k \neq 0)$$

을 만족시키는 실수 $k$가 존재한다.

$(a, a+2) = k(6, 4)$에서

$$a = 6k, \, a+2 = 4k \qquad \therefore k = -1, \, a = -6$$

답 (1) $-\dfrac{4}{5}$  (2) $-6$

**해법** 두 직선 $l_1$, $l_2$의 방향벡터가 각각 $\overrightarrow{u_1} = (a_1, b_1)$, $\overrightarrow{u_2} = (a_2, b_2)$일 때

$$l_1 \perp l_2 \iff \overrightarrow{u_1} \perp \overrightarrow{u_2} \iff \overrightarrow{u_1} \cdot \overrightarrow{u_2} = 0 \iff a_1 a_2 + b_1 b_2 = 0$$

$$l_1 /\!/ l_2 \iff \overrightarrow{u_1} /\!/ \overrightarrow{u_2} \iff \overrightarrow{u_1} = k\overrightarrow{u_2} \, (단, k \neq 0) \iff a_1 = ka_2, \, b_1 = kb_2$$

| 정답과 해설 38쪽 |

**04-1** 두 점 $A(2, 1)$, $B(3, -1)$을 지나는 직선 $l$과 직선 $m: \dfrac{x-1}{a} = \dfrac{y+3}{2a+4}$에 대하여 다음 물음에 답하시오.

(1) 두 직선 $l$, $m$이 수직일 때, 실수 $a$의 값을 구하시오.

(2) 두 직선 $l$, $m$이 평행할 때, 실수 $a$의 값을 구하시오.

**4** 평면벡터의 성분과 내적

대표 유형 **05** **평면벡터를 이용한 원의 방정식**

⟲ 유형 해결의 법칙 75쪽 유형 24

> 좌표평면 위의 두 점 $A(2, 1)$, $B(-2, 5)$와 한 점 P에 대하여 $\overrightarrow{OA}=\vec{a}$, $\overrightarrow{OB}=\vec{b}$, $\overrightarrow{OP}=\vec{p}$라 할 때, $|\vec{p}-\vec{a}|=|\vec{b}|$를 만족시키는 점 P가 나타내는 도형의 넓이를 구하시오.

**풀이**

**❶ 두 점 A, B의 위치벡터 구하기**

두 점 $A(2, 1)$, $B(-2, 5)$의 위치벡터는 각각
$$\vec{a}=(2, 1), \vec{b}=(-2, 5)$$

**❷ 점 P가 나타내는 도형의 방정식 구하기**

점 P의 위치벡터를 $\vec{p}=(x, y)$라 하면 $|\vec{p}-\vec{a}|=|\vec{b}|$에서
$$(\vec{p}-\vec{a}) \cdot (\vec{p}-\vec{a})=\vec{b} \cdot \vec{b}$$
$$(x-2, y-1) \cdot (x-2, y-1)=(-2, 5) \cdot (-2, 5)$$
$$(x-2)^2+(y-1)^2=(-2)^2+5^2$$
$$\therefore (x-2)^2+(y-1)^2=29$$

**❸ 점 P가 나타내는 도형의 넓이 구하기**

따라서 점 P가 나타내는 도형은 중심의 좌표가 $(2, 1)$이고 반지름의 길이가 $\sqrt{29}$인 원이므로 구하는 넓이는
$$\pi \times (\sqrt{29})^2=29\pi$$

답 $29\pi$

---

**해법** 두 점 A, P의 위치벡터를 각각 $\vec{a}$, $\vec{p}$라 할 때

| 점 A를 중심으로 하고 반지름의 길이가 $r$인 원의 방정식 | ⟶ | $\|\vec{p}-\vec{a}\|=r$ 또는 $(\vec{p}-\vec{a}) \cdot (\vec{p}-\vec{a})=r^2$ |

---

| 정답과 해설 38쪽 |

**05-1** 좌표평면 위의 두 점 $A(-1, -2)$, $B(3, 4)$와 한 점 P에 대하여 $\overrightarrow{OA}=\vec{a}$, $\overrightarrow{OB}=\vec{b}$, $\overrightarrow{OP}=\vec{p}$라 할 때, $(\vec{p}-\vec{a}) \cdot (\vec{p}-\vec{b})=0$을 만족시키는 점 P가 나타내는 도형의 둘레의 길이를 구하시오.

**05-2** 좌표평면 위의 두 점 $A(3, 1)$, $B(-1, 7)$에 대하여 $\overrightarrow{AP} \cdot \overrightarrow{BP}=0$을 만족시키는 점 P가 나타내는 도형의 넓이를 구하시오.

유형 확인

**1-1** 두 점 A, B의 위치벡터를 각각 $\vec{a}$, $\vec{b}$라 하고 선분 AB를 1 : 2로 내분하는 점 P의 위치벡터를 $\vec{p}$, 선분 AB를 2 : 1로 외분하는 점 Q의 위치벡터를 $\vec{q}$라 하자. $\vec{p}+\vec{q}=m\vec{a}+n\vec{b}$를 만족시키는 실수 $m$, $n$에 대하여 $m+n$의 값을 구하시오.

한번 더 확인

**1-2** 두 점 A, B의 위치벡터를 각각 $\vec{a}$, $\vec{b}$라 하고 선분 AB를 2 : 1로 내분하는 점을 P, 선분 AB를 1 : $k$로 외분하는 점을 Q라 하자. 선분 PQ의 중점이 점 A가 되도록 하는 $k$의 값을 $\alpha$, 점 B가 되도록 하는 $k$의 값을 $\beta$라 할 때, 실수 $\alpha$, $\beta$의 합 $\alpha+\beta$의 값을 구하시오. (단, $k \neq 1$)

**2-1** 평면 위의 점 P와 넓이가 40인 삼각형 ABC에 대하여 $2\overrightarrow{PA}+5\overrightarrow{PB}-\overrightarrow{CP}=\overrightarrow{BC}$가 성립할 때, 삼각형 PBC의 넓이를 구하시오.

**2-2** 삼각형 ABC의 내부의 한 점 P에 대하여 $\overrightarrow{PA}+2\overrightarrow{PB}+\overrightarrow{PC}=\vec{0}$이 성립할 때, $\triangle PAB$와 $\triangle PBC$의 넓이의 비를 구하시오.

**3-1** 좌표평면 위의 두 벡터 $\vec{e_1}=(1, 0)$, $\vec{e_2}=(0, 1)$에 대하여 $\vec{a}=\vec{e_1}$, $\vec{b}=-2\vec{e_1}+\vec{e_2}$, $\vec{c}=2\vec{e_1}-3\vec{e_2}$이고 $\overrightarrow{DE}=-2\vec{a}+3\vec{b}+\vec{c}$이다. 점 E의 좌표가 $(2, 3)$일 때, 점 D의 좌표를 구하시오.

**3-2** 세 벡터 $\vec{a}=(1, \alpha)$, $\vec{b}=(3, 4)$, $\vec{c}=(\beta, 2)$에 대하여 $\vec{c}-\vec{a}=k(\vec{a}+\vec{b})$가 성립할 때, 자연수 $\alpha$, $\beta$의 합 $\alpha+\beta$의 값을 구하시오. (단, $k$는 실수)

4 | 평면벡터의 성분과 내적

유형 확인

**4-1** 오른쪽 그림과 같은 정삼각형 ABC에서 세 변 AB, BC, CA의 중점을 각각 P, Q, R라 할 때, $\overrightarrow{BR} \cdot \overrightarrow{PQ}$를 구하시오.

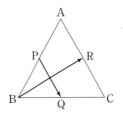

한번 더 확인

**4-2** 오른쪽 그림과 같이 $\overline{AB}=1$, $\overline{AD}=\sqrt{3}$인 직사각형 ABCD의 꼭짓점 D에서 대각선 AC에 내린 수선의 발을 H라 할 때, $\overrightarrow{DB} \cdot \overrightarrow{DH}$를 구하시오.

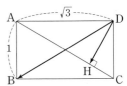

**5-1** 두 벡터 $\vec{a}$, $\vec{b}$가 이루는 각의 크기가 $30°$이고 $|\vec{a}|=1$, $|\vec{b}|=2$일 때, $|x\vec{a}+\vec{b}|=2$가 되도록 하는 실수 $x$의 값을 구하시오. (단, $x \neq 0$)

**5-2** 두 벡터 $\vec{a}$, $\vec{b}$에 대하여 $|\vec{a}+\vec{b}|=4$, $|\vec{a}-\vec{b}|=6$일 때, $|\vec{a}-3\vec{b}|^2+|3\vec{a}-\vec{b}|^2$의 값을 구하시오.

**6-1** 좌표평면 위의 세 점 A(5, 3), B(6, 1), C(4, 0)에 대하여 $\angle ACB$의 크기를 구하시오.

**6-2** 두 벡터 $\vec{a}=(-x, -1)$, $\vec{b}=(x+2, x+1)$에 대하여 $\vec{a}+\vec{b}$의 크기가 $\sqrt{5}$이다. 두 벡터 $\vec{a}$, $\vec{b}$가 이루는 각의 크기를 $\theta$라 할 때, $\cos\theta$의 값을 구하시오.
(단, $x<0$)

**7-1** 두 점 P, Q와 크기가 3인 두 벡터 $\vec{a}$, $\vec{b}$에 대하여 $\overrightarrow{OP}=\vec{a}-\vec{b}$, $\overrightarrow{OQ}=2\vec{a}+\vec{b}$이다. 선분 PQ의 길이가 $3\sqrt{3}$일 때, 두 벡터 $\vec{a}$, $\vec{b}$가 이루는 각의 크기를 구하시오.

**7-2** 영벡터가 아닌 두 벡터 $\vec{a}$, $\vec{b}$에 대하여 $|\vec{a}|=|\vec{b}|$, $|\vec{a}+\vec{b}|=\sqrt{2}|2\vec{a}-\vec{b}|$이다. 두 벡터 $\vec{a}$, $\vec{b}$가 이루는 각의 크기를 $\theta$라 할 때, $\tan\theta$의 값을 구하시오.

유형 확인

**8-1** 삼각형 ABC에서 $\overrightarrow{AB}=(2,5)$, $\overrightarrow{AC}=(x,x^2+1)$이다. $\angle B=90°$일 때, $\overrightarrow{AB}\cdot\overrightarrow{AC}$를 구하시오.

한번 더 확인

**8-2** 세 점 A, B, P에 대하여 $\overrightarrow{OA}=(2,5)$, $\overrightarrow{OB}=(-2,1)$, $\overrightarrow{OP}=(a,b)$이다. $\overrightarrow{AP}$, $\overrightarrow{OB}$가 서로 평행하고 $\overrightarrow{OP}$, $\overrightarrow{OB}$가 서로 수직일 때, $a+b$의 값을 구하시오.

**9-1** 두 점 A$(2,4)$, B$(1,6)$을 지나는 직선에 평행하고 점 $(1,2)$를 지나는 직선과 $x$축 및 $y$축으로 둘러싸인 도형의 넓이를 구하시오.

**9-2** 점 A$(5,8)$을 지나고 방향벡터가 $\vec{u}=(3,4)$인 직선과 두 점 B$(1,5)$, C$(3,3)$을 지나는 직선이 한 점 $(p,q)$에서 만난다. $p+q$의 값을 구하시오.

**10-1** 직선 $l:\dfrac{x-1}{2}=\dfrac{y+2}{3}$가 직선 $m:\dfrac{x-2}{a}=\dfrac{y+1}{6}$과는 서로 평행하고, 직선 $n:\dfrac{x-3}{3}=\dfrac{1-y}{b}$와는 서로 수직일 때, 0이 아닌 실수 $a$, $b$에 대하여 $a+b$의 값을 구하시오.

**10-2** 직선 $l:\dfrac{x+1}{-3}=\dfrac{y-1}{2}$이 직선 $m:\dfrac{x}{6}=\dfrac{y-1}{a}$과는 서로 평행하고, 직선 $n:\dfrac{x+2}{b}=\dfrac{y}{2}$와는 서로 수직일 때, 0이 아닌 실수 $a$, $b$에 대하여 $a+b$의 값을 구하시오.

**11-1** 두 점 A$(1,1)$, B$(4,4)$와 점 P의 위치벡터를 각각 $\vec{a}$, $\vec{b}$, $\vec{p}$라 할 때, $2|\vec{p}-\vec{a}|=|\vec{p}-\vec{b}|$를 만족시키는 점 P가 나타내는 도형의 넓이를 구하시오.

**11-2** 두 점 A$(1,1)$, B$\left(-4,-\dfrac{3}{2}\right)$과 점 P의 위치벡터를 각각 $\vec{a}$, $\vec{b}$, $\vec{p}$라 할 때, $3|\vec{p}-\vec{a}|=2|\vec{p}-\vec{b}|$를 만족시키는 점 P가 나타내는 도형의 둘레의 길이를 구하시오.

**4**

평면벡터의 성분과 내적

# 5 공간도형

이번 단원에서는 공간도형을 배운단다. 공간도형을 구성하는
기본적인 요소는 선과 면이야.

우리 주변에서 공간도형으로 설명할 수 있는 예를 찾을 수 있을까요?

물론이지. 직선이나 곡선 또는 평면이나 곡면으로 이루어져 있는
입체적인 건축물을 예로 들 수 있단다.

## 개념 & 유형 map

### 1. 위치 관계

| 개념 01 | 평면의 결정조건 | 유형 01 | 평면의 결정조건 |
| 개념 02 | 공간에서의 위치 관계(1) | 유형 02 | 공간에서의 위치 관계 |
| 개념 03 | 공간에서의 위치 관계(2) | | |
| 개념 04 | 직선과 평면의 평행 | 유형 03 | 직선과 평면의 평행과 수직 |
| 개념 05 | 두 직선이 이루는 각 | 유형 04 | 두 직선이 이루는 각 |
| 개념 06 | 직선과 평면의 수직 | | |

### 2. 삼수선의 정리

| 개념 01 | 삼수선의 정리 | 유형 01 | 삼수선의 정리 |
| | | 유형 02 | 삼수선의 정리의 활용 |
| 개념 02 | 이면각 | | |
| 개념 03 | 두 평면의 수직 | 유형 03 | 두 평면이 이루는 각 |

### 3. 정사영

| 개념 01 | 정사영 | 유형 01 | 정사영의 길이 |
| 개념 02 | 정사영의 길이 | 유형 02 | 정사영의 길이를 이용하여 각의 크기 구하기 |
| 개념 03 | 정사영의 넓이 | 유형 03 | 정사영의 넓이를 이용하여 각의 크기 구하기 |
| | | 유형 04 | 정사영의 넓이의 활용 |

# 1 위치 관계

## 개념 01 평면의 결정조건

오른쪽 그림과 같이 공간에서 서로 다른 두 점 A, B를 지나는 평면은 무수히 많지만 한 직선 위에 있지 않은 세 점 A, B, C를 지나는 평면은 하나뿐이다. 이 성질을 기본으로 공간에서 평면이 하나로 결정되는 조건은 다음과 같다.

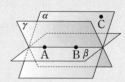

(1) 한 직선 위에 있지 않은 세 점

(2) 한 직선과 그 직선 위에 있지 않은 한 점

(3) 한 점에서 만나는 두 직선

(4) 평행한 두 직선

---

예

오른쪽 그림과 같은 삼각기둥에서

(1) 세 점 A, B, C ➡ 평면 ABC 결정

(2) 직선 AB와 점 D ➡ 평면 ABED 결정

(3) 직선 AC와 직선 CF ➡ 평면 ADFC 결정

(4) 직선 BC와 직선 EF ➡ 평면 BEFC 결정

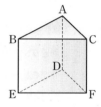

**Lecture** 직선 AB는 모서리 AB를 연장하여 생각하고, 평면 ABC는 면 ABC를 확장하여 생각한다.

---

| 정답과 해설 43쪽 |

개념 확인 1 오른쪽 그림은 밑면이 직사각형이고 옆면이 모두 이등변삼각형인 사각뿔이다. 다음 보기 중 한 평면을 결정할 수 있는 것을 있는 대로 고르시오.

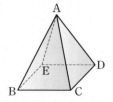

┤보기├
ㄱ. 세 점 A, B, D
ㄴ. 직선 AD와 점 C
ㄷ. 직선 AB와 직선 CD
ㄹ. 직선 BE와 직선 CD

**개념 02  공간에서의 위치 관계(1)**

**1 두 직선의 위치 관계**

(1) 한 점에서 만난다.     (2) 평행하다.     (3) 꼬인 위치에 있다.

교점

한 평면 위에 있다.     한 평면 위에 있지 않다.

참고 (1) 한 평면 위의 두 직선 $l$, $m$이 만나지 않을 때, 두 직선 $l$, $m$은 서로 평행하다고 하고, 기호로 $l \parallel m$과 같이 나타낸다.

(2) 공간에서 한 평면 위에 있지 않은 두 직선이 만나지도 않고 평행하지도 않을 때, 두 직선은 꼬인 위치에 있다고 한다.

(3) 공간에서 두 직선이 만나지 않는다. ➡ 평행 또는 꼬인 위치

예

오른쪽 그림과 같은 직육면체에서

(1) 직선 AB와 한 점에서 만나는 직선

➡ 직선 AD, 직선 AE, 직선 BC, 직선 BF

(2) 직선 AD와 평행한 직선

➡ 직선 BC, 직선 FG, 직선 EH

(3) 직선 AE와 꼬인 위치에 있는 직선

➡ 직선 BC, 직선 CD, 직선 FG, 직선 GH

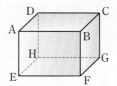

Lecture

꼬인 위치 ⟶ 한 평면 위에 있지 않은 두 직선이 만나지도 않고 평행하지도 않을 때

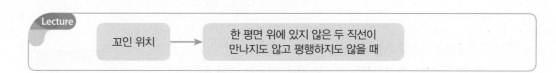

| 정답과 해설 43쪽 |

개념 확인 2  오른쪽 그림과 같이 밑면이 직사각형인 사각뿔에서 다음을 구하시오.

(1) 직선 BC와 만나는 직선

(2) 직선 BC와 평행한 직선

(3) 직선 BC와 꼬인 위치에 있는 직선

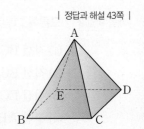

**5**
공간도형

 개념 **03** 공간에서의 위치 관계(2)

**2 직선과 평면의 위치 관계**

(1) 직선이 평면에 포함된다.    (2) 한 점에서 만난다.    (3) 평행하다.

> 참고 (1) 직선과 평면이 만나면 공유점이 생기며 공유점이 2개 이상이면 직선은 평면에 포함된다.
> 공유점이 1개이면 직선과 평면은 한 점에서 만난다고 하며 그 공유점을 교점이라 한다.
> (2) 공간에서 직선 $l$이 평면 $\alpha$와 만나지 않을 때, 직선 $l$과 평면 $\alpha$는 서로 평행하다고 하고, 기호로 $l /\!/ \alpha$와 같이 나타낸다.

**3 두 평면의 위치 관계**

(1) 한 직선에서 만난다.                (2) 평행하다.

공간에서 서로 다른 두 평면 $\alpha$, $\beta$가 만날 때, 두 평면은 한 직선을 공유한다.

이때, 공유하는 직선을 두 평면의 **교선**이라 한다.

> 참고 공간에서 두 평면 $\alpha$, $\beta$가 만나지 않을 때, 두 평면 $\alpha$, $\beta$는 서로 평행하다고 하고, 기호로 $\alpha /\!/ \beta$와 같이 나타낸다.

[예] 오른쪽 그림과 같은 직육면체에서
(1) 직선 AB를 포함하는 평면 ➡ 평면 ABCD, 평면 AEFB
(2) 직선 AD와 한 점에서 만나는 평면 ➡ 평면 AEFB, 평면 DHGC
(3) 직선 AE와 평행한 평면 ➡ 평면 BFGC, 평면 DHGC
(4) 평면 ABCD와 만나는 평면 ➡ 평면 AEFB, 평면 BFGC, 평면 DHGC, 평면 AEHD
(5) 평면 ABCD와 평행한 평면 ➡ 평면 EFGH

 입체도형에서 모서리는 직선, 면은 평면으로 생각하여 주어진 위치 관계를 확인한다.

| 정답과 해설 43쪽 |

[개념 확인 3] 오른쪽 그림과 같이 밑면이 직사각형인 사각뿔에서 다음 물음에 답하시오.

(1) 직선 BC를 포함하는 평면을 구하시오.
(2) 직선 BC와 한 점에서 만나는 평면을 구하시오.
(3) 직선 BC와 평행한 평면을 구하시오.
(4) 평면 ABC와 만나는 평면을 모두 구하고, 그때의 교선을 각각 구하시오.

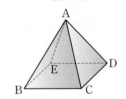

## 개념 **04** 직선과 평면의 평행

134쪽 원리 알아보기

(1) 두 직선 $l$, $m$이 평행할 때, 직선 $l$을 포함하고 직선 $m$을 포함하지 않는 평면 $\alpha$는 직선 $m$과 평행하다.

(2) 직선 $l$과 평면 $\alpha$가 평행할 때, 직선 $l$을 포함하는 평면 $\beta$와 평면 $\alpha$의 교선을 $m$이라 하면 직선 $m$과 직선 $l$은 평행하다.

(3) 평행한 두 평면 $\alpha$, $\beta$와 다른 평면 $\gamma$가 만나서 생기는 두 교선을 각각 $l$, $m$이라 하면 두 직선 $l$, $m$은 평행하다.

(4) 평면 $\alpha$ 위에 있지 않은 한 점 P에서 만나는 두 직선 $l$, $m$이 모두 평면 $\alpha$에 평행하면 두 직선 $l$, $m$을 포함하는 평면 $\beta$는 평면 $\alpha$와 평행하다.

(5) 서로 다른 세 평면 $\alpha$, $\beta$, $\gamma$에 대하여 $\alpha /\!/ \beta$, $\beta /\!/ \gamma$이면 $\alpha /\!/ \gamma$이다.

---

설명

(2) 직선 $l$과 평면 $\alpha$가 평행하다고 해서 직선 $l$이 평면 $\alpha$ 위의 모든 직선과 평행한 것은 아니다.

오른쪽 그림의 두 직선 $l$, $n$과 같이 꼬인 위치에 있을 수도 있다.

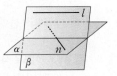

예

다음 명제의 참, 거짓을 판별하여 보자.

"공간에서 직선 $l$과 서로 다른 두 평면 $\alpha$, $\beta$에 대하여 $l /\!/ \alpha$, $l /\!/ \beta$이면 $\alpha /\!/ \beta$이다."

[반례] 오른쪽 그림과 같은 직육면체에서 $l /\!/ \alpha$, $l /\!/ \beta$이지만 두 평면 $\alpha$, $\beta$는 만날 수 있다.

따라서 주어진 명제는 거짓이다.

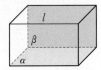

Lecture   직선과 평면의 평행을 직육면체를 이용하여 알아본다.

---

| 정답과 해설 43쪽 |

개념 확인 **4**   공간에서 서로 다른 세 직선 $l$, $m$, $n$과 평면 $\alpha$에 대하여 다음 **보기** 중 옳은 것을 있는 대로 고르시오.

┌ 보기 ├
ㄱ. $l /\!/ m$, $m /\!/ n$이면 $l /\!/ n$이다.
ㄴ. $l /\!/ \alpha$, $m /\!/ \alpha$이면 $l /\!/ m$이다.

## 직선과 평면의 평행

(1) 두 직선 $l$, $m$이 평행할 때, 직선 $l$을 포함하고 직선 $m$을 포함하지 않는 평면 $\alpha$는 직선 $m$과 평행하다.

**증명** $l /\!/ m$이므로 두 직선 $l$, $m$을 포함하는 평면 $\beta$가 단 하나로 결정된다.
직선 $m$과 평면 $\alpha$가 평행하지 않다고 가정하면 직선 $m$은 평면 $\alpha$와 한 점 P에서 만나고,
점 P는 두 평면 $\alpha$와 $\beta$ 위에 있게 된다.
즉, 점 P는 두 평면 $\alpha$와 $\beta$의 교선 $l$ 위에 있다.
따라서 두 직선 $l$, $m$은 점 P에서 만나고 이것은 $l /\!/ m$에 모순이다.
∴ $\alpha /\!/ m$

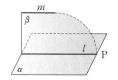

(2) 직선 $l$과 평면 $\alpha$가 평행할 때, 직선 $l$을 포함하는 평면 $\beta$와 평면 $\alpha$의 교선을 $m$이라 하면 직선 $m$과 직선 $l$은 평행하다.

**증명** $l /\!/ \alpha$이므로 직선 $l$과 평면 $\alpha$는 만나지 않는다.
따라서 직선 $l$은 평면 $\alpha$ 위에 있는 직선 $m$과 만나지 않는다.
그런데 두 직선 $l$, $m$은 같은 평면 $\beta$ 위에 있고 만나지 않으므로 $l /\!/ m$이다.

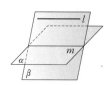

(3) 평행한 두 평면 $\alpha$, $\beta$와 다른 평면 $\gamma$가 만나서 생기는 두 교선을 각각 $l$, $m$이라 하면 두 직선 $l$, $m$은 평행하다.

**증명** $\alpha /\!/ \beta$이므로 두 평면 $\alpha$, $\beta$는 만나지 않는다.
이때, 직선 $l$은 평면 $\alpha$ 위에 있고, 직선 $m$은 평면 $\beta$ 위에 있으므로 두 직선 $l$, $m$도 만나지 않는다.
그런데 두 직선 $l$, $m$은 모두 평면 $\gamma$에 포함되므로 $l /\!/ m$이다.

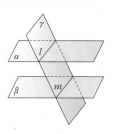

(4) 평면 $\alpha$ 위에 있지 않은 한 점 P에서 만나는 두 직선 $l$, $m$이 모두 평면 $\alpha$에 평행하면 두 직선 $l$, $m$을 포함하는 평면 $\beta$는 평면 $\alpha$와 평행하다.

**증명** 두 평면 $\alpha$, $\beta$가 평행하지 않다고 가정하면 두 평면 $\alpha$, $\beta$는 교선 $n$을 공유한다.
직선 $n$은 평면 $\alpha$에 포함되고 $l /\!/ \alpha$, $m /\!/ \alpha$이므로 직선 $n$은 두 직선 $l$, $m$과 만나지 않는다.
이때, 세 직선 $l$, $m$, $n$은 모두 평면 $\beta$에 포함되므로 $l /\!/ n$, $m /\!/ n$, 즉 $l /\!/ m$
이것은 두 직선 $l$, $m$이 한 점 P를 지난다는 가정에 모순이다.
따라서 평면 $\beta$는 평면 $\alpha$와 평행하다.

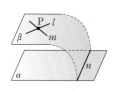

(5) 서로 다른 세 평면 $\alpha$, $\beta$, $\gamma$에 대하여 $\alpha /\!/ \beta$, $\beta /\!/ \gamma$이면 $\alpha /\!/ \gamma$이다.

**증명** 평면 $\alpha$ 위에 있고 한 점에서 만나는 두 직선을 $l$, $m$이라 하면
$\alpha /\!/ \beta$이므로 $l /\!/ \beta$, $m /\!/ \beta$
두 직선 $l$, $m$이 평면 $\gamma$와 만난다고 가정하면 $\beta /\!/ \gamma$이므로 두 직선 $l$, $m$은 평면 $\beta$와도 만난다.
이것은 $l /\!/ \beta$, $m /\!/ \beta$에 모순이므로 $l /\!/ \gamma$, $m /\!/ \gamma$
두 직선 $l$, $m$은 모두 평면 $\alpha$ 위에 있으므로 (4)에 의하여 $\alpha /\!/ \gamma$

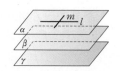

## 개념 05 두 직선이 이루는 각

**1 두 직선이 한 점에서 만나는 경우**

공간의 한 점에서 만나는 두 직선은 한 평면을 결정하므로 그 평면 위에서 두 직선이 이루는 각을 정할 수 있다.

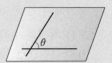

**2 두 직선이 꼬인 위치에 있는 경우**

두 직선 $l$, $m$이 꼬인 위치에 있을 때, 직선 $m$ 위의 임의의 점 O를 지나고 직선 $l$에 평행한 직선 $l'$을 그으면 두 직선 $l'$, $m$은 점 O에서 만나므로 한 평면을 결정한다.

이때, 두 직선 $l'$과 $m$이 이루는 각을 두 직선 $l$, $m$이 이루는 각이라 한다.

여기서 두 직선 $l'$과 $m$이 이루는 각의 크기는 점 O의 위치에 관계없이 항상 일정하다.

특히, 두 직선 $l$, $m$이 이루는 각이 직각일 때, $l$, $m$은 서로 수직이라 하고, 기호로 $l \perp m$과 같이 나타낸다.

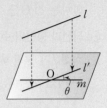

참고 두 직선이 이루는 각은 보통 크기가 작은 쪽의 각을 말한다.

예

오른쪽 그림과 같은 정육면체에서

(1) 두 직선 AB와 CG가 이루는 각의 크기

➡ 직선 CG와 직선 BF는 평행하고 두 직선 AB와 BF가 이루는 각의 크기가 90°이므로 두 직선 AB와 CG가 이루는 각의 크기는 90°이다.

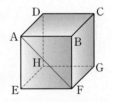

(2) 두 직선 AF와 CD가 이루는 각의 크기

➡ 직선 CD를 평행이동하면 직선 AB와 일치하고 두 직선 AF와 AB가 이루는 각의 크기가 45°이므로 두 직선 AF와 CD가 이루는 각의 크기는 45°이다.

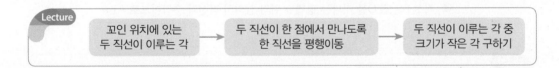

Lecture

꼬인 위치에 있는 두 직선이 이루는 각 ➡ 두 직선이 한 점에서 만나도록 한 직선을 평행이동 ➡ 두 직선이 이루는 각 중 크기가 작은 각 구하기

| 정답과 해설 43쪽 |

개념 확인 5  오른쪽 그림과 같이 밑면이 정삼각형인 삼각기둥에서 다음 두 직선이 이루는 각의 크기를 구하시오.

(1) 직선 AB, 직선 CF

(2) 직선 AC, 직선 EF

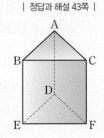

5 공간도형

## 개념 **06** 직선과 평면의 수직

**1 직선과 평면의 수직**

공간에서 직선 $l$이 평면 $\alpha$와 점 O에서 만나고, 점 O를 지나는 평면 $\alpha$ 위의 모든 직선과 수직일 때, 직선 $l$은 평면 $\alpha$와 수직이라 하고, 기호로 $l \perp \alpha$와 같이 나타낸다. 이때, 직선 $l$을 평면 $\alpha$의 수선이라 하고, 직선 $l$과 평면 $\alpha$가 만나는 점 O를 수선의 발이라 한다.

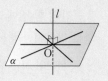

**2 직선과 평면의 수직에 대한 정리**

직선 $l$이 평면 $\alpha$와 점 O에서 만나고 점 O를 지나는 평면 $\alpha$ 위의 서로 다른 두 직선 $m$, $n$과 각각 수직이면 직선 $l$은 평면 $\alpha$와 수직이다.

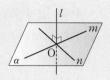

**설명**

**2** 점 O를 지나고 평면 $\alpha$ 위에 있으면서 두 직선 $m$, $n$과는 다른 임의의 한 직선을 $k$라 하고, 평면 $\alpha$ 위에서 세 직선 $m$, $n$, $k$와 점 O 이외의 점에서 만나는 직선을 그어 그 교점을 차례로 A, B, C라 하자.

이때, 직선 $l$ 위에 $\overline{OP}=\overline{OP'}$인 서로 다른 두 점 P, P'을 잡으면 두 직선 $m$, $n$은 모두 $\overline{PP'}$의 수직이등분선이므로
$$\overline{AP}=\overline{AP'}, \overline{BP}=\overline{BP'}$$

이때, $\triangle PAB \equiv \triangle P'AB$이므로 → $\overline{AP}=\overline{AP'}$, $\overline{BP}=\overline{BP'}$, $\overline{AB}$는 공통
$$\angle PAC = \angle P'AC$$

또, $\triangle PAC \equiv \triangle P'AC$이므로 → $\overline{AP}=\overline{AP'}$, $\angle PAC=\angle P'AC$, $\overline{AC}$는 공통
$$\overline{PC}=\overline{P'C}$$

따라서 $\triangle CPP'$은 이등변삼각형이고, 점 O는 $\overline{PP'}$의 중점이므로
$$\overline{PP'} \perp \overline{OC} \qquad \therefore l \perp k$$

즉, 직선 $l$은 점 O를 지나는 평면 $\alpha$ 위의 임의의 직선과 수직이므로 $l \perp \alpha$

**Lecture**

직선 $l$이 평면 $\alpha$와 수직임을 보이려면 → 직선 $l$이 평면 $\alpha$ 위의 평행하지 않은 두 직선과 각각 수직임을 보인다.

| 정답과 해설 43쪽 |

**개념 확인 6** 다음은 직선 $l$이 평면 $\alpha$와 수직이면 직선 $l$은 평면 $\alpha$ 위의 모든 직선과 수직임을 증명한 것이다. ㈎, ㈏에 알맞은 것을 써넣으시오.

직선 $l$이 평면 $\alpha$와 만나는 점을 O라 하고 평면 $\alpha$ 위의 임의의 직선 $m$에 대하여 점 O를 지나고 직선 $m$과 평행한 직선을 $m'$이라 하자.
이때, $l \perp \alpha$이므로 $l \perp m'$
또, $m /\!\!/$ ㈎ 이므로 $l \perp$ ㈏
따라서 직선 $l$은 평면 $\alpha$ 위의 모든 직선과 수직이다.

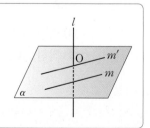

**개념 check**

**1-1** 오른쪽 그림과 같은 직육면체에서 두 직선 AC, AG와 네 점 B, D, F, H로 만들 수 있는 서로 다른 평면의 개수를 구하시오.

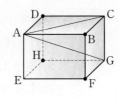

연구 (i) 두 직선으로 만들어지는 평면은
      평면 ACG의 1개
(ii) 세 점으로 만들어지는 평면은
      평면 BDHF의 1개
(iii) 한 직선과 그 위에 있지 않은 한 점으로 만들어지는 평면은
      평면 ACB, ACF, ☐, AGB, AGD의 5개
      (∵ 평면 ACD와 평면 ACB,
          평면 AGF와 평면 AGD,
          평면 AGH와 평면 AGB는 같은 평면이다.)
(i), (ii), (iii)에 의하여 만들 수 있는 서로 다른 평면의 개수는 ☐이다.

**스스로 check**

**1-2** 오른쪽 그림과 같은 정육면체에서 다음 물음에 답하시오.

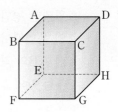

(1) 두 직선 AF, AH와 두 점 B, G로 만들 수 있는 서로 다른 평면의 개수를 구하시오.

(2) 꼭짓점 C, D, E, F, G 중 직선 AB와 점 H에 의하여 결정되는 평면 위의 점인 것을 구하시오.

**2-1** 오른쪽 그림과 같이 밑면이 정오각형인 오각기둥에서 직선 AB와 꼬인 위치에 있는 직선의 개수를 구하시오.

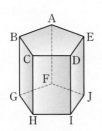

연구 직선 AB와 꼬인 위치에 있는 직선은
      직선 CH, DI, EJ, GH, HI, IJ, ☐
      따라서 직선 AB와 꼬인 위치에 있는 직선의 개수는 ☐이다.

**2-2** 다음을 구하시오.

(1) 오른쪽 그림과 같은 정육면체에서 직선 BC와 꼬인 위치에 있는 직선의 개수

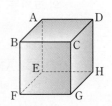

(2) 오른쪽 그림과 같이 밑면이 정육각형인 육각기둥에서 직선 AB와 꼬인 위치에 있는 직선의 개수

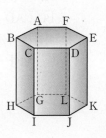

정답과 해설 44쪽

**개념 check**

**3-1** 오른쪽 그림은 세 쌍의 평행한 평면으로 둘러싸인 육면체이다. 이때, 직선 AB와 직선 EH가 이루는 각의 크기를 구하시오.

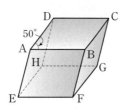

연구 직선 EH와 직선 AD는 평행하고 직선 AB와 직선 AD가 이루는 각의 크기는 [　]이다.
따라서 직선 AB와 직선 EH가 이루는 각의 크기는 [　]이다.

**4-1** 오른쪽 그림과 같은 정사면체에서 모서리 BC의 중점을 M이라 할 때, 직선 BC와 직선 AD가 이루는 각의 크기를 구하시오.

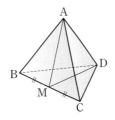

연구 △ABC와 △DBC는 정삼각형이고 $\overline{BM}=\overline{CM}$이므로 $\overline{BC}\perp\overline{AM}$, $\overline{BC}\perp\overline{DM}$
즉, $\overline{BC}$는 평면 AMD 위의 두 직선 AM, DM과 수직이므로
$\overline{BC}\perp$(평면 [　])
$\overline{AD}$는 평면 [　] 위에 있으므로
$\overline{BC}\perp\overline{AD}$
따라서 직선 BC와 직선 AD가 이루는 각의 크기는 [　]이다.

**스스로 check**

**3-2** 다음을 구하시오.

(1) 오른쪽 그림과 같은 삼각기둥에서 직선 BC와 직선 DE가 이루는 각의 크기

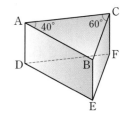

(2) 오른쪽 그림과 같이 밑면이 직각이등변삼각형인 삼각기둥에서 직선 AC와 직선 EF가 이루는 각의 크기

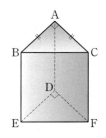

**4-2** 오른쪽 그림의 사면체에서 $\overline{AD}\perp\overline{BD}$, $\overline{AD}\perp\overline{CD}$일 때, 직선 AD와 직선 BC가 이루는 각의 크기를 구하시오.

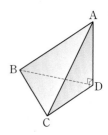

**대표 유형 01 평면의 결정조건**

🔗 유형 해결의 법칙 85쪽 유형 01

다음을 구하시오.

(1) 공간에서 네 점 A, B, C, D가 같은 평면 위에 있지 않고 어느 세 점도 한 직선 위에 있지 않을 때, 이 서로 다른 4개의 점으로 만들 수 있는 평면의 개수

(2) 공간에서 한 점에서 만나는 3개의 직선과 서로 다른 3개의 점으로 만들 수 있는 서로 다른 평면의 최대 개수

**풀이**

(1) 한 직선 위에 있지 않은 세 점은 오직 하나의 평면을 결정하므로 어느 세 점도 한 직선 위에 있지 않은 공간의 네 점으로 결정되는 평면은

평면 ABC, 평면 ABD, 평면 ACD, 평면 BCD

의 4개이다.

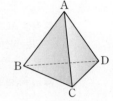

(2) 어느 세 직선도 같은 평면 위에 있지 않은 한 점에서 만나는 3개의 직선을 $l$, $m$, $n$, 어느 세 점도 같은 직선 위에 있지 않은 서로 다른 3개의 점을 A, B, C라 하면

(ⅰ) 점만으로 평면이 결정되는 경우 ➡ A, B, C의 1개

(ⅱ) 두 직선만으로 평면이 결정되는 경우 ➡ $l$과 $m$, $l$과 $n$, $m$과 $n$의 3개

(ⅲ) 점과 직선으로 평면이 결정되는 경우

➡ $l$과 A, $l$과 B, $l$과 C, $m$과 A, $m$과 B, $m$과 C, $n$과 A, $n$과 B, $n$과 C의 9개

(ⅰ), (ⅱ), (ⅲ)에 의하여 만들 수 있는 서로 다른 평면의 최대 개수는 13

🖩 (1) 4　(2) 13

**다른 풀이**

(1) 한 직선 위에 있지 않은 서로 다른 세 점은 한 평면을 결정하므로 4개의 점에서 3개를 선택하는 조합의 수를 구하면

$_4C_3 = {}_4C_1 = 4$

(2) 평면의 개수가 가장 많으려면 어느 세 점도 같은 직선 위에 있지 않아야 하고, 어느 세 직선도 같은 평면 위에 있지 않아야 한다. 즉, 오른쪽 그림에서

(ⅰ) 점만으로 결정되는 평면의 개수는 $_3C_3 = 1$

(ⅱ) 두 직선만으로 결정되는 평면의 개수는 $_3C_2 = {}_3C_1 = 3$

(ⅲ) 점과 직선으로 결정되는 평면의 개수는 $_3C_1 \times {}_3C_1 = 9$

(ⅰ), (ⅱ), (ⅲ)에 의하여 만들 수 있는 서로 다른 평면의 최대 개수는 13

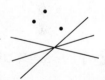

**해법** 평면의 결정조건 ➡ 한 직선 위에 있지 않은 세 점, 한 직선과 그 직선 위에 있지 않은 한 점 한 점에서 만나는 두 직선, 평행한 두 직선

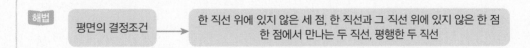

| 정답과 해설 44쪽 |

**01-1** 다음을 구하시오.

(1) 공간에서 어느 네 점도 같은 평면 위에 있지 않고, 어느 세 점도 한 직선 위에 있지 않은 서로 다른 6개의 점으로 만들 수 있는 평면의 개수

(2) 공간에 한 점에서 만나는 4개의 직선과 서로 다른 5개의 점으로 만들 수 있는 서로 다른 평면의 최대 개수

대표 유형 **02** 공간에서의 위치 관계

유형 해결의 법칙 85쪽 유형 02

오른쪽 그림과 같은 정팔면체에서 직선 AC와 평행한 직선의 개수를 $m$, 꼬인 위치에 있는 직선의 개수를 $n$이라 할 때, $m+n$의 값을 구하시오.

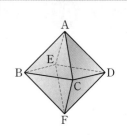

풀이

❶ 직선 AC와 평행한 직선의 개수 구하기

직선 AC와 평행한 직선은 직선 EF의 1개
∴ $m=1$

❷ 직선 AC와 꼬인 위치에 있는 직선의 개수 구하기

직선 AC와 꼬인 위치에 있는 직선은 직선 DF, BF, ED, EB의 4개
∴ $n=4$

❸ $m+n$의 값 구하기

따라서 $m+n=5$

답 5

해법

| 주어진 직선과 평행한 직선 | → | 한 평면 위에 있고 만나지 않는 직선 |
| 주어진 직선과 꼬인 위치에 있는 직선 | → | 한 평면 위에 있지 않고 만나지도 평행하지도 않는 직선 |

| 정답과 해설 44쪽 |

**02-1** 오른쪽 그림과 같은 정육면체에서 평면 BFHD와 한 점에서 만나는 직선의 개수를 구하시오.

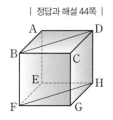

**02-2** 오른쪽 그림과 같은 정육면체에서 직선 AG와 꼬인 위치에 있는 직선의 개수를 $m$, 직선 CD와 평행한 직선의 개수를 $n$이라 할 때, $m+n$의 값을 구하시오.

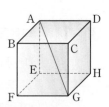

대표 유형 **03** **직선과 평면의 평행과 수직**

↻ 유형 해결의 법칙 86쪽 유형 03

오른쪽 그림과 같은 정육면체에서 직선 AB와 평행한 평면의 개수를 $m$, 수직인 평면의 개수를 $n$이라 할 때, $m+n$의 값을 구하시오.

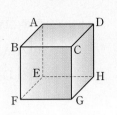

풀이

**①** 직선 AB와 평행한 평면의 개수 구하기      직선 AB와 평행한 평면은 평면 CGHD, EFGH의 2개
∴ $m=2$

**②** 직선 AB와 수직인 평면의 개수 구하기      직선 AB와 수직인 평면은 평면 BFGC, AEHD의 2개
∴ $n=2$

**③** $m+n$의 값 구하기      따라서 $m+n=4$

답 4

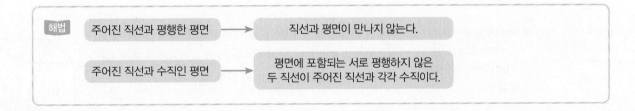

해법 | 주어진 직선과 평행한 평면 → 직선과 평면이 만나지 않는다.

주어진 직선과 수직인 평면 → 평면에 포함되는 서로 평행하지 않은 두 직선이 주어진 직선과 각각 수직이다.

| 정답과 해설 45쪽 |

**03-1** 오른쪽 그림과 같은 정육면체에서 평면 CEG와 평행한 직선의 개수를 구하시오.

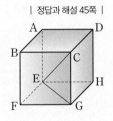

**03-2** 공간에서 서로 다른 두 직선 $l$, $m$과 서로 다른 두 평면 $\alpha$, $\beta$에 대하여 다음 **보기** 중 옳은 것을 있는 대로 고르시오.

┤ 보기 ├
ㄱ. $l \perp \alpha$, $l \perp \beta$이면 $\alpha /\!/ \beta$이다.
ㄴ. $l \perp \alpha$, $m \perp \beta$, $\alpha \perp \beta$이면 $l \perp m$이다.

대표 유형 **04** 두 직선이 이루는 각

⟳ 유형 해결의 법칙 86, 87쪽 유형 04, 05

오른쪽 그림과 같은 정육면체에서 다음을 구하시오.

(1) 직선 AH와 직선 EG가 이루는 각의 크기

(2) 직선 DF와 평면 EFGH가 이루는 각의 크기를 $\theta$라 할 때, $\cos\theta$의 값

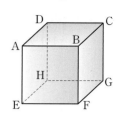

풀이 (1)

❶ 직선 AH와 직선 EG가 이루는 각의 크기는 ∠CAH의 크기와 같음을 알기

$\overline{AC}\,/\!/\,\overline{EG}$이므로 두 직선 AH, EG가 이루는 각의 크기는 두 직선 AH, AC가 이루는 ∠CAH의 크기와 같다.

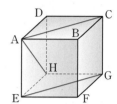

❷ △AHC는 정삼각형임을 이용하기

$\overline{AH}=\overline{HC}=\overline{CA}$에서 △AHC는 정삼각형이므로 ∠CAH=60°

❸ 직선 AH와 직선 EG가 이루는 각의 크기 구하기

따라서 직선 AH와 직선 EG가 이루는 각의 크기는 60°이다.

(2)

❶ 직선 DF와 평면 EFGH가 이루는 각의 크기는 ∠DFH의 크기와 같음을 알기

꼭짓점 D에서 평면 EFGH에 내린 수선의 발이 점 H이므로 직선 DF와 평면 EFGH가 이루는 각의 크기 $\theta$는 두 직선 DF, HF가 이루는 ∠DFH의 크기와 같다.

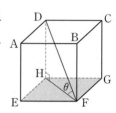

❷ $\cos\theta$의 값 구하기

정육면체의 한 모서리의 길이를 $a$라 하면
$$\overline{HF}=\sqrt{a^2+a^2}=\sqrt{2}a,\ \overline{DF}=\sqrt{a^2+a^2+a^2}=\sqrt{3}a$$
$$\therefore \cos\theta=\frac{\overline{HF}}{\overline{DF}}=\frac{\sqrt{2}a}{\sqrt{3}a}=\frac{\sqrt{6}}{3}$$

🄰 (1) 60°  (2) $\dfrac{\sqrt{6}}{3}$

해법

| 꼬인 위치에 있는 두 직선이 이루는 각의 크기를 구하는 경우 | → | 어떤 한 직선을 평행이동하여 두 직선이 만나도록 하고, 만나는 두 직선이 이루는 각을 생각한다. |
| 직선과 평면이 이루는 각의 크기를 구하는 경우 | → | 주어진 직선 위의 두 개의 점에서 평면에 내린 두 개의 수선의 발을 지나는 직선과 주어진 직선이 이루는 각을 생각한다. |

| 정답과 해설 45쪽 |

**04-1** 오른쪽 그림과 같은 정육면체에서 다음 두 직선이 이루는 각의 크기를 구하시오.

(1) 직선 BD와 직선 EG

(2) 직선 AG와 직선 FH

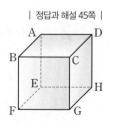

## 2 삼수선의 정리

**| 개념 파헤치기 |**

### 개념 01 삼수선의 정리

평면 $\alpha$ 위에 있지 않은 한 점 P, 평면 $\alpha$ 위의 한 점 O, 점 O를 지나지 않고 평면 $\alpha$ 위에 있는 한 직선 $l$, 직선 $l$ 위의 한 점 H에 대하여 다음이 성립한다. 이때, 다음 세 가지를 **삼수선의 정리**라 한다.

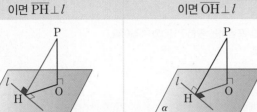

(1) $\overline{PO} \perp \alpha, \overline{OH} \perp l$
이면 $\overline{PH} \perp l$

(2) $\overline{PO} \perp \alpha, \overline{PH} \perp l$
이면 $\overline{OH} \perp l$

(3) $\overline{PH} \perp l, \overline{OH} \perp l, \overline{PO} \perp \overline{OH}$
이면 $\overline{PO} \perp \alpha$

**참고** 삼수선의 정리는 세 개의 수선 사이의 관계를 말하는 것으로 세 개의 수직 관계

$$\overline{PO} \perp \alpha, \overline{OH} \perp l, \overline{PH} \perp l$$

중에서 어느 두 개의 수직 관계가 성립하면 나머지 한 개의 수직 관계도 성립함을 뜻한다.

**예**

오른쪽 그림의 직육면체에서 $\overline{AB}=\sqrt{2}$, $\overline{AD}=\overline{AE}=1$이고, 점 C에서 선분 FH에 내린 수선의 발을 K라 할 때, $\overline{CK}$의 길이를 구해 보자.

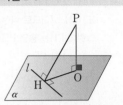

$\overline{CG} \perp$ (평면 EFGH), $\overline{CK} \perp \overline{FH}$이므로 삼수선의 정리(2)에 의하여

$$\overline{FH} \perp \overline{GK}$$

또, $\triangle FGH = \dfrac{1}{2} \times \overline{FH} \times \overline{GK} = \dfrac{1}{2} \times \overline{FG} \times \overline{GH}$이므로

$$\overline{FH} \times \overline{GK} = \overline{FG} \times \overline{GH}$$
$$\sqrt{3} \times \overline{GK} = 1 \times \sqrt{2}$$
$$\therefore \overline{GK} = \frac{\sqrt{6}}{3}$$

따라서 $\overline{CK} = \sqrt{\overline{CG}^2 + \overline{GK}^2} = \sqrt{1 + \dfrac{6}{9}} = \dfrac{\sqrt{15}}{3}$

**Lecture**

두 개의 수직 관계가 주어지면 ⟶ 삼수선의 정리를 이용한다.

| 정답과 해설 45쪽 |

**개념 확인 1** 오른쪽 그림과 같이 평면 $\alpha$ 위에 있지 않은 한 점 P에서 평면 $\alpha$에 내린 수선의 발을 O, 점 O에서 평면 $\alpha$ 위의 선분 AB에 내린 수선의 발을 H라 하자. $\overline{PO}=2$, $\overline{OH}=2\sqrt{3}$, $\overline{AH}=2$일 때, 선분 PA의 길이를 구하시오.

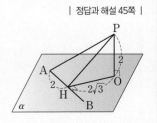

**5** 공간도형

평면 $\alpha$ 위에 있지 않은 한 점 P, 평면 $\alpha$ 위의 한 점 O, 점 O를 지나지 않고 평면 $\alpha$ 위에 있는 한 직선 $l$, 직선 $l$ 위의 한 점 H에 대하여 다음이 성립한다.

### (1) $\overline{PO} \perp \alpha$, $\overline{OH} \perp l$이면 $\overline{PH} \perp l$

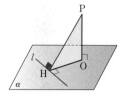

증명 $\overline{PO} \perp \alpha$이고 직선 $l$은 평면 $\alpha$ 위에 있으므로
$$\overline{PO} \perp l$$
또, $\overline{OH} \perp l$이므로 직선 $l$은 $\overline{PO}$와 $\overline{OH}$를 포함하는 평면 PHO와 수직이다.
그런데 $\overline{PH}$는 평면 PHO 위에 있으므로
$$\overline{PH} \perp l$$
따라서 $\overline{PO} \perp \alpha$, $\overline{OH} \perp l$이면 $\overline{PH} \perp l$

### (2) $\overline{PO} \perp \alpha$, $\overline{PH} \perp l$이면 $\overline{OH} \perp l$

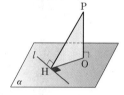

증명 $\overline{PO} \perp \alpha$이고 직선 $l$은 평면 $\alpha$ 위에 있으므로
$$\overline{PO} \perp l$$
또, $\overline{PH} \perp l$이므로 직선 $l$은 $\overline{PO}$와 $\overline{PH}$를 포함하는 평면 PHO와 수직이다.
그런데 $\overline{OH}$는 평면 PHO 위에 있으므로
$$\overline{OH} \perp l$$
따라서 $\overline{PO} \perp \alpha$, $\overline{PH} \perp l$이면 $\overline{OH} \perp l$

### (3) $\overline{PH} \perp l$, $\overline{OH} \perp l$, $\overline{PO} \perp \overline{OH}$이면 $\overline{PO} \perp \alpha$

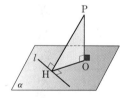

증명 $\overline{PH} \perp l$, $\overline{OH} \perp l$이므로 직선 $l$은 $\overline{PH}$와 $\overline{OH}$를 포함하는 평면 PHO와 수직이다.
그런데 직선 PO는 평면 PHO 위에 있으므로
$$\overline{PO} \perp l$$
또, $\overline{PO} \perp \overline{OH}$이고 직선 $l$과 $\overline{OH}$는 평면 $\alpha$ 위에 있으므로
$$\overline{PO} \perp \alpha$$
따라서 $\overline{PH} \perp l$, $\overline{OH} \perp l$, $\overline{PO} \perp \overline{OH}$이면 $\overline{PO} \perp \alpha$

---

Lecture
**삼수선의 정리**
❶ $\overline{PO} \perp \alpha$, $\overline{OH} \perp l$이면 $\overline{PH} \perp l$
❷ $\overline{PO} \perp \alpha$, $\overline{PH} \perp l$이면 $\overline{OH} \perp l$
❸ $\overline{PH} \perp l$, $\overline{OH} \perp l$, $\overline{PO} \perp \overline{OH}$이면 $\overline{PO} \perp \alpha$

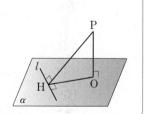

## 개념 **02** 이면각

### **1** 이면각

→ 평면 위의 한 직선은 그 평면을 두 부분으로 나누는데,
그 각각을 반평면이라 한다.

직선 $l$을 공유하는 두 반평면 $\alpha$, $\beta$로 이루어진 도형을 **이면각**이라 한다.
이때, 직선 $l$을 **이면각의 변**, 두 반평면 $\alpha$, $\beta$를 **이면각의 면**이라 한다.
이면각의 변 $l$ 위의 한 점 O를 지나고 직선 $l$에 수직인 두 반직선 OA,
OB를 반평면 $\alpha$, $\beta$ 위에 각각 그으면 $\angle$AOB의 크기는 점 O의 위치에
관계없이 일정하다. 이 일정한 각의 크기를 **이면각의 크기**라 한다.

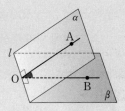

### **2** 두 평면이 이루는 각의 크기

서로 다른 두 평면이 만나면 네 개의 이면각이 생기는데
이 중 한 이면각의 크기를 두 평면이 이루는 각의 크기
라고 한다.
특히, 두 평면 $\alpha$, $\beta$가 이루는 각이 직각일 때, 이 두 평
면은 수직이라 하고, 기호로 $\alpha \perp \beta$와 같이 나타낸다.

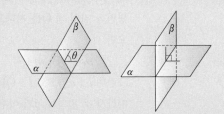

참고 두 평면이 이루는 각은 보통 크기가 작은 쪽의 각을 말한다.

예  오른쪽 그림에서 두 반평면 $\alpha$, $\beta$의 교선 $l$에 대하여
$l \perp \overline{OA}$, $l \perp \overline{OB}$, $\cos(\angle AOB) = \dfrac{\sqrt{2}}{2}$ 이므로
이면각의 크기는 $45°$이다.

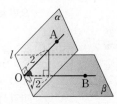

**Lecture**

두 평면이 이루는 각의 크기를 구하는 경우 $\longrightarrow$ 두 직선이 이루는 각의 크기로 변형한다.

| 정답과 해설 45쪽 |

개념 확인 2  오른쪽 그림과 같은 정육면체에서 두 평면 ABCD와 AFGD가 이루는 각의 크기를 구하
시오.

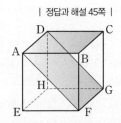

개념 확인 3  오른쪽 그림과 같이 $\overline{AB} = \sqrt{3}$, $\overline{AE} = 1$인 직육면체에서 직선 AD에서 만나는 두 반평
면 ABCD와 AFGD를 각각 $\alpha$, $\beta$라 할 때, 두 반평면 $\alpha$, $\beta$로 이루어진 이면각의 크기
를 구하시오.

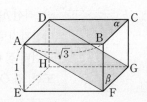

**5**
공간도형

## 개념 03 두 평면의 수직

(1) 한 평면 $\alpha$에 수직인 직선 $l$을 포함하는 평면을 $\beta$라 하면 $\alpha \perp \beta$이다.

(2) 두 평면 $\alpha$, $\beta$가 서로 수직일 때, 평면 $\beta$ 위의 한 점 A에서 두 평면 $\alpha$, $\beta$의 교선에 내린 수선의 발을 O라 하면 $\overline{AO} \perp \alpha$이다.

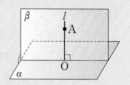

**설명**

(1) 직선 $l$과 평면 $\alpha$의 교점을 O, 직선 $l$ 위의 임의의 한 점을 A라 하고, 두 평면 $\alpha$, $\beta$의 교선을 $m$이라 하자.

평면 $\alpha$ 위의 점 O를 지나고 직선 $m$에 수직인 직선 OB를 그으면

$$m \perp \overline{OB}, \ m \perp l$$

그런데 $l \perp \alpha$이므로 $l \perp \overline{OB}$ $\quad \therefore \ \angle AOB = 90°$

따라서 두 평면 $\alpha$, $\beta$가 이루는 각의 크기는 $\angle AOB$의 크기와 같으므로

$$\alpha \perp \beta$$

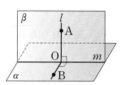

(2) 두 평면 $\alpha$, $\beta$의 교선을 $m$이라 하자.

평면 $\alpha$ 위의 점 O를 지나고 직선 $m$에 수직인 직선 OB를 그으면 $\alpha \perp \beta$이므로

$$\overline{AO} \perp \overline{BO}$$

또, 점 A에서 직선 $m$에 내린 수선의 발이 점 O이므로

$$\overline{AO} \perp m$$

따라서 $\overline{AO}$는 평면 $\alpha$ 위의 두 직선 BO, $m$과 각각 수직이므로

$$\overline{AO} \perp \alpha$$

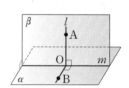

| 정답과 해설 45쪽 |

**개념 확인 4** 다음은 평면 $\alpha$에 수직인 두 평면 $\beta$, $\gamma$의 교선을 $l$이라 하면 $l \perp \alpha$임을 증명한 것이다. ☐ 안에 공통으로 들어갈 알맞은 기호를 써넣으시오.

> 오른쪽 그림과 같이 두 평면 $\alpha$, $\beta$와 두 평면 $\alpha$, $\gamma$의 교선을 각각 $m$, $n$이라 하고, 두 직선 $m$, $n$의 교점을 O라 하자.
>
> 이때, 평면 $\alpha$에서 점 O를 지나며 직선 $m$에 수직인 직선을 $a$, 평면 $\beta$에서 점 O를 지나며 직선 $m$에 수직인 직선을 $b$라 하면 $\alpha \perp \beta$이므로 $a \ \square \ b$
>
> 즉, 직선 $b$는 평면 $\alpha$ 위의 평행하지 않은 두 직선 $a$, $m$과 수직이므로 $b \ \square \ \alpha$
>
> 마찬가지로 평면 $\gamma$에서 점 O를 지나며 직선 $n$에 수직인 직선을 $c$라 하면 $c \ \square \ \alpha$
>
> 그런데 점 O를 지나는 평면 $\alpha$의 수선은 유일하므로 두 직선 $b$, $c$는 일치한다.
>
> 또한, 점 O는 교선 $l$ 위의 점이므로 세 직선 $b$, $c$, $l$은 일치한다. $\quad \therefore \ l \perp \alpha$

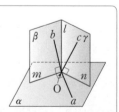

개념 check

**1-1** 오른쪽 그림과 같이 평면 $\alpha$ 밖의 한 점 P에서 평면 $\alpha$에 내린 수선의 발을 O, 점 O에서 평면 $\alpha$ 위의 선분 AB에 내린 수선의 발을 H라 하자. $\overline{PO}=4$, $\overline{OH}=3$, $\overline{AH}=5$일 때, 선분 PA의 길이를 구하시오.

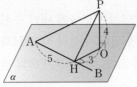

연구  △PHO는 직각삼각형이므로
$\overline{PO}^2+\overline{OH}^2=\overline{PH}^2$
즉, $4^2+3^2=\overline{PH}^2$이므로 $\overline{PH}=\boxed{\phantom{xx}}$
한편, $\overline{PO}\perp\alpha$, $\overline{OH}\perp\overline{AB}$이므로 삼수선의 정리에 의하여 $\overline{PH}\perp\overline{AB}$
따라서 △PAH는 직각삼각형이므로
$\overline{PH}^2+\overline{AH}^2=\overline{PA}^2$
즉, $\boxed{\phantom{xx}}^2+5^2=\overline{PA}^2$이므로 $\overline{PA}=\boxed{\phantom{xx}}$

스스로 check

**1-2** 오른쪽 그림과 같이 평면 $\alpha$ 밖의 한 점 P에서 평면 $\alpha$에 내린 수선의 발을 O, 점 O에서 평면 $\alpha$ 위의 선분 AB에 내린 수선의 발을 H라 하자. $\overline{PO}=6$, $\overline{OH}=4$, $\overline{AH}=2\sqrt{3}$일 때, 선분 PA의 길이를 구하시오.

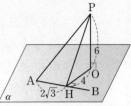

**2-1** 오른쪽 그림과 같이 한 모서리의 길이가 1인 정육면체에서 평면 CHF와 평면 EFGH가 이루는 각의 크기를 $\theta$라 할 때, $\tan\theta$의 값을 구하시오.

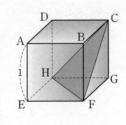

연구  $\overline{HF}$의 중점을 M이라 하면 △CHF, △GHF는 모두 이등변삼각형이므로 $\overline{CM}\perp\overline{HF}$, $\overline{GM}\perp\overline{HF}$
따라서 평면 CHF와 평면 EFGH가 이루는 각의 크기 $\theta$는 $\overline{CM}$과 $\overline{MG}$가 이루는 각의 크기와 같으므로
$\angle CMG=\theta$
$\overline{HF}=\sqrt{1^2+1^2}=\sqrt{2}$이므로 △GHM에서
$\overline{MG}=\overline{HM}=\dfrac{1}{2}\overline{HF}=\boxed{\phantom{xx}}$
$\therefore \tan\theta=\dfrac{\overline{CG}}{\overline{MG}}=\boxed{\phantom{xx}}$

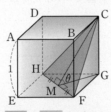

**2-2** 오른쪽 그림과 같은 정육면체에서 평면 CHF와 평면 EFGH가 이루는 각의 크기를 $\theta$라 할 때, $\cos\theta$의 값을 구하시오.

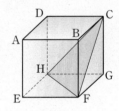

**대표 유형 01** 삼수선의 정리

🔗 유형 해결의 법칙 88쪽 유형 07

오른쪽 그림과 같이 평면 $\alpha$ 위에 있지 않은 한 점 P에서 평면 $\alpha$에 내린 수선의 발을 O, 점 P에서 평면 $\alpha$ 위에 있는 선분 AB에 내린 수선의 발을 H라 하자. $\overline{AB}=6$, $\overline{PH}=5$이고 삼각형 OAB의 넓이가 12일 때, 선분 PO의 길이를 구하시오.

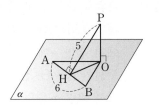

**풀이**

**❶** 삼수선의 정리 이용하기

$\overline{PO}\perp\alpha$, $\overline{PH}\perp\overline{AB}$이므로 삼수선의 정리에 의하여
$\overline{OH}\perp\overline{AB}$

**❷** 삼각형 OAB의 넓이를 이용하여 선분 OH의 길이 구하기

삼각형 OAB의 넓이가 12이므로 $\frac{1}{2}\times\overline{AB}\times\overline{OH}=12$
$\overline{AB}=6$이므로 $\overline{OH}=4$

**❸** 피타고라스 정리를 이용하여 선분 PO의 길이 구하기

삼각형 PHO는 $\overline{PH}$가 빗변인 직각삼각형이므로
$\overline{PO}=\sqrt{\overline{PH}^2-\overline{OH}^2}=\sqrt{5^2-4^2}=3$

달 3

**해법** 두 개의 수직 관계가 주어지면 ➡ 삼수선의 정리를 이용한다.

| 정답과 해설 46쪽 |

**01-1** 오른쪽 그림과 같이 평면 $\alpha$ 위에 있지 않은 한 점 P에서 평면 $\alpha$에 내린 수선의 발을 H, 점 H에서 평면 $\alpha$ 위에 있는 선분 AB에 내린 수선의 발을 C라 하자. $\overline{PH}=7$, $\overline{HC}=5$, $\overline{AC}=4$일 때, 선분 PA의 길이를 구하시오.

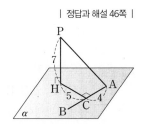

**01-2** 오른쪽 그림과 같은 사면체에서 $\overline{OA}\perp\overline{AB}$, $\overline{OA}\perp\overline{AC}$이고 $\overline{OA}=3$이다. 삼각형 OBC는 한 변의 길이가 4인 정삼각형일 때, 삼각형 ABC의 넓이를 구하시오.

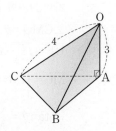

대표 유형 **02** **삼수선의 정리의 활용** ↪ 유형 해결의 법칙 88쪽 유형 08

오른쪽 그림과 같이 $\overline{AB}=4$, $\overline{AD}=3$, $\overline{AE}=2$인 직육면체의 꼭짓점 D에서 선분 EG에 내린 수선의 발을 I라 할 때, 선분 DI의 길이를 구하시오.

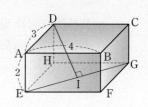

**풀이**

**❶ 삼수선의 정리 이용하기**

점 D에서 평면 EFGH에 내린 수선의 발이 H이고 $\overline{DI} \perp \overline{EG}$이므로 삼수선의 정리에 의하여 $\overline{HI} \perp \overline{EG}$

**❷ 삼각형 HEG의 넓이를 이용하여 선분 HI의 길이 구하기**

$\overline{EG} = \sqrt{\overline{HE}^2 + \overline{HG}^2} = \sqrt{3^2 + 4^2} = 5$

$\triangle HEG = \dfrac{1}{2} \times \overline{HE} \times \overline{HG} = \dfrac{1}{2} \times \overline{EG} \times \overline{HI}$이므로

$3 \times 4 = 5 \times \overline{HI}$에서 $\overline{HI} = \dfrac{12}{5}$

**❸ 피타고라스 정리를 이용하여 선분 DI의 길이 구하기**

삼각형 DHI는 $\overline{DI}$가 빗변인 직각삼각형이므로

$\overline{DI} = \sqrt{\overline{DH}^2 + \overline{HI}^2} = \sqrt{2^2 + \left(\dfrac{12}{5}\right)^2} = \sqrt{\dfrac{244}{25}} = \dfrac{2\sqrt{61}}{5}$

**답** $\dfrac{2\sqrt{61}}{5}$

**해법** 직선과 직선 또는 직선과 평면의 수직 조건이 주어지면 ➡ 삼수선의 정리를 이용하여 다른 수직 관계를 찾는다.

| 정답과 해설 46쪽 |

**02-1** 오른쪽 그림과 같이 모든 모서리의 길이가 2인 정육각기둥에서 삼각형 AIK의 넓이를 구하시오.

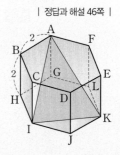

**02-2** 공간에서 서로 직각으로 만나는 세 선분 OA, OB, OC의 길이가 각각 3, 4, $a$이고 삼각형 ABC의 넓이가 10일 때, 상수 $a$의 값을 구하시오.

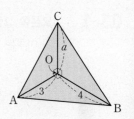

**5** 공간도형

대표 유형 03  두 평면이 이루는 각

⤵유형 해결의 법칙 89쪽 유형 10

오른쪽 그림과 같은 정사면체에서 평면 ABC와 평면 BCD가 이루는 각의 크기를 $\theta$라 할 때, $\cos\theta$의 값을 구하시오.

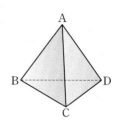

풀이

❶ $\theta$는 $\overline{AM}$과 $\overline{DM}$이 이루는 각의 크기임을 알기

$\overline{BC}$의 중점을 M이라 하면 $\triangle ABC$와 $\triangle BCD$는 정삼각형이 므로 $\overline{AM}\perp\overline{BC}$, $\overline{DM}\perp\overline{BC}$
평면 ABC와 평면 BCD가 이루는 각의 크기는 $\overline{AM}$과 $\overline{DM}$ 이 이루는 각의 크기와 같으므로
$\angle AMD=\theta$

❷ $\cos\theta$의 값 구하기

$\triangle ABC$와 $\triangle BCD$는 합동이므로
$\overline{AM}=\overline{DM}$
점 A에서 $\triangle BCD$에 내린 수선의 발을 H라 하면 점 H는 $\triangle BCD$의 무게중심과 같으 므로
$\overline{HM}=\dfrac{1}{3}\overline{DM}=\dfrac{1}{3}\overline{AM}$
따라서 직각삼각형 AMH에서
$\cos\theta=\dfrac{\overline{HM}}{\overline{AM}}=\dfrac{1}{3}$

답 $\dfrac{1}{3}$

해법  두 평면이 이루는 각의 크기를 구하는 경우 ⟶ 두 직선이 이루는 각의 크기로 변형한다.

| 정답과 해설 47쪽 |

03-1  오른쪽 그림과 같이 모서리의 길이가 모두 같은 정사각뿔에서 평면 OAB와 평면 ABCD 가 이루는 각의 크기를 $\theta$라 할 때, $\cos\theta$의 값을 구하시오.

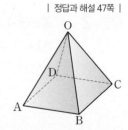

# 3 정사영

## 개념 01 정사영

평면 $\alpha$ 위에 있지 않은 한 점 P에서 평면 $\alpha$에 내린 수선의 발 P′을 점 P의 평면 $\alpha$ 위로의 **정사영**이라 한다. 또한, 도형 $F$에 속하는 각 점의 평면 $\alpha$ 위로의 정사영으로 이루어진 도형 $F'$을 도형 $F$의 평면 $\alpha$ 위로의 정사영이라 한다.

> 정사영(正射影)은 빛을 평면에 수직으로 비추었을 때 생기는 그림자를 의미해.

참고 여러 가지 도형의 평면 $\alpha$ 위로의 정사영

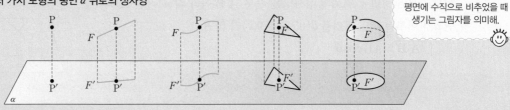

(1) 직선 $l$의 평면 $\alpha$ 위로의 정사영
   ➡ 직선 $l$과 평면 $\alpha$가 수직이면 한 점이 되고, 수직이 아니면 직선이 된다.
(2) 다각형 $F$의 평면 $\alpha$ 위로의 정사영
   ➡ 다각형 $F$와 평면 $\alpha$가 수직이면 선분이 되고, 수직이 아니면 다각형이 된다.

예

오른쪽 그림의 직육면체에서
(1) 선분 DF의 평면 EFGH 위로의 정사영
   ➡ 선분 HF
(2) 삼각형 DEG의 평면 BFGC 위로의 정사영
   ➡ 삼각형 CFG

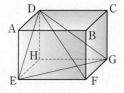

Lecture **여러 가지 도형의 평면 위로의 정사영**

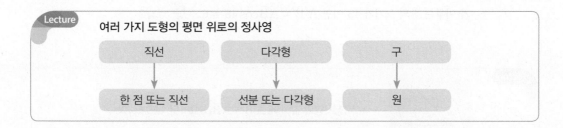

| 직선 | 다각형 | 구 |
|---|---|---|
| ↓ | ↓ | ↓ |
| 한 점 또는 직선 | 선분 또는 다각형 | 원 |

개념 확인 1 오른쪽 그림과 같은 정육면체에서 다음을 구하시오.

| 정답과 해설 47쪽 |

(1) 선분 BE의 평면 EFGH 위로의 정사영
(2) 선분 DE의 평면 EFGH 위로의 정사영
(3) 삼각형 BDE의 평면 EFGH 위로의 정사영

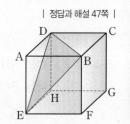

개념 **02** 정사영의 길이

**1 직선과 평면이 이루는 각**

직선 $l$이 평면 $\alpha$와 한 점에서 만나고 수직이 아닐 때, 직선 $l$의 평면 $\alpha$ 위로의 정사영을 직선 $l'$이라 하자. 이때, 두 직선 $l$, $l'$이 이루는 각의 크기를 직선 $l$과 평면 $\alpha$가 이루는 각의 크기라 한다.

특히, $l /\!/ \alpha$일 때 직선 $l$과 평면 $\alpha$가 이루는 각의 크기는 $0°$이고, $l \perp \alpha$일 때 직선 $l$과 평면 $\alpha$가 이루는 각의 크기는 $90°$이다.

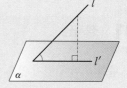

**2 정사영의 길이**

선분 AB의 평면 $\alpha$ 위로의 정사영을 선분 A'B'이라 하고 직선 AB와 평면 $\alpha$가 이루는 각의 크기를 $\theta(0° \le \theta \le 90°)$라 하면

$$\overline{A'B'} = \overline{AB}\cos\theta$$

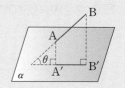

설명

**2** $\overline{AB}$의 평면 $\alpha$ 위로의 정사영을 $\overline{A'B'}$이라 하고, 직선 AB와 평면 $\alpha$가 이루는 각의 크기를 $\theta(0° \le \theta < 90°)$라 하자.

이때, $\overline{AA'} \perp \alpha$, $\overline{BB'} \perp \alpha$이므로 $\overline{AA'} /\!/ \overline{BB'}$

또, 점 A에서 $\overline{BB'}$에 내린 수선의 발을 C라 하면

사각형 AA'B'C는 직사각형이므로

$$\overline{A'B'} = \overline{AC}, \ \overline{A'B'} /\!/ \overline{AC}$$

따라서 $\angle BAC = \theta$이다. 삼각형 ABC에서 $\overline{AC} = \overline{AB}\cos\theta$이므로

$$\overline{A'B'} = \overline{AB}\cos\theta$$

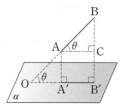

참고 $\theta = 90°$이면 정사영이 점이므로 길이는 0이다. 이때도 $\cos 90° = 0$이므로 $\overline{A'B'} = \overline{AB}\cos\theta$가 성립한다.

예

길이가 6인 선분 AB의 평면 $\alpha$ 위로의 정사영을 선분 A'B'이라 할 때, 직선 AB와 평면 $\alpha$가 이루는 각의 크기가 $45°$이면 $\overline{A'B'} = \overline{AB}\cos 45° = 6 \times \dfrac{\sqrt{2}}{2} = 3\sqrt{2}$

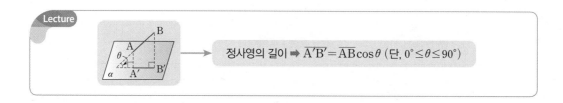

Lecture

정사영의 길이 ➡ $\overline{A'B'} = \overline{AB}\cos\theta$ (단, $0° \le \theta \le 90°$)

| 정답과 해설 47쪽 |

개념 확인 2 선분 AB의 평면 $\alpha$ 위로의 정사영을 선분 A'B'이라 하고, 직선 AB와 평면 $\alpha$가 이루는 각의 크기를 $\theta$라 할 때, 다음을 구하시오.

(1) $\overline{AB} = 12$, $\theta = 60°$일 때, $\overline{A'B'}$의 길이

(2) $\overline{AB} = 6$, $\overline{A'B'} = 3\sqrt{2}$일 때, $\theta$의 값

**개념 03 정사영의 넓이**

평면 $\alpha$ 위에 있는 도형의 넓이를 $S$, 이 도형의 평면 $\beta$ 위로의 정사영의 넓이를 $S'$이라 하고 두 평면 $\alpha$, $\beta$가 이루는 각의 크기를 $\theta(0°\leq\theta\leq90°)$라 하면

$$S'=S\cos\theta$$

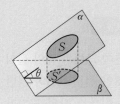

**설명**
삼각형 ABC의 한 변 BC와 평면 $\alpha$가 평행할 때, 삼각형 ABC와 평면 $\alpha$가 이루는 각의 크기를 $\theta(0°\leq\theta<90°)$라 하자. 또, 삼각형 ABC의 평면 $\alpha$ 위로의 정사영을 삼각형 A′B′C′이라 하고, 두 삼각형 ABC, A′B′C′의 넓이를 각각 $S$, $S'$이라 하자.

오른쪽 그림과 같이 변 BC를 포함하고 평면 $\alpha$에 평행한 평면을 $\beta$, 점 A에서 변 BC에 내린 수선의 발을 H, 평면 $\beta$와 직선 AA′의 교점을 A″이라 하면 삼수선의 정리에 의하여 $\overline{A''H}\perp\overline{BC}$이므로 다음이 성립한다.

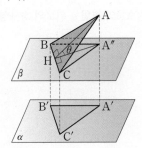

$\overline{AA''}\perp\beta$, $\overline{AH}\perp\overline{BC}$
이므로 $\overline{A''H}\perp\overline{BC}$

$$S'=\triangle A'B'C'=\triangle A''BC=\frac{1}{2}\times\overline{BC}\times\overline{A''H}$$

$$=\frac{1}{2}\times\overline{BC}\times\overline{AH}\cos\theta=S\cos\theta$$

한편, 변 BC와 평면 $\alpha$가 평행하지 않은 경우에도 이 식은 성립한다.

**참고** $\theta=90°$이면 정사영이 선분이므로 넓이는 0이다. 이때도 $\cos90°=0$이므로 $S'=S\cos\theta$가 성립한다.

**예**
두 평면 $\alpha$, $\beta$가 이루는 각의 크기가 $30°$이고, 평면 $\alpha$ 위에 있는 도형의 넓이 $S$가 10일 때, 이 도형의 평면 $\beta$ 위로의 정사영의 넓이 $S'$은

$$S'=S\cos30°=10\times\frac{\sqrt{3}}{2}=5\sqrt{3}$$

**Lecture**

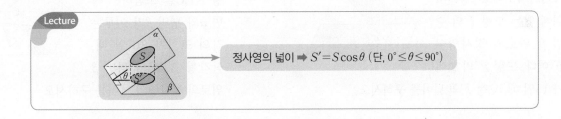

정사영의 넓이 ➡ $S'=S\cos\theta$ (단, $0°\leq\theta\leq90°$)

| 정답과 해설 47쪽 |

**개념 확인 3** 오른쪽 그림과 같이 밑면의 반지름의 길이가 2인 원기둥을 밑면과 $45°$의 각을 이루는 평면으로 자를 때 생기는 단면의 넓이를 구하시오.

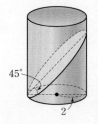

45°

2

**5**
공간도형

**개념 check**

**1-1** 오른쪽 그림과 같이 길이
가 8인 선분 AB와 평면
$\alpha$가 이루는 각의 크기가
60°일 때, 선분 AB의 평
면 $\alpha$ 위로의 정사영의 길
이를 구하시오.

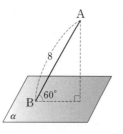

(연구) 선분 AB의 평면 $\alpha$ 위로의 정사영의 길이는

$8\cos 60° = 8 \times \boxed{\phantom{00}} = \boxed{\phantom{00}}$

**2-1** 오른쪽 그림과 같이 두
평면 $\alpha$, $\beta$가 이루는 각의
크기가 45°이고, 평면 $\alpha$
위에 있는 도형 $F$의 평
면 $\beta$ 위로의 정사영이
$F'$이다. 도형 $F'$의 넓이
가 15일 때, 도형 $F$의 넓이를 구하시오.

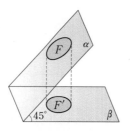

(연구) 도형 $F$의 넓이를 $S$라 하면

$15 = S\cos\boxed{\phantom{00}}$

$\therefore S = \boxed{\phantom{00}}$

**스스로 check**

**1-2** 오른쪽 그림과 같이 길
이가 6인 선분 AB와
평면 $\alpha$가 이루는 각의
크기가 45°일 때, 선분
AB의 평면 $\alpha$ 위로의
정사영의 길이를 구하시오.

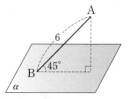

**2-2** 오른쪽 그림과 같이 한
변의 길이가 8인 정삼각
형 ABC를 포함하는 평
면 $\alpha$와 평면 $\beta$가 이루는
각의 크기가 30°일 때,
삼각형 ABC의 평면 $\beta$
위로의 정사영의 넓이를 구하시오.

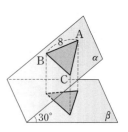

대표 유형 **01** 정사영의 길이

유형 해결의 법칙 90쪽 유형 11

오른쪽 그림과 같이 한 모서리의 길이가 4인 정육면체에서 선분 BC, 선분 FG의 중점을 각각 I, J라 할 때, 선분 DG의 평면 DIJH 위로의 정사영의 길이를 구하시오.

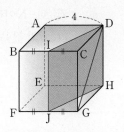

풀이

**❶** 선분 DG의 평면 DIJH 위로의 정사영 구하기

점 G에서 선분 JH에 내린 수선의 발을 K라 하면
$\overline{GK} \perp \overline{JH}$, $\overline{GK} \perp \overline{IJ}$이므로
$\overline{GK} \perp$ (평면 DIJH)
따라서 $\overline{DG}$의 평면 DIJH 위로의 정사영은 $\overline{DK}$이다.

**❷** 정사영의 길이 구하기

직각삼각형 JGH에서 $\overline{JH} = \sqrt{2^2 + 4^2} = 2\sqrt{5}$

$\triangle JGH = \dfrac{1}{2} \times \overline{JG} \times \overline{GH} = \dfrac{1}{2} \times \overline{JH} \times \overline{GK}$이므로

$2 \times 4 = 2\sqrt{5} \times \overline{GK}$에서 $\overline{GK} = \dfrac{4}{\sqrt{5}}$

또, $\overline{DG} = 4\sqrt{2}$이므로 직각삼각형 DKG에서

$\overline{DK} = \sqrt{\overline{DG}^2 - \overline{GK}^2} = \sqrt{(4\sqrt{2})^2 - \left(\dfrac{4}{\sqrt{5}}\right)^2} = \sqrt{\dfrac{144}{5}} = \dfrac{12\sqrt{5}}{5}$

답 $\dfrac{12\sqrt{5}}{5}$

해법 주어진 도형의 끝점에서 평면에 내린 수선의 발을 고려하여 평면 위로의 정사영을 구한다.

| 정답과 해설 47쪽 |

**01-1** 오른쪽 그림과 같이 $\overline{AB} = 3$, $\overline{AD} = 4$, $\overline{BF} = 2$인 직육면체에서 선분 DH의 중점을 M 이라 할 때, 선분 BM의 평면 EFGH 위로의 정사영의 길이를 구하시오.

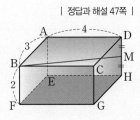

**01-2** 오른쪽 그림과 같이 $\overline{AB} = 4$, $\overline{AD} = 6$, $\overline{BF} = 2$인 직육면체에서 선분 DG의 평면 BFHD 위로의 정사영의 길이를 $l$이라 할 때, $l^2$의 값을 구하시오.

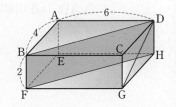

5 공간도형

대표 유형 **02** 정사영의 길이를 이용하여 각의 크기 구하기

유형 해결의 법칙 90쪽 유형 12

오른쪽 그림과 같은 정사면체 ABCD에서 모서리 AD와 모서리 BC의 중점을 각각 M, N이라 하고, 선분 DN과 평면 MBC가 이루는 각의 크기를 $\theta$라 할 때, $\cos\theta$의 값을 구하시오.

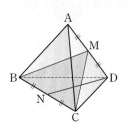

**풀이**

❶ 선분 DN의 평면 MBC 위로의 정사영 구하기

$\overline{MC}\perp\overline{AD}$, $\overline{MB}\perp\overline{AD}$이므로
$\overline{AD}\perp$ (평면 MBC)
즉, 점 D에서 평면 MBC에 내린 수선의 발은 M이다.
따라서 $\overline{DN}$의 평면 MBC 위로의 정사영은 $\overline{MN}$이다.

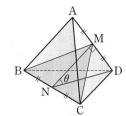

❷ $\cos\theta$의 값 구하기

정사면체의 한 모서리의 길이를 $a$라 하면
$$\overline{DN}=\frac{\sqrt{3}}{2}a,\ \overline{DM}=\frac{a}{2}$$
직각삼각형 DNM에서
$$\overline{MN}=\sqrt{\overline{DN}^2-\overline{DM}^2}=\sqrt{\left(\frac{\sqrt{3}}{2}a\right)^2-\left(\frac{a}{2}\right)^2}=\frac{\sqrt{2}}{2}a$$
$$\therefore\ \cos\theta=\frac{\overline{MN}}{\overline{DN}}=\frac{\frac{\sqrt{2}}{2}a}{\frac{\sqrt{3}}{2}a}=\frac{\sqrt{6}}{3}$$

답 $\dfrac{\sqrt{6}}{3}$

**해법** 정사영을 이용하여 직선과 평면이 이루는 각의 크기를 구한다.

---

**02-1** 오른쪽 그림과 같은 직육면체에서 길이가 6인 선분 AG와 평면 ABFE, 평면 AEHD, 평면 ABCD가 이루는 각의 크기를 각각 $\alpha$, $\beta$, $\gamma$라 할 때, $36(\cos^2\alpha+\cos^2\beta+\cos^2\gamma)$의 값을 구하시오.

| 정답과 해설 48쪽 |

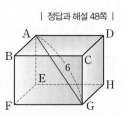

대표 유형 **03** **정사영의 넓이를 이용하여 각의 크기 구하기**  ↻ 유형 해결의 법칙 91쪽 유형 14

오른쪽 그림과 같이 옆면의 세 변의 길이가 각각 6, 6, 4인 정사각뿔에서 다음을 구하시오.

(1) 삼각형 ABC의 평면 BCDE 위로의 정사영의 넓이

(2) 두 평면 ABC와 BCDE가 이루는 각의 크기를 $\theta$라 할 때, $\cos\theta$의 값

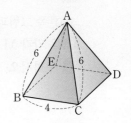

**풀이** (1) **❶** 점 A에서 평면 BCDE 에 내린 수선의 발 생각 하기

꼭짓점 A에서 평면 BCDE에 내린 수선의 발을 H라 하면 점 H는 □BCDE의 두 대각선의 교점이므로 △ABC의 평면 BCDE 위로의 정사영은 △HBC이다.

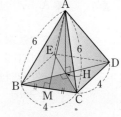

**❷** 정사영의 넓이 구하기

$$\therefore \triangle HBC = \frac{1}{4}\square BCDE = \frac{1}{4} \times 4^2 = 4$$

(2) **❶** △ABC의 넓이 구하기

꼭짓점 A에서 모서리 BC에 내린 수선의 발을 M이라 하면 △ABC는 이등변삼각형 이므로

$$\overline{BM} = \overline{CM} = 2, \quad \overline{AM} = \sqrt{\overline{AB}^2 - \overline{BM}^2} = \sqrt{6^2 - 2^2} = 4\sqrt{2}$$

$$\therefore \triangle ABC = \frac{1}{2} \times \overline{BC} \times \overline{AM} = \frac{1}{2} \times 4 \times 4\sqrt{2} = 8\sqrt{2}$$

**❷** $\cos\theta$의 값 구하기

△HBC=△ABC $\cos\theta$이므로

$$4 = 8\sqrt{2}\cos\theta \qquad \therefore \cos\theta = \frac{\sqrt{2}}{4}$$

**답** (1) 4  (2) $\dfrac{\sqrt{2}}{4}$

**해법**

정사영의 넓이 ➡ $S' = S\cos\theta$ (단, $0° \le \theta \le 90°$)

➡ $\cos\theta = \dfrac{S'}{S}$

| 정답과 해설 48쪽 |

**03-1** 오른쪽 그림과 같이 한 모서리의 길이가 4인 정사면체에서 다음을 구하시오.

(1) 삼각형 ABC의 평면 BCD 위로의 정사영의 넓이

(2) 두 평면 ABC와 BCD가 이루는 각의 크기를 $\theta$라 할 때, $\cos\theta$의 값

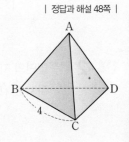

대표 유형 **04** 정사영의 넓이의 활용

↪ 유형 해결의 법칙 92쪽 유형 15

오른쪽 그림과 같이 한 모서리의 길이가 2인 정육면체에서 두 모서리 EF, GH의 중점을 각각 M, N이라 할 때, 사각형 AEHD의 평면 AMND 위로의 정사영의 넓이를 구하시오.

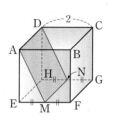

**풀이**

**❶** $\overline{AM}$ 구하기

△AEM은 직각삼각형이므로 $\overline{AM}=\sqrt{2^2+1^2}=\sqrt{5}$

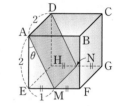

**❷** 두 평면 AEHD와 AMND가 이루는 각의 크기를 $\theta$라 하고 $\cos\theta$의 값 구하기

두 평면 AEHD와 AMND가 이루는 각의 크기를 $\theta$라 하면 $\overline{AM}\perp\overline{AD}$, $\overline{AE}\perp\overline{AD}$이므로 $\theta$는 $\overline{AM}$과 $\overline{AE}$가 이루는 각의 크기와 같다.

∴ ∠EAM=$\theta$

이때, △AEM에서 $\cos\theta$의 값은

$$\cos\theta=\frac{\overline{AE}}{\overline{AM}}=\frac{2}{\sqrt{5}}=\frac{2\sqrt{5}}{5}$$

**❸** 정사영의 넓이 구하기

□AEHD의 넓이를 $S$라 하면

$S=2\times2=4$

따라서 □AEHD의 평면 AMND 위로의 정사영의 넓이를 $S'$이라 하면

$$S'=S\cos\theta=4\times\frac{2\sqrt{5}}{5}=\frac{8\sqrt{5}}{5}$$

🄳 $\dfrac{8\sqrt{5}}{5}$

**해법** 두 평면이 이루는 각의 크기 $\theta$에 대하여 $\cos\theta$의 값을 구한 다음 정사영의 넓이를 구한다.

| 정답과 해설 48쪽 |

**04-1** 오른쪽 그림과 같이 한 모서리의 길이가 2인 정육면체에서 삼각형 EFH의 평면 AFH 위로의 정사영의 넓이를 구하시오.

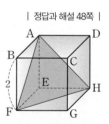

**04-2** 밑면의 지름의 길이가 5인 원기둥을 오른쪽 그림과 같이 잘랐을 때, 색칠한 단면의 넓이를 구하시오. (단, 단면과 밑면은 한 점에서 만난다.)

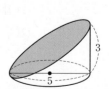

**1-1** 오른쪽 그림과 같은 정육면체에서 직선으로 결정되는 서로 다른 평면의 개수를 구하시오.

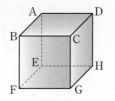

**1-2** 오른쪽 그림과 같은 정팔면체에서 직선으로 결정되는 서로 다른 평면의 개수를 구하시오.

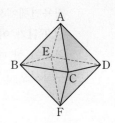

**2-1** 오른쪽 그림과 같은 정사각뿔에서 직선 AB와 만나는 직선의 개수를 $m$, 꼬인 위치에 있는 직선의 개수를 $n$이라 할 때, $m+n$의 값을 구하시오.

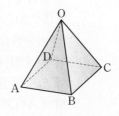

**2-2** 오른쪽 그림과 같은 정사면체에서 직선 AB와 만나는 직선의 개수를 $m$, 꼬인 위치에 있는 직선의 개수를 $n$이라 할 때, $m+n$의 값을 구하시오.

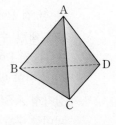

**3-1** 공간에서 서로 다른 세 직선 $l$, $m$, $n$과 서로 다른 두 평면 $\alpha$, $\beta$에 대하여 다음 **보기** 중 옳은 것을 있는 대로 고르시오.

┤ 보기 ├
ㄱ. $l \perp \alpha$, $m \perp \alpha$이면 $l \, / \! / \, m$이다.
ㄴ. $l \perp m$, $m \perp n$이면 $l \, / \! / \, n$이다.
ㄷ. $l \, / \! / \, \alpha$, $\alpha \perp \beta$이면 $l \, / \! / \, \beta$이다.

**3-2** 공간에서 서로 다른 두 직선 $l$, $m$과 서로 다른 세 평면 $\alpha$, $\beta$, $\gamma$에 대하여 다음 **보기** 중 옳은 것을 있는 대로 고르시오.

┤ 보기 ├
ㄱ. $l \perp \alpha$, $m \, / \! / \, \alpha$이면 $l \perp m$이다.
ㄴ. $\alpha \perp \beta$, $\beta \perp \gamma$이면 $\alpha \, / \! / \, \gamma$이다.
ㄷ. $l \perp \alpha$, $l \, / \! / \, m$이면 $m \perp \alpha$이다.

**5**

공간도형

**4-1** 오른쪽 그림과 같이 $\overline{AD}=\overline{AE}=\sqrt{3}$, $\overline{DC}=1$인 직육면체에서 직선 AG와 직선 EH가 이루는 각의 크기를 $\theta$라 할 때, $\cos\theta$의 값을 구하시오.

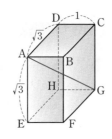

**4-2** 오른쪽 그림과 같이 밑면이 한 변의 길이가 1인 정삼각형이고 높이가 $\sqrt{3}$인 삼각기둥에서 직선 AE와 직선 CF가 이루는 각의 크기를 $\theta$라 할 때, $\cos\theta$의 값을 구하시오.

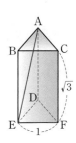

**5-1** 오른쪽 그림과 같이 평면 $\alpha$ 위에 있지 않은 한 점 P에서 평면 $\alpha$에 내린 수선의 발을 H, 점 P에서 평면 $\alpha$ 위에 있는 선분 AB에 내린 수선의 발을 Q라 하자. $\overline{PH}=3$, $\overline{AB}=6$이고 삼각형 ABP의 넓이가 12일 때, 삼각형 ABH의 넓이를 구하시오.

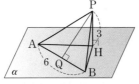

**5-2** 오른쪽 그림과 같이 평면 $\alpha$ 위에 $\overline{AB}=\overline{AC}=3$, $\overline{BC}=4$인 이등변삼각형 ABC가 놓여 있다. 평면 $\alpha$ 위에 있지 않은 한 점 P에서 평면 $\alpha$에 내린 수선의 발이 A이고, $\overline{PA}=2$일 때, 점 P와 직선 BC 사이의 거리를 구하시오.

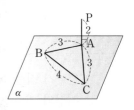

**6-1** 오른쪽 그림과 같은 사면체에서 모서리 CD의 길이는 8, 면 ACD의 넓이는 16, 면 BCD의 넓이는 21, 면 BCD와 면 ACD가 이루는 각의 크기는 60°이다. 이때, 사면체 ABCD의 부피를 구하시오.

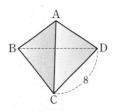

**6-2** 오른쪽 그림과 같이 밑면의 반지름의 길이가 2이고, 높이가 4인 원기둥이 있다. 원기둥의 밑면의 둘레 위의 점 C에서 다른 밑면 $\alpha$의 한 지름 AB에 내린 수선의 발이 밑면 $\alpha$의 중심 O이다. 평면 ABC와 밑면 $\alpha$가 이루는 각의 크기를 $\theta$라 할 때, $\cos\theta$의 값을 구하시오.

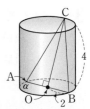

**7-1** 오른쪽 그림과 같이 한 모서리의 길이가 2인 정육면체에서 선분 AF의 평면 DHFB 위로의 정사영의 길이를 구하시오.

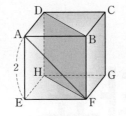

**7-2** 오른쪽 그림과 같이 $\overline{AB}=\overline{AD}=3$, $\overline{BF}=2$인 직육면체에서 선분 DG의 평면 AEGC 위로의 정사영의 길이를 구하시오.

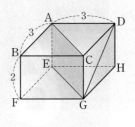

**8-1** 오른쪽 그림과 같이 한 모서리의 길이가 2인 정육면체에서 모서리 AB, BF, FG, GH, HD, AD의 중점을 지나는 평면으로 자를 때 생기는 단면과 평면 EFGH가 이루는 각의 크기를 $\theta$라 할 때, $\cos\theta$의 값을 구하시오.

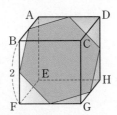

**8-2** 오른쪽 그림과 같이 한 모서리의 길이가 2인 정육면체에서 모서리 BF의 중점을 K, 평면 CEK와 평면 EFGH가 이루는 각의 크기를 $\theta$라 할 때, $\cos\theta$의 값을 구하시오.

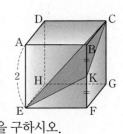

**9-1** 오른쪽 그림과 같이 모든 모서리의 길이가 6인 사각뿔에서 $\overline{AC}$와 $\overline{BD}$의 교점을 E라 할 때, 삼각형 EAB의 평면 OAB 위로의 정사영의 넓이를 구하시오.

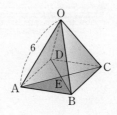

**9-2** 오른쪽 그림과 같이 한 모서리의 길이가 4인 정육면체에서 $\overline{CG}$, $\overline{DH}$의 중점을 각각 M, N이라 하자. 이때, 사각형 AEFB의 평면 NEFM 위로의 정사영의 넓이를 구하시오.

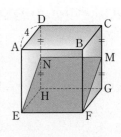

# 6 공간좌표

이번 단원에서는 공간좌표를 배운단다.

공간좌표요?

한 점에서 서로 수직으로 만나는 세 직선을 이용하면 공간에 있는 점의
위치를 정할 수 있는데 이것을 공간좌표라 한단다. 공간좌표는 로봇의
인공지능 연구, 컴퓨터 그래픽 기술의 개발 등 여러 분야에서 이용되지.

## 개념 & 유형 map

**1. 점의 좌표**

개념 01 | 공간좌표
개념 02 | 공간에서 점의 좌표
개념 03 | 두 점 사이의 거리

유형 01 | 공간에서 점의 좌표
유형 02 | 두 점 사이의 거리
유형 03 | 같은 거리에 있는 점
유형 04 | 선분의 길이의 합의 최솟값

**2. 선분의 내분점과 외분점**

개념 01 | 선분의 내분점과 외분점
개념 02 | 삼각형의 무게중심

유형 01 | 선분의 내분점과 외분점
유형 02 | 좌표평면 또는 좌표축에 의한 내분과 외분
유형 03 | 선분의 중점의 활용 – 평행사변형
유형 04 | 삼각형의 무게중심

**3. 구의 방정식**

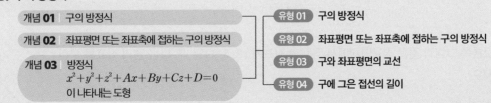

개념 01 | 구의 방정식
개념 02 | 좌표평면 또는 좌표축에 접하는 구의 방정식
개념 03 | 방정식
$x^2+y^2+z^2+Ax+By+Cz+D=0$
이 나타내는 도형

유형 01 | 구의 방정식
유형 02 | 좌표평면 또는 좌표축에 접하는 구의 방정식
유형 03 | 구와 좌표평면의 교선
유형 04 | 구에 그은 접선의 길이

# 1 점의 좌표

## 개념 01 공간좌표

**1 좌표공간**

공간의 한 점 O에서 서로 직교하는 세 수직선을 그었을 때, 점 O를 원점, 각각의 수직선을 $x$축, $y$축, $z$축이라 하고, 이들을 **좌표축**이라 한다. 또,

$x$축과 $y$축에 의하여 결정되는 평면 ➡ $xy$평면

$y$축과 $z$축에 의하여 결정되는 평면 ➡ $yz$평면

$z$축과 $x$축에 의하여 결정되는 평면 ➡ $zx$평면

이라 하고, 이들을 통틀어 **좌표평면**이라 한다. 이와 같이 좌표축과 좌표평면이 정해진 공간을 **좌표공간**이라 한다.

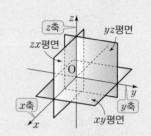

**2 공간좌표**

공간의 한 점 P에 대응하는 세 실수의 순서쌍 $(a, b, c)$를 점 P의 **공간좌표**라 하고, 기호로 $P(a, b, c)$와 같이 나타낸다.

---

**설명**

오른쪽 그림과 같이 좌표공간의 한 점 P에 대하여 점 P를 지나고 $yz$평면, $zx$평면, $xy$평면과 평행한 평면이 $x$축, $y$축, $z$축과 만나는 점을 차례로 A, B, C라 하자. 이때, 세 점 A, B, C의 $x$축, $y$축, $z$축 위에서의 좌표를 각각 $a$, $b$, $c$라 하면 점 P에 대응하는 세 실수의 순서쌍 $(a, b, c)$가 하나로 정해진다.

역으로 세 실수의 순서쌍 $(a, b, c)$가 주어지면 공간에 있는 한 점 P를 대응시킬 수 있다.

따라서 공간의 점 P와 세 실수의 순서쌍 $(a, b, c)$는 일대일대응이다. 이때, 점 P에 대응하는 세 실수의 순서쌍 $(a, b, c)$를 점 P의 공간좌표라 하고, $a$, $b$, $c$를 각각 점 P의 $x$좌표, $y$좌표, $z$좌표라 한다.

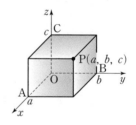

> 그림에서 세 점 A, B, C의 좌표는 각각 $(a, 0, 0)$, $(0, b, 0)$, $(0, 0, c)$, 원점 O의 좌표는 $(0, 0, 0)$이야.

---

**Lecture**

점 P의 공간좌표 ➡ 공간의 한 점 P에 대응하는 세 실수의 순서쌍 $(a, b, c)$ ➡ $P(a, b, c)$

$x$좌표 ⌐ $y$좌표 ⌐ $z$좌표

---

| 정답과 해설 51쪽 |

**개념 확인 1** 오른쪽 그림과 같은 직육면체에서 점 C의 좌표가 $(2, 3, 1)$일 때, 다음 점의 좌표를 구하시오.

(1) 점 A

(2) 점 G

(3) 점 E

## 개념 **02** 공간에서 점의 좌표

### 1 수선의 발의 좌표

좌표공간의 점 $A(a, b, c)$에서

(1) $x$축, $y$축, $z$축에 내린 수선의 발을 각각 P, Q, R라 하면

$$P(a, 0, 0), Q(0, b, 0), R(0, 0, c)$$

(2) $xy$평면, $yz$평면, $zx$평면에 내린 수선의 발을 각각 P, Q, R라 하면

$$P(a, b, 0), Q(0, b, c), R(a, 0, c)$$

> 수선의 발의 좌표를 구할 때는 관계없는 좌표를 0으로 놓으면 돼.

### 2 점의 대칭이동

좌표공간의 점 $A(a, b, c)$를

(1) $x$축, $y$축, $z$축에 대하여 대칭이동한 점을 각각 P, Q, R라 하면

$$P(a, -b, -c), Q(-a, b, -c), R(-a, -b, c)$$

(2) $xy$평면, $yz$평면, $zx$평면에 대하여 대칭이동한 점을 각각 P, Q, R라 하면

$$P(a, b, -c), Q(-a, b, c), R(a, -b, c)$$

(3) 원점에 대하여 대칭이동한 점을 P라 하면 $P(-a, -b, -c)$

> 대칭이동한 점의 좌표를 구할 때는 관계없는 좌표의 부호를 반대로 바꾸면 돼.

---

**설명**

1 좌표공간의 점 $A(a, b, c)$에서 좌표축과 좌표평면에 내린 수선의 발의 좌표

| 좌표축에 내린 경우 | 좌표평면에 내린 경우 |
|---|---|
| 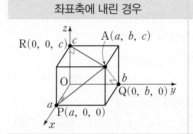 | 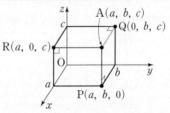 |

> 점 A에서 평면 $\alpha$에 내린 수선의 발은 점 A의 평면 $\alpha$ 위로의 정사영이므로 수선의 발의 좌표는 정사영의 좌표와 같아.

2 좌표공간의 점 $A(a, b, c)$를 좌표축, 좌표평면에 대하여 각각 대칭이동한 점의 좌표

| 좌표축에 대하여 대칭이동한 경우 | 좌표평면에 대하여 대칭이동한 경우 |
|---|---|
| 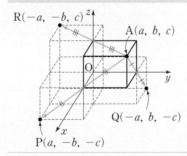 | 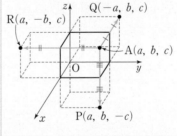 |

---

**Lecture**

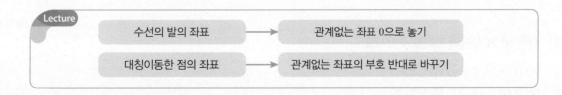

| 수선의 발의 좌표 | → | 관계없는 좌표 0으로 놓기 |
| 대칭이동한 점의 좌표 | → | 관계없는 좌표의 부호 반대로 바꾸기 |

---

| 정답과 해설 51쪽 |

**개념 확인 2** 점 $P(1, -2, 3)$에 대하여 다음 점의 좌표를 구하시오.

(1) 점 P에서 $yz$평면에 내린 수선의 발

(2) 점 P를 $zx$평면에 대하여 대칭이동한 점

(1) 좌표공간에서 두 점 $A(x_1, y_1, z_1)$, $B(x_2, y_2, z_2)$ 사이의 거리
➡ $\overline{AB} = \sqrt{(x_2-x_1)^2 + (y_2-y_1)^2 + (z_2-z_1)^2}$

(2) 좌표공간에서 원점 $O(0, 0, 0)$과 점 $A(x_1, y_1, z_1)$ 사이의 거리
➡ $\overline{OA} = \sqrt{x_1^2 + y_1^2 + z_1^2}$

참고 (1) 좌표평면 위의 두 점 $A(x_1, y_1)$, $B(x_2, y_2)$ 사이의 거리
➡ $\overline{AB} = \sqrt{(x_2-x_1)^2 + (y_2-y_1)^2}$
(2) 수직선 위의 두 점 $A(x_1)$, $B(x_2)$ 사이의 거리
➡ $\overline{AB} = |x_2-x_1|$

설명   오른쪽 그림과 같이 선분 AB를 대각선으로 하고 각 면이 좌표평면과 평행한 직육면체를 이용하여 좌표공간의 두 점 $A(x_1, y_1, z_1)$, $B(x_2, y_2, z_2)$ 사이의 거리를 구해 보자. 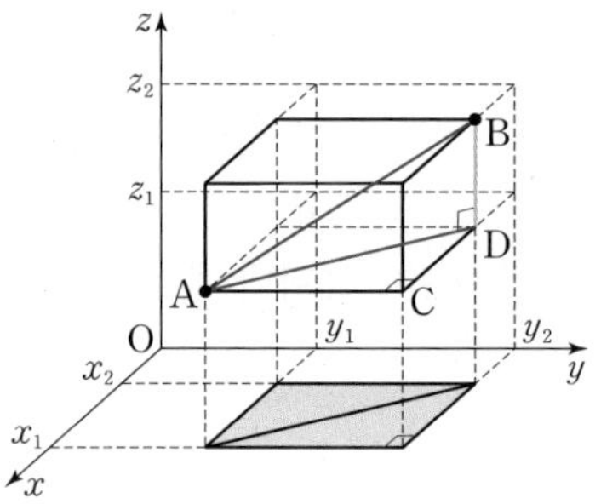
피타고라스 정리에 의하여
$$\overline{AB}^2 = \overline{AD}^2 + \overline{BD}^2$$
$$= (\overline{AC}^2 + \overline{CD}^2) + \overline{BD}^2$$
이때,
$$\overline{CD} = |x_2-x_1|, \overline{AC} = |y_2-y_1|, \overline{BD} = |z_2-z_1|$$
이므로 좌표공간의 두 점 A, B 사이의 거리는
$$\overline{AB} = \sqrt{(x_2-x_1)^2 + (y_2-y_1)^2 + (z_2-z_1)^2}$$

예   두 점 $A(1, 3, -1)$, $B(-1, 0, 2)$ 사이의 거리는
$$\overline{AB} = \sqrt{(-1-1)^2 + (0-3)^2 + \{2-(-1)\}^2} = \sqrt{4+9+9} = \sqrt{22}$$

Lecture   좌표공간에서 두 점 $A(x_1, y_1, z_1)$, $B(x_2, y_2, z_2)$ 사이의 거리 → $\overline{AB} = \sqrt{(x_2-x_1)^2 + (y_2-y_1)^2 + (z_2-z_1)^2}$

| 정답과 해설 51쪽 |

개념 확인 3   다음 두 점 사이의 거리를 구하시오.
(1) $A(2, -1, 1)$, $B(1, 0, 3)$
(2) $A(0, -3, 2)$, $B(1, 1, 2)$
(3) $O(0, 0, 0)$, $A(1, 2, 3)$

**개념 check**

**1-1** 오른쪽 그림과 같은 직육면체에서 세 점 P, Q, R의 좌표를 각각 구하시오.

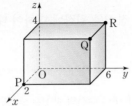

(연구) 세 점 P, Q, R의 좌표는 각각

P($\boxed{\phantom{x}}$, 0, 0), Q(2, $\boxed{\phantom{x}}$, 4), R(0, 6, $\boxed{\phantom{x}}$)

**2-1** 오른쪽 그림과 같은 직육면체에서 한 꼭짓점 P의 좌표가 (1, 3, 2)일 때, 다음 점의 좌표를 구하시오.

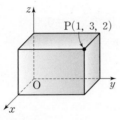

(1) 점 P에서 $xy$평면에 내린 수선의 발
(2) 점 P에서 $x$축에 내린 수선의 발
(3) 점 P를 $yz$평면에 대하여 대칭이동한 점
(4) 점 P를 $y$축에 대하여 대칭이동한 점

(연구) (1) $xy$평면에 내린 수선의 발은 $z$좌표가 $\boxed{\phantom{x}}$이므로
(1, 3, $\boxed{\phantom{x}}$)
(2) $x$축에 내린 수선의 발은 $y$, $z$좌표가 $\boxed{\phantom{x}}$이므로
(1, $\boxed{\phantom{x}}$, $\boxed{\phantom{x}}$)
(3) $yz$평면에 대하여 대칭이동한 점은 $\boxed{\phantom{x}}$좌표의 부호가 반대이므로 ($\boxed{\phantom{x}}$, 3, 2)
(4) $y$축에 대하여 대칭이동한 점은 $x$, $\boxed{\phantom{x}}$좌표의 부호가 반대이므로 ($\boxed{\phantom{x}}$, 3, $\boxed{\phantom{x}}$)

**3-1** 점 P(1, 2, 3)을 $x$축에 대하여 대칭이동한 점을 Q라 할 때, 다음을 구하시오.

(1) 점 Q의 좌표　　(2) $\overline{\mathrm{PQ}}$의 길이

(연구) (1) $x$축에 대하여 대칭이동한 점은 $y$, $z$좌표의 부호가 반대이므로 Q(1, $\boxed{\phantom{x}}$, $\boxed{\phantom{x}}$)
(2) $\overline{\mathrm{PQ}} = \sqrt{(1-1)^2 + (\boxed{\phantom{x}}-2)^2 + (\boxed{\phantom{x}}-3)^2}$
$= \boxed{\phantom{x}}$

**스스로 check**

**1-2** 오른쪽 그림과 같은 직육면체에서 세 점 P, Q, R의 좌표를 각각 구하시오.

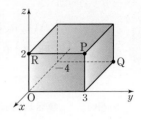

**2-2** 점 P($-3$, 2, $-5$)에 대하여 다음 점의 좌표를 구하시오.

(1) 점 P에서 $xy$평면에 내린 수선의 발

(2) 점 P에서 $y$축에 내린 수선의 발

(3) 점 P를 $zx$평면에 대하여 대칭이동한 점

(4) 점 P를 $z$축에 대하여 대칭이동한 점

**3-2** 점 P($-5$, 7, 1)을 $y$축에 대하여 대칭이동한 점을 Q라 할 때, 다음을 구하시오.

(1) 점 Q의 좌표

(2) $\overline{\mathrm{PQ}}$의 길이

↪ 유형 해결의 법칙 101쪽 유형 01

**대표 유형 01 공간에서 점의 좌표**

점 $A(1, a, 3)$에서 $xy$평면에 내린 수선의 발을 P, 점 P를 원점에 대하여 대칭이동한 점을 $Q(b, 5, c)$라 할 때, $a+b+c$의 값을 구하시오.

풀이

**❶ 점 P의 좌표 구하기**

점 $A(1, a, 3)$에서 $xy$평면에 내린 수선의 발 P는 $z$좌표가 0이므로
$P(1, a, 0)$

**❷ 점 Q의 좌표 구하기**

점 $P(1, a, 0)$을 원점에 대하여 대칭이동한 점 Q는 $x$, $y$, $z$좌표의 부호가 반대이므로
$Q(-1, -a, 0)$

**❸ $a+b+c$의 값 구하기**

이때, $Q(b, 5, c)$이므로 $-1=b$, $-a=5$, $0=c$
즉, $a=-5$, $b=-1$, $c=0$
∴ $a+b+c=-6$

답 $-6$

해법

| 수선의 발의 좌표 | → | 관계없는 좌표 0으로 놓기 |
| 대칭이동한 점의 좌표 | → | 관계없는 좌표의 부호 반대로 바꾸기 |

| 정답과 해설 52쪽 |

**01-1** 점 $A(1, 2, a)$에서 $yz$평면에 내린 수선의 발을 P, 점 P를 $y$축에 대하여 대칭이동한 점을 $Q(b, c, -2)$라 할 때, $a+b+c$의 값을 구하시오.

**01-2** 점 $P(a-b, 3a+b, c-1)$을 $z$축에 대하여 대칭이동한 점과 점 $Q(7, -3, 2)$를 $xy$평면에 대하여 대칭이동한 점의 좌표가 같을 때, $a+b+c$의 값을 구하시오.

대표 유형 **02** **두 점 사이의 거리**

↻ 유형 해결의 법칙 101, 102쪽 유형 02, 03

다음 물음에 답하시오.

(1) 두 점 $A(1, -2, a)$, $B(a, -1, 0)$에 대하여 $\overline{AB} = \sqrt{6}$일 때, 양수 $a$의 값을 구하시오.

(2) 두 점 $A(3, 4, 1)$, $B(-2, -3, -1)$과 $z$축 위의 점 $C(0, 0, c)$를 꼭짓점으로 하는 삼각형 ABC가 선분 AB를 빗변으로 하는 직각삼각형일 때, 양수 $c$의 값을 구하시오.

풀이 (1)

❶ 두 점 사이의 거리 공식 이용하기

$\overline{AB} = \sqrt{6}$이므로
$$\sqrt{(a-1)^2 + (-1+2)^2 + (-a)^2} = \sqrt{6}$$

❷ 양수 $a$의 값 구하기

양변을 제곱하여 정리하면
$$a^2 - a - 2 = 0, \ (a+1)(a-2) = 0$$
$$\therefore a = 2 \ (\because a > 0)$$

(2)

❶ $\overline{AB}$, $\overline{BC}$, $\overline{CA}$의 값 구하기

$$\overline{AB} = \sqrt{(-2-3)^2 + (-3-4)^2 + (-1-1)^2} = \sqrt{78}$$
$$\overline{BC} = \sqrt{2^2 + 3^2 + (c+1)^2} = \sqrt{c^2 + 2c + 14}$$
$$\overline{CA} = \sqrt{3^2 + 4^2 + (1-c)^2} = \sqrt{c^2 - 2c + 26}$$

❷ 피타고라스 정리 이용하기

△ABC가 $\overline{AB}$를 빗변으로 하는 직각삼각형이므로
$$\overline{AB}^2 = \overline{BC}^2 + \overline{CA}^2 \text{에서 } 78 = c^2 + 2c + 14 + c^2 - 2c + 26$$
$$\therefore c^2 = 19$$

❸ 양수 $c$의 값 구하기

$c > 0$이므로 $c = \sqrt{19}$

🔲 (1) 2 (2) $\sqrt{19}$

해법 | 좌표공간에서 두 점 $A(x_1, y_1, z_1)$, $B(x_2, y_2, z_2)$ 사이의 거리 ⟶ $\overline{AB} = \sqrt{(x_2-x_1)^2 + (y_2-y_1)^2 + (z_2-z_1)^2}$

| 정답과 해설 52쪽 |

**02-1** 두 점 $A(a, b, 4)$, $B(0, 1, a)$ 사이의 거리의 최솟값을 구하시오.

**02-2** 점 $P(2, 3, 6)$에서 $x$축, $zx$평면, $yz$평면에 내린 수선의 발을 각각 A, B, C라 할 때, 삼각형 ABC의 넓이를 구하시오.

대표 유형 **03** **같은 거리에 있는 점**

↪ 유형 해결의 법칙 102쪽 유형 04

다음을 구하시오.

(1) 두 점 $A(3, -2, 2)$, $B(1, 2, -4)$에서 같은 거리에 있는 $x$축 위의 점 P의 좌표

(2) 세 점 $A(-3, 2, -1)$, $B(3, -2, 5)$, $O(0, 0, 0)$에서 같은 거리에 있는 $yz$평면 위의 점 Q의 좌표

**풀이** (1) ❶ 점 P의 좌표를 미지수를 이용하여 정하기

두 점 A, B에서 같은 거리에 있는 $x$축 위의 점을 $P(a, 0, 0)$이라 하면

❷ $\overline{AP}$, $\overline{BP}$의 값 구하기

$$\overline{AP} = \sqrt{(a-3)^2 + 2^2 + (-2)^2} = \sqrt{a^2 - 6a + 17}$$
$$\overline{BP} = \sqrt{(a-1)^2 + (-2)^2 + 4^2} = \sqrt{a^2 - 2a + 21}$$

❸ $\overline{AP} = \overline{BP}$임을 이용하여 점 P의 좌표 구하기

$\overline{AP} = \overline{BP}$에서 $\overline{AP}^2 = \overline{BP}^2$이므로

$a^2 - 6a + 17 = a^2 - 2a + 21$, $4a = -4$    $\therefore a = -1$

따라서 구하는 점 P의 좌표는 $(-1, 0, 0)$

(2) ❶ 점 Q의 좌표를 미지수를 이용하여 정하기

세 점 A, B, O에서 같은 거리에 있는 $yz$평면 위의 점을 $Q(0, b, c)$라 하면

❷ $\overline{OQ}$, $\overline{AQ}$, $\overline{BQ}$의 값 구하기

$$\overline{OQ} = \sqrt{b^2 + c^2}, \quad \overline{AQ} = \sqrt{3^2 + (b-2)^2 + (c+1)^2}$$
$$\overline{BQ} = \sqrt{(-3)^2 + (b+2)^2 + (c-5)^2}$$

❸ $\overline{OQ} = \overline{AQ} = \overline{BQ}$임을 이용하여 점 Q의 좌표 구하기

$\overline{OQ} = \overline{AQ} = \overline{BQ}$에서 $\overline{OQ}^2 = \overline{AQ}^2 = \overline{BQ}^2$이므로

$b^2 + c^2 = (b-2)^2 + (c+1)^2 + 9 = (b+2)^2 + (c-5)^2 + 9$    ······ ㉠

㉠에서 $b^2 + c^2 = (b-2)^2 + (c+1)^2 + 9$이므로 $2b - c = 7$    ······ ㉡

㉠에서 $b^2 + c^2 = (b+2)^2 + (c-5)^2 + 9$이므로 $2b - 5c = -19$    ······ ㉢

㉡, ㉢을 연립하여 풀면 $b = \dfrac{27}{4}$, $c = \dfrac{13}{2}$

따라서 구하는 점 Q의 좌표는 $\left(0, \dfrac{27}{4}, \dfrac{13}{2}\right)$

답 (1) $P(-1, 0, 0)$    (2) $Q\left(0, \dfrac{27}{4}, \dfrac{13}{2}\right)$

**해법**

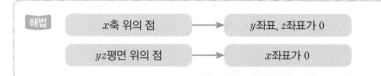

| $x$축 위의 점 | → | $y$좌표, $z$좌표가 0 |
| $yz$평면 위의 점 | → | $x$좌표가 0 |

| 정답과 해설 52쪽 |

**03-1** 두 점 $A(2, -1, 3)$, $B(3, 1, 6)$에서 같은 거리에 있는 $y$축 위의 점 P의 좌표를 구하시오.

**03-2** 두 점 $A(1, 1, 2)$, $B(2, -1, 3)$과 $zx$평면 위의 점 C를 세 꼭짓점으로 하는 삼각형 ABC가 정삼각형일 때, 점 C의 좌표를 모두 구하시오.

대표 유형 **04** **선분의 길이의 합의 최솟값**

↪ 유형 해결의 법칙 103쪽 유형 05

다음을 구하시오.

(1) 두 점 A$(2, 3, 4)$, B$(0, -1, 2)$와 $xy$평면 위를 움직이는 점 P에 대하여 $\overline{AP}+\overline{BP}$의 최솟값

(2) 두 점 A$(-2, 1, 3)$, B$(1, 4, 2)$와 $yz$평면 위를 움직이는 점 P에 대하여 $\overline{AP}+\overline{BP}$의 최솟값

**풀이** (1)

❶ 두 점 A, B의 $z$좌표의 부호 확인하기

두 점 A, B의 $z$좌표의 부호가 같으므로 두 점 A, B는 좌표공간에서 $xy$평면을 기준으로 같은 쪽에 있다.

❷ 점 A의 $xy$평면에 대하여 대칭인 점의 좌표 구하기

점 A와 $xy$평면에 대하여 대칭인 점을 A′이라 하면 A′$(2, 3, -4)$

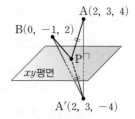

❸ $\overline{AP}+\overline{BP}$의 최솟값 구하기

이때, $\overline{AP}+\overline{BP}=\overline{A'P}+\overline{BP}\geq\overline{A'B}$이므로 $\overline{AP}+\overline{BP}$의 최솟값은 $\overline{A'B}$의 길이와 같다.
$\overline{A'B}=\sqrt{(-2)^2+(-1-3)^2+(2+4)^2}=2\sqrt{14}$
따라서 구하는 최솟값은 $2\sqrt{14}$이다.

(2)

❶ 두 점 A, B의 $x$좌표의 부호 확인하기

두 점 A, B의 $x$좌표의 부호가 $-$, $+$로 다르므로 두 점 A, B는 좌표공간에서 $yz$평면을 기준으로 서로 반대쪽에 있다.

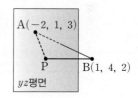

❷ $\overline{AP}+\overline{BP}$의 최솟값 구하기

이때, $\overline{AP}+\overline{BP}$의 최솟값은 $\overline{AB}$의 길이와 같으므로
$\overline{AB}=\sqrt{(1+2)^2+(4-1)^2+(2-3)^2}=\sqrt{19}$
따라서 구하는 최솟값은 $\sqrt{19}$이다.

🔲 (1) $2\sqrt{14}$  (2) $\sqrt{19}$

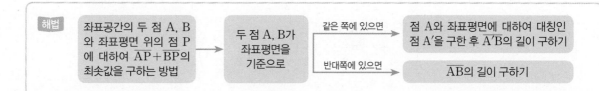

| 정답과 해설 52쪽 |

**04-1** 두 점 A$(1, 3, 2)$, B$(3, 1, -2)$에 대하여 다음을 구하시오.

(1) $zx$평면 위를 움직이는 점 P에 대하여 $\overline{AP}+\overline{BP}$의 최솟값

(2) $xy$평면 위를 움직이는 점 P에 대하여 $\overline{AP}+\overline{BP}$의 최솟값

# 2 선분의 내분점과 외분점

## 개념 01 선분의 내분점과 외분점

좌표공간에서 두 점 $A(x_1, y_1, z_1)$, $B(x_2, y_2, z_2)$에 대하여

(1) 선분 AB를 $m : n(m>0, n>0)$으로 내분하는 점 P의 좌표는

$$\left( \frac{mx_2+nx_1}{m+n} , \frac{my_2+ny_1}{m+n} , \frac{mz_2+nz_1}{m+n} \right)$$

(2) 선분 AB를 $m : n(m>0, n>0, m \neq n)$으로 외분하는 점 Q의 좌표는

$$\left( \frac{mx_2-nx_1}{m-n} , \frac{my_2-ny_1}{m-n} , \frac{mz_2-nz_1}{m-n} \right)$$

(3) 선분 AB의 중점 M의 좌표는

$$\left( \frac{x_1+x_2}{2} , \frac{y_1+y_2}{2} , \frac{z_1+z_2}{2} \right)$$

참고 좌표평면에서 두 점 $A(x_1, y_1)$, $B(x_2, y_2)$에 대하여

(1) 선분 AB를 $m : n(m>0, n>0)$으로 내분하는 점 P의 좌표는 $\left( \frac{mx_2+nx_1}{m+n} , \frac{my_2+ny_1}{m+n} \right)$

(2) 선분 AB를 $m : n(m>0, n>0, m \neq n)$으로 외분하는 점 Q의 좌표는 $\left( \frac{mx_2-nx_1}{m-n} , \frac{my_2-ny_1}{m-n} \right)$

(3) 선분 AB의 중점 M의 좌표는 $\left( \frac{x_1+x_2}{2} , \frac{y_1+y_2}{2} \right)$

---

예

두 점 $A(-1, 0, 1)$, $B(2, 3, 1)$에 대하여

(1) 선분 AB를 2 : 1로 내분하는 점 P의 좌표는

$$\left( \frac{2 \times 2+1 \times (-1)}{2+1} , \frac{2 \times 3+1 \times 0}{2+1} , \frac{2 \times 1+1 \times 1}{2+1} \right), 즉 P(1, 2, 1)$$

(2) 선분 AB를 2 : 1로 외분하는 점 Q의 좌표는

$$\left( \frac{2 \times 2-1 \times (-1)}{2-1} , \frac{2 \times 3-1 \times 0}{2-1} , \frac{2 \times 1-1 \times 1}{2-1} \right), 즉 Q(5, 6, 1)$$

(3) 선분 AB의 중점 M의 좌표는

$$\left( \frac{-1+2}{2} , \frac{0+3}{2} , \frac{1+1}{2} \right), 즉 M\left( \frac{1}{2}, \frac{3}{2}, 1 \right)$$

---

Lecture

두 점 $A(x_1, y_1, z_1)$, $B(x_2, y_2, z_2)$에 대하여 선분 AB를 $m : n(m>0, n>0)$으로

❶ 내분하는 점 P의 좌표는 $\left( \frac{mx_2+nx_1}{m+n} , \frac{my_2+ny_1}{m+n} , \frac{mz_2+nz_1}{m+n} \right)$

❷ 외분하는 점 Q의 좌표는 $\left( \frac{mx_2-nx_1}{m-n} , \frac{my_2-ny_1}{m-n} , \frac{mz_2-nz_1}{m-n} \right)$ (단, $m \neq n$)

| 정답과 해설 53쪽 |

개념 확인 1  두 점 $A(1, 2, 4)$, $B(1, -3, -1)$에 대하여 선분 AB를 3 : 2로 내분하는 점 P와 외분하는 점 Q의 좌표를 구하시오.

**원리** **알아보기** **선분의 내분점과 외분점**

좌표공간에서 두 점 $A(x_1, y_1, z_1)$, $B(x_2, y_2, z_2)$에 대하여

(1) 선분 AB를 $m:n(m>0, n>0)$으로 내분하는 점 P의 좌표는

$$\left( \frac{mx_2+nx_1}{m+n}, \frac{my_2+ny_1}{m+n}, \frac{mz_2+nz_1}{m+n} \right)$$

(2) 선분 AB를 $m:n(m>0, n>0, m\neq n)$으로 외분하는 점 Q의 좌표는

$$\left( \frac{mx_2-nx_1}{m-n}, \frac{my_2-ny_1}{m-n}, \frac{mz_2-nz_1}{m-n} \right)$$

(3) 선분 AB의 중점 M의 좌표는

$$\left( \frac{x_1+x_2}{2}, \frac{y_1+y_2}{2}, \frac{z_1+z_2}{2} \right)$$

증명

(1) $\overline{AB}$를 $m:n(m>0, n>0)$으로 내분하는 점 P

다음 그림과 같이 세 점 A, B, P의 $xy$평면 위로의 정사영을 각각 A′, B′, P′이라 하면

$$A'(x_1, y_1, 0), B'(x_2, y_2, 0), P'(x, y, 0)$$

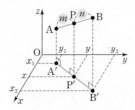

점 P는 $\overline{AB}$를 $m:n$으로 내분하는 점이므로

$$\overline{AP}:\overline{BP}=\overline{A'P'}:\overline{B'P'}=m:n$$

따라서 $xy$평면 위에서 점 P′은 $\overline{A'B'}$을 $m:n$으로 내분하는 점이므로

$$x=\frac{mx_2+nx_1}{m+n}, y=\frac{my_2+ny_1}{m+n}$$

같은 방법으로 세 점 A, B, P의 $yz$평면 또는 $zx$평면 위로의 정사영을 이용하여 점 P의 $z$좌표를 구하면

$$z=\frac{mz_2+nz_1}{m+n}$$

$$\therefore P\left( \frac{mx_2+nx_1}{m+n}, \frac{my_2+ny_1}{m+n}, \frac{mz_2+nz_1}{m+n} \right)$$

(2) $\overline{AB}$를 $m:n(m>0, n>0, m\neq n)$으로 외분하는 점 Q

다음 그림과 같이 세 점 A, B, Q의 $xy$평면 위로의 정사영을 각각 A′, B′, Q′이라 하면

$$A'(x_1, y_1, 0), B'(x_2, y_2, 0), Q'(x, y, 0)$$

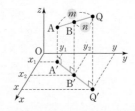

점 Q는 $\overline{AB}$를 $m:n$으로 외분하는 점이므로

$$\overline{AQ}:\overline{BQ}=\overline{A'Q'}:\overline{B'Q'}=m:n$$

따라서 $xy$평면 위에서 점 Q′은 $\overline{A'B'}$을 $m:n$으로 외분하는 점이므로

$$x=\frac{mx_2-nx_1}{m-n}, y=\frac{my_2-ny_1}{m-n}$$

같은 방법으로 세 점 A, B, Q의 $yz$평면 또는 $zx$평면 위로의 정사영을 이용하여 점 Q의 $z$좌표를 구하면

$$z=\frac{mz_2-nz_1}{m-n}$$

$$\therefore Q\left( \frac{mx_2-nx_1}{m-n}, \frac{my_2-ny_1}{m-n}, \frac{mz_2-nz_1}{m-n} \right)$$

(3) $\overline{AB}$의 중점 M

중점 M은 선분 AB를 $1:1$로 내분하는 점이므로

$$\left( \frac{1\times x_2+1\times x_1}{1+1}, \frac{1\times y_2+1\times y_1}{1+1}, \frac{1\times z_2+1\times z_1}{1+1} \right)$$

$$\therefore M\left( \frac{x_1+x_2}{2}, \frac{y_1+y_2}{2}, \frac{z_1+z_2}{2} \right)$$

Lecture

외분점을 구하는 공식은 내분점을 구하는 공식에서 $n$ 대신 $-n$을 대입한 것으로 생각하면 기억하기 쉽다.

**02 삼각형의 무게중심**

좌표공간에서 세 점 $A(x_1, y_1, z_1)$, $B(x_2, y_2, z_2)$, $C(x_3, y_3, z_3)$을 꼭짓점으로 하는 삼각형 ABC의 무게중심 G의 좌표는

$$\left( \frac{x_1+x_2+x_3}{3}, \frac{y_1+y_2+y_3}{3}, \frac{z_1+z_2+z_3}{3} \right)$$

참고 좌표평면에서 세 점 $A(x_1, y_1)$, $B(x_2, y_2)$, $C(x_3, y_3)$을 꼭짓점으로 하는 삼각형 ABC의 무게중심 G의 좌표는

$$\left( \frac{x_1+x_2+x_3}{3}, \frac{y_1+y_2+y_3}{3} \right)$$

설명 세 점 $A(x_1, y_1, z_1)$, $B(x_2, y_2, z_2)$, $C(x_3, y_3, z_3)$을 꼭짓점으로 하는 삼각형 ABC에서 $\overline{BC}$의 중점을 $M(x_4, y_4, z_4)$라 하면

$$x_4 = \frac{x_2+x_3}{2}, \quad y_4 = \frac{y_2+y_3}{2}, \quad z_4 = \frac{z_2+z_3}{2}$$

이때, 무게중심을 $G(x, y, z)$라 하면 점 G는 $\overline{AM}$을 $2:1$로 내분하는 점이므로

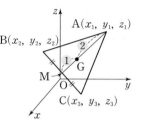

$$x = \frac{2x_4+x_1}{2+1} = \frac{x_1+x_2+x_3}{3}$$
$$y = \frac{2y_4+y_1}{2+1} = \frac{y_1+y_2+y_3}{3}$$
$$z = \frac{2z_4+z_1}{2+1} = \frac{z_1+z_2+z_3}{3}$$
$$\therefore G\left( \frac{x_1+x_2+x_3}{3}, \frac{y_1+y_2+y_3}{3}, \frac{z_1+z_2+z_3}{3} \right)$$

예 세 점 $A(1, -1, -2)$, $B(-1, 2, 3)$, $C(3, -4, -7)$을 꼭짓점으로 하는 삼각형 ABC의 무게중심 G의 좌표는

$$\left( \frac{1-1+3}{3}, \frac{-1+2-4}{3}, \frac{-2+3-7}{3} \right)$$

즉, $G(1, -1, -2)$

**Lecture**

| 삼각형의 무게중심의 좌표 | → | $x$좌표는 $x$좌표끼리, $y$좌표는 $y$좌표끼리, $z$좌표는 $z$좌표끼리 더해서 각각 3으로 나눈 것을 순서쌍으로 나타낸다. |

| 정답과 해설 53쪽 |

개념 확인 2 세 점 $A(0, 1, 2)$, $B(2, 3, -1)$, $C(1, 2, -4)$를 꼭짓점으로 하는 삼각형 ABC의 무게중심 G의 좌표를 구하시오.

**개념 check**

**1-1** 두 점 $A(0, 1, 2)$, $B(1, 3, 0)$에 대하여 다음 점의 좌표를 구하시오.

(1) 선분 AB를 $1 : 4$로 내분하는 점 P

(2) 선분 AB를 $1 : 4$로 외분하는 점 Q

(3) 선분 AB의 중점 M

연구 (1) 점 P의 좌표는

$$\left( \frac{1 \times \boxed{\phantom{x}} + 4 \times 0}{1+4}, \ \frac{1 \times 3 + 4 \times 1}{1+4}, \ \frac{1 \times 0 + 4 \times 2}{1+4} \right)$$

즉, $P\left( \boxed{\phantom{x}}, \ \frac{7}{5}, \ \frac{8}{5} \right)$

(2) 점 Q의 좌표는

$$\left( \frac{1 \times 1 - 4 \times 0}{1-4}, \ \frac{1 \times \boxed{\phantom{x}} - 4 \times 1}{1-4}, \ \frac{1 \times 0 - 4 \times 2}{1-4} \right)$$

즉, $Q\left( -\frac{1}{3}, \ \boxed{\phantom{x}}, \ \frac{8}{3} \right)$

(3) 중점 M의 좌표는

$$\left( \frac{0+1}{2}, \ \frac{1+3}{2}, \ \frac{\boxed{\phantom{x}}+0}{2} \right)$$

즉, $M\left( \frac{1}{2}, \ 2, \ \boxed{\phantom{x}} \right)$

**스스로 check**

**1-2** 두 점 $A(-1, 2, 3)$, $B(2, -1, 0)$에 대하여 다음 점의 좌표를 구하시오.

(1) 선분 AB를 $1 : 2$로 내분하는 점 P

(2) 선분 AB를 $1 : 2$로 외분하는 점 Q

(3) 선분 AB의 중점 M

**2-1** 삼각형 ABC의 두 꼭짓점이 각각 $A(-1, 2, 4)$, $B(2, 3, -1)$이고, 삼각형 ABC의 무게중심 G의 좌표가 $(1, 2, 1)$일 때, 점 C의 좌표를 구하시오.

연구 점 C의 좌표를 $(a, b, c)$라 하면 △ABC의 무게중심 G의 좌표는

$$\left( \frac{-1+2+a}{3}, \ \frac{2+3+b}{3}, \ \frac{4-1+c}{3} \right)$$

이 점이 $G(1, 2, 1)$과 같으므로

$$\frac{-1+2+a}{3} = 1, \ \frac{2+3+b}{3} = 2, \ \frac{4-1+c}{3} = 1$$

$\therefore a = \boxed{\phantom{x}}, \ b = \boxed{\phantom{x}}, \ c = \boxed{\phantom{x}}$

따라서 점 C의 좌표는 $(\boxed{\phantom{x}}, \boxed{\phantom{x}}, \boxed{\phantom{x}})$

**2-2** 삼각형 ABC의 두 꼭짓점이 각각 $A(3, -1, 5)$, $C(10, -4, 3)$이고, 삼각형 ABC의 무게중심 G의 좌표가 $(4, -1, 4)$일 때, 점 B의 좌표를 구하시오.

**대표 유형 01 선분의 내분점과 외분점**

🔵 유형 해결의 법칙 104쪽 유형 07

두 점 A$(2, -3, 0)$, B$(2, -5, 2)$에 대하여 선분 AB를 $4 : 3$으로 외분하는 점을 P라 하고 선분 PA를 $3 : 1$로 내분하는 점을 Q라 할 때, 점 Q의 좌표를 구하시오.

풀이

**❶ 점 P의 좌표 구하기**

선분 AB를 $4 : 3$으로 외분하는 점 P의 좌표는

$$\left( \frac{4 \times 2 - 3 \times 2}{4 - 3}, \ \frac{4 \times (-5) - 3 \times (-3)}{4 - 3}, \ \frac{4 \times 2 - 3 \times 0}{4 - 3} \right)$$

즉, P$(2, -11, 8)$

**❷ 점 Q의 좌표 구하기**

선분 PA를 $3 : 1$로 내분하는 점 Q의 좌표는

$$\left( \frac{3 \times 2 + 1 \times 2}{3 + 1}, \ \frac{3 \times (-3) + 1 \times (-11)}{3 + 1}, \ \frac{3 \times 0 + 1 \times 8}{3 + 1} \right)$$

즉, Q$(2, -5, 2)$

📋 Q$(2, -5, 2)$

---

**해법** 두 점 A$(x_1, y_1, z_1)$, B$(x_2, y_2, z_2)$에 대하여 선분 AB를 $m : n \, (m > 0, \, n > 0)$으로

❶ 내분하는 점 P의 좌표는 $\left( \dfrac{mx_2 + nx_1}{m + n}, \ \dfrac{my_2 + ny_1}{m + n}, \ \dfrac{mz_2 + nz_1}{m + n} \right)$

❷ 외분하는 점 Q의 좌표는 $\left( \dfrac{mx_2 - nx_1}{m - n}, \ \dfrac{my_2 - ny_1}{m - n}, \ \dfrac{mz_2 - nz_1}{m - n} \right)$ (단, $m \neq n$)

---

| 정답과 해설 53쪽 |

**01-1** 두 점 A$(3, -2, 1)$, B$(-1, 2, -3)$에 대하여 선분 AB를 $2 : 1$로 외분하는 점을 P라 하고 선분 PA를 $1 : 2$로 내분하는 점을 Q라 할 때, 점 Q의 좌표를 구하시오.

**01-2** 두 점 A$(1, 3, 5)$, B$(-3, 1, -1)$에 대하여 선분 AB를 $2 : 1$로 외분하는 점을 P라 하고 선분 AB를 $1 : 3$으로 외분하는 점을 Q라 할 때, 선분 PQ의 중점 M의 좌표를 구하시오.

대표 유형 **02** 좌표평면 또는 좌표축에 의한 내분과 외분

↻ 유형 해결의 법칙 104쪽 유형 08

두 점 $A(1, 3, -1)$, $B(a, b, c)$에 대하여 선분 $AB$가 $yz$평면에 의하여 $4 : 1$로 내분되고, $x$축에 의하여 $3 : 2$로 외분된다고 할 때, 점 $B$의 좌표를 구하시오.

**풀이**

**❶ 선분 AB를 4 : 1로 내분하는 점의 좌표 구하기**

선분 $AB$를 $4 : 1$로 내분하는 점의 좌표는
$$\left( \frac{4 \times a + 1 \times 1}{4+1}, \ \frac{4 \times b + 1 \times 3}{4+1}, \ \frac{4 \times c + 1 \times (-1)}{4+1} \right)$$
즉, $\left( \dfrac{4a+1}{5}, \ \dfrac{4b+3}{5}, \ \dfrac{4c-1}{5} \right)$

**❷ $a$의 값 구하기**

이때, 내분하는 점이 $yz$평면 위에 있으므로 $x$좌표는 $0$이다.

즉, $\dfrac{4a+1}{5} = 0$　∴ $a = -\dfrac{1}{4}$

> $\overline{AB}$가 $yz$평면에 의하여 내분되면 $\overline{AB}$의 내분점은 $yz$평면 위에 있어.

**❸ 선분 AB를 3 : 2로 외분하는 점의 좌표 구하기**

선분 $AB$를 $3 : 2$로 외분하는 점의 좌표는
$$\left( \frac{3 \times a - 2 \times 1}{3-2}, \ \frac{3 \times b - 2 \times 3}{3-2}, \ \frac{3 \times c - 2 \times (-1)}{3-2} \right)$$
즉, $(3a-2, \ 3b-6, \ 3c+2)$

**❹ $b, c$의 값 구하기**

이때, 외분하는 점이 $x$축 위에 있으므로 $y$좌표, $z$좌표는 모두 $0$이다.

즉, $3b-6=0$, $3c+2=0$

∴ $b=2$, $c=-\dfrac{2}{3}$

> $\overline{AB}$가 $x$축에 의하여 외분되면 $\overline{AB}$의 외분점은 $x$축 위에 있어.

**❺ 점 B의 좌표 구하기**

따라서 점 $B$의 좌표는 $\left( -\dfrac{1}{4}, 2, -\dfrac{2}{3} \right)$

冒 $B\left( -\dfrac{1}{4}, 2, -\dfrac{2}{3} \right)$

**해법** ❶ 좌표평면에 의하여 내분(외분)되는 경우

| $\overline{AB}$가 $xy$평면에 의하여 내분(외분)되면 | → | 내분(외분)점은 $xy$평면 위에 있다. | → | $z$좌표는 $0$ |
| --- | --- | --- | --- | --- |

❷ 좌표축에 의하여 내분(외분)되는 경우

| $\overline{AB}$가 $x$축에 의하여 내분(외분)되면 | → | 내분(외분)점은 $x$축 위에 있다. | → | $y$좌표, $z$좌표는 $0$ |
| --- | --- | --- | --- | --- |

| 정답과 해설 54쪽 |

**02-1** 두 점 $A(3, -2, -1)$, $B(a, b, c)$에 대하여 선분 $AB$가 $xy$평면에 의하여 $1 : 2$로 내분되고, $z$축에 의하여 $2 : 1$로 외분된다고 할 때, 상수 $a, b, c$의 곱 $abc$의 값을 구하시오.

대표 유형 **03** 선분의 중점의 활용 – 평행사변형

↻ 유형 해결의 법칙 105쪽 유형 09

네 점 $A(3, -2, 2)$, $B(2, 3, 4)$, $C(-1, 6, 4)$, $D(a, b, c)$에 대하여 사각형 ABCD가 평행사변형일 때, 상수 $a$, $b$, $c$의 합 $a+b+c$의 값을 구하시오.

**풀이**

❶ $\overline{AC}$의 중점의 좌표 구하기

$\overline{AC}$의 중점의 좌표는 $\left( \dfrac{3-1}{2}, \dfrac{-2+6}{2}, \dfrac{2+4}{2} \right)$

즉, $(1, 2, 3)$

❷ $\overline{BD}$의 중점의 좌표 구하기

$\overline{BD}$의 중점의 좌표는 $\left( \dfrac{2+a}{2}, \dfrac{3+b}{2}, \dfrac{4+c}{2} \right)$

❸ 사각형 ABCD가 평행사변형일 조건 이용하기

사각형 ABCD가 평행사변형이므로 $\overline{AC}$의 중점과 $\overline{BD}$의 중점이 서로 일치한다.

$\dfrac{2+a}{2}=1, \dfrac{3+b}{2}=2, \dfrac{4+c}{2}=3$에서

$a=0, b=1, c=2$

> 평행사변형은 두 대각선이 각각의 중점에서 만나는 성질을 가지고 있어.

❹ $a+b+c$의 값 구하기

$\therefore a+b+c=3$

답 3

**해법** 사각형 ABCD가 평행사변형이면 $\overline{AC}$의 중점과 $\overline{BD}$의 중점이 서로 일치한다.

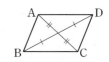

| 정답과 해설 54쪽 |

**03-1** 네 점 $A(3, -2, 2)$, $B(a, 3, 4)$, $C(-1, b, 4)$, $D(5, -1, c)$에 대하여 사각형 ABCD가 평행사변형일 때, 상수 $a$, $b$, $c$의 합 $a+b+c$의 값을 구하시오.

**03-2** 평행사변형 ABCD에서 $A(-3, 1, 5)$, $B(1, -2, -3)$이고 두 대각선의 교점의 좌표가 $M(2, 0, 4)$일 때, 두 점 C, D의 좌표를 각각 구하시오.

↪ 유형 해결의 법칙 105쪽 유형 10

**대표 유형 04 삼각형의 무게중심**

삼각형 ABC에 대하여 두 선분 AB, CA의 중점이 각각 D(1, 2, 3), E(−1, 4, 1)이고 꼭짓점 A의 좌표는 (2, −4, 2)이다. 이때, 삼각형 ABC의 무게중심 G의 좌표를 구하시오.

**풀이**

**① 두 점 B, C의 좌표를 미지수를 이용하여 정하기**

두 점 B, C의 좌표를 $B(x_1, y_1, z_1)$, $C(x_2, y_2, z_2)$라 하면

**② 두 선분 AB, CA의 중점의 좌표 구하기**

선분 AB의 중점의 좌표는 $\left( \dfrac{x_1+2}{2}, \dfrac{y_1-4}{2}, \dfrac{z_1+2}{2} \right)$

선분 CA의 중점의 좌표는 $\left( \dfrac{x_2+2}{2}, \dfrac{y_2-4}{2}, \dfrac{z_2+2}{2} \right)$

**③ 점 B의 좌표 구하기**

점 D(1, 2, 3)이므로

$$\frac{x_1+2}{2}=1, \frac{y_1-4}{2}=2, \frac{z_1+2}{2}=3$$에서

$x_1=0, y_1=8, z_1=4$  ∴ B(0, 8, 4)

**④ 점 C의 좌표 구하기**

점 E(−1, 4, 1)이므로

$$\frac{x_2+2}{2}=-1, \frac{y_2-4}{2}=4, \frac{z_2+2}{2}=1$$에서

$x_2=-4, y_2=12, z_2=0$  ∴ C(−4, 12, 0)

**⑤ 무게중심 G의 좌표 구하기**

따라서 삼각형 ABC의 무게중심 G의 좌표는

$$\left( \frac{2+0-4}{3}, \frac{-4+8+12}{3}, \frac{2+4+0}{3} \right)$$

즉, $G\left( -\dfrac{2}{3}, \dfrac{16}{3}, 2 \right)$

📋 $G\left( -\dfrac{2}{3}, \dfrac{16}{3}, 2 \right)$

**해법**

세 점 $A(x_1, y_1, z_1)$, $B(x_2, y_2, z_2)$, $C(x_3, y_3, z_3)$
을 꼭짓점으로 하는 △ABC의 무게중심의 좌표  →  $\left( \dfrac{x_1+x_2+x_3}{3}, \dfrac{y_1+y_2+y_3}{3}, \dfrac{z_1+z_2+z_3}{3} \right)$

| 정답과 해설 54쪽 |

**04-1**  삼각형 ABC에 대하여 두 선분 AB, BC의 중점이 각각 D(1, −2, −3), E(1, −4, −2)이고 꼭짓점 B의 좌표는 (2, −3, 1)이다. 이때, 삼각형 ABC의 무게중심 G의 좌표를 구하시오.

# 3 구의 방정식

## 개념 01 구의 방정식

**1 구의 정의**

공간에서 한 점 C로부터 일정한 거리에 있는 점 전체의 집합을 **구**라 한다. 이때, 점 C를 구의 중심, 일정한 거리를 구의 반지름의 길이라 한다.

**2 구의 방정식**

(1) 중심이 $C(a, b, c)$이고 반지름의 길이가 $r$인 구의 방정식

➡ $(x-a)^2+(y-b)^2+(z-c)^2=r^2$ ← 구의 방정식의 표준형

(2) 중심이 원점이고 반지름의 길이가 $r$인 구의 방정식

➡ $x^2+y^2+z^2=r^2$

**참고** 좌표평면에서 중심이 $C(a, b)$이고 반지름의 길이가 $r$인 원의 방정식

➡ $(x-a)^2+(y-b)^2=r^2$

**설명**

오른쪽 그림과 같이 점 $C(a, b, c)$를 중심으로 하고 반지름의 길이가 $r$인 구 위의 임의의 점을 $P(x, y, z)$라 하면 $\overline{CP}=r$이므로

$$\sqrt{(x-a)^2+(y-b)^2+(z-c)^2}=r$$

이 식의 양변을 제곱하면

$$(x-a)^2+(y-b)^2+(z-c)^2=r^2 \quad \cdots\cdots \bigcirc$$

역으로 ㉠을 만족시키는 점 $P(x, y, z)$는 $\overline{CP}=r$이므로 중심이 $C(a, b, c)$이고 반지름의 길이가 $r$인 구 위에 있다.

따라서 ㉠은 중심이 $C(a, b, c)$이고 반지름의 길이가 $r$인 구의 방정식이다.

**예**

(1) 중심이 $C(3, 1, 2)$이고 반지름의 길이가 5인 구의 방정식은

$$(x-3)^2+(y-1)^2+(z-2)^2=25$$

(2) 중심이 원점이고 반지름의 길이가 2인 구의 방정식은

$$x^2+y^2+z^2=4$$

**Lecture**

중심이 $C(a, b, c)$, 반지름의 길이가 $r$인 구의 방정식 → $(x-a)^2+(y-b)^2+(z-c)^2=r^2$

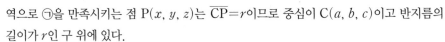

| 정답과 해설 55쪽 |

**개념 확인 1** 다음 구의 방정식을 구하시오.

(1) 중심이 $C(1, 5, -2)$이고 반지름의 길이가 4인 구

(2) 중심이 원점이고 반지름의 길이가 3인 구

### 개념 02 좌표평면 또는 좌표축에 접하는 구의 방정식

**1 좌표평면에 접하는 구의 방정식**

| $xy$평면에 접하는 경우 | $yz$평면에 접하는 경우 | $zx$평면에 접하는 경우 |
|---|---|---|
| 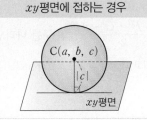 | 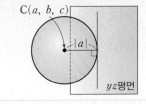 |  |
| (반지름의 길이)=\|중심의 $z$좌표\|=\|$c$\| | (반지름의 길이)=\|중심의 $x$좌표\|=\|$a$\| | (반지름의 길이)=\|중심의 $y$좌표\|=\|$b$\| |
| $\Rightarrow (x-a)^2+(y-b)^2+(z-c)^2=c^2$ | $\Rightarrow (x-a)^2+(y-b)^2+(z-c)^2=a^2$ | $\Rightarrow (x-a)^2+(y-b)^2+(z-c)^2=b^2$ |

**2 좌표축에 접하는 구의 방정식**

| $x$축에 접하는 경우 | $y$축에 접하는 경우 | $z$축에 접하는 경우 |
|---|---|---|

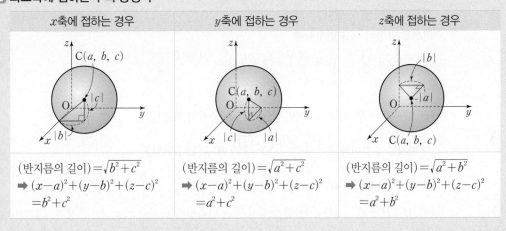

| | | |
|---|---|---|
| (반지름의 길이)=$\sqrt{b^2+c^2}$ | (반지름의 길이)=$\sqrt{a^2+c^2}$ | (반지름의 길이)=$\sqrt{a^2+b^2}$ |
| $\Rightarrow (x-a)^2+(y-b)^2+(z-c)^2$ $=b^2+c^2$ | $\Rightarrow (x-a)^2+(y-b)^2+(z-c)^2$ $=a^2+c^2$ | $\Rightarrow (x-a)^2+(y-b)^2+(z-c)^2$ $=a^2+b^2$ |

예

(1) 중심이 $C(2, 3, 4)$이고 $xy$평면에 접하는 구의 방정식은
(반지름의 길이)=|중심의 $z$좌표|=4이므로
$$(x-2)^2+(y-3)^2+(z-4)^2=16$$

(2) 중심이 $C(2, 3, 4)$이고 $x$축에 접하는 구의 방정식은
(반지름의 길이)=$\sqrt{3^2+4^2}=\sqrt{25}=5$이므로
$$(x-2)^2+(y-3)^2+(z-4)^2=25$$

Lecture
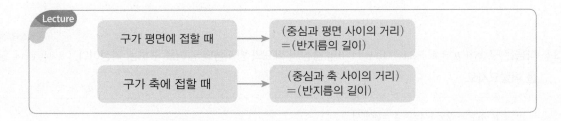

| 정답과 해설 55쪽 |

개념 확인 2 중심이 $C(-1, 2, 5)$이고 다음을 만족시키는 구의 방정식을 구하시오.

(1) $yz$평면에 접하는 구        (2) $z$축에 접하는 구

## 개념 03 방정식 $x^2+y^2+z^2+Ax+By+Cz+D=0$이 나타내는 도형

$x, y, z$에 대한 이차방정식

$$x^2+y^2+z^2+Ax+By+Cz+D=0 \ (A^2+B^2+C^2-4D>0) \leftarrow \text{구의 방정식의 일반형}$$

은 중심의 좌표가 $\left(-\dfrac{A}{2}, -\dfrac{B}{2}, -\dfrac{C}{2}\right)$이고 반지름의 길이가 $\dfrac{\sqrt{A^2+B^2+C^2-4D}}{2}$인 구를 나타낸다.

**참고** 구의 방정식의 일반형은 $x, y, z$에 대한 이차방정식이고, $x^2, y^2, z^2$의 계수가 같고 $xy, yz, zx$항은 포함하지 않는다.

---

**설명**

구의 방정식 $(x-a)^2+(y-b)^2+(z-c)^2=r^2$을 전개하여 정리하면

$$x^2+y^2+z^2-2ax-2by-2cz+a^2+b^2+c^2-r^2=0$$

이때, $A=-2a, B=-2b, C=-2c, D=a^2+b^2+c^2-r^2$이라 하면 구의 방정식은

$$x^2+y^2+z^2+Ax+By+Cz+D=0 \qquad \cdots\cdots \ㄱ$$

의 꼴로 나타낼 수 있다.

역으로 방정식 ㉠을 변형하면

$$\left(x+\dfrac{A}{2}\right)^2+\left(y+\dfrac{B}{2}\right)^2+\left(z+\dfrac{C}{2}\right)^2=\dfrac{A^2+B^2+C^2-4D}{4}$$

이므로

(ⅰ) $A^2+B^2+C^2-4D>0$이면 방정식 ㉠은 중심의 좌표가 $\left(-\dfrac{A}{2}, -\dfrac{B}{2}, -\dfrac{C}{2}\right)$,

반지름의 길이가 $\dfrac{\sqrt{A^2+B^2+C^2-4D}}{2}$인 구를 나타낸다.

(ⅱ) $A^2+B^2+C^2-4D=0$이면 방정식 ㉠은 점 $\left(-\dfrac{A}{2}, -\dfrac{B}{2}, -\dfrac{C}{2}\right)$를 나타낸다.

(ⅲ) $A^2+B^2+C^2-4D<0$이면 방정식 ㉠을 만족시키는 실수 $x, y, z$는 존재하지 않는다.

---

**Lecture**

| 구의 방정식의 일반형 $x^2+y^2+z^2+Ax+By+Cz+D=0$ $(A^2+B^2+C^2-4D>0)$ | 이차항을 포함한 항을 완전제곱식으로 변형 | 구의 방정식의 표준형 $\left(x+\dfrac{A}{2}\right)^2+\left(y+\dfrac{B}{2}\right)^2+\left(z+\dfrac{C}{2}\right)^2$ $=\dfrac{A^2+B^2+C^2-4D}{4}$ |

---

| 정답과 해설 55쪽 |

**개념 확인 3** 다음은 구 $x^2+y^2+z^2-2x+4z-4=0$의 중심의 좌표와 반지름의 길이를 구하는 과정이다. ㈎, ㈏, ㈐에 알맞은 것을 써넣으시오.

> $x^2+y^2+z^2-2x+4z-4=0$에서
>
> $(x^2-2x+\boxed{㈎})+y^2+(z^2+4z+4)=\boxed{㈏}$
>
> $(x-\boxed{㈎})^2+y^2+(z+2)^2=\boxed{㈏}$
>
> ∴ 중심의 좌표: $(\boxed{㈎}, 0, -2)$, 반지름의 길이: $\boxed{㈐}$

**개념 check**

**1-1** 다음 구의 방정식을 구하시오.

(1) 중심이 원점이고 점 A$(1, 2, 2)$를 지나는 구

(2) 중심이 C$(0, 1, 3)$이고 점 A$(3, -2, 1)$을 지나는 구

연구 (1) 중심이 원점이고 반지름의 길이가 $r$인 구의 방정식은 $x^2+y^2+z^2=r^2$

이 구가 점 A$(1, 2, 2)$를 지나므로

$1+4+\boxed{\phantom{0}}=r^2$, $r^2=\boxed{\phantom{0}}$

$\therefore x^2+y^2+z^2=\boxed{\phantom{0}}$

(2) 중심이 C$(0, 1, 3)$이고 반지름의 길이가 $r$인 구의 방정식은 $x^2+(y-1)^2+(z-3)^2=r^2$

이 구가 점 A$(3, -2, 1)$을 지나므로

$9+9+\boxed{\phantom{0}}=r^2$, $r^2=\boxed{\phantom{0}}$

$\therefore x^2+(y-1)^2+(z-3)^2=\boxed{\phantom{0}}$

**2-1** 중심이 C$(2, -1, -3)$이고 다음을 만족시키는 구의 방정식을 구하시오.

(1) $zx$평면에 접하는 구

(2) $y$축에 접하는 구

연구 (1) 구가 $zx$평면에 접하므로

(반지름의 길이)$=|$중심의 $\boxed{\phantom{0}}$좌표$|=\boxed{\phantom{0}}$

$\therefore (x-2)^2+(y+1)^2+(z+3)^2=\boxed{\phantom{0}}$

(2) 구가 $y$축에 접하므로

(반지름의 길이)$=\sqrt{\boxed{\phantom{0}}^2+(-3)^2}=\sqrt{\boxed{\phantom{0}}}$

$\therefore (x-2)^2+(y+1)^2+(z+3)^2=\boxed{\phantom{0}}$

**3-1** 방정식 $x^2+y^2+z^2+2y-4z+1=0$이 나타내는 구의 중심의 좌표와 반지름의 길이를 구하시오.

연구 $x^2+y^2+z^2+2y-4z+1=0$에서

$x^2+(y^2+2y+1)+(z^2-4z+4)=\boxed{\phantom{0}}$

즉, $x^2+(y+1)^2+(z-2)^2=\boxed{\phantom{0}}$

$\therefore$ 중심의 좌표: $(0, \boxed{\phantom{0}}, 2)$, 반지름의 길이: $\boxed{\phantom{0}}$

**스스로 check**

**1-2** 다음 구의 방정식을 구하시오.

(1) 중심이 C$(2, 1, 3)$이고 원점을 지나는 구

(2) 중심이 C$(2, -1, 2)$이고 점 A$(0, 1, 3)$을 지나는 구

**2-2** 중심이 C$(-5, 1, 6)$이고 다음을 만족시키는 구의 방정식을 구하시오.

(1) $xy$평면에 접하는 구

(2) $z$축에 접하는 구

**3-2** 방정식 $x^2+y^2+z^2+4x-2y+6z+13=0$이 나타내는 구의 중심의 좌표와 반지름의 길이를 구하시오.

다음 조건을 만족시키는 구의 방정식을 구하시오.

(1) 두 점 $A(3, -1, -2)$, $B(-1, 3, 2)$를 지름의 양 끝점으로 하는 구

(2) 네 점 $O(0, 0, 0)$, $A(2, 4, 0)$, $B(-4, 2, 1)$, $C(-2, 6, 0)$을 지나는 구

**풀이** (1) ❶ 구의 중심은 $\overline{AB}$의 중점임을 이용하기

구의 중심은 $\overline{AB}$의 중점이므로 중심의 좌표는

$$\left(\frac{3-1}{2}, \frac{-1+3}{2}, \frac{-2+2}{2}\right), \text{즉} (1, 1, 0)$$

❷ 구의 반지름의 길이는 $\frac{1}{2}\overline{AB}$임을 이용하기

구의 반지름의 길이는 $\frac{1}{2}\overline{AB}$이므로

$$\overline{AB} = \sqrt{(-1-3)^2 + (3+1)^2 + (2+2)^2} = 4\sqrt{3}$$에서

반지름의 길이는 $\frac{1}{2}\overline{AB} = \frac{1}{2} \times 4\sqrt{3} = 2\sqrt{3}$

❸ 구의 방정식 구하기

따라서 구하는 구의 방정식은 $(x-1)^2 + (y-1)^2 + z^2 = 12$

(2) ❶ 구의 방정식의 일반형 이용하기

구하는 구의 방정식을 $x^2 + y^2 + z^2 + Ax + By + Cz + D = 0$으로 놓고

❷ 구가 네 점 O, A, B, C를 지남을 이용하기

네 점의 좌표를 대입하면

$O(0, 0, 0)$ ➡ $D = 0$

$A(2, 4, 0)$ ➡ $20 + 2A + 4B + D = 0$, $A + 2B = -10$ ······㉠

$B(-4, 2, 1)$ ➡ $21 - 4A + 2B + C + D = 0$, $4A - 2B - C = 21$ ······㉡

$C(-2, 6, 0)$ ➡ $40 - 2A + 6B + D = 0$, $A - 3B = 20$ ······㉢

㉠, ㉡, ㉢을 연립하여 풀면 $A = 2$, $B = -6$, $C = -1$

❸ 구의 방정식 구하기

따라서 구하는 구의 방정식은 $x^2 + y^2 + z^2 + 2x - 6y - z = 0$

**답** (1) $(x-1)^2 + (y-1)^2 + z^2 = 12$ (2) $x^2 + y^2 + z^2 + 2x - 6y - z = 0$

**해법**

| 지름의 양 끝점 A, B의 좌표를 알 때 | ⟶ | 중심이 $\overline{AB}$의 중점, 반지름의 길이가 $\frac{1}{2}\overline{AB}$임을 이용 |
|---|---|---|
| 구가 지나는 네 점의 좌표를 알 때 | ⟶ | $x^2 + y^2 + z^2 + Ax + By + Cz + D = 0$에 대입 |

| 정답과 해설 55쪽 |

**01-1** 다음 조건을 만족시키는 구의 방정식을 구하시오.

(1) 두 점 $A(3, -7, -3)$, $B(7, 1, 5)$를 지름의 양 끝점으로 하는 구

(2) 네 점 $O(0, 0, 0)$, $A(0, 2, -2)$, $B(2, -4, 2)$, $C(0, -2, -2)$를 지나는 구

↱ 유형 해결의 법칙 106쪽 유형 12

## 대표 유형  좌표평면 또는 좌표축에 접하는 구의 방정식

다음을 구하시오.

(1) 점 $A(1, 2, 4)$를 지나고 $xy$평면, $yz$평면, $zx$평면에 동시에 접하는 두 구의 반지름의 길이의 합

(2) 중심의 좌표가 $(a, b, c)$, 반지름의 길이가 $\sqrt{2}$이고 $x$축, $y$축, $z$축에 동시에 접하는 구의 방정식

(단, $a>0, b>0, c>0$)

풀이 (1) ❶ 구의 중심의 좌표를 $(a, b, c)$로 놓기

점 $A$와 구의 중심이 $xy$평면, $yz$평면, $zx$평면에 대하여 각각 같은 영역에 존재해야 하므로 구의 중심을 $(a, b, c)$라 하면 $a>0, b>0, c>0$

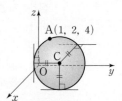

❷ 중심과 평면 사이의 거리가 반지름의 길이와 같음을 이용하여 구의 방정식 세우기

구의 반지름의 길이를 $r$라 하면 구가 $xy$평면, $yz$평면, $zx$평면에 모두 접하므로
|중심의 $z$좌표$|=c=r$, |중심의 $x$좌표$|=a=r$, |중심의 $y$좌표$|=b=r$
이때, 구하는 구의 방정식을 $(x-r)^2+(y-r)^2+(z-r)^2=r^2$이라 하자.

❸ 점 $A$를 구의 방정식에 대입한 후 반지름의 길이의 합 구하기

점 $A(1, 2, 4)$를 지나므로 $(1-r)^2+(2-r)^2+(4-r)^2=r^2$ ∴ $2r^2-14r+21=0$
따라서 두 구의 반지름의 길이의 합은 이차방정식의 근과 계수의 관계에 의하여
$\dfrac{14}{2}=7$

(2) ❶ 구가 $x$축, $y$축, $z$축에 동시에 접할 조건 이용하기

구의 중심의 $x$좌표, $y$좌표, $z$좌표가 모두 양수이고 구가 $x$축, $y$축, $z$축에 동시에 접하려면 구의 중심 $(a, b, c)$에서 $x$축, $y$축, $z$축에 이르는 거리가 모두 같아야 하므로 $a=b=c$
즉, 구의 중심은 $C(a, a, a)$로 놓을 수 있다. (단, $a>0$)

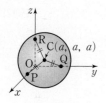

❷ 중심과 축 사이의 거리가 반지름의 길이와 같음을 이용하기

이때, 이 구와 $x$축, $y$축, $z$축과의 접점을 각각 $P(a, 0, 0)$, $Q(0, a, 0)$, $R(0, 0, a)$라 하면 $\overline{CP}=\overline{CQ}=\overline{CR}=\sqrt{2}$에서
$\sqrt{(a-a)^2+a^2+a^2}=\sqrt{2}$, $\sqrt{2}a=\sqrt{2}$ ∴ $a=1$

❸ 구의 방정식 구하기

따라서 중심의 좌표가 $(1, 1, 1)$이고 반지름의 길이가 $\sqrt{2}$이므로 구하는 구의 방정식은
$(x-1)^2+(y-1)^2+(z-1)^2=2$

🔲 (1) 7 (2) $(x-1)^2+(y-1)^2+(z-1)^2=2$

| 정답과 해설 56쪽 |

**02-1** 점 $A(2, 4, 2)$를 지나고 $xy$평면, $yz$평면, $zx$평면에 동시에 접하는 두 구의 반지름의 길이의 곱을 구하시오.

**02-2** 중심의 좌표가 $(a, b, c)$, 반지름의 길이가 2이고 $x$축, $y$축, $z$축에 동시에 접하는 구의 방정식을 구하시오.

(단, $a>0, b>0, c>0$)

대표 유형 **03** 구와 좌표평면의 교선

↪ 유형 해결의 법칙 107쪽 유형 14

다음을 구하시오.

(1) 구 $x^2+y^2+z^2+2x-6y-4z=0$과 $xy$평면이 만나서 생기는 도형의 넓이

(2) 구 $x^2+y^2+z^2-2x+4y+4z=0$과 $yz$평면이 만나서 생기는 도형의 둘레의 길이

풀이 (1)

❶ 구와 $xy$평면이 만나서 생기는 교선의 방정식 구하기

주어진 구의 방정식에 $z=0$을 대입하면
$x^2+y^2+2x-6y=0$
$\therefore (x+1)^2+(y-3)^2=10$

> 구와 평면이 만날 때 생기는 도형은 점 또는 원이야.

❷ 구와 $xy$평면이 만나서 생기는 원의 넓이 구하기

즉, 구와 $xy$평면이 만나서 생기는 도형은 중심의 좌표가 $(-1, 3, 0)$이고 반지름의 길이가 $\sqrt{10}$인 원이다.
따라서 구하는 도형의 넓이는
$\pi \times (\sqrt{10})^2 = 10\pi$

(2)

❶ 구와 $yz$평면이 만나서 생기는 교선의 방정식 구하기

주어진 구의 방정식에 $x=0$을 대입하면
$y^2+z^2+4y+4z=0$
$\therefore (y+2)^2+(z+2)^2=8$

❷ 구와 $yz$평면이 만나서 생기는 원의 둘레의 길이 구하기

즉, 구와 $yz$평면이 만나서 생기는 도형은 중심의 좌표가 $(0, -2, -2)$이고 반지름의 길이가 $2\sqrt{2}$인 원이다.
따라서 구하는 도형의 둘레의 길이는
$2\pi \times 2\sqrt{2} = 4\sqrt{2}\pi$

🖹 (1) $10\pi$ (2) $4\sqrt{2}\pi$

해법
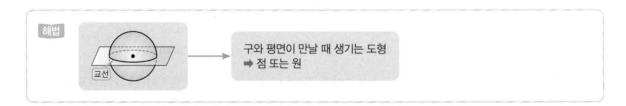
구와 평면이 만날 때 생기는 도형
➡ 점 또는 원

| 정답과 해설 56쪽 |

**03-1** 구 $x^2+y^2+z^2-12x-12y+6z+34=0$과 $zx$평면이 만나서 생기는 도형의 둘레의 길이를 구하시오.

**03-2** 구 $(x-1)^2+(y-2)^2+(z-3)^2=r^2$과 $xy$평면이 만나서 생기는 도형의 넓이는 $16\pi$이다. 이 구와 $yz$평면이 만나서 생기는 도형의 넓이를 구하시오.

**대표 유형 (04) 구에 그은 접선의 길이** ↻ 유형 해결의 법칙 108쪽 유형 15

점 $P(-2, \sqrt{3}, 1)$에서 구 $x^2+y^2+z^2-10x-6z+30=0$에 그은 접선의 길이를 구하시오.

풀이

❶ 구의 중심의 좌표와 반지름의 길이 구하기

주어진 구의 방정식을 변형하면
$(x-5)^2+y^2+(z-3)^2=4$
즉, 구의 중심의 좌표는 $(5, 0, 3)$이고 반지름의 길이는 2이다.

❷ 피타고라스 정리를 이용하여 접선의 길이 구하기

오른쪽 그림과 같이 구의 중심을 C, 점 P에서 구에 그은 접선의 접점을 Q라 하면 △PQC는 직각삼각형이므로
$$\overline{PQ}=\sqrt{\overline{PC}^2-\overline{CQ}^2}$$
$$=\sqrt{(5+2)^2+(-\sqrt{3})^2+(3-1)^2-2^2}$$
$$=\sqrt{56-4}=2\sqrt{13}$$

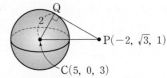

답 $2\sqrt{13}$

해법

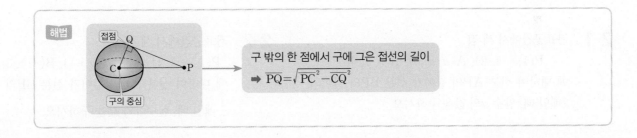

구 밖의 한 점에서 구에 그은 접선의 길이
➡ $\overline{PQ}=\sqrt{\overline{PC}^2-\overline{CQ}^2}$

| 정답과 해설 56쪽 |

**04-1** 점 $P(2, 3, -1)$에서 구 $x^2+y^2+z^2-2x+4z-2=0$에 그은 접선의 길이를 구하시오.

**04-2** 점 $P(-4, 3, 0)$에서 구 $x^2+y^2+z^2+12x-2z+a=0$에 그은 접선의 길이가 3일 때, 상수 $a$의 값을 구하시오.

**1-1** $xy$평면에 대하여 대칭인 두 점 A$(a, b, c)$, B$(d, e, f)$에 대하여 점 A에서 $z$축에 내린 수선의 발의 좌표가 $(0, 0, 4)$이고 점 B에서 $xy$평면에 내린 수선의 발의 좌표가 $(1, 2, 0)$이다. 이때, $(a+b+c)(d+e+f)$의 값을 구하시오.

**1-2** $z$축에 대하여 대칭인 두 점 A$(a, b, c)$, B$(d, e, f)$에 대하여 점 A에서 $yz$평면에 내린 수선의 발의 좌표가 $(0, -2, 3)$이고 점 B에서 $x$축에 내린 수선의 발의 좌표가 $(4, 0, 0)$이다. 이때, $(a+b+c)(d+e+f)$의 값을 구하시오.

**2-1** 좌표공간에서 세 점
$$P(1, -1, 2), A(a, a, 0), B(3, 1, 4)$$
에 대하여 선분 AP의 길이가 선분 BP의 길이의 2배일 때, 양수 $a$의 값을 구하시오.

**2-2** 좌표공간에서 세 점
$$P(1, -3, 4), A(2, a, a+1), B(-1, 3, -2)$$
에 대하여 선분 AP의 길이가 선분 BP의 길이의 $\frac{1}{2}$배일 때, 실수 $a$의 값을 구하시오.

**3-1** 두 점 A$(1, 2, 3)$, B$(-1, 4, 1)$과 $y$축 위의 점 C에 대하여 삼각형 ABC가 $\overline{AC}=\overline{BC}$인 이등변삼각형일 때, 점 C의 좌표를 구하시오.

**3-2** 두 점 A$(2, 3, -2)$, B$(-2, 1, 4)$와 $x$축 위의 점 C에 대하여 삼각형 ABC가 $\overline{AC}=\overline{BC}$인 이등변삼각형일 때, 점 C의 좌표를 구하시오.

**4-1** 두 점 $A(2, 6, 1)$, $B(p, 2, 3)$과 $yz$평면 위를 움직이는 점 P에 대하여 $\overline{AP}+\overline{BP}$의 최솟값이 6일 때, 양수 $p$의 값을 구하시오.

**4-2** 두 점 $A(1, 3, 5)$, $B(3, p, 1)$과 $zx$평면 위를 움직이는 점 P에 대하여 $\overline{AP}+\overline{BP}$의 최솟값이 6일 때, 양수 $p$의 값을 구하시오.

**5-1** 두 점 $A(4, -1, 2)$, $B(0, 3, -1)$에 대하여 선분 AB를 $2:1$로 내분하는 점을 P라 하고 선분 PA를 $1:2$로 외분하는 점을 Q라 할 때, $\overline{PQ}$의 길이를 구하시오.

**5-2** 두 점 $A(-1, 0, 2)$, $B(3, -4, -2)$에 대하여 선분 AB를 $1:2$로 내분하는 점을 P라 하고 선분 PA를 $3:2$로 외분하는 점을 Q라 할 때, $\overline{PQ}$의 길이를 구하시오.

**6-1** 두 점 $A(2, -3, 1)$, $B(-5, 1, -3)$에 대하여 선분 AB가 $zx$평면에 의하여 $m:n$으로 분할될 때, $m$, $n$의 값을 구하시오.

(단, $m$, $n$은 서로소인 자연수이다.)

**6-2** 두 점 $A(4, 1, -3)$, $B(1, -2, 3)$에 대하여 선분 AB가 $xy$평면에 의하여 $m:n$으로 분할될 때, $m$, $n$의 값을 구하시오.

(단, $m$, $n$은 서로소인 자연수이다.)

**7-1** 네 점 $A(3, -2, -2)$, $B(a+2b, 3, -1)$, $C(-2, a-2b, 2)$, $D(4, -2, c)$에 대하여 사각형 ABCD가 평행사변형일 때, 상수 $a$, $b$, $c$의 합 $a+b+c$의 값을 구하시오.

**7-2** 네 점 $A(1, -2, 3)$, $B(a-b, 2, -3)$, $C(-1, a+3b, 4)$, $D(2, 2, c)$에 대하여 사각형 ABCD가 평행사변형일 때, 상수 $a$, $b$, $c$의 합 $a+b+c$의 값을 구하시오.

**유형 확인**

**8-1** 삼각형 ABC에 대하여 선분 AB의 중점 D의 좌표가 $(2, 3, 4)$이고 두 꼭짓점 A, C의 좌표가 각각 $(2, 1, -3)$, $(2, 2, -3)$이다. 이때, 삼각형 ABC의 무게중심 G의 좌표를 구하시오.

**9-1** 두 점 $A(3, 5, 1)$, $B(-3, 2, -2)$에 대하여 선분 AB를 $2 : 1$로 내분하는 점 P와 외분하는 점 Q를 지름의 양 끝점으로 하는 구의 방정식을 구하시오.

**10-1** 구 $(x-a)^2+(y-1)^2+(z-2)^2=r^2$이 $xy$평면과 만나서 생기는 도형의 넓이는 $5\pi$이고 $yz$평면과 만나서 생기는 도형의 넓이는 $6\pi$이다. 이때, 양수 $a$의 값을 구하시오.

**11-1** $x$축 위의 점 P에서 구 $x^2+y^2+z^2-2x-4y-6z+13=0$에 그은 접선의 길이의 최솟값을 구하시오.

**한번 더 확인**

**8-2** 삼각형 ABC에 대하여 선분 AB의 중점 D의 좌표가 $(1, -2, 3)$이고 두 꼭짓점 A, C의 좌표가 각각 $(-2, 2, 3)$, $(3, -1, -4)$이다. 이때, 삼각형 ABC의 무게중심 G의 좌표를 구하시오.

**9-2** 두 점 $A(4, -1, -2)$, $B(-1, 4, 3)$에 대하여 선분 AB를 $3 : 2$로 내분하는 점 P와 외분하는 점 Q를 지름의 양 끝점으로 하는 구의 방정식을 구하시오.

**10-2** 구 $(x+2)^2+(y-b)^2+(z-3)^2=r^2$이 $xy$평면과 만나서 생기는 도형의 넓이는 $16\pi$이고 $zx$평면과 만나서 생기는 도형의 넓이는 $9\pi$이다. 이때, 양수 $b$의 값을 구하시오.

**11-2** $y$축 위의 점 P에서 구 $x^2+y^2+z^2-2x+4y+2z+5=0$에 그은 접선의 길이의 최솟값을 구하시오.

# Memo

# Memo

단기간 고득점을 위한 2주

# 전략 질주

## 고등 전략

### 내신전략 시리즈
국어/영어/수학/사회/과학

필수 개념을 꽉~ 잡아 주는 초단기 내신 전략서!

### 수능전략 시리즈
국어/영어/수학/사회/과학

빈출 유형을 철저히 분석하여 반영한 고효율·고득점 전략서!

# 정답과 해설

고등
## 기하

# 자세하고 친절한 해설

**전 략**
문제를 접근할 수 있는 실마리를 제공

**다른 풀이**
다른 여러 가지 풀이 방법으로
수학적 사고력을 강화

**Lecture**
문제 풀이에 대한 보충 설명, 문제 해결의
노하우 소개

# 빠른 정답 SPEED ANSWER

# 1 | 이차곡선

## 개념 확인 8쪽~10쪽

**1** (1) 초점의 좌표: $(-1, 0)$, 준선의 방정식: $x=1$

(2) 초점의 좌표: $\left(0, \dfrac{1}{2}\right)$, 준선의 방정식: $y=-\dfrac{1}{2}$

**2** (1) 초점의 좌표: $(0, 2)$, 준선의 방정식: $x=-2$

(2) 초점의 좌표: $(3, -2)$, 준선의 방정식: $y=2$

## STEP 1 개념 드릴 11쪽

**1-1** (1) $y^2=-8x$ (2) $x^2=12y$

**1-2** (1) $y^2=12x$ (2) $y^2=-20x$ (3) $x^2=-16y$ (4) $x^2=\dfrac{4}{3}y$

**2-1** (1) $\left(\dfrac{1}{2}, 0\right)$, $x=-\dfrac{1}{2}$ (2) $(0, -3)$, $y=3$

(3) $(2, -2)$, $y=-4$

**2-2** (1) 초점의 좌표: $(4, 0)$, 준선의 방정식: $x=-4$

(2) 초점의 좌표: $\left(0, -\dfrac{3}{4}\right)$, 준선의 방정식: $y=\dfrac{3}{4}$

(3) 초점의 좌표: $(2, -1)$, 준선의 방정식: $x=4$

(4) 초점의 좌표: $(-4, 0)$, 준선의 방정식: $y=-4$

## STEP 2 필수 유형 12쪽~16쪽

**01-1** $-2$ **01-2** $x^2=-12y$

**02-1** $10$ **02-2** $x^2=8y$ **03-1** $4$ **03-2** $11$

**04-1** $(y-1)^2=4(x-3)$

**05-1** $4$ **05-2** $2x^2-8x-3y=0$

## 개념 확인 17쪽~19쪽

**1** (1) 초점의 좌표: $(3, 0)$, $(-3, 0)$

장축의 길이: 10, 단축의 길이: 8

(2) 초점의 좌표: $(0, 4)$, $(0, -4)$

장축의 길이: 10, 단축의 길이: 6

**2** (1) 초점의 좌표: $(1, 2)$, $(-3, 2)$

장축의 길이: 6, 단축의 길이: $2\sqrt{5}$

(2) 초점의 좌표: $(3, 0)$, $(3, -4)$

장축의 길이: 6, 단축의 길이: $2\sqrt{5}$

## STEP 1 개념 드릴 20쪽

**1-1** (1) 9, 8 (2) 12, 16

**1-2** (1) $\dfrac{x^2}{25}+\dfrac{y^2}{21}=1$ (2) $\dfrac{x^2}{33}+\dfrac{y^2}{36}=1$

(3) $\dfrac{x^2}{11}+\dfrac{y^2}{2}=1$ (4) $\dfrac{x^2}{5}+\dfrac{y^2}{21}=1$

**2-1** $(4, -3)$, $(0, -3)$, $4\sqrt{2}$, 4

**2-2** (1) 초점의 좌표: $(4, 0)$, $(-4, 0)$

장축의 길이: $2\sqrt{17}$, 단축의 길이: 2

(2) 초점의 좌표: $(\sqrt{10}+1, 4)$, $(-\sqrt{10}+1, 4)$

장축의 길이: 10, 단축의 길이: $2\sqrt{15}$

(3) 초점의 좌표: $(-5, \sqrt{6}-1)$, $(-5, -\sqrt{6}-1)$

장축의 길이: 8, 단축의 길이: $2\sqrt{10}$

## STEP 2 필수 유형 21쪽~25쪽

**01-1** $4$ **01-2** $6\sqrt{2}$ **02-1** $8$ **02-2** $9$

**03-1** $9$ **03-2** $4$ **04-1** $\dfrac{x^2}{20}+\dfrac{(y-4)^2}{36}=1$

**05-1** $4$ **05-2** $6$

## 개념 확인 26쪽~30쪽

**1** (1) 초점의 좌표: $(5, 0)$, $(-5, 0)$

주축의 길이: 6

(2) 초점의 좌표: $(0, 5)$, $(0, -5)$

주축의 길이: 8

**2** (1) $y=\pm\dfrac{4}{3}x$ (2) $y=\pm\dfrac{4}{3}x$

**3** (1) 초점의 좌표: $(5, 2)$, $(-3, 2)$

꼭짓점의 좌표: $(\sqrt{10}+1, 2)$, $(-\sqrt{10}+1, 2)$

(2) 초점의 좌표: $(-2, 6)$, $(-2, 0)$

꼭짓점의 좌표: $(-2, 5)$, $(-2, 1)$

**4** (1) 타원 (2) 원 (3) 쌍곡선 (4) 포물선

## STEP 1 개념 드릴 31쪽

**1-1** (1) 9, 7 (2) 6, 3 (3) 144, 25

**1-2** (1) $\dfrac{x^2}{9}-\dfrac{y^2}{16}=-1$ (2) $\dfrac{x^2}{2}-\dfrac{y^2}{7}=1$

(3) $x^2-\dfrac{y^2}{15}=-1$ (4) $\dfrac{x^2}{36}-\dfrac{y^2}{13}=1$ (5) $\dfrac{x^2}{11}-\dfrac{y^2}{25}=-1$

**2-1** $(2, 4)$, $(-4, 4)$, $y=\pm\dfrac{\sqrt{2}}{2}(x+1)+4$

**2-2** (1) 초점의 좌표: $(4, 0)$, $(-4, 0)$

점근선의 방정식: $y=\pm\sqrt{15}x$

(2) 초점의 좌표: $(2, 3\sqrt{5})$, $(2, -3\sqrt{5})$

점근선의 방정식: $y=\pm2(x-2)$

(3) 초점의 좌표: $(2\sqrt{5}-4, -1)$, $(-2\sqrt{5}-4, -1)$

점근선의 방정식: $y=\pm2(x+4)-1$

# 3 │ 벡터의 연산

개념 확인      62쪽~63쪽

**1** (1) 시점: A, 종점: D    (2) 시점: D, 종점: C

**2** (1) 3   (2) $\sqrt{34}$       **3** (1) $\vec{c}, \vec{f}$   (2) $\vec{c}, \vec{d}$   (3) $\vec{c}$   (4) $\vec{f}$

**STEP 1** 개념 드릴      64쪽

**1-1** (1) 3   (2) 2   (3) $\sqrt{13}$     **1-2** (1) 4   (2) 3   (3) 5

**2-1** (1) 1, 2, 2   (2) $\overrightarrow{FO}$, $\overrightarrow{OC}$, $\overrightarrow{ED}$   (3) $\overrightarrow{FA}$, $\overrightarrow{OB}$, $\overrightarrow{EO}$, $\overrightarrow{DC}$

**2-2** (1) 1   (2) $\overrightarrow{DB}$, $\overrightarrow{FE}$   (3) $\overrightarrow{FD}$, $\overrightarrow{EB}$, $\overrightarrow{CE}$

**STEP 2** 필수 유형      65쪽~66쪽

**01-1** (1) $3\sqrt{3}$   (2) $\overrightarrow{EA}$, $\overrightarrow{BF}$, $\overrightarrow{FB}$, $\overrightarrow{CD}$, $\overrightarrow{DC}$

**02-1** (1) $-\vec{a}$   (2) $-\vec{b}$   (3) $\vec{a}$   (4) $\vec{b}$

개념 확인      67쪽~69쪽

**1** (1)     (2)

**2** $\overrightarrow{AD}$

**3** (1) 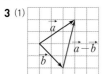    (2)

**STEP 1** 개념 드릴      70쪽

**1-1** 결합, 교환, 결합      **1-2** 풀이 참조

**2-1** (1) $\overrightarrow{BC}$   (2) $\overrightarrow{DC}$      **2-2** (1) $\overrightarrow{AC}$   (2) $\overrightarrow{AE}$

**STEP 2** 필수 유형      71쪽

**01-1** (1) $\vec{b}-\vec{a}$   (2) $-\vec{a}-\vec{b}$

**01-2** (1) $-\vec{a}+\vec{b}$   (2) $\vec{a}-\vec{b}$   (3) $-\vec{b}-\vec{a}$

개념 확인      72쪽~75쪽

**1** (1)     (2)     (3)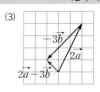

**2** (1) $15\vec{a}+\vec{b}$   (2) $7\vec{a}-15\vec{b}$

**3** 풀이 참조          **4** 풀이 참조

**STEP 1** 개념 드릴      76쪽

**1-1** (1) $-2\vec{a}+26\vec{b}$   (2) $\vec{a}+11\vec{b}+11\vec{c}$   (3) $\vec{a}+\vec{b}-13\vec{c}$

**1-2** (1) $-18\vec{a}+6\vec{b}$   (2) $14\vec{a}+\vec{b}+\vec{c}$   (3) $12\vec{a}+4\vec{b}-8\vec{c}$

**2-1** (1) $-\vec{a}-\vec{b}$   (2) $6\vec{a}-4\vec{b}$

**2-2** (1) $\dfrac{1}{4}\vec{a}$   (2) $\vec{a}+3\vec{b}$

**STEP 2** 필수 유형      77쪽~81쪽

**01-1** $-2\vec{a}$                **01-2** $\dfrac{3}{2}\vec{a}+3\vec{b}$

**02-1** (1) $-\vec{a}+2\vec{b}$   (2) $-2\vec{a}+\vec{b}$       **02-2** $3\vec{b}$

**03-1** $m=12, n=8$      **03-2** 7

**04-1** $-1$     **04-2** 8     **05-1** $-1$

**STEP 3** 유형 드릴      82쪽~83쪽

**1-1** 12      **1-2** 14      **2-1** 2      **2-2** 2

**3-1** $-1$      **3-2** $\dfrac{4}{3}$      **4-1** 5      **4-2** ㄱ, ㄹ

**5-1** $\dfrac{7}{2}$      **5-2** 2      **6-1** $\dfrac{1}{5}\vec{a}+\dfrac{2}{5}\vec{b}$    **6-2** $\dfrac{1}{3}$

# 4 | 평면벡터의 성분과 내적

## 개념 확인      86쪽~87쪽

**1** (가) $\vec{b}-\vec{a}$   (나) $\vec{a}-\vec{c}$   (다) $2\vec{b}-2\vec{c}$

**2** (1) $\vec{p}=\dfrac{4}{7}\vec{a}+\dfrac{3}{7}\vec{b}$   (2) $\vec{q}=4\vec{a}-3\vec{b}$   (3) $\vec{m}=\dfrac{\vec{a}+\vec{b}}{2}$

## STEP 1   개념 드릴      89쪽

**1-1** $-4\vec{a}+5\vec{b}-\vec{c}$     **1-2** $-\vec{a}-\vec{b}+2\vec{c}$

**2-1** $-4\vec{a}+4\vec{b}$     **2-2** $-4\vec{a}+\vec{b}$

**3-1** (1) $\dfrac{5}{8}\vec{a}+\dfrac{3}{8}\vec{b}$   (2) $-\dfrac{3}{2}\vec{a}+\dfrac{5}{2}\vec{b}$

**3-2** (1) $\vec{p}=\dfrac{3}{4}\vec{a}+\dfrac{1}{4}\vec{b}$   (2) $\vec{q}=-\dfrac{1}{2}\vec{a}+\dfrac{3}{2}\vec{b}$

## STEP 2   필수 유형      90쪽~92쪽

**01-1** $\vec{b}-\vec{a}$

**02-1** $m=\dfrac{32}{15}, n=-\dfrac{2}{15}$     **02-2** $m=\dfrac{1}{3}, n=\dfrac{1}{6}$

**03-1** 풀이 참조     **03-2** $m=\dfrac{1}{3}, n=-\dfrac{2}{3}$

## 개념 확인      93쪽~95쪽

**1** (1) $(-1, 1)$   (2) $(3, -1)$     **2** (1) $5$   (2) $\sqrt{5}$

**3** $k=1, l=-3$     **4** (1) $(0, 11)$   (2) $(7, 12)$

## STEP 1   개념 드릴      96쪽

**1-1** (1) $3$   (2) $\sqrt{34}$     **1-2** (1) $\sqrt{17}$   (2) $3\sqrt{2}$

**2-1** (1) $3, 1$   (2) $\dfrac{3}{2}, -\dfrac{7}{2}$     **2-2** (1) $k=2, l=6$   (2) $k=9, l=1$

**3-1** (1) $(-12, 2)$   (2) $(-18, 18)$

**3-2** (1) $(0, 23)$   (2) $(2, 28)$

## STEP 2   필수 유형      97쪽~100쪽

**01-1** $(-41, -33)$     **01-2** $(15, 28)$

**02-1** $2$     **02-2** $2\sqrt{2}$

**03-1** $\vec{c}=\vec{a}-\vec{b}$     **03-2** $p=2, q=-4$

**04-1** $(6, 5)$     **04-2** $5$

## 개념 확인      101쪽~105쪽

**1** (1) $6$   (2) $-6\sqrt{3}$     **2** (1) $6$   (2) $-20$

**3** (가) $\vec{a}-\vec{b}$   (나) $\vec{a}\cdot\vec{a}$   (다) $\vec{b}\cdot\vec{b}$     **4** $135°$     **5** $5$

## STEP 1   개념 드릴      106쪽~107쪽

**1-1** (1) $1, 6$   (2) $\dfrac{\sqrt{3}}{2}, 3\sqrt{3}$   (3) $\dfrac{1}{2}, -3$

**1-2** (1) $\dfrac{15\sqrt{2}}{2}$   (2) $\dfrac{15}{2}$   (3) $-15$

**2-1** (1) $2, -3, 8$   (2) $-3, 5, 2$     **2-2** (1) $-18$   (2) $3$

**3-1** $\vec{a}\cdot\vec{b}, 1, 1$     **3-2** $-135$

**4-1** (1) $45°$   (2) $120°$     **4-2** (1) $60°$   (2) $150°$

**5-1** (1) $0, 2$   (2) $\dfrac{2}{5}, -\dfrac{19}{5}$     **5-2** (1) $7$   (2) $\dfrac{1}{3}$

## STEP 2   필수 유형      108쪽~111쪽

**01-1** $1$    **01-2** $1$    **02-1** $-2$    **02-2** $\sqrt{2}$

**03-1** $\dfrac{4}{5}$    **03-2** $60°$    **04-1** $-3$    **04-2** $\dfrac{5}{9}$

## 개념 확인      112쪽~117쪽

**1** $\dfrac{x+3}{2}=\dfrac{y-3}{-1}$

**2** (1) $\dfrac{x-5}{-8}=\dfrac{y-1}{5}$   (2) $\dfrac{x+3}{2}=\dfrac{y-4}{-1}$

**3** $3x+4y+11=0$     **4** $\dfrac{\sqrt{10}}{10}$     **5** (1) $-\dfrac{1}{3}$   (2) $3$

**6** 중심이 $C(3, -1)$이고 반지름의 길이가 $3$인 원

## STEP 1   개념 드릴      118쪽~119쪽

**1-1** (1) $3, -2$   (2) $2, -3, 2, -3$

**1-2** (1) $\dfrac{x-3}{-1}=\dfrac{y-1}{2}$   (2) $\dfrac{x+4}{5}=\dfrac{y-1}{-2}$

**2-1** (1) $3, 5, 3, 5$   (2) $3, 4, 3, 4$

**2-2** (1) $\dfrac{x-2}{-5}=\dfrac{y+3}{4}$   (2) $\dfrac{x-3}{2}=\dfrac{y-5}{-1}$

**3-1** (1) $4, 5$   (2) $-4, 3, 17$

**3-2** (1) $-x+3y-18=0$   (2) $3x-4y+13=0$

**4-1** $45°$     **4-2** $90°$     **5-1** $2, 3, 1$

**5-2** 중심이 $C(-3, 5)$이고 반지름의 길이가 $5$인 원

# 6 | 공간좌표

## 개념 확인
164쪽~166쪽

**1** (1) $A(0, 0, 1)$  (2) $G(0, 3, 0)$  (3) $E(2, 0, 0)$

**2** (1) $(0, -2, 3)$  (2) $(1, 2, 3)$

**3** (1) $\sqrt{6}$  (2) $\sqrt{17}$  (3) $\sqrt{14}$

## STEP 1 개념 드릴
167쪽

**1-1** $2, 6, 4$

**1-2** $P(0, 3, 2), Q(-4, 3, 0), R(0, 0, 2)$

**2-1** (1) $0, 0$  (2) $0, 0, 0$  (3) $x, -1$  (4) $z, -1, -2$

**2-2** (1) $(-3, 2, 0)$  (2) $(0, 2, 0)$
  (3) $(-3, -2, -5)$  (4) $(3, -2, -5)$

**3-1** (1) $-2, -3$  (2) $-2, -3, 2\sqrt{13}$

**3-2** (1) $Q(5, 7, -1)$  (2) $2\sqrt{26}$

## STEP 2 필수 유형
168쪽~171쪽

**01-1** $4$    **01-2** $4$    **02-1** $2\sqrt{2}$    **02-2** $3\sqrt{13}$

**03-1** $P(0, 8, 0)$    **03-2** $C(0, 0, 4)$ 또는 $C(3, 0, 1)$

**04-1** (1) $6$  (2) $2\sqrt{6}$

## 개념 확인
172쪽~174쪽

**1** $P(1, -1, 1), Q(1, -13, -11)$

**2** $G(1, 2, -1)$

## STEP 1 개념 드릴
175쪽

**1-1** (1) $1, \dfrac{1}{5}$  (2) $3, \dfrac{1}{3}$  (3) $2, 1$

**1-2** (1) $P(0, 1, 2)$  (2) $Q(-4, 5, 6)$  (3) $M\left(\dfrac{1}{2}, \dfrac{1}{2}, \dfrac{3}{2}\right)$

**2-1** $2, 1, 0, 2, 1, 0$    **2-2** $B(-1, 2, 4)$

## STEP 2 필수 유형
176쪽~179쪽

**01-1** $Q\left(-\dfrac{7}{3}, \dfrac{10}{3}, -\dfrac{13}{3}\right)$    **01-2** $M\left(-2, \dfrac{3}{2}, \dfrac{1}{2}\right)$

**02-1** $-3$    **03-1** $3$    **03-2** $C(7, -1, 3), D(3, 2, 11)$

**04-1** $G\left(\dfrac{2}{3}, -3, -\dfrac{11}{3}\right)$

## 개념 확인
180쪽~182쪽

**1** (1) $(x-1)^2 + (y-5)^2 + (z+2)^2 = 16$
  (2) $x^2 + y^2 + z^2 = 9$

**2** (1) $(x+1)^2 + (y-2)^2 + (z-5)^2 = 1$
  (2) $(x+1)^2 + (y-2)^2 + (z-5)^2 = 5$

**3** (가) $1$  (나) $9$  (다) $3$

## STEP 1 개념 드릴
183쪽

**1-1** (1) $4, 9, 9$  (2) $4, 22, 22$

**1-2** (1) $(x-2)^2 + (y-1)^2 + (z-3)^2 = 14$
  (2) $(x-2)^2 + (y+1)^2 + (z-2)^2 = 9$

**2-1** (1) $y, 1, 1$  (2) $2, 13, 13$

**2-2** (1) $(x+5)^2 + (y-1)^2 + (z-6)^2 = 36$
  (2) $(x+5)^2 + (y-1)^2 + (z-6)^2 = 26$

**3-1** $4, 4, -1, 2$

**3-2** 중심의 좌표: $(-2, 1, -3)$, 반지름의 길이: $1$

## STEP 2 필수 유형
184쪽~187쪽

**01-1** (1) $(x-5)^2 + (y+3)^2 + (z-1)^2 = 36$
  (2) $x^2 + y^2 + z^2 - 16x + 4z = 0$

**02-1** $12$    **02-2** $(x-\sqrt{2})^2 + (y-\sqrt{2})^2 + (z-\sqrt{2})^2 = 4$

**03-1** $2\sqrt{11}\,\pi$    **03-2** $24\pi$    **04-1** $2$    **04-2** $32$

## STEP 3 유형 드릴
188쪽~190쪽

**1-1** $-7$    **1-2** $-27$    **2-1** $\sqrt{21}$    **2-2** $0$

**3-1** $C(0, 1, 0)$    **3-2** $C\left(-\dfrac{1}{2}, 0, 0\right)$    **4-1** $2$

**4-2** $1$    **5-1** $\dfrac{2\sqrt{41}}{3}$    **5-2** $4\sqrt{3}$    **6-1** $m=3, n=1$

**6-2** $m=1, n=1$    **7-1** $-\dfrac{1}{2}$    **7-2** $12$

**8-1** $G\left(2, \dfrac{8}{3}, \dfrac{5}{3}\right)$    **8-2** $G\left(\dfrac{5}{3}, -\dfrac{5}{3}, \dfrac{2}{3}\right)$

**9-1** $(x+5)^2 + (y-1)^2 + (z+3)^2 = 24$

**9-2** $(x+5)^2 + (y-8)^2 + (z-7)^2 = 108$

**10-1** $\sqrt{3}$    **10-2** $4$    **11-1** $2\sqrt{3}$    **11-2** $1$

# 정답과 해설

# 1 | 이차곡선

## 1 포물선

**1** (1) 초점의 좌표: $(-1, 0)$, 준선의 방정식: $x=1$

(2) 초점의 좌표: $\left(0, \dfrac{1}{2}\right)$, 준선의 방정식: $y=-\dfrac{1}{2}$

**2** (1) 초점의 좌표: $(0, 2)$, 준선의 방정식: $x=-2$

(2) 초점의 좌표: $(3, -2)$, 준선의 방정식: $y=2$

**1** (1) $y^2=-4x=4\times(-1)\times x$이므로

초점의 좌표는 $(-1, 0)$, 준선의 방정식은 $x=1$

(2) $x^2=2y=4\times\dfrac{1}{2}\times y$이므로

초점의 좌표는 $\left(0, \dfrac{1}{2}\right)$, 준선의 방정식은 $y=-\dfrac{1}{2}$

**2** (1) 포물선 $(y-2)^2=4(x+1)$은 포물선 $y^2=4x$를 $x$축의 방향으로 $-1$만큼, $y$축의 방향으로 $2$만큼 평행이동한 것이다.

이때, 포물선 $y^2=4x=4\times1\times x$의 초점의 좌표는 $(1, 0)$, 준선의 방정식은 $x=-1$이므로 주어진 포물선의 초점의 좌표는 $(0, 2)$, 준선의 방정식은 $x=-2$이다.

(2) 포물선 $(x-3)^2=-8y$는 포물선 $x^2=-8y$를 $x$축의 방향으로 $3$만큼 평행이동한 것이다.

이때, 포물선 $x^2=-8y=4\times(-2)\times y$의 초점의 좌표는 $(0, -2)$, 준선의 방정식은 $y=2$이므로 주어진 포물선의 초점의 좌표는 $(3, -2)$, 준선의 방정식은 $y=2$이다.

---

**STEP 1** 개념 드릴        | 11쪽 |

**1-1** (1) $y^2=-8x$    (2) $x^2=12y$

**2-1** (1) $\left(\dfrac{1}{2}, 0\right)$, $x=-\dfrac{1}{2}$    (2) $(0, -3)$, $y=3$

(3) $(2, -2)$, $y=-4$

**1-2** 답 (1) $y^2=12x$   (2) $y^2=-20x$   (3) $x^2=-16y$   (4) $x^2=\dfrac{4}{3}y$

(1) $y^2=4px$에서 $p=3$이므로 구하는 포물선의 방정식은

$y^2=12x$

(2) $y^2=4px$에서 $p=-5$이므로 구하는 포물선의 방정식은

$y^2=-20x$

(3) $x^2=4py$에서 $p=-4$이므로 구하는 포물선의 방정식은

$x^2=-16y$

(4) $x^2=4py$에서 $p=\dfrac{1}{3}$이므로 구하는 포물선의 방정식은

$x^2=\dfrac{4}{3}y$

**2-2** 답 (1) 초점의 좌표: $(4, 0)$, 준선의 방정식: $x=-4$

(2) 초점의 좌표: $\left(0, -\dfrac{3}{4}\right)$, 준선의 방정식: $y=\dfrac{3}{4}$

(3) 초점의 좌표: $(2, -1)$, 준선의 방정식: $x=4$

(4) 초점의 좌표: $(-4, 0)$, 준선의 방정식: $y=-4$

(1) $y^2=16x=4\times4\times x$이므로

초점의 좌표는 $(4, 0)$, 준선의 방정식은 $x=-4$

(2) $x^2=-3y=4\times\left(-\dfrac{3}{4}\right)\times y$이므로

초점의 좌표는 $\left(0, -\dfrac{3}{4}\right)$, 준선의 방정식은 $y=\dfrac{3}{4}$

(3) 포물선 $(y+1)^2=-4(x-3)$은 포물선 $y^2=-4x$를 $x$축의 방향으로 $3$만큼, $y$축의 방향으로 $-1$만큼 평행이동한 것이다.

이때, 포물선 $y^2=-4x=4\times(-1)\times x$의 초점의 좌표는 $(-1, 0)$, 준선의 방정식은 $x=1$이므로 주어진 포물선의 초점의 좌표는 $(2, -1)$, 준선의 방정식은 $x=4$이다.

(4) 포물선 $(x+4)^2=8(y+2)$는 포물선 $x^2=8y$를 $x$축의 방향으로 $-4$만큼, $y$축의 방향으로 $-2$만큼 평행이동한 것이다.

이때, 포물선 $x^2=8y=4\times2\times y$의 초점의 좌표는 $(0, 2)$, 준선의 방정식은 $y=-2$이므로 주어진 포물선의 초점의 좌표는 $(-4, 0)$, 준선의 방정식은 $y=-4$이다.

---

**STEP 2** 필수 유형        | 12쪽~16쪽 |

**01-1** 답 $-2$

**|해결 전략|** 초점이 $\mathrm{F}(p, 0)$, 준선이 $x=-p$인 포물선의 방정식은 $y^2=4px$ $(p\neq0)$이다.

초점이 $\mathrm{F}(-2, 0)$이고 준선이 $x=2$인 포물선의 방정식은 $y^2=4px$에서 $p=-2$이므로

$y^2=4\times(-2)\times x$, 즉 $y^2=-8x$

이 포물선이 점 $(a, 4)$를 지나므로

$4^2=-8a$     ∴ $a=-2$

## 01-2 답 $x^2=-12y$

|해결 전략| 초점이 $\mathrm{F}(0, p)$, 준선이 $y=-p$인 포물선의 방정식은
$x^2=4py$ $(p\neq0)$이다.

원 $x^2+(y+3)^2=1$의 중심의 좌표는 $(0, -3)$이다.
따라서 점 $(0, -3)$을 초점으로 하고 준선이 $y=3$인 포물선의 방정식은 $x^2=4py$에서 $p=-3$이므로
$x^2=4\times(-3)\times y$, 즉 $x^2=-12y$

## 02-1 답 10

|해결 전략| 포물선의 꼭짓점에서 초점과 준선에 이르는 거리는 같음을 이용한다.

포물선 $y^2=4x=4\times1\times x$의 초점은 $\mathrm{F}(1, 0)$, 준선 $l$의 방정식은 $x=-1$이다.

오른쪽 그림과 같이 준선 $l$과 $x$축이 만나는 점을 A라 하면
$\overline{\mathrm{OA}}=\overline{\mathrm{OF}}=1$
점 P에서 준선 $l$까지의 거리가 $\overline{\mathrm{PQ}}=5$이므로 점 P의 $x$좌표는 4이다.
$x=4$를 $y^2=4x$에 대입하면
$y=4$ $(\because y>0)$
$\therefore \mathrm{P}(4, 4)$

이때, 점 $\mathrm{P}(4, 4)$의 $y$좌표가 4이므로 점 P에서 $x$축에 이르는 거리는 4이다.
따라서 삼각형 PQF의 넓이는
$\dfrac{1}{2}\times5\times4=10$

## 02-2 답 $x^2=8y$

|해결 전략| 곡선 위의 임의의 점에서 한 점과 그 점을 지나지 않는 한 직선에 이르는 거리가 같은 도형은 포물선임을 이용한다.

주어진 곡선 위의 임의의 점 $\mathrm{P}(x, y)$에서 점 $\mathrm{A}(0, 2)$와 직선 $y=-2$에 이르는 거리가 같으므로 이 곡선은 점 $\mathrm{A}(0, 2)$를 초점, 직선 $y=-2$를 준선으로 하는 포물선이다.
준선이 $x$축에 평행하고 초점이 $\mathrm{A}(0, 2)$이므로 $x^2=4py$에서 $p=2$
따라서 구하는 곡선의 방정식은
$x^2=8y$

## 03-1 답 4

|해결 전략| 점 P에서 준선에 내린 수선의 발을 H라 하면 세 점 B, P, H가 일직선 위에 있을 때 $\overline{\mathrm{PH}}+\overline{\mathrm{PB}}$의 값이 최소이다.

포물선 $y^2=4x=4\times1\times x$의 초점은 $\mathrm{A}(1, 0)$, 준선의 방정식은 $x=-1$이다.

오른쪽 그림과 같이 점 P에서 준선 $x=-1$에 내린 수선의 발을 H라 하면
$\overline{\mathrm{PA}}=\overline{\mathrm{PH}}$이므로
$\overline{\mathrm{PA}}+\overline{\mathrm{PB}}=\overline{\mathrm{PH}}+\overline{\mathrm{PB}}$
이때, 점 B에서 준선에 내린 수선의 발을 H$'$이라 하면 점 P가 $\overline{\mathrm{BH}'}$ 위에 있을 때 $\overline{\mathrm{PH}}+\overline{\mathrm{PB}}$는 최솟값을 가지므로
$\overline{\mathrm{PA}}+\overline{\mathrm{PB}}=\overline{\mathrm{PH}}+\overline{\mathrm{PB}}$
$\geq\overline{\mathrm{BH}'}=3-(-1)=4$
따라서 $\overline{\mathrm{PA}}+\overline{\mathrm{PB}}$의 최솟값은 4이다.

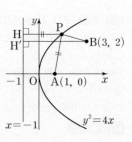

## 03-2 답 11

|해결 전략| 점 P에서 준선에 내린 수선의 발을 H라 하면 세 점 B, P, H가 일직선 위에 있을 때 $\overline{\mathrm{PH}}+\overline{\mathrm{PB}}$의 값이 최소이다.

포물선 $x^2=-4y=4\times(-1)\times y$의 초점은 $\mathrm{A}(0, -1)$, 준선의 방정식은 $y=1$이다.

오른쪽 그림과 같이 점 P에서 준선 $y=1$에 내린 수선의 발을 H라 하면
$\overline{\mathrm{PA}}=\overline{\mathrm{PH}}$이므로
$\overline{\mathrm{PA}}+\overline{\mathrm{PB}}=\overline{\mathrm{PH}}+\overline{\mathrm{PB}}$
이때, 점 B에서 준선에 내린 수선의 발을 H$'$이라 하면 점 P가 $\overline{\mathrm{BH}'}$ 위에 있을 때 $\overline{\mathrm{PH}}+\overline{\mathrm{PB}}$는 최솟값을 가지므로
$\overline{\mathrm{PA}}+\overline{\mathrm{PB}}=\overline{\mathrm{PH}}+\overline{\mathrm{PB}}\geq\overline{\mathrm{BH}'}=1-(-5)=6$
한편,
$\overline{\mathrm{AB}}=\sqrt{(3-0)^2+\{-5-(-1)\}^2}=5$
이므로 삼각형 PAB의 둘레의 길이는
$\overline{\mathrm{PA}}+\overline{\mathrm{PB}}+\overline{\mathrm{AB}}=\overline{\mathrm{PH}}+\overline{\mathrm{PB}}+\overline{\mathrm{AB}}$
$\geq\overline{\mathrm{BH}'}+\overline{\mathrm{AB}}=6+5=11$
따라서 삼각형 PAB의 둘레의 길이의 최솟값은 11이다.

## 04-1 답 $(y-1)^2=4(x-3)$

|해결 전략| 점 P에서 직선 $x=2$에 내린 수선의 발을 H라 하면 $\overline{\mathrm{PF}}=\overline{\mathrm{PH}}$임을 이용한다.

점 P의 좌표를 $(x, y)$, 점 P에서 직선 $x=2$에 내린 수선의 발을 H라 하면 $\overline{\mathrm{PF}}=\overline{\mathrm{PH}}$이므로
$\sqrt{(x-4)^2+(y-1)^2}=|x-2|$
양변을 제곱하면
$(x-4)^2+(y-1)^2=(x-2)^2$
$\therefore (y-1)^2=4(x-3)$ ← 점 P가 나타내는 도형은 포물선이다.

**다른 풀이 1**

주어진 도형은 초점이 $\mathrm{F}(4, 1)$, 준선이 $x=2$인 포물선이다.
이때, 준선이 $y$축에 평행하므로 주어진 도형은 포물선 $y^2=4px$ $(p\neq0)$를 평행이동한 것이다.
주어진 도형의 방정식을 $(y-n)^2=4p(x-m)$으로 놓으면 초점의 좌표는 $(p+m, n)$, 준선의 방정식은 $x=-p+m$이다.

이때, 초점이 $F(4, 1)$, 준선의 방정식이 $x=2$이므로
$p+m=4$, $n=1$, $-p+m=2$
$\therefore p=1$, $m=3$, $n=1$
따라서 구하는 도형의 방정식은
$(y-1)^2=4\times 1\times(x-3)$
$\therefore (y-1)^2=4(x-3)$

**다른 풀이 2**

점 $F(4, 1)$과 직선 $x=2$로부터 같은 거리에 있는 점 $P$가 나타내는 도형은 포물선이다.

오른쪽 그림에서 포물선의 꼭짓점의 좌표는 포물선의 정의에 의하여 $(3, 1)$이다.

이때, 포물선의 준선 $x=2$가 $y$축에 평행하므로 구하는 포물선의 방정식을
$(y-1)^2=4p(x-3)$ ......㉠
으로 놓을 수 있다.

포물선 ㉠은 포물선 $y^2=4px$를 $x$축의 방향으로 3만큼, $y$축의 방향으로 1만큼 평행이동한 것이므로 포물선 ㉠의 초점의 좌표는 $(p+3, 1)$이다.

즉, $p+3=4$에서 $p=1$

따라서 구하는 도형의 방정식은
$(y-1)^2=4\times 1\times(x-3)$
$\therefore (y-1)^2=4(x-3)$

## 05-1 답 4

|해결 전략| 이차항을 포함한 항을 완전제곱식으로 변형하여 주어진 포물선의 방정식을 $(y-n)^2=4p(x-m)$ 꼴로 고친다.

$y^2-8x+4y+28=0$에서
$(y+2)^2=8(x-3)$

주어진 포물선은 포물선 $y^2=8x$를 $x$축의 방향으로 3만큼, $y$축의 방향으로 $-2$만큼 평행이동한 것이다.

이때, 포물선 $y^2=8x=4\times 2\times x$의 초점의 좌표는 $(2, 0)$, 준선의 방정식은 $x=-2$이므로 주어진 포물선의 초점의 좌표는 $(5, -2)$, 준선의 방정식은 $x=1$이다.

따라서 $a=5$, $b=-2$, $c=1$이므로
$a+b+c=5-2+1=4$

## 05-2 답 $2x^2-8x-3y=0$

|해결 전략| 축이 $y$축에 평행한 포물선의 방정식의 일반형은 $x^2+ax+by+c=0\ (b\neq 0)$임을 이용한다.

축이 $y$축에 평행하므로 구하는 포물선의 방정식을
$x^2+ax+by+c=0\ (b\neq 0)$
으로 놓을 수 있다.

이 포물선이 세 점 $(0, 0)$, $(4, 0)$, $(3, -2)$를 지나므로
$c=0$ ......㉠
$16+4a+c=0$ ......㉡
$9+3a-2b+c=0$ ......㉢
㉠, ㉡, ㉢을 연립하여 풀면
$a=-4$, $b=-\dfrac{3}{2}$, $c=0$

따라서 구하는 포물선의 방정식은
$x^2-4x-\dfrac{3}{2}y=0$ $\therefore 2x^2-8x-3y=0$

## 2 타원

**1** (1) 초점의 좌표: $(3, 0)$, $(-3, 0)$
　　 장축의 길이: 10, 단축의 길이: 8
　(2) 초점의 좌표: $(0, 4)$, $(0, -4)$
　　 장축의 길이: 10, 단축의 길이: 6

**2** (1) 초점의 좌표: $(1, 2)$, $(-3, 2)$
　　 장축의 길이: 6, 단축의 길이: $2\sqrt{5}$
　(2) 초점의 좌표: $(3, 0)$, $(3, -4)$
　　 장축의 길이: 6, 단축의 길이: $2\sqrt{5}$

**1** (1) 타원 $\dfrac{x^2}{5^2}+\dfrac{y^2}{4^2}=1$에서 $\sqrt{5^2-4^2}=\sqrt{9}=3$이므로
　　 초점의 좌표는 $(3, 0)$, $(-3, 0)$
　　 장축의 길이는 $2\times 5=10$
　　 단축의 길이는 $2\times 4=8$

　(2) 타원 $\dfrac{x^2}{3^2}+\dfrac{y^2}{5^2}=1$에서 $\sqrt{5^2-3^2}=\sqrt{16}=4$이므로
　　 초점의 좌표는 $(0, 4)$, $(0, -4)$
　　 장축의 길이는 $2\times 5=10$
　　 단축의 길이는 $2\times 3=6$

**2** (1) 타원 $\dfrac{(x+1)^2}{9}+\dfrac{(y-2)^2}{5}=1$은 타원 $\dfrac{x^2}{9}+\dfrac{y^2}{5}=1$을 $x$축의 방향으로 $-1$만큼, $y$축의 방향으로 2만큼 평행이동한 것이다.
　　 이때, 타원 $\dfrac{x^2}{9}+\dfrac{y^2}{5}=1$의 초점의 좌표는
　　 $(\sqrt{9-5}, 0)$, $(-\sqrt{9-5}, 0)$, 즉 $(2, 0)$, $(-2, 0)$
　　 이므로 주어진 타원의 초점의 좌표는 $(1, 2)$, $(-3, 2)$이다.
　　 평행이동하여도 장축, 단축의 길이는 변하지 않으므로 주어진 타원의 장축의 길이는 $2\times 3=6$, 단축의 길이는 $2\times\sqrt{5}=2\sqrt{5}$이다.

　(2) 타원 $\dfrac{(x-3)^2}{5}+\dfrac{(y+2)^2}{9}=1$은 타원 $\dfrac{x^2}{5}+\dfrac{y^2}{9}=1$을 $x$축의 방향으로 3만큼, $y$축의 방향으로 $-2$만큼 평행이동한 것이다.
　　 이때, 타원 $\dfrac{x^2}{5}+\dfrac{y^2}{9}=1$의 초점의 좌표는
　　 $(0, \sqrt{9-5})$, $(0, -\sqrt{9-5})$, 즉 $(0, 2)$, $(0, -2)$
　　 이므로 주어진 타원의 초점의 좌표는 $(3, 0)$, $(3, -4)$이다.
　　 평행이동하여도 장축, 단축의 길이는 변하지 않으므로 주어진 타원의 장축의 길이는 $2\times 3=6$, 단축의 길이는 $2\times\sqrt{5}=2\sqrt{5}$이다.

타원의 중심의 좌표를 이용하여 초점의 좌표를 구할 수도 있다.

(1)에서 타원 $\dfrac{(x+1)^2}{9}+\dfrac{(y-2)^2}{5}=1$의 중심의 좌표는 $(-1, 2)$이다.

타원의 장축이 $x$축에 평행하고 타원의 중심 $(-1, 2)$에서 초점까지의 거리는 $\sqrt{9-5}=\sqrt{4}=2$이므로 주어진 타원의 초점의 좌표는 $(-1+2, 2)$, $(-1-2, 2)$, 즉 $(1, 2)$, $(-3, 2)$

---

## STEP ① 개념 드릴            | 20쪽 |

**개념 check**

**1-1** (1) 9, 8 (2) 12, 16
**2-1** $(4, -3)$, $(0, -3)$, $4\sqrt{2}$, 4

**스스로 check**

**1-2** 답 (1) $\dfrac{x^2}{25}+\dfrac{y^2}{21}=1$    (2) $\dfrac{x^2}{33}+\dfrac{y^2}{36}=1$
      (3) $\dfrac{x^2}{11}+\dfrac{y^2}{2}=1$    (4) $\dfrac{x^2}{5}+\dfrac{y^2}{21}=1$

(1) 구하는 타원의 방정식을 $\dfrac{x^2}{a^2}+\dfrac{y^2}{b^2}=1$ $(a>b>0)$이라 하면
                                    └→ 두 초점이 $x$축 위에
                                         있는 경우
$2a=10$에서 $a=5$
$a^2-b^2=2^2$에서 $b^2=5^2-2^2=21$
$\therefore \dfrac{x^2}{25}+\dfrac{y^2}{21}=1$

(2) 구하는 타원의 방정식을 $\dfrac{x^2}{a^2}+\dfrac{y^2}{b^2}=1$ $(b>a>0)$이라 하면
                                    └→ 두 초점이 $y$축 위에
                                         있는 경우
$2b=12$에서 $b=6$
$b^2-a^2=(\sqrt{3})^2$에서 $a^2=6^2-(\sqrt{3})^2=33$
$\therefore \dfrac{x^2}{33}+\dfrac{y^2}{36}=1$

(3) 구하는 타원의 방정식을 $\dfrac{x^2}{a^2}+\dfrac{y^2}{b^2}=1$ $(a>b>0)$이라 하면
                                    └→ 두 초점이 $x$축 위에
                                         있는 경우
$2a=2\sqrt{11}$에서 $a=\sqrt{11}$
$a^2-b^2=3^2$에서 $b^2=(\sqrt{11})^2-3^2=2$
$\therefore \dfrac{x^2}{11}+\dfrac{y^2}{2}=1$

(4) 구하는 타원의 방정식을 $\dfrac{x^2}{a^2}+\dfrac{y^2}{b^2}=1$ $(b>a>0)$이라 하면
                                    └→ 두 초점이 $y$축 위에
                                         있는 경우
$2a=2\sqrt{5}$에서 $a=\sqrt{5}$
$b^2-a^2=4^2$에서 $b^2=4^2+(\sqrt{5})^2=21$
$\therefore \dfrac{x^2}{5}+\dfrac{y^2}{21}=1$

---

**2-2** 답 (1) 초점의 좌표: $(4, 0)$, $(-4, 0)$
      장축의 길이: $2\sqrt{17}$, 단축의 길이: 2
   (2) 초점의 좌표: $(\sqrt{10}+1, 4)$, $(-\sqrt{10}+1, 4)$
      장축의 길이: 10, 단축의 길이: $2\sqrt{15}$
   (3) 초점의 좌표: $(-5, \sqrt{6}-1)$, $(-5, -\sqrt{6}-1)$
      장축의 길이: 8, 단축의 길이: $2\sqrt{10}$

(1) 타원 $\dfrac{x^2}{17}+y^2=1$, 즉 $\dfrac{x^2}{17}+\dfrac{y^2}{1}=1$에서
   $\sqrt{17-1}=\sqrt{16}=4$이므로 초점의 좌표는 $(4, 0)$, $(-4, 0)$
   장축의 길이는 $2\times\sqrt{17}=2\sqrt{17}$
   단축의 길이는 $2\times 1=2$

(2) 타원 $\dfrac{(x-1)^2}{25}+\dfrac{(y-4)^2}{15}=1$은 타원 $\dfrac{x^2}{25}+\dfrac{y^2}{15}=1$을 $x$축의 방향으로 1만큼, $y$축의 방향으로 4만큼 평행이동한 것이다.
   이때, 타원 $\dfrac{x^2}{25}+\dfrac{y^2}{15}=1$의 초점의 좌표는
   $(\sqrt{25-15}, 0)$, $(-\sqrt{25-15}, 0)$, 즉 $(\sqrt{10}, 0)$, $(-\sqrt{10}, 0)$
   이므로 주어진 타원의 초점의 좌표는 $(\sqrt{10}+1, 4)$, $(-\sqrt{10}+1, 4)$ 이다.
   평행이동하여도 장축, 단축의 길이는 변하지 않으므로 주어진 타원의 장축의 길이는 $2\times 5=10$, 단축의 길이는 $2\times\sqrt{15}=2\sqrt{15}$ 이다.

(3) 타원 $\dfrac{(x+5)^2}{10}+\dfrac{(y+1)^2}{16}=1$은 타원 $\dfrac{x^2}{10}+\dfrac{y^2}{16}=1$을 $x$축의 방향으로 $-5$만큼, $y$축의 방향으로 $-1$만큼 평행이동한 것이다.
   이때, 타원 $\dfrac{x^2}{10}+\dfrac{y^2}{16}=1$의 초점의 좌표는
   $(0, \sqrt{16-10})$, $(0, -\sqrt{16-10})$, 즉 $(0, \sqrt{6})$, $(0, -\sqrt{6})$
   이므로 주어진 타원의 초점의 좌표는 $(-5, \sqrt{6}-1)$, $(-5, -\sqrt{6}-1)$ 이다.
   평행이동하여도 장축, 단축의 길이는 변하지 않으므로 주어진 타원의 장축의 길이는 $2\times 4=8$, 단축의 길이는 $2\times\sqrt{10}=2\sqrt{10}$이다.

---

## STEP ② 필수 유형            | 21쪽~25쪽 |

**01-1** 답 4

|해결 전략| 초점이 $x$축 위에 있으므로 타원의 방정식을 $\dfrac{x^2}{a^2}+\dfrac{y^2}{b^2}=1$ $(a>b>0)$로 놓는다.

타원의 방정식을 $\dfrac{x^2}{a^2}+\dfrac{y^2}{b^2}=1$ $(a>b>0)$이라 하면 타원의 두 초점이 $F(3, 0)$, $F'(-3, 0)$이므로 $a^2-b^2=3^2=9$ 점 $A(5, 0)$이 타원 위의 점이므로

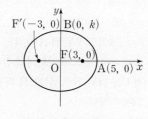

$\dfrac{5^2}{a^2}=1$에서 $a^2=25$   $\therefore b^2=16$

따라서 타원의 방정식은
$$\frac{x^2}{25}+\frac{y^2}{16}=1$$
점 $B(0, k)$가 이 타원 위의 점이므로 $\frac{k^2}{16}=1$에서 $k^2=16$
$\therefore k=4$ $(\because k>0)$

## 01-2 답 $6\sqrt{2}$

|해결 전략| 원의 성질을 이용하여 초점의 좌표를 구하고 타원의 성질을 이용하여 장축의 길이를 구한다.

넓이가 $9\pi$인 원의 반지름의 길이는 3이고 원의 중심이 원점이므로
$F(0, 3)$, $F'(0, -3)$
타원 $\frac{x^2}{a^2}+\frac{y^2}{b^2}=1 (b>a>0)$의 두 초점이 $F(0, 3)$, $F'(0, -3)$이므로
$b^2-a^2=3^2=9$
원과 타원이 $x$축 위의 점에서 접하므로
$a^2=9$ $\therefore b^2=18$
이때, 타원의 장축의 길이는 $2b$이므로
$2\times\sqrt{18}=6\sqrt{2}$

## 02-1 답 8

|해결 전략| 타원 위의 한 점에서 두 초점에 이르는 거리의 합이 장축의 길이와 같음을 이용한다.

타원 $\frac{x^2}{4}+\frac{y^2}{3}=1$의 두 초점의 좌표를 $(c, 0)$, $(-c, 0)$이라 하면
$c^2=4-3=1$
$c=\pm1$이므로 두 점 $P(1, 0)$, $C(-1, 0)$은 모두 타원의 초점이다.
이때, 타원의 정의에 의하여
$\overline{AC}+\overline{AP}=\overline{BC}+\overline{BP}=$(장축의 길이)$=2\sqrt{4}=4$
따라서 삼각형 $ABC$의 둘레의 길이는
$\overline{AC}+\overline{BC}+\overline{AB}=\overline{AC}+\overline{BC}+\overline{AP}+\overline{BP}$
$\qquad\qquad\qquad\qquad=(\overline{AC}+\overline{AP})+(\overline{BC}+\overline{BP})$
$\qquad\qquad\qquad\qquad=4+4=8$

## 02-2 답 9

|해결 전략| 타원 위의 한 점에서 두 초점에 이르는 거리의 합이 장축의 길이와 같음을 이용한다.

타원 $\frac{x^2}{9}+\frac{y^2}{25}=1$의 두 초점을 $(0, c)$, $(0, -c)$라 하면
$c^2=25-9=16$
$c=\pm4$이므로 두 점 $A(0, 4)$, $B(0, -4)$는 모두 타원의 초점이다.
점 $C$는 타원 위의 점이므로 타원의 정의에 의하여
$\overline{CA}+\overline{CB}=$(장축의 길이)
$\qquad\qquad\quad=2\times5=10$ $\qquad$ ······㉠

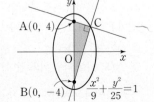

삼각형 $ABC$는 $\angle ACB=90°$인 직각삼각형이므로 피타고라스 정리에 의하여
$\overline{CA}^2+\overline{CB}^2=\overline{AB}^2=8^2=64$ $\qquad$ ······㉡
㉠, ㉡에서
$\overline{CA}\times\overline{CB}=\frac{1}{2}\{(\overline{CA}+\overline{CB})^2-(\overline{CA}^2+\overline{CB}^2)\}$
$\qquad\qquad\quad=\frac{1}{2}(10^2-64)=18$
따라서 삼각형 $ABC$의 넓이는
$\frac{1}{2}\times\overline{CA}\times\overline{CB}=\frac{1}{2}\times18=9$

## 03-1 답 9

|해결 전략| 타원의 정의와 산술평균과 기하평균의 관계를 이용한다.

타원 $9x^2+7y^2=63$에서
$$\frac{x^2}{7}+\frac{y^2}{9}=1$$
두 점 $F$, $F'$은 타원 $\frac{x^2}{7}+\frac{y^2}{9}=1$의 두 초점이므로 $\overline{PF}=a$, $\overline{PF'}=b$
라 하면 타원의 정의에 의하여
$a+b=$(장축의 길이)$=2\times3=6$ $\qquad$ ······㉠
이때, $a>0$, $b>0$이므로 산술평균과 기하평균의 관계에 의하여
$a+b\geq2\sqrt{ab}$ (단, 등호는 $a=b$일 때 성립)
㉠에 의하여
$6\geq2\sqrt{ab}$ $\therefore ab\leq9$
따라서 $\overline{PF}\times\overline{PF'}$의 최댓값은 9이다.

**다른 풀이**

㉠의 $a+b=6$에서 $b=6-a$
$\therefore ab=a(6-a)=-(a-3)^2+9$
따라서 $a=3$, 즉 $\overline{PF}=3$일 때, $\overline{PF}\times\overline{PF'}$의 최댓값은 9이다.

## 03-2 답 4

|해결 전략| 합 또는 곱이 일정할 때의 최대·최소는 산술평균과 기하평균의 관계를 이용한다.

오른쪽 그림과 같이 타원 $\frac{x^2}{4}+y^2=1$ 위의 점 중에서 제1사분면 위의 점을 $P(a, b)$로 놓으면
$$\frac{a^2}{4}+b^2=1$$

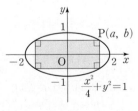

이때, $\frac{a^2}{4}>0$, $b^2>0$이므로 산술평균과 기하평균의 관계에 의하여
$\frac{a^2}{4}+b^2\geq2\sqrt{\frac{a^2}{4}\times b^2}=ab$ $\left($단, 등호는 $\frac{a^2}{4}=b^2$일 때 성립$\right)$
$\therefore ab\leq1$
따라서 직사각형의 넓이는
$2a\times2b=4ab\leq4\times1=4$
이므로 구하는 직사각형의 넓이의 최댓값은 4이다.

## 04-1 답 $\dfrac{x^2}{20}+\dfrac{(y-4)^2}{36}=1$

|해결 전략| 초점의 $x$좌표가 같으므로 타원의 방정식을

$\dfrac{(x-m)^2}{a^2}+\dfrac{(y-n)^2}{b^2}=1\,(b>a>0)$로 놓는다.

타원의 중심은 두 초점의 중점이므로 $(0,4)$이다.

이때, 두 초점의 $x$좌표가 같으므로 구하는 타원의 방정식을

$\dfrac{x^2}{a^2}+\dfrac{(y-4)^2}{b^2}=1\,(b>a>0)$로 놓을 수 있다.

장축의 길이가 12이므로 $2b=12$ $\quad\therefore b=6$

타원의 중심 $(0,4)$에서 초점 $(0,0)$까지의 거리를 $c$라 하면 $c=4$이

므로 $b^2-a^2=c^2$에서

$a^2=b^2-c^2=36-16=20$

따라서 구하는 타원의 방정식은

$\dfrac{x^2}{20}+\dfrac{(y-4)^2}{36}=1$

[다른 풀이]

타원 위의 임의의 점 P의 좌표를 $(x,y)$라 하면

$\overline{\text{PA}}+\overline{\text{PB}}=12$이므로

$\sqrt{x^2+y^2}+\sqrt{x^2+(y-8)^2}=12$

$\sqrt{x^2+(y-8)^2}=12-\sqrt{x^2+y^2}$

양변을 제곱하면

$x^2+(y-8)^2=144-24\sqrt{x^2+y^2}+x^2+y^2$

$2y+10=3\sqrt{x^2+y^2}$

다시 양변을 제곱하면

$4y^2+40y+100=9(x^2+y^2)$

$9x^2+5(y-4)^2=180$ $\quad\therefore \dfrac{x^2}{20}+\dfrac{(y-4)^2}{36}=1$

## 05-1 답 4

|해결 전략| 타원 $\dfrac{(x-m)^2}{a^2}+\dfrac{(y-n)^2}{b^2}=1\,(a>b>0)$의 두 초점 사이의 거

리를 $2c$라 할 때, $c^2=a^2-b^2$이다.

$x^2+5y^2-2x-20y+16=0$에서

$(x-1)^2+5(y-2)^2=5$

$\therefore \dfrac{(x-1)^2}{5}+(y-2)^2=1$

주어진 타원의 두 초점 사이의 거리를 $2c$라 하면

$c^2=5-1=4$ $\quad\therefore c=2$

따라서 구하는 거리는 4이다.

## 05-2 답 6

|해결 전략| 타원의 중심은 A, B의 중점임을 이용한다.

$2x^2+y^2-8x+6y+9=0$에서

$2(x-2)^2+(y+3)^2=8$

$\therefore \dfrac{(x-2)^2}{4}+\dfrac{(y+3)^2}{8}=1$

주어진 타원의 중심을 G라 하면

$G(2,-3)$

단축의 길이 $\overline{\text{AB}}$는 $\overline{\text{AB}}=2\sqrt{4}=4$

이때, $\overline{\text{GA}}=\overline{\text{GB}}=\dfrac{\overline{\text{AB}}}{2}=2$이므로 단축

의 양 끝점의 좌표는

$(2-2,-3),\ (2+2,-3)$

따라서 $A(0,-3),\ B(4,-3)$이라 하면 삼각형 OAB의 넓이는

$\dfrac{1}{2}\times4\times3=6$

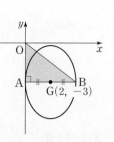

## 3 쌍곡선

**개념 확인** 26쪽~30쪽

**1** (1) 초점의 좌표: $(5,0),\ (-5,0)$
　　주축의 길이: 6
　(2) 초점의 좌표: $(0,5),\ (0,-5)$
　　주축의 길이: 8

**2** (1) $y=\pm\dfrac{4}{3}x$ (2) $y=\pm\dfrac{4}{3}x$

**3** (1) 초점의 좌표: $(5,2),\ (-3,2)$
　　꼭짓점의 좌표: $(\sqrt{10}+1,2),\ (-\sqrt{10}+1,2)$
　(2) 초점의 좌표: $(-2,6),\ (-2,0)$
　　꼭짓점의 좌표: $(-2,5),\ (-2,1)$

**4** (1) 타원 (2) 원 (3) 쌍곡선 (4) 포물선

**1** (1) 쌍곡선 $\dfrac{x^2}{3^2}-\dfrac{y^2}{4^2}=1$에서 $\sqrt{3^2+4^2}=\sqrt{25}=5$이므로

　　초점의 좌표는 $(5,0),\ (-5,0)$

　　주축의 길이는 $2\times3=6$

　(2) 쌍곡선 $\dfrac{x^2}{3^2}-\dfrac{y^2}{4^2}=-1$에서 $\sqrt{3^2+4^2}=\sqrt{25}=5$이므로

　　초점의 좌표는 $(0,5),\ (0,-5)$

　　주축의 길이는 $2\times4=8$

**2** (1) 쌍곡선 $\dfrac{x^2}{9}-\dfrac{y^2}{16}=1$의 점근선의 방정식은

　　$a=3,\ b=4$이므로 $y=\pm\dfrac{4}{3}x$

(2) 쌍곡선 $\dfrac{x^2}{9}-\dfrac{y^2}{16}=-1$의 점근선의 방정식은

$a=3$, $b=4$이므로 $y=\pm\dfrac{4}{3}x$

**3** (1) 쌍곡선 $\dfrac{(x-1)^2}{10}-\dfrac{(y-2)^2}{6}=1$은 쌍곡선 $\dfrac{x^2}{10}-\dfrac{y^2}{6}=1$을

$x$축의 방향으로 1만큼, $y$축의 방향으로 2만큼 평행이동한 것이다.

이때, 쌍곡선 $\dfrac{x^2}{10}-\dfrac{y^2}{6}=1$의 초점의 좌표는

$(\sqrt{10+6},\,0)$, $(-\sqrt{10+6},\,0)$, 즉 $(4,\,0)$, $(-4,\,0)$

이고 꼭짓점의 좌표는 $(\sqrt{10},\,0)$, $(-\sqrt{10},\,0)$이므로 주어진 쌍곡선의 초점의 좌표는 $(5,\,2)$, $(-3,\,2)$, 꼭짓점의 좌표는 $(\sqrt{10}+1,\,2)$, $(-\sqrt{10}+1,\,2)$이다.

(2) 쌍곡선 $\dfrac{(x+2)^2}{5}-\dfrac{(y-3)^2}{4}=-1$은 쌍곡선 $\dfrac{x^2}{5}-\dfrac{y^2}{4}=-1$

을 $x$축의 방향으로 $-2$만큼, $y$축의 방향으로 3만큼 평행이동한 것이다.

이때, 쌍곡선 $\dfrac{x^2}{5}-\dfrac{y^2}{4}=-1$의 초점의 좌표는

$(0,\,\sqrt{5+4})$, $(0,\,-\sqrt{5+4})$, 즉 $(0,\,3)$, $(0,\,-3)$

이고 꼭짓점의 좌표는 $(0,\,2)$, $(0,\,-2)$이므로 주어진 쌍곡선의 초점의 좌표는 $(-2,\,6)$, $(-2,\,0)$, 꼭짓점의 좌표는 $(-2,\,5)$, $(-2,\,1)$이다.

> **LECTURE**
>
> 쌍곡선의 중심의 좌표를 이용하여 초점의 좌표와 꼭짓점의 좌표를 구할 수도 있다.
>
> (1)에서 쌍곡선 $\dfrac{(x-1)^2}{10}-\dfrac{(y-2)^2}{6}=1$의 중심의 좌표는 $(1,\,2)$이다.
>
> 쌍곡선의 주축이 $x$축에 평행하고 쌍곡선의 중심 $(1,\,2)$에서 초점까지의 거리는 $\sqrt{10+6}=\sqrt{16}=4$이므로 주어진 쌍곡선의 초점의 좌표는 $(1+4,\,2)$, $(1-4,\,2)$, 즉 $(5,\,2)$, $(-3,\,2)$
>
> 또, 쌍곡선의 중심 $(1,\,2)$에서 꼭짓점까지의 거리는 $\sqrt{10}$이므로 주어진 쌍곡선의 꼭짓점의 좌표는 $(1+\sqrt{10},\,2)$, $(1-\sqrt{10},\,2)$

**4** (1) $4x^2+y^2-8=0$에서 $4x^2+y^2=8$

$\therefore\ \dfrac{x^2}{2}+\dfrac{y^2}{8}=1$

따라서 주어진 방정식은 타원을 나타낸다.

(2) $x^2+y^2+4x-3=0$에서 $(x+2)^2+y^2=7$

따라서 주어진 방정식은 원을 나타낸다.

(3) $x^2-2y^2+6x+3=0$에서 $(x+3)^2-2y^2=6$

$\therefore\ \dfrac{(x+3)^2}{6}-\dfrac{y^2}{3}=1$

따라서 주어진 방정식은 쌍곡선을 나타낸다.

(4) $y^2-2x+8y+4=0$에서 $(y+4)^2=2x+12$

$\therefore\ (y+4)^2=2(x+6)$

따라서 주어진 방정식은 포물선을 나타낸다.

---

**개념 check**

**1-1** (1) 9, 7  (2) 6, 3  (3) 144, 25

**2-1** $(2,\,4)$, $(-4,\,4)$, $y=\pm\dfrac{\sqrt{2}}{2}(x+1)+4$

**스스로 check**

**1-2** 답 (1) $\dfrac{x^2}{9}-\dfrac{y^2}{16}=-1$  (2) $\dfrac{x^2}{2}-\dfrac{y^2}{7}=1$

(3) $x^2-\dfrac{y^2}{15}=-1$  (4) $\dfrac{x^2}{36}-\dfrac{y^2}{13}=1$  (5) $\dfrac{x^2}{11}-\dfrac{y^2}{25}=-1$

(1) 구하는 쌍곡선의 방정식을 $\dfrac{x^2}{a^2}-\dfrac{y^2}{b^2}=-1\ (a>0,\,b>0)$이라 하면 $2b=8$에서 $b=4$  ← 두 초점이 $y$축 위에 있는 경우

$a^2+b^2=5^2$에서 $a^2=5^2-4^2=9$

$\therefore\ \dfrac{x^2}{9}-\dfrac{y^2}{16}=-1$

(2) 구하는 쌍곡선의 방정식을 $\dfrac{x^2}{(\sqrt{2})^2}-\dfrac{y^2}{b^2}=1$이라 하면

$(\sqrt{2})^2+b^2=3^2$에서 $b^2=3^2-(\sqrt{2})^2=7$  ← 두 초점이 $x$축 위에 있는 경우

$\therefore\ \dfrac{x^2}{2}-\dfrac{y^2}{7}=1$

(3) 구하는 쌍곡선의 방정식을 $\dfrac{x^2}{a^2}-\dfrac{y^2}{(\sqrt{15})^2}=-1$이라 하면

$a^2+(\sqrt{15})^2=4^2$에서 $a^2=4^2-(\sqrt{15})^2=1$  ← 두 초점이 $y$축 위에 있는 경우

$\therefore\ x^2-\dfrac{y^2}{15}=-1$

(4) 구하는 쌍곡선의 방정식을 $\dfrac{x^2}{a^2}-\dfrac{y^2}{b^2}=1\ (a>0,\,b>0)$이라 하면

$2a=12$에서 $a=6$  ← 두 초점이 $x$축 위에 있는 경우

$a^2+b^2=7^2$에서 $b^2=7^2-6^2=13$

$\therefore\ \dfrac{x^2}{36}-\dfrac{y^2}{13}=1$

(5) 구하는 쌍곡선의 방정식을 $\dfrac{x^2}{a^2}-\dfrac{y^2}{b^2}=-1\ (a>0,\,b>0)$이라 하면 $2b=10$에서 $b=5$  ← 두 초점이 $y$축 위에 있는 경우

$a^2+b^2=6^2$에서 $a^2=6^2-5^2=11$

$\therefore\ \dfrac{x^2}{11}-\dfrac{y^2}{25}=-1$

**2-2** 답 (1) 초점의 좌표: $(4,\,0)$, $(-4,\,0)$

점근선의 방정식: $y=\pm\sqrt{15}x$

(2) 초점의 좌표: $(2,\,3\sqrt{5})$, $(2,\,-3\sqrt{5})$

점근선의 방정식: $y=\pm2(x-2)$

(3) 초점의 좌표: $(2\sqrt{5}-4,\,-1)$, $(-2\sqrt{5}-4,\,-1)$

점근선의 방정식: $y=\pm2(x+4)-1$

(1) 쌍곡선 $x^2-\dfrac{y^2}{15}=1$, 즉 $\dfrac{x^2}{1}-\dfrac{y^2}{15}=1$에서

$\sqrt{1+15}=\sqrt{16}=4$이므로 초점의 좌표는 $(4,\,0),\,(-4,\,0)$

점근선의 방정식은 $y=\pm\dfrac{\sqrt{15}}{1}x$, 즉 $y=\pm\sqrt{15}x$

(2) 쌍곡선 $\dfrac{(x-2)^2}{9}-\dfrac{y^2}{36}=-1$은 쌍곡선 $\dfrac{x^2}{9}-\dfrac{y^2}{36}=-1$을 $x$축

의 방향으로 2만큼 평행이동한 것이다.

이때, 쌍곡선 $\dfrac{x^2}{9}-\dfrac{y^2}{36}=-1$의 초점의 좌표는

$(0,\,\sqrt{9+36}),\,(0,\,-\sqrt{9+36})$, 즉 $(0,\,3\sqrt{5}),\,(0,\,-3\sqrt{5})$

이고 점근선의 방정식은

$y=\pm\dfrac{6}{3}x$, 즉 $y=\pm2x$

이므로 주어진 쌍곡선의 초점의 좌표는 $(2,\,3\sqrt{5}),\,(2,\,-3\sqrt{5})$, 점근선의 방정식은 $y=\pm2(x-2)$이다.

(3) 쌍곡선 $\dfrac{(x+4)^2}{4}-\dfrac{(y+1)^2}{16}=1$은 쌍곡선 $\dfrac{x^2}{4}-\dfrac{y^2}{16}=1$을 $x$축

의 방향으로 $-4$만큼, $y$축의 방향으로 $-1$만큼 평행이동한 것이다.

이때, 쌍곡선 $\dfrac{x^2}{4}-\dfrac{y^2}{16}=1$의 초점의 좌표는

$(\sqrt{4+16},\,0),\,(-\sqrt{4+16},\,0)$, 즉 $(2\sqrt{5},\,0),\,(-2\sqrt{5},\,0)$

이고 점근선의 방정식은

$y=\pm\dfrac{4}{2}x$, 즉 $y=\pm2x$

이므로 주어진 쌍곡선의 초점의 좌표는 $(2\sqrt{5}-4,\,-1)$, $(-2\sqrt{5}-4,\,-1)$, 점근선의 방정식은 $y=\pm2(x+4)-1$이다.

## STEP ② 필수 유형 ──────── | 32쪽~38쪽 |

### 01-1 달 $\dfrac{x^2}{9}-\dfrac{y^2}{16}=1$

|해결 전략| 두 초점이 $x$축 위에 있고 중심이 원점이므로 쌍곡선의 방정식을
$\dfrac{x^2}{a^2}-\dfrac{y^2}{b^2}=1\,(a>0,\,b>0)$로 놓고, 주축의 길이가 $2a$임을 이용한다.

두 초점이 모두 $x$축 위에 있고 중심이 원점이므로 쌍곡선의 방정식을
$\dfrac{x^2}{a^2}-\dfrac{y^2}{b^2}=1\,(a>0,\,b>0)$이라 하자.

두 초점을 $\mathrm{F}(c,\,0),\,\mathrm{F}'(-c,\,0)\,(c>0)$이라 하면 두 초점 사이의 거리는 $2c$이므로

$2c=10$ ∴ $c=5$

$c^2=a^2+b^2$에서 $a^2+b^2=5^2=25$ ……㉠

주축의 길이는 $2a$이므로 $2a=6$ ∴ $a=3$ ……㉡

㉠, ㉡에서 $a^2=9$, $b^2=16$

따라서 구하는 쌍곡선의 방정식은

$\dfrac{x^2}{9}-\dfrac{y^2}{16}=1$

### 01-2 달 $9x^2-y^2=-1$

|해결 전략| 두 초점이 $y$축 위에 있으므로 쌍곡선의 방정식을
$\dfrac{x^2}{a^2}-\dfrac{y^2}{b^2}=-1\,(a>0,\,b>0)$로 놓고, 점근선은 $y=\pm\dfrac{b}{a}x$임을 이용한다.

두 초점이 모두 $y$축 위에 있는 쌍곡선이 원 $x^2+y^2=1$에 접하므로 오른쪽 그림에서 두 꼭짓점의 좌표는 $(0,\,1),\,(0,\,-1)$

구하는 쌍곡선의 방정식을
$\dfrac{x^2}{a^2}-\dfrac{y^2}{b^2}=-1\,(a>0,\,b>0)$이라 하면 꼭짓점의 좌표는 $(0,\,b),\,(0,\,-b)$이므로

$b=1$ ……㉠

점근선의 방정식은 $y=\pm\dfrac{b}{a}x$이므로

$\dfrac{b}{a}=3$ ∴ $b^2=9a^2$ ……㉡

㉠, ㉡에서 $a^2=\dfrac{1}{9}$, $b^2=1$

따라서 구하는 쌍곡선의 방정식은

$\dfrac{x^2}{\frac{1}{9}}-\dfrac{y^2}{1}=-1$ ∴ $9x^2-y^2=-1$

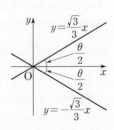

### 02-1 달 5

|해결 전략| 쌍곡선 $\dfrac{x^2}{a^2}-\dfrac{y^2}{b^2}=1\,(a>0,\,b>0)$의 점근선 $y=\dfrac{b}{a}x$가 $x$축의 양의 방향과 이루는 각의 크기를 구한다.

쌍곡선 $\dfrac{x^2}{9}-\dfrac{y^2}{3}=1$의 두 점근선의 방정식은

$y=\pm\dfrac{\sqrt{3}}{3}x$

직선 $y=\dfrac{\sqrt{3}}{3}x$가 $x$축의 양의 방향과 이루는 각의 크기는 $\dfrac{\theta}{2}$이므로

$(기울기)=\tan\dfrac{\theta}{2}=\dfrac{\sqrt{3}}{3}$에서

$\dfrac{\theta}{2}=30°$ ∴ $\theta=60°$

따라서 $\cos\theta=\cos60°=\dfrac{1}{2}$이므로

$10\cos\theta=10\times\dfrac{1}{2}=5$

### 02-2 달 14

|해결 전략| 쌍곡선 $\dfrac{x^2}{a^2}-\dfrac{y^2}{b^2}=-1$의 두 점근선이 서로 수직으로 만나면 두 점근선의 기울기의 곱이 $-1$임을 이용한다.

점 $(3,\,4)$가 쌍곡선 $\dfrac{x^2}{a^2}-\dfrac{y^2}{b^2}=-1$ 위의 점이므로

$\dfrac{9}{a^2}-\dfrac{16}{b^2}=-1$ ……㉠

쌍곡선의 점근선의 방정식은 $y = \pm \dfrac{b}{a}x$

그런데 두 점근선이 서로 수직으로 만나므로

$\dfrac{b}{a} \times \left(-\dfrac{b}{a}\right) = -1$, $\dfrac{b^2}{a^2} = 1$

$\therefore a^2 = b^2$ ......ⓛ

ⓛ을 ⓐ에 대입하면 $-\dfrac{7}{b^2} = -1$

$\therefore a^2 = 7, b^2 = 7$

$\therefore a^2 + b^2 = 14$

## 03-1 📑 13

|해결 전략| 쌍곡선 위의 한 점에서 두 초점에 이르는 거리의 차는 주축의 길이와 같음을 이용한다.

쌍곡선 $\dfrac{x^2}{9} - \dfrac{y^2}{16} = 1$의 주축의 길이는 $2 \times \sqrt{9} = 6$이므로 쌍곡선의 정의에 의하여

$\overline{PF'} - \overline{PF} = 6$ ......㉠

$\overline{QF'} - \overline{QF} = 6$ ......㉡

$\overline{PF'} = 10$, $\overline{QF'} = 15$이므로

㉠에서 $\overline{PF} = \overline{PF'} - 6 = 4$

㉡에서 $\overline{QF} = \overline{QF'} - 6 = 9$

$\therefore \overline{PF} + \overline{QF} = 4 + 9 = 13$

## 04-1 📑 9

|해결 전략| 쌍곡선 위의 한 점에서 두 초점에 이르는 거리의 차는 일정하고, 원의 지름의 원주각의 크기는 90°임을 이용한다.

쌍곡선 $\dfrac{x^2}{16} - \dfrac{y^2}{9} = 1$에서 $\sqrt{16 + 9} = 5$이므로

$F(5, 0)$, $F'(-5, 0)$

$\therefore \overline{FF'} = 5 - (-5) = 10$

원의 지름의 원주각의 크기는 90°이므로 $\angle FPF' = 90°$

즉, 삼각형 $PFF'$은 $\angle FPF' = 90°$인 직각삼각형이므로 피타고라스 정리에 의하여

$\overline{PF}^2 + \overline{PF'}^2 = \overline{FF'}^2 = 10^2 = 100$ ......㉠

쌍곡선의 정의에 의하여

$\overline{PF'} - \overline{PF} = 2 \times \sqrt{16} = 8$ ......㉡

㉠, ㉡에서

$\overline{PF} \times \overline{PF'} = -\dfrac{1}{2}\{(\overline{PF'} - \overline{PF})^2 - (\overline{PF}^2 + \overline{PF'}^2)\}$

$= -\dfrac{1}{2}(8^2 - 100) = 18$

따라서 삼각형 $PFF'$의 넓이는

$\dfrac{1}{2} \times \overline{PF} \times \overline{PF'} = \dfrac{1}{2} \times 18 = 9$

## 05-1 📑 $(x-2)^2 - \dfrac{y^2}{4} = -1$

|해결 전략| 두 초점의 $x$좌표가 같으므로 쌍곡선의 방정식을 $\dfrac{(x-m)^2}{a^2} - \dfrac{(y-n)^2}{b^2} = -1$ $(a > 0, b > 0)$로 놓는다.

쌍곡선의 중심은 두 초점의 중점이므로 $(2, 0)$이다.

이때, 두 초점의 $x$좌표가 같으므로 구하는 쌍곡선의 방정식을 $\dfrac{(x-2)^2}{a^2} - \dfrac{y^2}{b^2} = -1$ $(a > 0, b > 0)$로 놓을 수 있다.

주축의 길이가 4이므로 $2b = 4$ $\therefore b = 2$

쌍곡선의 중심 $(2, 0)$에서 초점 $(2, \sqrt{5})$까지의 거리를 $c$라 하면 $c = \sqrt{5}$이므로 $a^2 + b^2 = c^2$에서 $a^2 = c^2 - b^2 = 5 - 4 = 1$

따라서 구하는 쌍곡선의 방정식은

$(x-2)^2 - \dfrac{y^2}{4} = -1$

## 06-1 📑 6

|해결 전략| 주어진 쌍곡선의 방정식을 완전제곱식의 차로 변형하여 $\dfrac{(x-m)^2}{a^2} - \dfrac{(y-n)^2}{b^2} = \pm 1$ 꼴로 고친다.

$x^2 - y^2 + 6y - 11 = 0$에서 $x^2 - (y-3)^2 = 2$

$\therefore \dfrac{x^2}{2} - \dfrac{(y-3)^2}{2} = 1$

주어진 쌍곡선은 쌍곡선 $\dfrac{x^2}{2} - \dfrac{y^2}{2} = 1$을 $y$축의 방향으로 3만큼 평행이동한 것이다.

쌍곡선 $\dfrac{x^2}{2} - \dfrac{y^2}{2} = 1$에서 $\sqrt{2+2} = 2$이므로 초점의 좌표는 $(2, 0)$, $(-2, 0)$

따라서 주어진 쌍곡선의 초점 $F$, $F'$의 좌표는 $(2, 3)$, $(-2, 3)$이므로 삼각형 $OFF'$의 넓이는

$\dfrac{1}{2} \times \overline{FF'} \times 3 = \dfrac{1}{2} \times 4 \times 3 = 6$

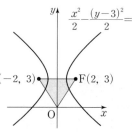

$F'(-2, 3)$    $F(2, 3)$

## 06-2 📑 4

|해결 전략| 주어진 쌍곡선의 방정식을 완전제곱식의 차로 변형하여 $\dfrac{(x-m)^2}{a^2} - \dfrac{(y-n)^2}{b^2} = \pm 1$ 꼴로 고친다.

$4x^2 - 5y^2 + 8x + 20y + 4 = 0$에서 $4(x+1)^2 - 5(y-2)^2 = -20$

$\therefore \dfrac{(x+1)^2}{5} - \dfrac{(y-2)^2}{4} = -1$

주어진 쌍곡선은 쌍곡선 $\dfrac{x^2}{5} - \dfrac{y^2}{4} = -1$을 $x$축의 방향으로 $-1$만큼, $y$축의 방향으로 2만큼 평행이동한 것이다.

쌍곡선 $\dfrac{x^2}{5}-\dfrac{y^2}{4}=-1$에서

$\sqrt{5+4}=3$이므로 초점의 좌표는 $(0, 3), (0, -3)$

점근선의 방정식은 $y=\pm\dfrac{2}{\sqrt{5}}x$

따라서 주어진 쌍곡선의 초점의 좌표는 $(-1, 5), (-1, -1)$

점근선의 방정식은 $y=\pm\dfrac{2}{\sqrt{5}}(x+1)+2$

따라서 $p=-1, q=-1, m=2 \ (\because m>0), n=2$이므로

$pqmn=(-1)\times(-1)\times2\times2=4$

## 07-1 답 3

|해결 전략| $Ax^2+By^2=C \ (A>0)$가 타원이 되기 위한 조건은 $B>0, A\neq B$, $C>0$임을 이용한다.

$2x^2+ky^2-2ky+k^2+k-16=0$에서

$2x^2+k(y-1)^2=-k^2+16$

이 방정식이 나타내는 도형이 타원이려면

$k>0, k\neq2, -k^2+16>0$

$\therefore \ 0<k<2$ 또는 $2<k<4$

따라서 정수 $k$의 최댓값은 3이다.

## 07-2 답 6

|해결 전략| $Ax^2-By^2=C \ (A>0)$가 주축이 $x$축에 평행한 쌍곡선이 되기 위한 조건은 $B>0, C>0$임을 이용한다.

$x^2-ay^2+2ay-4=0$에서

$x^2-a(y-1)^2=-a+4$

이 방정식이 나타내는 도형이 $x$축에 평행한 주축을 갖는 쌍곡선이려면 $a>0, -a+4>0$

$\therefore \ 0<a<4$

이 식을 만족시키는 정수는 $a=1, 2, 3$

따라서 모든 정수 $a$의 값의 합은

$1+2+3=6$

## STEP 3 유형 드릴 ──────── | 39쪽~41쪽 |

## 1-1 답 3

|해결 전략| 초점이 $F(0, p)$, 준선이 $y=-p$인 포물선의 방정식은 $x^2=4py \ (p\neq0)$이다.

초점이 $F(0, 3)$이고 준선이 $y=-3$인 포물선의 방정식은 $x^2=4py$에서 $p=3$이므로

$x^2=4\times3\times y$, 즉 $x^2=12y$

이 포물선이 점 $(6, k)$를 지나므로

$6^2=12k$ $\therefore k=3$

## 1-2 답 $y^2=-8x$

|해결 전략| 초점이 $F(p, 0)$, 준선이 $x=-p$인 포물선의 방정식은 $y^2=4px \ (p\neq0)$이다.

원 $(x+2)^2+y^2=1$의 중심의 좌표는 $(-2, 0)$이다.

따라서 점 $(-2, 0)$을 초점으로 하고 준선이 $x=2$인 포물선의 방정식은 $y^2=4px$에서 $p=-2$이므로

$y^2=4\times(-2)\times x$, 즉 $y^2=-8x$

## 2-1 답 6

|해결 전략| 포물선 위의 임의의 점에서 초점과 준선에 이르는 거리는 같음을 이용한다.

포물선 $x^2=4y=4\times1\times y$의 준선의 방정식은 $y=-1$이다.

오른쪽 그림과 같이 점 $A(4, 5)$를 지나고 $y$축에 평행한 직선과 준선이 만나는 점을 H라 하면

$\overline{AH}=5-(-1)=6$

포물선의 정의에 의하여

$\overline{PF}=\overline{PH}$이므로

$\overline{AP}+\overline{PF}=\overline{AP}+\overline{PH}=\overline{AH}=6$

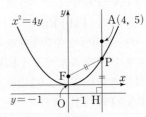

## 2-2 답 11

|해결 전략| 포물선 위의 임의의 점에서 초점과 준선에 이르는 거리는 같음을 이용한다.

포물선 $y^2=12x=4\times3\times x$의 준선의 방정식은 $x=-3$이다.

오른쪽 그림과 같이 점 $A(8, 7)$을 지나고 $x$축에 평행한 직선과 준선이 만나는 점을 H라 하면

$\overline{AH}=8-(-3)=11$

포물선의 정의에 의하여

$\overline{PF}=\overline{PH}$이므로

$\overline{AP}+\overline{PF}=\overline{AP}+\overline{PH}=\overline{AH}=11$

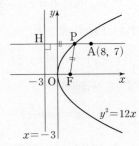

## 3-1 답 4

|해결 전략| 점 P에서 준선에 내린 수선의 발을 H라 하면 세 점 B, P, H가 일직선 위에 있을 때 $\overline{PH}+\overline{PB}$의 값이 최소이다.

포물선 $y^2=-4x=4\times(-1)\times x$의 초점은 $A(-1, 0)$, 준선의 방정식은 $x=1$이다.

오른쪽 그림과 같이 점 P에서 준선 $x=1$
에 내린 수선의 발을 H라 하면 $\overline{PA}=\overline{PH}$
이므로

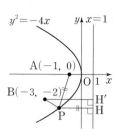

$$\overline{PA}+\overline{PB}=\overline{PH}+\overline{PB}$$

이때, 점 B에서 준선에 내린 수선의 발을
H′이라 하면 점 P가 $\overline{BH'}$ 위에 있을 때
$\overline{PH}+\overline{PB}$는 최솟값을 가지므로

$$\overline{PA}+\overline{PB}=\overline{PH}+\overline{PB}$$
$$\geq \overline{BH'}=1-(-3)=4$$

따라서 $\overline{PA}+\overline{PB}$의 최솟값은 4이다.

## 3-2 🖭 6

|해결 전략| 점 P에서 준선에 내린 수선의 발을 H라 하면 세 점 B, P, H가 일직
선 위에 있을 때 $\overline{PH}+\overline{PB}$의 값이 최소이다.

포물선 $x^2=4y=4\times1\times y$의 초점은 A$(0,\,1)$, 준선의 방정식은
$y=-1$이다.

오른쪽 그림과 같이 점 P에서 준선
$y=-1$에 내린 수선의 발을 H라 하
면 $\overline{PA}=\overline{PH}$이므로

$$\overline{PA}+\overline{PB}=\overline{PH}+\overline{PB}$$

이때, 점 B에서 준선에 내린 수선의
발을 H′이라 하면 점 P가 $\overline{BH'}$ 위에
있을 때 $\overline{PH}+\overline{PB}$는 최솟값을 가지므로

$$\overline{PA}+\overline{PB}=\overline{PH}+\overline{PB}$$
$$\geq \overline{BH'}=5-(-1)=6$$

따라서 $\overline{PA}+\overline{PB}$의 최솟값은 6이다.

## 4-1 🖭 $y^2=8\left(x+\dfrac{1}{2}\right)$

|해결 전략| 점 P$(x,y)$에서 직선 $x=-\dfrac{5}{2}$에 내린 수선의 발을 H라 하면
$\overline{PA}=\overline{PH}$임을 이용한다.

점 P$(x,y)$에서 직선 $x=-\dfrac{5}{2}$에 내린 수선의 발을 H라 하면
$\overline{PA}=\overline{PH}$이므로

$$\sqrt{\left(x-\dfrac{3}{2}\right)^2+y^2}=\left|x+\dfrac{5}{2}\right|$$

양변을 제곱하면

$$\left(x-\dfrac{3}{2}\right)^2+y^2=\left(x+\dfrac{5}{2}\right)^2$$

$$\therefore y^2=8\left(x+\dfrac{1}{2}\right) \;\leftarrow \text{점 P가 나타내는 곡선은 포물선이다.}$$

다른 풀이 1

주어진 곡선 위의 임의의 점 P$(x,y)$에서 점 A$\left(\dfrac{3}{2},0\right)$과 직선 $x=-\dfrac{5}{2}$에 이

르는 거리가 같으므로 이 곡선은 점 A$\left(\dfrac{3}{2},0\right)$을 초점, 직선 $x=-\dfrac{5}{2}$를 준선

으로 하는 포물선이다.

준선이 $y$축에 평행하므로 주어진 곡선은 포물선 $y^2=4px\,(p\neq0)$를 평행이
동한 것이다.

---

주어진 곡선의 방정식을 $(y-n)^2=4p(x-m)$으로 놓으면 초점의 좌표는
$(p+m,\,n)$, 준선의 방정식은 $x=-p+m$이다.

이때, 초점이 A$\left(\dfrac{3}{2},0\right)$, 준선의 방정식이 $x=-\dfrac{5}{2}$이므로

$$p+m=\dfrac{3}{2},\; n=0,\; -p+m=-\dfrac{5}{2}$$

$$\therefore p=2,\; m=-\dfrac{1}{2},\; n=0$$

따라서 구하는 곡선의 방정식은

$$y^2=4\times2\times\left(x+\dfrac{1}{2}\right)$$

$$\therefore y^2=8\left(x+\dfrac{1}{2}\right)$$

다른 풀이 2

주어진 곡선은 점 A$\left(\dfrac{3}{2},0\right)$을 초점, 직선 $x=-\dfrac{5}{2}$를 준선으로 하는 포물선이다.

오른쪽 그림에서 포물선의 꼭짓점의 좌표는 포
물선의 정의에 의하여 $\left(-\dfrac{1}{2},0\right)$이다.

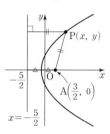

이때, 포물선의 준선 $x=-\dfrac{5}{2}$가 $y$축에 평행하
므로 구하는 포물선의 방정식을

$$y^2=4p\left(x+\dfrac{1}{2}\right) \qquad\qquad\cdots\cdots㉠$$

로 놓을 수 있다.

포물선 ㉠은 포물선 $y^2=4px$를 $x$축의 방향으로 $-\dfrac{1}{2}$만큼 평행이동한 것이

므로 포물선 ㉠의 초점의 좌표는 $\left(p-\dfrac{1}{2},0\right)$이다.

즉, $p-\dfrac{1}{2}=\dfrac{3}{2}$에서 $p=2$

따라서 구하는 곡선의 방정식은

$$y^2=4\times2\times\left(x+\dfrac{1}{2}\right)$$

$$\therefore y^2=8\left(x+\dfrac{1}{2}\right)$$

## 4-2 🖭 $x^2=-16(y-1)$

|해결 전략| 점 P에서 직선 $y=5$에 내린 수선의 발을 H라 하면 $\overline{PA}=\overline{PH}$임을
이용한다.

점 P$(x,y)$에서 직선 $y=5$에 내린 수선의 발을 H라 하면 $\overline{PA}=\overline{PH}$
이므로

$$\sqrt{x^2+(y+3)^2}=|y-5|$$

양변을 제곱하면

$$x^2+(y+3)^2=(y-5)^2$$

$$\therefore x^2=-16(y-1)$$

다른 풀이 1

주어진 곡선 위의 임의의 점 P$(x,y)$에서 점 A$(0,-3)$과 직선 $y=5$에 이르
는 거리가 같으므로 이 곡선은 점 A$(0,-3)$을 초점, 직선 $y=5$를 준선으로
하는 포물선이다.

준선이 $x$축에 평행하므로 주어진 곡선은 포물선 $x^2=4py\,(p\neq0)$를 평행이
동한 것이다.

주어진 곡선의 방정식을 $(x-m)^2=4p(y-n)$으로 놓으면 초점의 좌표는 $(m, p+n)$, 준선의 방정식은 $y=-p+n$이다.

이때, 초점이 $A(0, -3)$, 준선의 방정식이 $y=5$이므로

$m=0, p+n=-3, -p+n=5$

$\therefore p=-4, m=0, n=1$

따라서 구하는 곡선의 방정식은

$x^2=4\times(-4)\times(y-1)$

$\therefore x^2=-16(y-1)$

**다른 풀이 2**

주어진 곡선은 점 $A(0, -3)$을 초점, 직선 $y=5$를 준선으로 하는 포물선이다.

오른쪽 그림에서 포물선의 꼭짓점의 좌표는 포물선의 정의에 의하여 $(0, 1)$이다.

이때, 포물선의 준선 $y=5$가 $x$축에 평행하므로 구하는 포물선의 방정식을

$x^2=4p(y-1)$ ······㉠

로 놓을 수 있다.

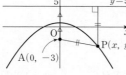

포물선 ㉠은 포물선 $x^2=4py$를 $y$축의 방향으로 1만큼 평행이동한 것이므로 포물선 ㉠의 초점의 좌표는 $(0, p+1)$이다.

즉, $p+1=-3$에서 $p=-4$

따라서 구하는 곡선의 방정식은

$x^2=4\times(-4)\times(y-1)$

$\therefore x^2=-16(y-1)$

## 5-1 답 $\dfrac{x^2}{13}+\dfrac{y^2}{4}=1$

|해결 전략| 초점이 $x$축 위에 있으므로 타원의 방정식을 $\dfrac{x^2}{a^2}+\dfrac{y^2}{b^2}=1\,(a>b>0)$로 놓는다.

$y=\dfrac{2}{3}x-2$에서 $F(3, 0)$, $A(0, -2)$이므로 구하는 타원의 방정식을

$\dfrac{x^2}{a^2}+\dfrac{y^2}{b^2}=1\,(a>b>0)$이라 하면

$b=2, a^2-b^2=3^2$

$\therefore a^2=3^2+b^2=3^2+2^2=13$

따라서 구하는 타원의 방정식은

$\dfrac{x^2}{13}+\dfrac{y^2}{4}=1$

## 5-2 답 27

|해결 전략| 주어진 타원 $\dfrac{x^2}{a^2}+\dfrac{y^2}{b^2}=1$에서 정사각형의 성질을 이용하여 초점의 좌표를 구한다.

사각형 $AFBF'$은 정사각형이고 대각선의 길이가 $\overline{FF'}=6$이므로

$\overline{OA}=\dfrac{1}{2}\overline{FF'}=\dfrac{1}{2}\times6=3$

$\therefore a=\overline{OA}=3$

$\overline{OF}=\overline{OF'}=\dfrac{1}{2}\overline{FF'}=\dfrac{1}{2}\times6=3$이므로

$F(0, 3), F'(0, -3)$

$b^2-a^2=3^2$에서 $b^2=3^2+a^2=3^2+3^2=18$

$\therefore a^2+b^2=3^2+18=27$

## 6-1 답 40

|해결 전략| 합 또는 곱이 일정할 때의 최대·최소는 산술평균과 기하평균의 관계를 이용한다.

주어진 타원의 중심을 원점, 장축과 단축을 각각 $y$축, $x$축으로 하는 좌표평면 위에 타원을 나타내면 오른쪽 그림과 같다.

이때, 타원의 네 꼭짓점의 좌표는

$(0, 5), (0, -5), (4, 0), (-4, 0)$

이므로 이 타원의 방정식은

$\dfrac{x^2}{4^2}+\dfrac{y^2}{5^2}=1$ ······㉠

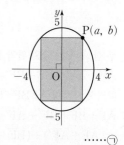

제1사분면에 있는 직사각형의 꼭짓점의 좌표를 $P(a, b)\,(a>0, b>0)$라 하면 점 $P$는 타원 ㉠ 위에 있으므로

$\dfrac{a^2}{4^2}+\dfrac{b^2}{5^2}=1$

$\dfrac{a^2}{4^2}>0, \dfrac{b^2}{5^2}>0$이므로 산술평균과 기하평균의 관계에 의하여

$\dfrac{a^2}{4^2}+\dfrac{b^2}{5^2}\geq2\sqrt{\dfrac{a^2}{4^2}\times\dfrac{b^2}{5^2}}$ $\left(\text{단, 등호는 } \dfrac{a^2}{4^2}=\dfrac{b^2}{5^2}\text{일 때 성립}\right)$

$1\geq\dfrac{ab}{10}$   $\therefore ab\leq10$

따라서 직사각형의 넓이는

$2a\times2b=4ab\leq4\times10=40$

이므로 구하는 직사각형의 넓이의 최댓값은 40이다.

## 6-2 답 25

|해결 전략| 타원의 정의와 산술평균과 기하평균의 관계를 이용한다.

타원 $\dfrac{x^2}{25}+\dfrac{y^2}{9}=1$에서 $\sqrt{25-9}=4$이므로 초점의 좌표는

$(4, 0), (-4, 0)$

즉, 두 점 $A(4, 0), B(-4, 0)$은 이 타원의 초점이다.

이때, 타원 $\dfrac{x^2}{25}+\dfrac{y^2}{9}=1$을 좌표평면 위에 나타내면 오른쪽 그림과 같다.

$\overline{PA}=a, \overline{PB}=b$라 하면 타원의 정의에 의하여

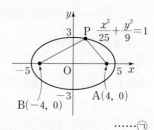

$a+b=(\text{장축의 길이})=2\times5=10$ ······㉠

$a>0, b>0$이므로 산술평균과 기하평균의 관계에 의하여

$a+b\geq2\sqrt{ab}$ (단, 등호는 $a=b$일 때 성립)

㉠에 의하여

$\sqrt{ab}\leq5$   $\therefore ab\leq25$

따라서 $\overline{PA}\times\overline{PB}$의 최댓값은 25이다.

㉠의 $a+b=10$에서 $b=10-a$

$\therefore ab=a(10-a)=-(a-5)^2+25$

따라서 $a=5$, 즉 $\overline{PA}=5$일 때, $\overline{PA}\times\overline{PB}$의 최댓값은 25이다.

---

## 7-1 🄰 8

**|해결 전략|** 타원의 방정식을 표준형으로 고친 후 타원의 정의를 이용한다.

$x^2+4y^2-4x-8y+4=0$에서

$(x-2)^2+4(y-1)^2=4$

$\therefore \dfrac{(x-2)^2}{4}+(y-1)^2=1$

두 점 A, B는 타원 위의 점이므로 타원의 정의에 의하여

$\overline{AF}+\overline{AF'}=\overline{BF}+\overline{BF'}=$(장축의 길이)$=2\times\sqrt{4}=4$

따라서 사각형 AFBF'의 둘레의 길이는

$\overline{AF}+\overline{BF}+\overline{BF'}+\overline{AF'}$

$=(\overline{AF}+\overline{AF'})+(\overline{BF}+\overline{BF'})$

$=4+4=8$

---

## 7-2 🄰 8

**|해결 전략|** 타원의 방정식을 표준형으로 고친 후 타원의 정의를 이용한다.

$4x^2+3y^2-8x-12y+4=0$에서

$4(x-1)^2+3(y-2)^2=12$

$\therefore \dfrac{(x-1)^2}{3}+\dfrac{(y-2)^2}{4}=1$

두 점 A, B는 타원 위의 점이므로 타원의 정의에 의하여

$\overline{AF}+\overline{AF'}=\overline{BF}+\overline{BF'}=$(장축의 길이)$=2\times\sqrt{4}=4$

따라서 두 삼각형 APF', BFP의 둘레의 길이의 합은

$(\overline{AP}+\overline{PF'}+\overline{AF'})+(\overline{BP}+\overline{PF}+\overline{BF})$

$=(\overline{AP}+\overline{PF})+\overline{AF'}+\overline{BF}+(\overline{BP}+\overline{PF'})$

$=(\overline{AF}+\overline{AF'})+(\overline{BF}+\overline{BF'})$

$=4+4=8$

---

## 8-1 🄰 5

**|해결 전략|** 쌍곡선 $\dfrac{x^2}{a^2}-\dfrac{y^2}{b^2}=1$의 초점의 좌표는 $(\pm\sqrt{a^2+b^2},\,0)$이다.

쌍곡선 $\dfrac{x^2}{4}-\dfrac{y^2}{5}=1$의 두 초점을 F, F'이라 하면 $\sqrt{4+5}=3$이므로 두 초점 F, F'의 좌표는

$(3,\,0),\,(-3,\,0)$

초점 F(3, 0)을 지나고 $x$축에 수직인 직선이 쌍곡선과 만나는 두 점 P, Q의 $x$좌표는 3이므로

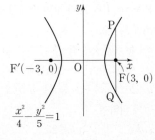

$\dfrac{3^2}{4}-\dfrac{y^2}{5}=1$에서

$\dfrac{y^2}{5}=\dfrac{9}{4}-1=\dfrac{5}{4}$

$\therefore y=\pm\dfrac{5}{2}$

따라서 P$\left(3,\,\dfrac{5}{2}\right)$, Q$\left(3,\,-\dfrac{5}{2}\right)$라 하면 선분 PQ의 길이는

$\dfrac{5}{2}-\left(-\dfrac{5}{2}\right)=5$

쌍곡선 $\dfrac{x^2}{4}-\dfrac{y^2}{5}=1$의 그래프가 $y$축에 대하여 대칭이므로 다른 초점 F'$(-3,\,0)$에 대한 결과도 같다.

---

## 8-2 🄰 $\dfrac{14}{3}$

**|해결 전략|** 쌍곡선 $\dfrac{x^2}{a^2}-\dfrac{y^2}{b^2}=-1$의 초점의 좌표는 $(0,\,\pm\sqrt{a^2+b^2})$이다.

쌍곡선 $\dfrac{x^2}{7}-\dfrac{y^2}{9}=-1$의 두 초점을 F, F'이라 하면 $\sqrt{7+9}=4$이므로 두 초점 F, F'의 좌표는

$(0,\,4),\,(0,\,-4)$

초점 F(0, 4)를 지나고 $y$축에 수직인 직선이 쌍곡선과 만나는 두 점 P, Q의 $y$좌표는 4이므로

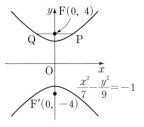

$\dfrac{x^2}{7}-\dfrac{4^2}{9}=-1$에서

$\dfrac{x^2}{7}=\dfrac{16}{9}-1=\dfrac{7}{9}$

$\therefore x=\pm\dfrac{7}{3}$

따라서 P$\left(\dfrac{7}{3},\,4\right)$, Q$\left(-\dfrac{7}{3},\,4\right)$라 하면 선분 PQ의 길이는

$\dfrac{7}{3}-\left(-\dfrac{7}{3}\right)=\dfrac{14}{3}$

쌍곡선 $\dfrac{x^2}{7}-\dfrac{y^2}{9}=-1$의 그래프가 $x$축에 대하여 대칭이므로 다른 초점 F'$(0,\,-4)$에 대한 결과도 같다.

---

## 9-1 🄰 24

**|해결 전략|** 두 꼭짓점과 두 점근선의 기울기를 구하고 둘러싸인 도형이 마름모임을 확인한다.

$9x^2-16y^2=-144$에서 $\dfrac{x^2}{16}-\dfrac{y^2}{9}=-1$이므로

꼭짓점의 좌표는 $(0,\,\pm3)$, 점근선의 기울기는 $\pm\dfrac{3}{4}$

따라서 쌍곡선의 꼭짓점을 지나고 점근선과 평행한 4개의 직선으로 둘러싸인 도형은 오른쪽 그림과 같은 마름모이므로 구하는 넓이는

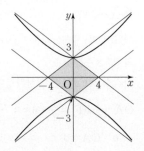

$\dfrac{1}{2}\times8\times6=24$

**9-2** 답 $20\sqrt{2}$

|해결 전략| 두 꼭짓점과 두 점근선의 기울기를 구하고 둘러싸인 도형이 마름모임을 확인한다.

$8x^2-25y^2-200=0$에서 $\dfrac{x^2}{25}-\dfrac{y^2}{8}=1$이므로

꼭짓점의 좌표는 $(\pm 5, 0)$, 점근선의 기울기는 $\pm\dfrac{2\sqrt{2}}{5}$

따라서 쌍곡선의 꼭짓점을 지나고 점근선과 평행한 4개의 직선으로 둘러싸인 도형은 오른쪽 그림과 같은 마름모이므로 구하는 넓이는

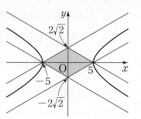

$\dfrac{1}{2}\times 10\times 4\sqrt{2}=20\sqrt{2}$

---

**10-1** 답 13

|해결 전략| 쌍곡선의 초점의 좌표를 구한 후 쌍곡선의 정의를 이용한다.

쌍곡선 $\dfrac{x^2}{16}-\dfrac{y^2}{9}=1$에서 $\sqrt{16+9}=5$이므로 두 초점은

$F(5, 0)$, $F'(-5, 0)$

따라서 원의 반지름의 길이는 5이므로

$\overline{PF}=5$

쌍곡선의 정의에 의하여

$\overline{PF'}-\overline{PF}=2\times\sqrt{16}=8$

$\therefore \overline{PF'}=8+\overline{PF}=8+5=13$

---

**10-2** 답 2

|해결 전략| 쌍곡선의 초점의 좌표를 구한 후 쌍곡선의 정의를 이용한다.

쌍곡선 $\dfrac{x^2}{4}-\dfrac{y^2}{5}=1$에서 $\sqrt{4+5}=3$이므로 두 초점은

$F(3, 0)$, $F'(-3, 0)$

따라서 원의 반지름의 길이는 $\overline{FF'}=6$이므로

$\overline{PF'}=6$

쌍곡선의 정의에 의하여

$\overline{PF'}-\overline{PF}=2\times\sqrt{4}=4$

$\therefore \overline{PF}=\overline{PF'}-4=6-4=2$

---

**11-1** 답 6

|해결 전략| 주어진 쌍곡선의 방정식을 완전제곱식의 차로 변형하여 $\dfrac{(x-m)^2}{a^2}-\dfrac{(y-n)^2}{b^2}=\pm 1$ 꼴로 고친다.

$x^2-4y^2-2x+24y-39=0$에서

$(x-1)^2-4(y-3)^2=4$

$\therefore \dfrac{(x-1)^2}{4}-(y-3)^2=1$ ······㉠

주어진 쌍곡선 ㉠은 쌍곡선 $\dfrac{x^2}{4}-\dfrac{y^2}{1}=1$을 $x$축의 방향으로 1만큼, $y$축의 방향으로 3만큼 평행이동한 것이다.

---

이때, 쌍곡선 $\dfrac{x^2}{4}-\dfrac{y^2}{1}=1$의 꼭짓점의 좌표는 $(2, 0)$, $(-2, 0)$이므로 주어진 쌍곡선 ㉠의 꼭짓점의 좌표는 $(3, 3)$, $(-1, 3)$이다.

따라서 삼각형 OAB의 넓이는

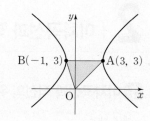

$\dfrac{1}{2}\times\overline{AB}\times 3=\dfrac{1}{2}\times 4\times 3$
$\qquad =6$

다른 풀이

쌍곡선 ㉠의 중심을 G라 하면 $G(1, 3)$

오른쪽 그림에서 주축의 길이 $\overline{AB}$는

$\overline{AB}=2\sqrt{4}=4$

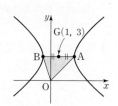

이때, 쌍곡선의 중심은 두 꼭짓점의 중점이므로

$\overline{GA}=\overline{GB}=\dfrac{\overline{AB}}{2}=2$

따라서 꼭짓점의 좌표는 $(1\pm 2, 3)$이므로

$A(3, 3)$, $B(-1, 3)$이라 하면

삼각형 OAB의 넓이는

$\dfrac{1}{2}\times 4\times 3=6$

---

**11-2** 답 6

|해결 전략| 주어진 쌍곡선의 방정식을 완전제곱식의 차로 변형하여 $\dfrac{(x-m)^2}{a^2}-\dfrac{(y-n)^2}{b^2}=\pm 1$ 꼴로 고친다.

$5x^2-4y^2-20x+8y+36=0$에서

$5(x-2)^2-4(y-1)^2=-20$

$\therefore \dfrac{(x-2)^2}{4}-\dfrac{(y-1)^2}{5}=-1$ ······㉠

주어진 쌍곡선 ㉠은 쌍곡선 $\dfrac{x^2}{4}-\dfrac{y^2}{5}=-1$을 $x$축의 방향으로 2만큼, $y$축의 방향으로 1만큼 평행이동한 것이다.

이때, 쌍곡선 $\dfrac{x^2}{4}-\dfrac{y^2}{5}=-1$에서 $\sqrt{4+5}=3$이므로 초점의 좌표는 $(0, 3)$, $(0, -3)$

따라서 주어진 쌍곡선 ㉠의 두 초점 F, F'의 좌표는 $(2, 4)$, $(2, -2)$이므로 삼각형 OFF'의 넓이는

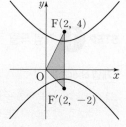

$\dfrac{1}{2}\times\overline{FF'}\times 2=\dfrac{1}{2}\times 6\times 2=6$

다른 풀이

쌍곡선 ㉠의 중심을 G라 하면 $G(2, 1)$

오른쪽 그림에서 $\overline{FF'}=2c$라 하면

$c^2=4+5$ $\therefore c=3$

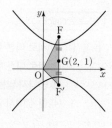

이때, 쌍곡선의 중심은 두 초점의 중점이므로

$\overline{GF}=\overline{GF'}=\dfrac{\overline{FF'}}{2}=c=3$

따라서 초점의 좌표는 $(2, 1\pm 3)$이므로

$F(2, 4)$, $F'(2, -2)$라 하면

삼각형 OFF'의 넓이는

$\dfrac{1}{2}\times 6\times 2=6$

# 2 | 이차곡선과 직선

## 1 이차곡선과 직선의 위치 관계

개념 확인          44쪽

**1** (1) 만나지 않는다.

   (2) 서로 다른 두 점에서 만난다.

**1** (1) $y=x+2$를 $y^2=5x$에 대입하면

$$(x+2)^2=5x$$

$$\therefore x^2-x+4=0$$

이 이차방정식의 판별식을 $D$라 하면

$$D=(-1)^2-4\times1\times4=-15<0$$

이므로 만나지 않는다.

(2) $y=x+2$를 $3x^2+y^2=6$에 대입하면

$$3x^2+(x+2)^2=6$$

$$\therefore 2x^2+2x-1=0$$

이 이차방정식의 판별식을 $D$라 하면

$$\frac{D}{4}=1^2-2\times(-1)=3>0$$

이므로 서로 다른 두 점에서 만난다.

이 이차방정식의 판별식을 $D$라 하면

$$\frac{D}{4}=(-2)^2-1\times0=4>0$$

이므로 서로 다른 두 점에서 만난다.

(2) $y=2x-1$을 $5x^2+3y^2=2$에 대입하면

$$5x^2+3(2x-1)^2=2$$

$$5x^2+12x^2-12x+3=2$$

$$\therefore 17x^2-12x+1=0$$

이 이차방정식의 판별식을 $D$라 하면

$$\frac{D}{4}=(-6)^2-17\times1=19>0$$

이므로 서로 다른 두 점에서 만난다.

(3) $3x-y-2=0$, 즉 $y=3x-2$를 $3x^2-y^2=8$에 대입하면

$$3x^2-(3x-2)^2=8$$

$$3x^2-9x^2+12x-4=8$$

$$\therefore x^2-2x+2=0$$

이 이차방정식의 판별식을 $D$라 하면

$$\frac{D}{4}=(-1)^2-1\times2=-1<0$$

이므로 만나지 않는다.

(4) $2x+y+1=0$, 즉 $y=-2x-1$을 $10x^2-3y^2=15$에 대입하면

$$10x^2-3(-2x-1)^2=15$$

$$10x^2-12x^2-12x-3=15$$

$$\therefore x^2+6x+9=0$$

이 이차방정식의 판별식을 $D$라 하면

$$\frac{D}{4}=3^2-1\times9=0$$

이므로 한 점에서 만난다. (접한다.)

## STEP **1** 개념 드릴        | 45쪽 |

**개념 check**

**1-1** (1) $>$, 서로 다른 두 점에서 만난다.

   (2) $0$, 한 점에서 만난다. (접한다.)

   (3) $<$, 만나지 않는다.

**스스로 check**

**1-2** 〔답〕(1) 서로 다른 두 점에서 만난다.

   (2) 서로 다른 두 점에서 만난다.

   (3) 만나지 않는다.

   (4) 한 점에서 만난다. (접한다.)

(1) $x+y=0$, 즉 $y=-x$를 $x^2=-4y$에 대입하면

$$x^2=-4\times(-x)$$

$$\therefore x^2-4x=0$$

## STEP **2** 필수 유형        | 46쪽 |

**01-1** 〔답〕(1) $k<-1$ 또는 $k>1$   (2) $k=\pm1$   (3) $-1<k<1$

|해결 전략| 쌍곡선의 방정식과 직선의 방정식을 연립한 이차방정식의 판별식을 조사한다.

$2x+y+k=0$, 즉 $y=-2x-k$를 $2x^2-y^2=1$에 대입하면

$$2x^2-(-2x-k)^2=1$$

$$\therefore 2x^2+4kx+k^2+1=0$$

이 이차방정식의 판별식을 $D$라 하면

$$\frac{D}{4}=(2k)^2-2\times(k^2+1)=2k^2-2=2(k^2-1)$$

(1) $\dfrac{D}{4}=2(k^2-1)>0$이어야 하므로

$(k+1)(k-1)>0$  $\therefore k<-1$ 또는 $k>1$

(2) $\dfrac{D}{4}=2(k^2-1)=0$이어야 하므로 $k=\pm1$

(3) $\dfrac{D}{4}=2(k^2-1)<0$이어야 하므로

$(k+1)(k-1)<0$  $\therefore -1<k<1$

## 01-2  답 $k>20$

|해결 전략| 한 문자를 소거한 방정식의 실근의 개수와 타원과 직선의 교점의 개수는 같음을 이용한다.

$y=x+5$를 $4x^2+y^2-k=0$에 대입하면

$4x^2+(x+5)^2-k=0$

$\therefore 5x^2+10x+25-k=0$ ······㉠

타원과 직선의 교점의 개수는 이차방정식 ㉠의 실근의 개수와 같으므로 서로 다른 두 점에서 만나려면 ㉠이 서로 다른 두 실근을 가져야 한다.

따라서 이차방정식 ㉠의 판별식을 $D$라 하면 $D>0$이어야 하므로

$\dfrac{D}{4}=5^2-5(25-k)=-100+5k=-5(20-k)>0$

$20-k<0$  $\therefore k>20$

**다른 풀이**

(1) 접선의 방정식을 $y=x+n$으로 놓고 $y^2=16x$에 대입하면

$(x+n)^2=16x,\ x^2+2(n-8)x+n^2=0$

이 이차방정식의 판별식을 $D$라 하면

$\dfrac{D}{4}=(n-8)^2-n^2=0,\ -16(n-4)=0$  $\therefore n=4$

따라서 구하는 접선의 방정식은 $y=x+4$이다.

(2) 접선의 방정식을 $y=x+n$으로 놓고 $\dfrac{x^2}{4}+\dfrac{y^2}{5}=1$, 즉 $5x^2+4y^2=20$

에 대입하면

$5x^2+4(x+n)^2=20,\ 9x^2+8nx+4n^2-20=0$

이 이차방정식의 판별식을 $D$라 하면

$\dfrac{D}{4}=(4n)^2-9(4n^2-20)=0,\ -20(n^2-9)=0$

$\therefore n=\pm3$

따라서 구하는 접선의 방정식은 $y=x\pm3$이다.

(3) 접선의 방정식을 $y=x+n$으로 놓고 $\dfrac{x^2}{16}-\dfrac{y^2}{9}=1$, 즉

$9x^2-16y^2=144$에 대입하면

$9x^2-16(x+n)^2=144,\ 7x^2+32nx+16n^2+144=0$

이 이차방정식의 판별식을 $D$라 하면

$\dfrac{D}{4}=(16n)^2-7(16n^2+144)=0,\ 144(n^2-7)=0$

$\therefore n=\pm\sqrt{7}$

따라서 구하는 접선의 방정식은 $y=x\pm\sqrt{7}$이다.

## 2 이차곡선의 접선의 방정식

### 개념 확인  47쪽~50쪽

**1** (1) $y=x+4$  (2) $y=x\pm3$  (3) $y=x\pm\sqrt{7}$

**2** (1) $y=2x-2$  (2) $y=x+4$  (3) $y=x-1$

**3** $3x+2y+8=0$ 또는 $y=2$

**1** (1) $y^2=16x=4\times4\times x$에서 $p=4$이므로 기울기가 1인 접선의 방정식은

$y=x+\dfrac{4}{1}$  $\therefore y=x+4$

(2) $\dfrac{x^2}{4}+\dfrac{y^2}{5}=1$에서 $a^2=4,\ b^2=5$이므로 기울기가 1인 접선의 방정식은

$y=x\pm\sqrt{4\times1^2+5}$  $\therefore y=x\pm3$

(3) $\dfrac{x^2}{16}-\dfrac{y^2}{9}=1$에서 $a^2=16,\ b^2=9$이므로 기울기가 1인 접선의 방정식은

$y=x\pm\sqrt{16\times1^2-9}$  $\therefore y=x\pm\sqrt{7}$

**2** (1) $y^2=-16x=4\times(-4)\times x$에서 $p=-4$이므로 포물선 $y^2=-16x$ 위의 점 $(-1,-4)$에서의 접선의 방정식은

$-4y=2\times(-4)\times(x-1)$  $\therefore y=2x-2$

(2) 타원 $\dfrac{x^2}{4}+\dfrac{y^2}{12}=1$ 위의 점 $(-1,3)$에서의 접선의 방정식은

$\dfrac{(-1)\times x}{4}+\dfrac{3\times y}{12}=1$  $\therefore y=x+4$

(3) 쌍곡선 $\dfrac{x^2}{5}-\dfrac{y^2}{4}=1$ 위의 점 $(5,4)$에서의 접선의 방정식은

$\dfrac{5\times x}{5}-\dfrac{4\times y}{4}=1$  $\therefore y=x-1$

**3** 접점의 좌표를 $(x_1,\ y_1)$이라 하면 구하는 접선의 방정식은

$3x_1x+4y_1y=16$

이 직선이 점 $(-4,\ 2)$를 지나므로

$-12x_1+8y_1=16$ ······㉠

또, 접점 $(x_1,\ y_1)$이 타원 위의 점이므로

$3x_1^2+4y_1^2=16$ ······㉡

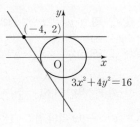

⊙, ⓒ을 연립하여 풀면

$x_1=-2, y_1=-1$ 또는 $x_1=0, y_1=2$

따라서 구하는 접선의 방정식은

$-6x-4y=16$ 또는 $8y=16$

$\therefore 3x+2y+8=0$ 또는 $y=2$

## STEP ❶ 개념 드릴

**개념 check**

**1-1** (1) $2x-1$  (2) $-2x\pm3\sqrt{2}$  (3) $-x\pm2$

**2-1** (1) $\frac{1}{2}x-1$  (2) $\frac{1}{2}x-2$  (3) $-x+1$

**스스로 check**

**1-2** 답 (1) $y=-4x-\frac{1}{2}$  (2) $y=\frac{1}{2}x\pm4$

  (3) $y=\frac{1}{3}x\pm1$  (4) $y=2x\pm2$

(1) $y^2=8x=4\times2\times x$에서 $p=2$이므로 기울기가 $-4$인 접선의 방정식은

$$y=-4x+\frac{2}{-4} \qquad \therefore y=-4x-\frac{1}{2}$$

(2) $\frac{x^2}{12}+\frac{y^2}{13}=1$에서 $a^2=12, b^2=13$이므로 기울기가 $\frac{1}{2}$인 접선의 방정식은

$$y=\frac{1}{2}x\pm\sqrt{12\times\left(\frac{1}{2}\right)^2+13} \qquad \therefore y=\frac{1}{2}x\pm4$$

(3) $\frac{x^2}{27}-\frac{y^2}{2}=1$에서 $a^2=27, b^2=2$이므로 기울기가 $\frac{1}{3}$인 접선의 방정식은

$$y=\frac{1}{3}x\pm\sqrt{27\times\left(\frac{1}{3}\right)^2-2} \qquad \therefore y=\frac{1}{3}x\pm1$$

(4) $16x^2-3y^2=-48$에서 $\frac{x^2}{3}-\frac{y^2}{16}=-1$이므로

$a^2=3, b^2=16$

따라서 기울기가 2인 접선의 방정식은

$$y=2x\pm\sqrt{16-3\times2^2} \qquad \therefore y=2x\pm2$$

**2-2** 답 (1) $y=\frac{3}{2}x-\frac{3}{2}$  (2) $y=-\frac{1}{2}x+4$

  (3) $y=-\frac{3}{4}x-3$  (4) $y=-\frac{8}{7}x-\frac{18}{7}$

(1) $y^2=-9x=4\times\left(-\frac{9}{4}\right)\times x$에서 $p=-\frac{9}{4}$이므로 포물선

$y^2=-9x$ 위의 점 $(-1, -3)$에서의 접선의 방정식은

$$-3y=2\times\left(-\frac{9}{4}\right)\times(x-1) \qquad \therefore y=\frac{3}{2}x-\frac{3}{2}$$

(2) $\frac{2\times x}{16}+\frac{3\times y}{12}=1$  $\therefore y=-\frac{1}{2}x+4$

(3) $\frac{4\times x}{16}-\frac{(-6)\times y}{18}=-1$  $\therefore y=-\frac{3}{4}x-3$

(4) $4\times(-4)\times x-7\times2\times y=36$  $\therefore y=-\frac{8}{7}x-\frac{18}{7}$

## STEP ❷ 필수 유형

**01-1** 답 $-1$

**| 해결 전략 |** 쌍곡선 $\frac{x^2}{a^2}-\frac{y^2}{b^2}=1$에서 기울기가 $m$인 접선의 방정식은

$y=mx\pm\sqrt{a^2m^2-b^2}\ (a^2m^2-b^2>0)$임을 이용한다.

$x$축의 양의 방향과 이루는 각의 크기가 $45°$인 직선의 기울기는

$\tan45°=1$

따라서 쌍곡선 $\frac{x^2}{3}-y^2=1$에 접하고 기울기가 1인 직선의 방정식은

$y=x\pm\sqrt{3\times1^2-1}$  $\therefore y=x\pm\sqrt{2}$

이때, $m=1, n=\sqrt{2}\ (\because n>0)$이므로

$m^2-n^2=-1$

**다른 풀이**

접선의 방정식을 $y=x+n$으로 놓고 $\frac{x^2}{3}-y^2=1$에 대입하면

$\frac{x^2}{3}-(x+n)^2=1$

$\therefore 2x^2+6nx+3n^2+3=0$

이 이차방정식의 판별식을 $D$라 하면 $D=0$일 때 접한다.

즉, $\frac{D}{4}=9n^2-2(3n^2+3)=0$에서 $3(n^2-2)=0$

$\therefore n=\pm\sqrt{2}$

따라서 접선의 방정식은 $y=x\pm\sqrt{2}$이므로

$m=1, n=\sqrt{2}\ (\because n>0)$  $\therefore m^2-n^2=-1$

**02-1** 답 $\frac{9}{2}$

**| 해결 전략 |** 먼저 삼각형 APB의 넓이가 최소일 조건을 알아본다.

삼각형 APB의 넓이가 최소이려면 오른쪽 그림과 같이 포물선 $y^2=4x$ 위의 점 P에서의 접선이 직선 AB와 평행해야 한다.

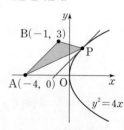

$A(-4, 0), B(-1, 3)$이므로

직선 AB의 기울기는

$$\frac{3-0}{-1-(-4)}=1$$

포물선 $y^2=4x=4\times1\times x$에서 $p=1$이므로 기울기가 1인 접선의 방정식은

$$y=x+\frac{1}{1} \qquad \therefore\ y=x+1$$

이때, 점 $A(-4,0)$에서 접선 $y=x+1$, 즉 $x-y+1=0$에 이르는 거리는

$$\frac{|-4+1|}{\sqrt{1^2+(-1)^2}}=\frac{3}{\sqrt{2}}$$

이고 $\overline{AB}=\sqrt{\{-1-(-4)\}^2+(3-0)^2}=3\sqrt{2}$이므로 삼각형 APB의 넓이의 최솟값은

$$\frac{1}{2}\times3\sqrt{2}\times\frac{3}{\sqrt{2}}=\frac{9}{2}$$

## 03-1 답 $(0,2)$

|해결 전략| 포물선 $y^2=4px$ 위의 점 $(x_1,y_1)$에서의 접선의 방정식은 $y_1y=2p(x+x_1)$임을 이용한다.

$y^2=-4x=4\times(-1)\times x$에서 $p=-1$이므로

포물선 $y^2=-4x$ 위의 점 $(0,0)$에서의 접선 $l_1$의 방정식은

$$0\times y=2\times(-1)\times(x+0)$$

$$\therefore\ x=0 \qquad\qquad \cdots\cdots\ \text{㉠}$$

포물선 $y^2=-4x$ 위의 점 $(-4,4)$에서의 접선 $l_2$의 방정식은

$$4\times y=2\times(-1)\times(x-4)$$

$$\therefore\ x+2y-4=0 \qquad\qquad \cdots\cdots\ \text{㉡}$$

㉠, ㉡을 연립하여 풀면 $x=0$, $y=2$

따라서 두 직선 $l_1$, $l_2$가 만나는 점의 좌표는 $(0,2)$이다.

## 03-2 답 $(4,0)$

|해결 전략| 타원 $\dfrac{x^2}{a^2}+\dfrac{y^2}{b^2}=1$ 위의 점 $(x_1,y_1)$에서의 접선의 방정식은 $\dfrac{x_1x}{a^2}+\dfrac{y_1y}{b^2}=1$임을 이용한다.

주어진 그림에서 타원의 꼭짓점의 좌표가 $(\pm2,0)$, $(0,\pm\sqrt{3})$이므로

타원의 방정식은 $\dfrac{x^2}{4}+\dfrac{y^2}{3}=1$

타원 $\dfrac{x^2}{4}+\dfrac{y^2}{3}=1$ 위의 점 P의 $x$좌표는 1이므로 점 P의 $y$좌표는

$$\frac{1}{4}+\frac{y^2}{3}=1\text{에서 }y^2=\frac{9}{4} \qquad \therefore\ y=\frac{3}{2}\ (\because\ y>0)$$

따라서 타원 $\dfrac{x^2}{4}+\dfrac{y^2}{3}=1$ 위의 점 $P\left(1,\dfrac{3}{2}\right)$에서의 접선의 방정식은

$$\frac{1\times x}{4}+\frac{\dfrac{3}{2}\times y}{3}=1 \qquad \therefore\ x+2y-4=0$$

이 접선과 $x$축이 만나는 점의 좌표는 $y=0$일 때 $x=4$이므로 $(4,0)$이다.

## 04-1 답 6

|해결 전략| 타원 위의 점에서의 접선의 방정식을 구한 후 산술평균과 기하평균의 관계를 이용하여 삼각형 OAB의 넓이의 최솟값을 구한다.

타원 $x^2+4y^2=12$ 위의 점 $P(a,b)$에서의 접선의 방정식은

$$ax+4by=12\ (a>0,b>0) \qquad \cdots\cdots\ \text{㉠}$$

접선 ㉠이 $x$축과 만나는 점 A의 좌표는 $y=0$일 때 $x=\dfrac{12}{a}$이므로

$$\left(\frac{12}{a},0\right)$$

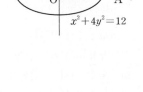

접선 ㉠이 $y$축과 만나는 점 B의 좌표는 $x=0$일 때 $y=\dfrac{3}{b}$이므로

$$\left(0,\frac{3}{b}\right)$$

점 $P(a,b)$는 타원 $x^2+4y^2=12$ 위의 점이므로

$$a^2+4b^2=12$$

$a^2>0$, $4b^2>0$이므로 산술평균과 기하평균의 관계에 의하여

$$a^2+4b^2\geq2\sqrt{a^2\times4b^2}\ (\text{단, 등호는 }a^2=4b^2\text{일 때 성립})$$

$$12\geq4ab \qquad \therefore\ ab\leq3$$

따라서 삼각형 OAB의 넓이는

$$\frac{1}{2}\times\frac{12}{a}\times\frac{3}{b}=\frac{18}{ab}\geq\frac{18}{3}=6$$

이므로 구하는 삼각형 OAB의 넓이의 최솟값은 6이다.

## 04-2 답 52

|해결 전략| 타원의 넓이를 이등분하는 직선은 타원의 중심을 지나야 한다.

쌍곡선 $\dfrac{x^2}{12}-\dfrac{y^2}{8}=1$ 위의 점 $(a,b)$에서의 접선의 방정식은

$$\frac{ax}{12}-\frac{by}{8}=1 \qquad \cdots\cdots\ \text{㉠}$$

타원 $\dfrac{(x-2)^2}{4}+y^2=1$의 넓이를 이등분하는 직선은 타원의 중심 $(2,0)$을 지나므로

$x=2$, $y=0$을 ㉠에 대입하면

$$\frac{2a}{12}=1$$

$$\therefore\ a=6 \qquad\qquad \cdots\cdots\ \text{㉡}$$

점 $(a,b)$는 쌍곡선 $\dfrac{x^2}{12}-\dfrac{y^2}{8}=1$ 위의 점이므로

$$\frac{a^2}{12}-\frac{b^2}{8}=1 \qquad\qquad \cdots\cdots\ \text{㉢}$$

㉡, ㉢에서 $b^2=16$

$$\therefore\ a^2+b^2=6^2+16=52$$

## 05-1 답 $-1$

|해결 전략| 기울기와 관련된 이차곡선의 접선 문제는 기울기가 $m$인 접선 공식을 적용시킨다.

포물선 $y^2=4x=4\times1\times x$에서 $p=1$이므로 기울기가 $m$인 접선의 방정식은

$$y=mx+\frac{1}{m}$$

이 직선이 점 $(a, 2)$를 지나므로

$$2=ma+\frac{1}{m}$$

$$\therefore am^2-2m+1=0 \qquad \cdots\cdots \text{㉠}$$

이차방정식 ㉠의 두 근을 $m_1$, $m_2$라 하면 $m_1$, $m_2$는 각각 두 접선의 기울기이고 두 접선이 수직이므로

$$m_1m_2=-1 \qquad \cdots\cdots \text{㉡}$$

이차방정식 ㉠의 근과 계수의 관계에 의하여

$$m_1m_2=\frac{1}{a}=-1 \ (\because \text{㉡})$$

$$\therefore a=-1$$

참고
임의의 한 점 A에서 포물선에 그은 두 접선이 수직이면 점 A는 포물선의 준선 위에 있다.
포물선 $y^2=4x$의 준선은 $x=-1$이고 점 $(a, 2)$에서 포물선에 그은 두 접선이 수직이므로 점 $(a, 2)$는 준선 위에 있다.
$$\therefore a=-1$$

## 05-2 답 $4$

|해결 전략| 쌍곡선 위의 한 점 $(x_1, y_1)$에서의 접선 공식을 적용시킨다.

접점의 좌표를 $(x_1, y_1)$이라 하면 쌍곡선 $x^2-2y^2=8$ 위의 점 $(x_1, y_1)$에서의 접선의 방정식은

$$x_1x-2y_1y=8$$

이 직선이 점 $(2, 0)$을 지나므로

$$2x_1=8 \qquad \therefore x_1=4 \qquad \cdots\cdots \text{㉠}$$

또, 접점 $(x_1, y_1)$이 쌍곡선 $x^2-2y^2=8$ 위의 점이므로

$${x_1}^2-2{y_1}^2=8 \qquad \cdots\cdots \text{㉡}$$

㉠을 ㉡에 대입하면

$$y_1=\pm2$$

따라서 두 접선의 방정식은

$$4x-4y=8, \ 4x+4y=8$$

$$\therefore y=x-2, \ y=-x+2$$

직선 $y=x-2$가 $y$축과 만나는 점의 좌표는 $(0, -2)$, 직선 $y=-x+2$가 $y$축과 만나는 점의 좌표는 $(0, 2)$이므로 구하는 삼각형의 넓이는

$$\frac{1}{2}\times4\times2=4$$

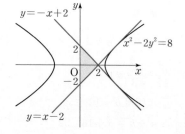

## 1-1 답 $0$

|해결 전략| 한 문자를 소거한 방정식의 실근의 개수와 포물선과 직선의 교점의 개수는 같음을 이용한다.

점 $(2, 1)$이 직선 $y=mx+n$ 위의 점이므로

$$1=2m+n \qquad \therefore n=-2m+1 \qquad \cdots\cdots \text{㉠}$$

㉠을 $y=mx+n$에 대입하면

$$y=mx-2m+1$$

이 식을 $x^2=4y$에 대입하면

$$x^2=4(mx-2m+1)$$

$$\therefore x^2-4mx+8m-4=0$$

이 이차방정식의 판별식을 $D$라 하면 $D=0$일 때 오직 한 점에서 만난다.

즉, $\dfrac{D}{4}=4m^2-8m+4=0$에서 $m=1$

이것을 ㉠에 대입하면 $n=-1$

$$\therefore m+n=1-1=0$$

## 1-2 답 $-1$

|해결 전략| 한 문자를 소거한 방정식의 실근의 개수와 포물선과 직선의 교점의 개수는 같음을 이용한다.

점 $(-2, 4)$가 직선 $x+ay+b=0$ 위의 점이므로

$$-2+4a+b=0 \qquad \therefore b=-4a+2 \qquad \cdots\cdots \text{㉠}$$

㉠을 $x+ay+b=0$에 대입하면

$$x+ay-4a+2=0$$

$$\therefore x=-ay+4a-2$$

이 식을 $y^2=-8x$에 대입하면

$$y^2=-8(-ay+4a-2)$$

$$\therefore y^2-8ay+32a-16=0$$

이 이차방정식의 판별식을 $D$라 하면 $D=0$일 때 오직 한 점에서 만난다.

즉, $\dfrac{D}{4}=16a^2-32a+16=0$에서 $a=1$

이것을 ㉠에 대입하면 $b=-2$

$$\therefore a+b=1-2=-1$$

## 2-1 답 ②

|해결 전략| 한 문자를 소거한 방정식의 실근의 개수와 타원과 직선의 교점의 개수는 같음을 이용한다.

점 $(0, 1)$이 직선 $y=mx+n$ 위의 점이므로

$$n=1 \qquad \therefore y=mx+1$$

이 식을 $4x^2+y^2=1$에 대입하면

$$4x^2+(mx+1)^2=1$$

$$\therefore (m^2+4)x^2+2mx=0$$

이 이차방정식의 판별식을 $D$라 하면 $D>0$일 때 서로 다른 두 점에서 만난다.

즉, $\dfrac{D}{4}=m^2>0$에서 $m\neq0$인 모든 실수이다.

따라서 실수 $m$의 값이 될 수 없는 것은 ②이다.

## 2-2 답 ②

|해결 전략| 한 문자를 소거한 방정식의 실근의 개수와 타원과 직선의 교점의 개수는 같음을 이용한다.

점 $(2, 0)$이 직선 $x+ay+b=0$ 위의 점이므로

$b=-2$   $\therefore x+ay-2=0$

즉, $x=-ay+2$를 $x^2+2y^2=4$에 대입하면

$(-ay+2)^2+2y^2=4$

$\therefore (a^2+2)y^2-4ay=0$

이 이차방정식의 판별식을 $D$라 하면 $D>0$일 때 서로 다른 두 점에서 만난다.

즉, $\dfrac{D}{4}=4a^2>0$에서 $a\neq0$인 모든 실수이다.

따라서 실수 $a$의 값이 될 수 없는 것은 ②이다.

## 3-1 답 $-1$

|해결 전략| 한 문자를 소거한 방정식의 실근의 개수와 이차곡선과 직선의 교점의 개수는 같음을 이용한다.

직선 $y=x+n$과 원 $(x+1)^2+y^2=2$에서

$y=x+n$을 $(x+1)^2+y^2=2$에 대입하면

$(x+1)^2+(x+n)^2=2$

$\therefore 2x^2+2(1+n)x+n^2-1=0$

이 이차방정식의 판별식을 $D_1$이라 하면 $D_1=0$일 때 한 점에서 만난다.

즉, $\dfrac{D_1}{4}=(1+n)^2-2(n^2-1)=0$에서

$n^2-2n-3=0$, $(n-3)(n+1)=0$

$\therefore n=3$ 또는 $n=-1$              ······㉠

직선 $y=x+n$과 쌍곡선 $x^2-2y^2=4$에서

$y=x+n$을 $x^2-2y^2=4$에 대입하면

$x^2-2(x+n)^2=4$

$\therefore x^2+4nx+2n^2+4=0$

이 이차방정식의 판별식을 $D_2$라 하면 $D_2<0$일 때 만나지 않는다.

즉, $\dfrac{D_2}{4}=4n^2-(2n^2+4)<0$에서

$n^2-2<0$

$\therefore -\sqrt{2}<n<\sqrt{2}$            ······㉡

㉠, ㉡에서 $n=-1$

참고
직선 $y=x+n$과 원 $(x+1)^2+y^2=2$가 한 점에서 만날 조건은 원의 중심 $(-1, 0)$과 직선 $y=x+n$, 즉 $x-y+n=0$ 사이의 거리가 원의 반지름의 길이와 같음을 이용하여 구할 수 있다.

즉, $\dfrac{|-1+n|}{\sqrt{1^2+(-1)^2}}=\sqrt{2}$에서 $-1+n=\pm2$

$\therefore n=3$ 또는 $n=-1$

## 3-2 답 $\sqrt{3}$

|해결 전략| 한 문자를 소거한 방정식의 실근의 개수와 이차곡선과 직선의 교점의 개수는 같음을 이용한다.

직선 $y=2x+n$과 쌍곡선 $2x^2-y^2=3$에서

$y=2x+n$을 $2x^2-y^2=3$에 대입하면

$2x^2-(2x+n)^2=3$

$\therefore 2x^2+4nx+n^2+3=0$

이 이차방정식의 판별식을 $D_1$이라 하면 $D_1=0$일 때 한 점에서 만난다.

즉, $\dfrac{D_1}{4}=4n^2-2(n^2+3)=0$에서

$n^2-3=0$

$\therefore n=\pm\sqrt{3}$              ······㉠

직선 $y=2x+n$과 타원 $2(x-1)^2+y^2=1$에서

$y=2x+n$을 $2(x-1)^2+y^2=1$에 대입하면

$2(x-1)^2+(2x+n)^2=1$

$\therefore 6x^2+4(n-1)x+n^2+1=0$

이 이차방정식의 판별식을 $D_2$라 하면 $D_2<0$일 때 만나지 않는다.

즉, $\dfrac{D_2}{4}=4(n-1)^2-6(n^2+1)<0$에서

$2n^2+8n+2>0$, $n^2+4n+1>0$

$\therefore n<-2-\sqrt{3}$ 또는 $n>-2+\sqrt{3}$     ······㉡

㉠, ㉡에서 $n=\sqrt{3}$

## 4-1 답 $y=x-1$

|해결 전략| 직선과 포물선이 접할 조건은 한 문자를 소거한 이차방정식의 판별식이 0임을 이용한다.

$x$축의 양의 방향과 이루는 각의 크기가 $45°$인 직선의 기울기는

$\tan45°=1$

따라서 접선의 방정식을 $y=x+n$으로 놓고 $y^2-4x+8=0$에 대입하면

$(x+n)^2-4x+8=0$

$\therefore x^2+2(n-2)x+n^2+8=0$

이 이차방정식의 판별식을 $D$라 하면 $D=0$일 때 접한다.

즉, $\dfrac{D}{4}=(n-2)^2-(n^2+8)=0$에서

$n=-1$

따라서 구하는 직선의 방정식은

$y=x-1$

**4-2** 답 $y=-x+2$

|해결 전략| 직선과 포물선이 접할 조건은 한 문자를 소거한 이차방정식의 판별식이 0임을 이용한다.

접선의 방정식을 $y=-x+n$으로 놓고 $(x-1)^2+4y=0$에 대입하면
$(x-1)^2+4(-x+n)=0$
$\therefore x^2-6x+4n+1=0$
이 이차방정식의 판별식을 $D$라 하면 $D=0$일 때 접한다.

즉, $\dfrac{D}{4}=9-(4n+1)=0$에서 $n=2$

따라서 구하는 직선의 방정식은
$y=-x+2$

**5-1** 답 2

|해결 전략| 먼저 삼각형 ABC의 넓이가 최소일 조건을 알아본다.

삼각형 ABC의 넓이가 최소이려면 오른쪽 그림과 같이 포물선 $x^2=4y$ 위의 점 A에서 그은 접선이 직선 BC와 평행해야 한다.

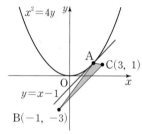

$B(-1, -3)$, $C(3, 1)$이므로
직선 BC의 기울기는
$\dfrac{1-(-3)}{3-(-1)}=1$

기울기가 1인 직선의 방정식을 $y=x+n$으로 놓고
$x^2=4y$에 대입하면 $x^2=4(x+n)$
$\therefore x^2-4x-4n=0$
이 이차방정식의 판별식을 $D$라 하면 $D=0$일 때 접한다.

즉, $\dfrac{D}{4}=4+4n=0$에서 $n=-1$

따라서 접선의 방정식은 $y=x-1$
이때, 점 $C(3, 1)$에서 접선 $y=x-1$, 즉 $x-y-1=0$에 이르는 거리는
$\dfrac{|3-1-1|}{\sqrt{1^2+(-1)^2}}=\dfrac{\sqrt{2}}{2}$
이고 $\overline{BC}=\sqrt{\{3-(-1)\}^2+\{1-(-3)\}^2}=4\sqrt{2}$이므로
삼각형 ABC의 넓이의 최솟값은
$\dfrac{1}{2}\times4\sqrt{2}\times\dfrac{\sqrt{2}}{2}=2$

**5-2** 답 $5\pi$

|해결 전략| 먼저 원의 반지름의 길이가 최소일 조건을 알아본다.

원의 반지름의 길이가 최소이려면 오른쪽 그림과 같이 포물선 $y^2=8x$ 위의 점에서 그은 접선이 직선 $y=2x+11$과 평행해야 한다.

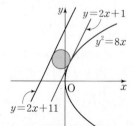

기울기가 2인 직선의 방정식을 $y=2x+n$으로 놓고
$y^2=8x$에 대입하면
$(2x+n)^2=8x$
$\therefore 4x^2+4(n-2)x+n^2=0$

이 이차방정식의 판별식을 $D$라 하면 $D=0$일 때 접한다.

즉, $\dfrac{D}{4}=4(n-2)^2-4n^2=0$에서 $n=1$

따라서 접선의 방정식은 $y=2x+1$
이 접선 위의 점 $(0, 1)$에서 직선 $y=2x+11$, 즉 $2x-y+11=0$에 이르는 거리는
$\dfrac{|-1+11|}{\sqrt{2^2+(-1)^2}}=2\sqrt{5}$
이때, 두 직선 $y=2x+1$과 $y=2x+11$에 모두 접하는 원의 지름의 길이가 $2\sqrt{5}$이므로 반지름의 길이가 최소인 원의 넓이는
$\pi\times(\sqrt{5})^2=5\pi$

**6-1** 답 3

|해결 전략| 이차곡선 위의 점에서의 접선의 방정식을 구한다.

타원 $2x^2+y^2=3$ 위의 점 $(1, 1)$에서의 접선의 방정식은
$2\times1\times x+1\times y=3$
$2x+y=3$   $\therefore y=-2x+3$ ······ ㉠
$y^2+16x=0$, 즉 $y^2=-16x=4\times(-4)\times x$에서 $p=-4$이므로
포물선 $y^2+16x=0$ 위의 점 $(a, b)$에서의 접선의 방정식은
$by=-8(x+a)$   $\therefore y=-\dfrac{8}{b}(x+a)$ $(b\neq0)$ ······ ㉡

두 직선 ㉠과 ㉡이 평행하므로 기울기가 같다.

즉, $-2=-\dfrac{8}{b}$에서 $b=4$

한편, 점 $(a, b)$는 포물선 $y^2+16x=0$ 위의 점이므로
$b^2+16a=0$   $\therefore a=-1$ $(\because b=4)$
$\therefore a+b=-1+4=3$

**6-2** 답 6

|해결 전략| 이차곡선 위의 점에서의 접선의 방정식을 구한다.

타원 $\dfrac{x^2}{20}+\dfrac{y^2}{5}=1$ 위의 점 $(4, -1)$에서의 접선의 방정식은
$\dfrac{4\times x}{20}+\dfrac{-1\times y}{5}=1$
$x-y=5$   $\therefore y=x-5$ ······ ㉠
$x^2-8y=0$, 즉 $x^2=8y=4\times2\times y$에서 $p=2$이므로 포물선
$x^2-8y=0$ 위의 점 $(a, b)$에서의 접선의 방정식은
$ax=4(y+b)$   $\therefore y=\dfrac{a}{4}x-b$ ······ ㉡

두 직선 ㉠과 ㉡이 평행하므로 기울기가 같다.

즉, $1=\dfrac{a}{4}$에서 $a=4$

한편, 점 $(a, b)$는 포물선 $x^2-8y=0$ 위의 점이므로
$a^2-8b=0$   $\therefore b=2$ $(\because a=4)$
$\therefore a+b=4+2=6$

## 7-1 답 $90°$

|해결 전략| 연립방정식을 풀어서 교점을 구하고 이차곡선 위의 점에서의 접선 공식을 적용한다.

$y^2=4x$ $\qquad$ ……㉠

$\dfrac{x^2}{3}+\dfrac{y^2}{6}=1$ $\qquad$ ……㉡

㉠을 ㉡에 대입하면

$\dfrac{x^2}{3}+\dfrac{4x}{6}=1$

$x^2+2x-3=0$

$(x+3)(x-1)=0$

$\therefore x=-3$ 또는 $x=1$

이때, 교점은 제1사분면 위의 점이므로 $x=1$

이것을 ㉠에 대입하면 $y=2\,(\because y>0)$

따라서 교점의 좌표는 $(1,\,2)$이다.

교점 $(1,\,2)$에서 포물선 $y^2=4x$에 그은 접선의 방정식은

$2y=2(x+1)$ $\qquad \therefore y=x+1$

교점 $(1,\,2)$에서 타원 $\dfrac{x^2}{3}+\dfrac{y^2}{6}=1$에 그은 접선의 방정식은

$\dfrac{1\times x}{3}+\dfrac{2\times y}{6}=1$ $\qquad \therefore y=-x+3$

따라서 두 접선의 기울기의 곱은 $1\times(-1)=-1$이므로
두 접선이 이루는 각의 크기는 $90°$이다.

## 7-2 답 $90°$

|해결 전략| 연립방정식을 풀어서 교점을 구하고 이차곡선 위의 점에서의 접선 공식을 적용한다.

$x^2=y$ $\qquad$ ……㉠

$x^2+2y^2=3$ $\qquad$ ……㉡

㉠을 ㉡에 대입하면

$y+2y^2=3$

$2y^2+y-3=0$

$(2y+3)(y-1)=0$

$\therefore y=-\dfrac{3}{2}$ 또는 $y=1$

이때, 교점은 제1사분면 위의 점이므로 $y=1$

이것을 ㉠에 대입하면 $x=1\,(\because x>0)$

따라서 교점의 좌표는 $(1,\,1)$이다.

교점 $(1,\,1)$에서 포물선 $x^2=y$에 그은 접선의 방정식은

$x=\dfrac{1}{2}(y+1)$ $\qquad \therefore y=2x-1$

교점 $(1,\,1)$에서 타원 $x^2+2y^2=3$에 그은 접선의 방정식은

$1\times x+2\times1\times y=3$ $\qquad \therefore y=-\dfrac{1}{2}x+\dfrac{3}{2}$

따라서 두 접선의 기울기의 곱은 $2\times\left(-\dfrac{1}{2}\right)=-1$이므로

두 접선이 이루는 각의 크기는 $90°$이다.

## 8-1 답 $\dfrac{15}{4}$

|해결 전략| 타원 위의 점 $(a,\,b)$에서의 접선이 주어진 직선과 평행할 때 거리가 최대임을 이용한다.

타원 $\dfrac{x^2}{5}+\dfrac{y^2}{3}=1$ 위의 점 $(a,\,b)$와

직선 $\dfrac{x}{5}+\dfrac{y}{3}=0$ 사이의 거리가 최대

이려면 오른쪽 그림과 같이 점 $(a,\,b)$

에서의 접선이 직선 $\dfrac{x}{5}+\dfrac{y}{3}=0$과 평

행해야 한다. $\quad \rightarrow y=-\dfrac{3}{5}x$

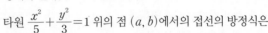

타원 $\dfrac{x^2}{5}+\dfrac{y^2}{3}=1$ 위의 점 $(a,\,b)$에서의 접선의 방정식은

$\dfrac{ax}{5}+\dfrac{by}{3}=1$ $\qquad \therefore y=-\dfrac{3a}{5b}x+\dfrac{3}{b}$

이 접선의 기울기 $-\dfrac{3a}{5b}$가 $-\dfrac{3}{5}$이 되어야 하므로

$-\dfrac{3a}{5b}=-\dfrac{3}{5}$ $\qquad \therefore a=b$ $\qquad$ ……㉠

한편, 점 $(a,\,b)$는 타원 $\dfrac{x^2}{5}+\dfrac{y^2}{3}=1$ 위의 점이므로

$\dfrac{a^2}{5}+\dfrac{b^2}{3}=1$ $\qquad$ ……㉡

㉠, ㉡을 연립하여 풀면 $a^2=b^2=\dfrac{15}{8}$

$\therefore a^2+b^2=\dfrac{15}{8}+\dfrac{15}{8}=\dfrac{15}{4}$

## 8-2 답 $\dfrac{4\sqrt{21}}{7}$

|해결 전략| 타원 위의 점 $(a,\,b)$에서의 접선이 주어진 직선과 평행하고 점 $(a,\,b)$가 제1사분면 위의 점일 때 거리가 최소임을 이용한다.

타원 $\dfrac{x^2}{4}+\dfrac{y^2}{3}=1$ 위의 점 $(a,\,b)$와

직선 $\dfrac{x}{4}+\dfrac{y}{3}=1$ 사이의 거리가 최소

이려면 오른쪽 그림과 같이 점 $(a,\,b)$

에서의 접선이 직선 $\quad \rightarrow y=-\dfrac{3}{4}x+3$

$\dfrac{x}{4}+\dfrac{y}{3}=1$과 평행하고, 점 $(a,\,b)$가

제1사분면 위의 점이어야 한다.

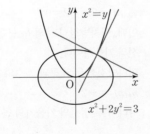

타원 $\dfrac{x^2}{4}+\dfrac{y^2}{3}=1$ 위의 점 $(a,\,b)$에서의 접선의 방정식은

$\dfrac{ax}{4}+\dfrac{by}{3}=1$ $\qquad \therefore y=-\dfrac{3a}{4b}x+\dfrac{3}{b}$

이 접선의 기울기 $-\dfrac{3a}{4b}$가 $-\dfrac{3}{4}$이 되어야 하므로

$-\dfrac{3a}{4b}=-\dfrac{3}{4}$ $\qquad \therefore a=b$ $\qquad$ ……㉠

한편, 점 $(a, b)$는 타원 $\dfrac{x^2}{4}+\dfrac{y^2}{3}=1$ 위의 점이므로

$$\dfrac{a^2}{4}+\dfrac{b^2}{3}=1 \qquad\qquad \cdots\cdots \text{ⓛ}$$

㉠, ㉡을 연립하여 풀면 $a=b=\dfrac{2\sqrt{21}}{7}$ $(\because a>0, b>0)$

$$\therefore a+b=\dfrac{2\sqrt{21}}{7}+\dfrac{2\sqrt{21}}{7}=\dfrac{4\sqrt{21}}{7}$$

## 9-1 답 $\sqrt{2}$

**|해결 전략|** 먼저 사각형 OAPB의 넓이가 최대일 조건을 알아본다.

오른쪽 그림과 같이 사각형 OAPB
의 넓이는 두 삼각형 OAB와 PAB
의 넓이의 합이고, 삼각형 OAB의 넓
이는 일정하므로 사각형 OAPB의
넓이가 최대이려면 삼각형 PAB의
넓이가 최대이어야 한다.

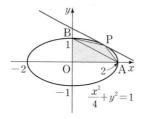

삼각형 PAB의 넓이는 타원 $\dfrac{x^2}{4}+y^2=1$ 위의 점 P에서의 접선이 직선 AB와 평행할 때 최대가 된다.

$A(2, 0)$, $B(0, 1)$이므로 직선 AB의 기울기는 $-\dfrac{1}{2}$

제1사분면의 타원 $\dfrac{x^2}{4}+y^2=1$ 위의 점에서 그은 기울기가 $-\dfrac{1}{2}$인 접선의 방정식은 $y=-\dfrac{1}{2}x+\sqrt{4\times\left(-\dfrac{1}{2}\right)^2+1}$

$$\therefore y=-\dfrac{1}{2}x+\sqrt{2}$$

점 $A(2, 0)$에서 직선 $y=-\dfrac{1}{2}x+\sqrt{2}$, 즉 $x+2y-2\sqrt{2}=0$에 이르는 거리는

$$\dfrac{|2-2\sqrt{2}|}{\sqrt{1^2+2^2}}=\dfrac{2\sqrt{2}-2}{\sqrt{5}}$$

이고 $\overline{AB}=\sqrt{5}$이므로 삼각형 PAB의 넓이의 최댓값은

$$\dfrac{1}{2}\times\sqrt{5}\times\dfrac{2\sqrt{2}-2}{\sqrt{5}}=\sqrt{2}-1$$

따라서 사각형 OAPB의 넓이의 최댓값은 삼각형 OAB의 넓이가

$$\dfrac{1}{2}\times2\times1=1$$이므로

$$\sqrt{2}-1+1=\sqrt{2}$$

## 9-2 답 20

**|해결 전략|** 먼저 주어진 네 점을 꼭짓점으로 하는 사각형의 넓이가 최대일 조건을 알아본다.

오른쪽 그림과 같이 네 점 A, B,
P, Q를 꼭짓점으로 하는 사각
형의 넓이는 두 삼각형 PAB와
QAB의 넓이의 합이고, 사각형
의 넓이가 최대이려면 두 삼각형
의 넓이가 각각 최대이어야 한다.

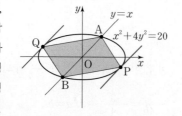

타원 $x^2+4y^2=20$과 직선 $y=x$가 만나는 두 점의 좌표는

$(2, 2)$, $(-2, -2)$

$A(2, 2)$, $B(-2, -2)$라 하면 $\overline{AB}=4\sqrt{2}$

삼각형 PAB의 넓이는 타원 $x^2+4y^2=20$ 위의 점 P에서의 접선이 직선 $y=x$와 평행할 때 최대가 된다.

직선 AB의 기울기는 1이므로 타원 $x^2+4y^2=20$, 즉 $\dfrac{x^2}{20}+\dfrac{y^2}{5}=1$

위의 점에서 그은 기울기가 1인 접선의 방정식은

$$y=x\pm\sqrt{20\times1^2+5}$$

$$\therefore y=x\pm5$$

직선 $y=x$ 위의 점 $O(0, 0)$에서 직선 $y=x-5$, 즉 $x-y-5=0$에 이르는 거리는 $\dfrac{|-5|}{\sqrt{1^2+(-1)^2}}=\dfrac{5}{\sqrt{2}}$

따라서 삼각형 PAB의 넓이의 최댓값은

$$\dfrac{1}{2}\times4\sqrt{2}\times\dfrac{5}{\sqrt{2}}=10$$

마찬가지로 삼각형 QAB의 넓이의 최댓값도 10이므로
사각형 APBQ의 넓이의 최댓값은

$$10+10=20$$

## 10-1 답 $-2$

**|해결 전략|** 기울기와 관련된 이차곡선의 접선 문제는 기울기가 $m$인 접선 공식을 적용한다.

포물선 $y^2=8x=4\times2\times x$에서 $p=2$이므로 기울기가 $m$인 접선의 방정식은

$$y=mx+\dfrac{2}{m}$$

이 직선이 점 $(-1, 2)$를 지나므로

$$2=-m+\dfrac{2}{m}$$

$$\therefore m^2+2m-2=0 \qquad\qquad \cdots\cdots \text{㉠}$$

이때, 이차방정식 ㉠의 두 근을 $m_1$, $m_2$라 하면 $m_1$, $m_2$는 각각 두 접선의 기울기이다.

이차방정식 ㉠의 근과 계수의 관계에 의하여

$$m_1m_2=-2$$

따라서 두 접선의 기울기의 곱은 $-2$이다.

## 10-2 답 $-\dfrac{4}{3}$

**|해결 전략|** 기울기와 관련된 이차곡선의 접선 문제는 기울기가 $m$인 접선 공식을 적용한다.

포물선 $y^2=-12x=4\times(-3)\times x$에서 $p=-3$이므로 기울기가 $m$인 접선의 방정식은

$$y=mx+\dfrac{-3}{m}$$

이 직선이 점 $(3, -4)$를 지나므로

$$-4=3m+\dfrac{-3}{m}$$

$$\therefore 3m^2+4m-3=0 \qquad\qquad \cdots\cdots \text{㉠}$$

이때, 이차방정식 ㉠의 두 근을 $m_1$, $m_2$라 하면 $m_1$, $m_2$는 각각 두 접선의 기울기이다.

이차방정식 ㉠의 근과 계수의 관계에 의하여

$$m_1+m_2=-\frac{4}{3}$$

따라서 두 접선의 기울기의 합은 $-\frac{4}{3}$이다.

## 11-1 답 25

|해결 전략| 기울기와 관련된 이차곡선의 접선 문제는 기울기가 $m$인 접선 공식을 적용한다.

쌍곡선 $\dfrac{x^2}{16}-\dfrac{y^2}{7}=1$에서 기울기가 $m$인 접선의 방정식은

$$y=mx\pm\sqrt{16m^2-7} \qquad\cdots\cdots㉠$$

타원 $\dfrac{x^2}{16}+\dfrac{y^2}{B}=1$의 한 초점을 $F(0, c)$ $(c>0)$라 하면

$c^2=B-16$이고 접선 ㉠이 점 F를 지나므로

$c=\sqrt{16m^2-7}$ $(\because c>0)$

$\therefore 16m^2-7-c^2=0 \qquad\cdots\cdots㉡$

이때, 이차방정식 ㉡의 두 근을 $m_1$, $m_2$라 하면 $m_1$, $m_2$는 각각 두 접선의 기울기이다.

한편, 이차방정식 ㉡의 근과 계수의 관계에 의하여

$$m_1m_2=-\frac{c^2+7}{16}$$

두 접선이 직교하므로 $m_1m_2=-1$

즉, $-\dfrac{c^2+7}{16}=-1$에서 $c^2=9$

따라서 $c^2=B-16=9$이므로 $B=25$

## 11-2 답 3

|해결 전략| 기울기와 관련된 이차곡선의 접선 문제는 기울기가 $m$인 접선 공식을 적용한다.

쌍곡선 $\dfrac{x^2}{7}-\dfrac{y^2}{16}=-1$에서 기울기가 $m$인 접선의 방정식은

$$y=mx\pm\sqrt{16-7m^2} \qquad\cdots\cdots㉠$$

접선 ㉠이 포물선 $y^2=4px$의 초점 $F(p, 0)$을 지나므로

$0=pm\pm\sqrt{16-7m^2}$

$\therefore (p^2+7)m^2-16=0 \qquad\cdots\cdots㉡$

이때, 이차방정식 ㉡의 두 근을 $m_1$, $m_2$라 하면 $m_1$, $m_2$는 각각 두 접선의 기울기이다.

한편, 이차방정식 ㉡의 근과 계수의 관계에 의하여

$$m_1m_2=-\frac{16}{p^2+7}$$

두 접선이 직교하므로 $m_1m_2=-1$

즉, $-\dfrac{16}{p^2+7}=-1$에서 $p=3$ $(\because p>0)$

---

# 3 | 벡터의 연산

## 1 벡터의 뜻

### 개념 확인 62쪽~63쪽

**1** (1) 시점: A, 종점: D  (2) 시점: D, 종점: C

**2** (1) 3  (2) $\sqrt{34}$

**3** (1) $\vec{c}, \vec{f}$  (2) $\vec{c}, \vec{d}$  (3) $\vec{c}$  (4) $\vec{f}$

**1** (1) 벡터 $\overrightarrow{AD}$의 시점은 A, 종점은 D이다.

　(2) 벡터 $\overrightarrow{DC}$의 시점은 D, 종점은 C이다.

**2** (1) $|\overrightarrow{AB}|=\overline{AB}=3$

　(2) $|\overrightarrow{CA}|=\overline{CA}=\sqrt{3^2+5^2}=\sqrt{34}$

**3** (1) $\vec{a}$와 크기가 같은 벡터는 $\vec{c}, \vec{f}$이다.

　(2) $\vec{a}$와 방향이 같은 벡터는 $\vec{c}, \vec{d}$이다.

　(3) $\vec{a}$와 서로 같은 벡터는 $\vec{c}$이다.

　(4) $\vec{a}$와 크기가 같고 방향이 반대인 벡터는 $\vec{f}$이다.

---

### STEP 1 개념 드릴 64쪽

#### 개념 check

**1-1** (1) 3  (2) 2  (3) $\sqrt{13}$

**2-1** (1) 1, 2, 2  (2) $\overrightarrow{FO}$, $\overrightarrow{OC}$, $\overrightarrow{ED}$  (3) $\overrightarrow{FA}$, $\overrightarrow{OB}$, $\overrightarrow{EO}$, $\overrightarrow{DC}$

#### 스스로 check

**1-2** 답 (1) 4  (2) 3  (3) 5

(1) $|\overrightarrow{BC}|=\overline{BC}=\overline{AD}=4$

(2) $|\overrightarrow{CD}|=\overline{CD}=\overline{AB}=3$

(3) $|\overrightarrow{AC}|=\overline{AC}=\sqrt{3^2+4^2}=5$

**2-2** 답 (1) 1  (2) $\overrightarrow{DB}$, $\overrightarrow{FE}$  (3) $\overrightarrow{FD}$, $\overrightarrow{EB}$, $\overrightarrow{CE}$

(1) $\overrightarrow{EF}=\dfrac{1}{2}\overline{AB}=1$이므로

　　$|\overrightarrow{EF}|=\overline{EF}=1$

(2) $\overrightarrow{AD}$와 서로 같은 벡터는 $\overrightarrow{DB}$, $\overrightarrow{FE}$이다.

(3) $\overrightarrow{DF}$와 크기가 같고 방향이 반대인 벡터는 $\overrightarrow{FD}$, $\overrightarrow{EB}$, $\overrightarrow{CE}$이다.

**01-1** 답 (1) $3\sqrt{3}$  (2) $\overrightarrow{EA}$, $\overrightarrow{BF}$, $\overrightarrow{FB}$, $\overrightarrow{CD}$, $\overrightarrow{DC}$

| 해결 전략 | $|\overrightarrow{AE}|$는 선분 AE의 길이임을 이용한다.

(1) $\overrightarrow{AE}=\dfrac{\sqrt{3}}{2}\times6=3\sqrt{3}$

$\therefore |\overrightarrow{AE}|=\overline{AE}=3\sqrt{3}$

(2) $\overrightarrow{AE}$와 크기가 같은 벡터는 $\overrightarrow{EA}$, $\overrightarrow{BF}$, $\overrightarrow{FB}$, $\overrightarrow{CD}$, $\overrightarrow{DC}$이다.

**02-1** 답 (1) $-\vec{a}$  (2) $-\vec{b}$  (3) $\vec{a}$  (4) $\vec{b}$

| 해결 전략 | 벡터 $\vec{a}$와 크기가 같고 방향이 반대인 벡터를 $-\vec{a}$로 나타낸다.

(1) $\overrightarrow{AO}=-\overrightarrow{OA}=-\vec{a}$

(2) $\overrightarrow{BO}=-\overrightarrow{OB}=-\vec{b}$

(3) $\overrightarrow{CO}=\overrightarrow{OA}=\vec{a}$

(4) $\overrightarrow{DO}=\overrightarrow{OB}=\vec{b}$

## 2 벡터의 덧셈과 뺄셈

| 개념 확인 | | 67쪽~69쪽 |
|---|---|---|

**1** (1) 풀이 참조   (2) 풀이 참조

**2** $\overrightarrow{AD}$

**3** (1) 풀이 참조   (2) 풀이 참조

**1** (1)

(2)
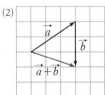

**2** $\overrightarrow{AB}+\overrightarrow{BC}+\overrightarrow{CD}=(\overrightarrow{AB}+\overrightarrow{BC})+\overrightarrow{CD}=\overrightarrow{AC}+\overrightarrow{CD}=\overrightarrow{AD}$

**3** (1)
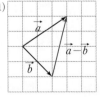

(2)
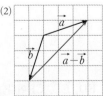

| 개념 check |
|---|
| **1-1** 결합, 교환, 결합 |
| **2-1** (1) $\overrightarrow{BC}$   (2) $\overrightarrow{DC}$ |

( 스스로 check )

**1-2** 답 풀이 참조

$\overrightarrow{AB}+\overrightarrow{BC}+\overrightarrow{CA}=(\overrightarrow{AB}+\overrightarrow{BC})+\overrightarrow{CA}$
$=\overrightarrow{AC}+\overrightarrow{CA}=\vec{0}$

**2-2** 답 (1) $\overrightarrow{AC}$  (2) $\overrightarrow{AE}$

(1) $\overrightarrow{AB}-\overrightarrow{CB}=\overrightarrow{AB}+\overrightarrow{BC}=\overrightarrow{AC}$

(2) $\overrightarrow{BC}+\overrightarrow{AB}+\overrightarrow{DE}+\overrightarrow{CD}=\overrightarrow{AB}+\overrightarrow{BC}+\overrightarrow{CD}+\overrightarrow{DE}$
$=(\overrightarrow{AB}+\overrightarrow{BC})+(\overrightarrow{CD}+\overrightarrow{DE})$
$=\overrightarrow{AC}+\overrightarrow{CE}=\overrightarrow{AE}$

**01-1** 답 (1) $\vec{b}-\vec{a}$  (2) $-\vec{a}-\vec{b}$

| 해결 전략 | $\overrightarrow{AB}+\overrightarrow{BC}=\overrightarrow{AC}$, $\overrightarrow{AB}-\overrightarrow{AC}=\overrightarrow{CB}$임을 이용한다.

(1) $\overrightarrow{BD}=\overrightarrow{AD}-\overrightarrow{AB}=\vec{b}-\vec{a}$

(2) $\overrightarrow{CA}=\overrightarrow{CD}+\overrightarrow{DA}=\overrightarrow{BA}+\overrightarrow{DA}$
$=-\overrightarrow{AB}-\overrightarrow{AD}=-\vec{a}-\vec{b}$

**01-2** 답 (1) $-\vec{a}+\vec{b}$  (2) $\vec{a}-\vec{b}$  (3) $-\vec{b}-\vec{a}$

| 해결 전략 | $\overrightarrow{AB}+\overrightarrow{BC}=\overrightarrow{AC}$, $\overrightarrow{AB}-\overrightarrow{AC}=\overrightarrow{CB}$임을 이용한다.

(1) $\overrightarrow{BO}=\overrightarrow{BA}+\overrightarrow{AO}=\overrightarrow{BA}+\overrightarrow{BC}$
$=-\overrightarrow{AB}+\overrightarrow{BC}=-\vec{a}+\vec{b}$

(2) $\overrightarrow{EO}=\overrightarrow{OB}=-\overrightarrow{BO}=\vec{a}-\vec{b}$

(3) $\overrightarrow{DF}=\overrightarrow{EF}-\overrightarrow{ED}=\overrightarrow{CB}-\overrightarrow{AB}$
$=-\overrightarrow{BC}-\overrightarrow{AB}=-\vec{b}-\vec{a}$

## 3 벡터의 실수배

| 개념 확인 | | 72쪽~75쪽 |
|---|---|---|

**1** (1) 풀이 참조   (2) 풀이 참조   (3) 풀이 참조

**2** (1) $15\vec{a}+\vec{b}$  (2) $7\vec{a}-15\vec{b}$

**3** 풀이 참조

**4** 풀이 참조

**1** (1)

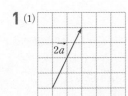

(2)

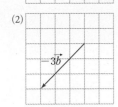

(3)

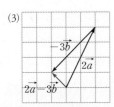

**2** (1) $3(\vec{a}-\vec{b})+4(3\vec{a}+\vec{b})=3\vec{a}-3\vec{b}+12\vec{a}+4\vec{b}$
$\qquad\qquad\qquad\qquad=(3+12)\vec{a}+(-3+4)\vec{b}$
$\qquad\qquad\qquad\qquad=15\vec{a}+\vec{b}$

(2) $4(\vec{a}-3\vec{b})-3(-\vec{a}+\vec{b})=4\vec{a}-12\vec{b}+3\vec{a}-3\vec{b}$
$\qquad\qquad\qquad\qquad\quad=(4+3)\vec{a}+(-12-3)\vec{b}$
$\qquad\qquad\qquad\qquad\quad=7\vec{a}-15\vec{b}$

**3** $\vec{p}+\vec{q}=(3\vec{a}-4\vec{b})+(-\vec{a}+2\vec{b})$
$\qquad\quad=(3-1)\vec{a}+(-4+2)\vec{b}$
$\qquad\quad=2\vec{a}-2\vec{b}$
$\vec{q}-\vec{r}=(-\vec{a}+2\vec{b})-(3\vec{a}-2\vec{b})$
$\qquad\quad=(-1-3)\vec{a}+(2+2)\vec{b}$
$\qquad\quad=-4\vec{a}+4\vec{b}$
$\therefore \vec{q}-\vec{r}=-2(\vec{p}+\vec{q})$
따라서 두 벡터 $\vec{p}+\vec{q}$, $\vec{q}-\vec{r}$는 서로 평행하다.

**4** $\overrightarrow{AB}=\overrightarrow{OB}-\overrightarrow{OA}=\vec{b}-\vec{a}$
$\overrightarrow{AC}=\overrightarrow{OC}-\overrightarrow{OA}=(-\vec{a}+2\vec{b})-\vec{a}$
$\qquad\quad=-2\vec{a}+2\vec{b}=2(\vec{b}-\vec{a})$
$\therefore \overrightarrow{AC}=2\overrightarrow{AB}$
따라서 세 점 A, B, C는 한 직선 위에 있다.

**STEP ① 개념 드릴** ──────── |76쪽|

**개념 check**

1-1 (1) $-2\vec{a}+26\vec{b}$　(2) $\vec{a}+11\vec{b}+11\vec{c}$　(3) $\vec{a}+\vec{b}-13\vec{c}$
2-1 (1) $-\vec{a}-\vec{b}$　(2) $6\vec{a}-4\vec{b}$

---

**스스로 check**

**1-2** 🖪 (1) $-18\vec{a}+6\vec{b}$　(2) $14\vec{a}+\vec{b}+\vec{c}$　(3) $12\vec{a}+4\vec{b}-8\vec{c}$

(1) $3(-\vec{a}+\vec{b})-3(5\vec{a}-\vec{b})$
$\quad=-3\vec{a}+3\vec{b}-15\vec{a}+3\vec{b}$
$\quad=(-3-15)\vec{a}+(3+3)\vec{b}$
$\quad=-18\vec{a}+6\vec{b}$

(2) $2(\vec{a}+2\vec{b}-\vec{c})-3(-4\vec{a}+\vec{b}-\vec{c})$
$\quad=2\vec{a}+4\vec{b}-2\vec{c}+12\vec{a}-3\vec{b}+3\vec{c}$
$\quad=(2+12)\vec{a}+(4-3)\vec{b}+(-2+3)\vec{c}$
$\quad=14\vec{a}+\vec{b}+\vec{c}$

(3) $3(-\vec{a}+3\vec{b}-\vec{c})+5(3\vec{a}-\vec{b}-\vec{c})$
$\quad=-3\vec{a}+9\vec{b}-3\vec{c}+15\vec{a}-5\vec{b}-5\vec{c}$
$\quad=(-3+15)\vec{a}+(9-5)\vec{b}+(-3-5)\vec{c}$
$\quad=12\vec{a}+4\vec{b}-8\vec{c}$

**2-2** 🖪 (1) $\frac{1}{4}\vec{a}$　(2) $\vec{a}+3\vec{b}$

(1) $4\vec{a}-5\vec{x}=3\vec{a}-\vec{x}$에서
$\quad-4\vec{x}=-\vec{a}$
$\quad\therefore \vec{x}=\frac{1}{4}\vec{a}$

(2) $2(\vec{a}+\vec{x})+3(\vec{b}-\vec{x})=\vec{a}$에서
$\quad2\vec{a}+2\vec{x}+3\vec{b}-3\vec{x}=\vec{a}$
$\quad-\vec{x}=-\vec{a}-3\vec{b}$
$\quad\therefore \vec{x}=\vec{a}+3\vec{b}$

**STEP ② 필수 유형** ──────── |77쪽~81쪽|

**01-1** 🖪 $-2\vec{a}$

|해결 전략| $\vec{x}, \vec{y}$를 각각 $\vec{a}$로 나타내어 $\vec{x}+3\vec{y}$에 대입한다.

$\vec{x}-2\vec{y}=3\vec{a}$　⋯⋯ ㉠
$3\vec{x}+\vec{y}=2\vec{a}$　⋯⋯ ㉡

㉠+㉡×2를 하면
$7\vec{x}=7\vec{a}$　$\therefore \vec{x}=\vec{a}$
이것을 ㉡에 대입하면
$3\vec{a}+\vec{y}=2\vec{a}$　$\therefore \vec{y}=-\vec{a}$
$\therefore \vec{x}+3\vec{y}=\vec{a}-3\vec{a}=-2\vec{a}$

**01-2** 답 $\dfrac{3}{2}\vec{a}+3\vec{b}$

|해결 전략| $\vec{x},\vec{y}$ 를 각각 $\vec{a},\vec{b}$ 로 나타내어 $\vec{x}-\vec{y}$ 에 대입한다.

$\vec{x}+2\vec{y}=-3\vec{b}$ ······ ㉠

$2\vec{x}+2\vec{y}=\vec{a}-2\vec{b}$ ······ ㉡

㉡-㉠을 하면 $\vec{x}=\vec{a}+\vec{b}$

이것을 ㉠에 대입하면

$(\vec{a}+\vec{b})+2\vec{y}=-3\vec{b}$ ∴ $\vec{y}=-\dfrac{1}{2}\vec{a}-2\vec{b}$

∴ $\vec{x}-\vec{y}=(\vec{a}+\vec{b})-\left(-\dfrac{1}{2}\vec{a}-2\vec{b}\right)$

$\qquad\qquad =\dfrac{3}{2}\vec{a}+3\vec{b}$

**02-1** 답 (1) $-\vec{a}+2\vec{b}$ (2) $-2\vec{a}+\vec{b}$

|해결 전략| 벡터의 덧셈을 이용하여 주어진 벡터를 변형한다.

(1) $\overrightarrow{BD}=\overrightarrow{BA}+\overrightarrow{AD}=-\overrightarrow{AB}+2\overrightarrow{BC}=-\vec{a}+2\vec{b}$

(2) $\overrightarrow{CE}=\overrightarrow{CF}+\overrightarrow{FE}=2\overrightarrow{BA}+\overrightarrow{BC}$

$\qquad =-2\overrightarrow{AB}+\overrightarrow{BC}=-2\vec{a}+\vec{b}$

**02-2** 답 $3\vec{b}$

|해결 전략| 먼저 $\overrightarrow{BD},\overrightarrow{AC}$ 를 $\vec{a},\vec{b}$ 로 나타내고 $\overrightarrow{BD}+\overrightarrow{AC}$ 에 대입한다.

$\overrightarrow{BD}=\overrightarrow{BA}+\overrightarrow{AD}=-\overrightarrow{AB}+\overrightarrow{AD}=-\vec{a}+\vec{b}$

$\overrightarrow{AC}=\overrightarrow{AB}+\overrightarrow{BC}=\overrightarrow{AB}+2\overrightarrow{AD}=\vec{a}+2\vec{b}$

∴ $\overrightarrow{BD}+\overrightarrow{AC}=(-\vec{a}+\vec{b})+(\vec{a}+2\vec{b})$

$\qquad\qquad =3\vec{b}$

**03-1** 답 $m=12, n=8$

|해결 전략| 영벡터가 아닌 두 벡터 $\vec{a},\vec{b}$ 가 서로 평행하지 않을 때, $m\vec{a}+n\vec{b}=m'\vec{a}+n'\vec{b}$ ($m,n,m',n'$ 은 실수)이면 $m=m', n=n'$ 임을 이용한다.

$(m+3n)\vec{a}+(5m+4n)\vec{b}=2(m+n-2)\vec{a}+(7m+n)\vec{b}$ 에서

$\vec{a},\vec{b}$ 가 서로 평행하지 않으므로

$m+3n=2(m+n-2), 5m+4n=7m+n$

∴ $m-n=4, 2m-3n=0$

두 식을 연립하여 풀면

$m=12, n=8$

**03-2** 답 7

|해결 전략| $\vec{p}-\vec{q},\vec{q}+\vec{r}$ 를 각각 $\vec{a},\vec{b}$ 로 나타낸 후 $m(\vec{p}-\vec{q})=\vec{q}+\vec{r}$ 에 대입하여 벡터가 서로 같을 조건을 이용한다.

$\vec{p}-\vec{q}=(2\vec{a}+\vec{b})-(\vec{a}-\vec{b})=\vec{a}+2\vec{b}$

$\vec{q}+\vec{r}=(\vec{a}-\vec{b})+(2\vec{a}+k\vec{b})=3\vec{a}+(k-1)\vec{b}$

$m(\vec{p}-\vec{q})=\vec{q}+\vec{r}$ 에서

$m\vec{a}+2m\vec{b}=3\vec{a}+(k-1)\vec{b}$

$\vec{a},\vec{b}$ 가 서로 평행하지 않으므로

$m=3, 2m=k-1$

두 식을 연립하여 풀면

$m=3, k=7$

**04-1** 답 $-1$

|해결 전략| $\vec{p}+\vec{q},\vec{q}-\vec{r}$ 가 서로 평행하므로 $\vec{p}+\vec{q}=k(\vec{q}-\vec{r})(k\neq 0)$ 임을 이용한다.

$\vec{p}+\vec{q}=(m\vec{a}+2\vec{b})+(-5\vec{a}+4\vec{b})=(m-5)\vec{a}+6\vec{b}$

$\vec{q}-\vec{r}=(-5\vec{a}+4\vec{b})-(-8\vec{a}+7\vec{b})=3\vec{a}-3\vec{b}$

$\vec{p}+\vec{q},\vec{q}-\vec{r}$ 가 서로 평행하므로

$\vec{p}+\vec{q}=k(\vec{q}-\vec{r})(k\neq 0)$

를 만족시키는 실수 $k$ 가 존재한다.

$(m-5)\vec{a}+6\vec{b}=3k\vec{a}-3k\vec{b}$

이때, $\vec{a},\vec{b}$ 가 서로 평행하지 않으므로

$m-5=3k, 6=-3k$

∴ $k=-2, m=-1$

**04-2** 답 8

|해결 전략| $\overrightarrow{AB},\overrightarrow{AC}$ 가 서로 평행하므로 $\overrightarrow{AC}=k\overrightarrow{AB}(k\neq 0)$ 임을 이용한다.

$\overrightarrow{AB}=\overrightarrow{OB}-\overrightarrow{OA}=(\vec{a}+2\vec{b})-(2\vec{a}-\vec{b})=-\vec{a}+3\vec{b}$

$\overrightarrow{AC}=\overrightarrow{OC}-\overrightarrow{OA}=(-\vec{a}+m\vec{b})-(2\vec{a}-\vec{b})=-3\vec{a}+(m+1)\vec{b}$

$\overrightarrow{AB},\overrightarrow{AC}$ 가 서로 평행하므로

$\overrightarrow{AC}=k\overrightarrow{AB}(k\neq 0)$

를 만족시키는 실수 $k$ 가 존재한다.

$-3\vec{a}+(m+1)\vec{b}=-k\vec{a}+3k\vec{b}$

이때, $\vec{a},\vec{b}$ 가 서로 평행하지 않으므로

$-3=-k, m+1=3k$

∴ $k=3, m=8$

**05-1** 답 $-1$

|해결 전략| 세 점 A, B, C가 한 직선 위에 있으려면 $\overrightarrow{AC}=k\overrightarrow{AB}$ ($k$ 는 0이 아닌 실수)가 성립해야 한다.

세 점 A, B, C가 한 직선 위에 있으려면

$\overrightarrow{AC}=k\overrightarrow{AB}(k\neq 0)$

인 실수 $k$ 가 존재해야 한다.

$\overrightarrow{AC}=\overrightarrow{OC}-\overrightarrow{OA}=(m\vec{a}+6\vec{b})-(2\vec{a}+2\vec{b})=(m-2)\vec{a}+4\vec{b}$

$\overrightarrow{AB}=\overrightarrow{OB}-\overrightarrow{OA}=(5\vec{a}-2\vec{b})-(2\vec{a}+2\vec{b})=3\vec{a}-4\vec{b}$

∴ $(m-2)\vec{a}+4\vec{b}=3k\vec{a}-4k\vec{b}$

이때, $\vec{a},\vec{b}$ 가 서로 평행하지 않으므로

$m-2=3k, 4=-4k$

∴ $k=-1, m=-1$

**STEP 3** 유형 드릴 ─────── |82쪽~83쪽|

**1-1** 답 12

|해결 전략| $|\overrightarrow{AP}-\overrightarrow{AB}|$ 를 간단히 한다.

$$|\overrightarrow{AP}-\overrightarrow{AB}|=|\overrightarrow{BP}|$$

이때, $|\overrightarrow{BP}|$는 점 B$(-6, 0)$에서 원 $x^2+y^2=9$ 위의 한 점 P까지의 거리를 의미한다.

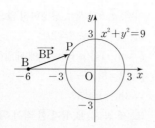

이 값은 점 P의 좌표가 $(-3, 0)$일 때 최솟값 3을 갖고, $(3, 0)$일 때 최댓값 9를 갖는다.

따라서 구하는 최댓값과 최솟값의 합은 12이다.

## 1-2 답 14

|해결 전략| $\overrightarrow{PA}+\overrightarrow{PB}$가 나타내는 벡터를 구하고 벡터의 크기가 최대인 경우와 최소인 경우를 판단한다.

오른쪽 그림과 같이 타원 $\dfrac{x^2}{16}+\dfrac{y^2}{9}=1$에서 $\overrightarrow{PA}+\overrightarrow{PB}$가 나타내는 벡터는 점 P를 시점으로 하고 점 P를 원점 O에 대하여 대칭이동한 점을 종점으로 하는 벡터이다.

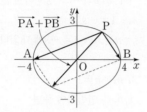

이때, $|\overrightarrow{PA}+\overrightarrow{PB}|$의 값이 최대가 되는 경우는 $\overrightarrow{PA}+\overrightarrow{PB}$가 타원의 장축이 되는 경우이며 최소가 되는 경우는 $\overrightarrow{PA}+\overrightarrow{PB}$가 타원의 단축이 되는 경우이다.

따라서 $|\overrightarrow{PA}+\overrightarrow{PB}|$의 최댓값은 8, 최솟값은 6이므로 구하는 최댓값과 최솟값의 합은 14이다.

## 2-1 답 2

|해결 전략| $\vec{a}-\vec{b}+\vec{c}$를 정사각형의 꼭짓점을 이용하여 나타낸다.

$$\begin{aligned}\vec{a}-\vec{b}+\vec{c}&=\overrightarrow{AB}-\overrightarrow{AD}+\overrightarrow{AC}\\&=\overrightarrow{AB}+(\overrightarrow{DA}+\overrightarrow{AC})\\&=\overrightarrow{AB}+\overrightarrow{DC}\\&=\overrightarrow{AB}+\overrightarrow{AB}\\&=2\overrightarrow{AB}\end{aligned}$$

$\therefore |\vec{a}-\vec{b}+\vec{c}|=2|\overrightarrow{AB}|=2$

## 2-2 답 2

|해결 전략| $\vec{a}+\vec{b}-\vec{c}$를 정육각형의 꼭짓점을 이용하여 나타낸다.

$$\begin{aligned}\vec{a}+\vec{b}-\vec{c}&=\overrightarrow{AB}+\overrightarrow{BC}-\overrightarrow{CD}\\&=\overrightarrow{AC}+\overrightarrow{DC}\\&=\overrightarrow{AC}+\overrightarrow{FA}\\&=\overrightarrow{FA}+\overrightarrow{AC}\\&=\overrightarrow{FC}=2\overrightarrow{AB}\end{aligned}$$

$\therefore |\vec{a}+\vec{b}-\vec{c}|=2|\overrightarrow{AB}|=2$

## 3-1 답 $-1$

|해결 전략| 영벡터가 아닌 두 벡터가 서로 평행하지 않을 때, 서로 같을 조건을 이용한다.

$$\begin{aligned}x\vec{p}+y\vec{q}&=x(-4\vec{a}+3\vec{b})+y(6\vec{a}-5\vec{b})\\&=(-4x+6y)\vec{a}+(3x-5y)\vec{b}\end{aligned}$$

$\vec{b}-\vec{a}=x\vec{p}+y\vec{q}$에서 $\vec{b}-\vec{a}=(-4x+6y)\vec{a}+(3x-5y)\vec{b}$

이때, $\vec{a}, \vec{b}$가 서로 평행하지 않으므로
$$-4x+6y=-1, \; 3x-5y=1$$

두 식을 연립하여 풀면
$$x=-\frac{1}{2}, \; y=-\frac{1}{2}$$

$\therefore x+y=-1$

## 3-2 답 $\dfrac{4}{3}$

|해결 전략| $\overrightarrow{AB}=\vec{a}, \overrightarrow{AD}=\vec{b}$라 하고 $\overrightarrow{AC}, \overrightarrow{AM}, \overrightarrow{AN}$을 각각 $\vec{a}, \vec{b}$로 나타낸다.

$\overrightarrow{AB}=\vec{a}, \overrightarrow{AD}=\vec{b}$라 하면

$\overrightarrow{AC}=\overrightarrow{AB}+\overrightarrow{AD}=\vec{a}+\vec{b}$

$\overrightarrow{AM}=\overrightarrow{AB}+\overrightarrow{BM}=\vec{a}+\dfrac{1}{2}\vec{b}$

$\overrightarrow{AN}=\overrightarrow{AD}+\overrightarrow{DN}=\dfrac{1}{2}\vec{a}+\vec{b}$

$\overrightarrow{AC}=p\overrightarrow{AM}+q\overrightarrow{AN}$에서

$$\begin{aligned}\vec{a}+\vec{b}&=p\left(\vec{a}+\frac{1}{2}\vec{b}\right)+q\left(\frac{1}{2}\vec{a}+\vec{b}\right)\\&=\left(p+\frac{1}{2}q\right)\vec{a}+\left(\frac{1}{2}p+q\right)\vec{b}\end{aligned}$$

이때, $\vec{a}, \vec{b}$가 서로 평행하지 않으므로
$$p+\frac{1}{2}q=1, \; \frac{1}{2}p+q=1$$

두 식을 연립하여 풀면
$$p=\frac{2}{3}, \; q=\frac{2}{3}$$

$\therefore p+q=\dfrac{4}{3}$

## 4-1 답 5

|해결 전략| $\overrightarrow{AB}, \overrightarrow{AC}$가 서로 평행하므로 $\overrightarrow{AC}=k\overrightarrow{AB} \, (k\neq0)$임을 이용한다.

$$\begin{aligned}\overrightarrow{AB}&=\overrightarrow{OB}-\overrightarrow{OA}\\&=(\vec{a}-\vec{b})-(2\vec{a}+\vec{b})=-\vec{a}-2\vec{b}\end{aligned}$$

$$\begin{aligned}\overrightarrow{AC}&=\overrightarrow{OC}-\overrightarrow{OA}\\&=(4\vec{a}+m\vec{b})-(2\vec{a}+\vec{b})=2\vec{a}+(m-1)\vec{b}\end{aligned}$$

$\overrightarrow{AB}, \overrightarrow{AC}$가 서로 평행하므로

$\overrightarrow{AC}=k\overrightarrow{AB} \, (k\neq0)$

를 만족시키는 실수 $k$가 존재한다.

$2\vec{a}+(m-1)\vec{b}=-k\vec{a}-2k\vec{b}$

이때, $\vec{a}, \vec{b}$가 서로 평행하지 않으므로
$$2=-k, \; m-1=-2k$$

$\therefore k=-2, \; m=5$

## 4-2 답 ㄱ, ㄹ

|해결 전략| 영벡터가 아닌 두 벡터 $\vec{p}, \vec{q}$에 대하여
$\vec{p}/\!/\vec{q} \iff \vec{q}=k\vec{p}$ ($k$는 0이 아닌 실수)임을 이용한다.

ㄱ. $\vec{a}+\vec{c}=\vec{a}+(2\vec{a}+3\vec{b})$
$\quad\quad\quad = 3\vec{a}+3\vec{b}=3(\vec{a}+\vec{b})$
　　따라서 $\vec{a}+\vec{b}$와 $\vec{a}+\vec{c}$는 서로 평행하다.

ㄴ. $\vec{a}-\vec{c}=\vec{a}-(2\vec{a}+3\vec{b})$
$\quad\quad\quad = -\vec{a}-3\vec{b}$
　　따라서 $\vec{a}+\vec{b}$와 $\vec{a}-\vec{c}$는 서로 평행하지 않다.

ㄷ. $\vec{b}+\vec{c}=\vec{b}+(2\vec{a}+3\vec{b})$
$\quad\quad\quad = 2\vec{a}+4\vec{b}$
　　따라서 $\vec{a}+\vec{b}$와 $\vec{b}+\vec{c}$는 서로 평행하지 않다.

ㄹ. $\vec{b}-\vec{c}=\vec{b}-(2\vec{a}+3\vec{b})$
$\quad\quad\quad = -2\vec{a}-2\vec{b}=-2(\vec{a}+\vec{b})$
　　따라서 $\vec{a}+\vec{b}$와 $\vec{b}-\vec{c}$는 서로 평행하다.

따라서 $\vec{a}+\vec{b}$와 평행한 벡터는 ㄱ, ㄹ이다.

## 5-1 답 $\dfrac{7}{2}$

|해결 전략| 세 점 A, B, C가 한 직선 위에 있으려면
$\overrightarrow{AC}=k\overrightarrow{AB}$ ($k$는 0이 아닌 실수)가 성립해야 한다.

세 점 A, B, C가 한 직선 위에 있으려면
$\overrightarrow{AC}=k\overrightarrow{AB}$ ($k\neq0$)
인 실수 $k$가 존재해야 한다.

$\overrightarrow{AC}=\overrightarrow{OC}-\overrightarrow{OA}$
$\quad\quad = (4\vec{a}+m\vec{b})-(3\vec{a}+2\vec{b})$
$\quad\quad = \vec{a}+(m-2)\vec{b}$

$\overrightarrow{AB}=\overrightarrow{OB}-\overrightarrow{OA}$
$\quad\quad = (\vec{a}-\vec{b})-(3\vec{a}+2\vec{b})$
$\quad\quad = -2\vec{a}-3\vec{b}$

$\therefore \vec{a}+(m-2)\vec{b}=-2k\vec{a}-3k\vec{b}$

이때, $\vec{a}, \vec{b}$가 서로 평행하지 않으므로
$1=-2k$, $m-2=-3k$

$\therefore k=-\dfrac{1}{2}$, $m=\dfrac{7}{2}$

## 5-2 답 2

|해결 전략| 세 점 P, Q, R가 한 직선 위에 있도록 하는 $m, n$의 관계식과 세 점 A, B, R가 한 직선 위에 있도록 하는 $m, n$의 관계식을 각각 구한다.

세 점 P, Q, R가 한 직선 위에 있으려면
$\overrightarrow{PR}=t\overrightarrow{PQ}$ ($t\neq0$)
인 실수 $t$가 존재해야 한다.

$\overrightarrow{PR}=\overrightarrow{OR}-\overrightarrow{OP}$
$\quad\quad = (m\vec{a}+n\vec{b})-(\vec{a}-2\vec{b})$
$\quad\quad = (m-1)\vec{a}+(n+2)\vec{b}$

$\overrightarrow{PQ}=\overrightarrow{OQ}-\overrightarrow{OP}$
$\quad\quad = (2\vec{a}+\vec{b})-(\vec{a}-2\vec{b})$
$\quad\quad = \vec{a}+3\vec{b}$

$\therefore (m-1)\vec{a}+(n+2)\vec{b}=t\vec{a}+3t\vec{b}$

---

이때, $\vec{a}, \vec{b}$가 서로 평행하지 않으므로
$m-1=t$, $n+2=3t$

$t=m-1$을 $n+2=3t$에 대입하면
$n+2=3(m-1)$

$\therefore 3m-n=5$ ...... ㉠

또, 세 점 A, B, R가 한 직선 위에 있으려면
$\overrightarrow{AR}=s\overrightarrow{AB}$ ($s\neq0$)
인 실수 $s$가 존재해야 한다.

$\overrightarrow{AR}=\overrightarrow{OR}-\overrightarrow{OA}$
$\quad\quad = (m\vec{a}+n\vec{b})-\vec{a}$
$\quad\quad = (m-1)\vec{a}+n\vec{b}$

$\overrightarrow{AB}=\overrightarrow{OB}-\overrightarrow{OA}$
$\quad\quad = \vec{b}-\vec{a}$

$\therefore (m-1)\vec{a}+n\vec{b}=s\vec{b}-s\vec{a}$

이때, $\vec{a}, \vec{b}$가 서로 평행하지 않으므로
$m-1=-s$, $n=s$

$s=n$을 $m-1=-s$에 대입하면
$m-1=-n$

$\therefore m+n=1$ ...... ㉡

㉠, ㉡을 연립하여 풀면
$m=\dfrac{3}{2}$, $n=-\dfrac{1}{2}$

$\therefore m-n=2$

## 6-1 답 $\dfrac{1}{5}\vec{a}+\dfrac{2}{5}\vec{b}$

|해결 전략| 세 점 B, P, M과 세 점 A, P, N이 각각 한 직선 위에 있음을 이용한다.

세 점 B, P, M이 한 직선 위에 있으므로
$\overrightarrow{BP}=t\overrightarrow{BM}$ ($t\neq0$)
인 실수 $t$가 존재한다.

$\overrightarrow{BP}=\overrightarrow{OP}-\overrightarrow{OB}$, $\overrightarrow{BM}=\overrightarrow{OM}-\overrightarrow{OB}$이므로

$\overrightarrow{OP}-\vec{b}=t\left(\dfrac{1}{3}\vec{a}-\vec{b}\right)$

$\therefore \overrightarrow{OP}=\dfrac{1}{3}t\vec{a}+(1-t)\vec{b}$ ...... ㉠

세 점 A, P, N이 한 직선 위에 있으므로
$\overrightarrow{AP}=s\overrightarrow{AN}$ ($s\neq0$)
인 실수 $s$가 존재한다.

$\overrightarrow{AP}=\overrightarrow{OP}-\overrightarrow{OA}$, $\overrightarrow{AN}=\overrightarrow{ON}-\overrightarrow{OA}$이므로

$\overrightarrow{OP}-\vec{a}=s\left(\dfrac{1}{2}\vec{b}-\vec{a}\right)$

$\therefore \overrightarrow{OP}=(1-s)\vec{a}+\dfrac{1}{2}s\vec{b}$ ...... ㉡

㉠, ㉡에서
$\dfrac{1}{3}t\vec{a}+(1-t)\vec{b}=(1-s)\vec{a}+\dfrac{1}{2}s\vec{b}$

이때, $\vec{a}, \vec{b}$가 서로 평행하지 않으므로
$\dfrac{1}{3}t=1-s$, $1-t=\dfrac{1}{2}s$

$\therefore t+3s=3$, $2t+s=2$

두 식을 연립하여 풀면

$t=\dfrac{3}{5}, s=\dfrac{4}{5}$

$\therefore \overrightarrow{\mathrm{OP}}=\dfrac{1}{5}\vec{a}+\dfrac{2}{5}\vec{b}$

## 6-2 답 $\dfrac{1}{3}$

| 해결 전략 | $\overrightarrow{\mathrm{BA}}=\vec{a}, \overrightarrow{\mathrm{BC}}=\vec{b}$라 하고 세 점 A, N, C와 세 점 D, N, M이 각각 한 직선 위에 있음을 이용한다.

$\overrightarrow{\mathrm{BA}}=\vec{a}, \overrightarrow{\mathrm{BC}}=\vec{b}$라 하자.

세 점 A, N, C가 한 직선 위에 있으므로

$\overrightarrow{\mathrm{AN}}=t\overrightarrow{\mathrm{AC}} \ (t\neq0)$

인 실수 $t$가 존재한다.

$\overrightarrow{\mathrm{AN}}=\overrightarrow{\mathrm{BN}}-\overrightarrow{\mathrm{BA}}, \overrightarrow{\mathrm{AC}}=\overrightarrow{\mathrm{BC}}-\overrightarrow{\mathrm{BA}}$이므로

$\overrightarrow{\mathrm{BN}}-\vec{a}=t(\vec{b}-\vec{a})$

$\therefore \overrightarrow{\mathrm{BN}}=(1-t)\vec{a}+t\vec{b}$ ······㉠

세 점 D, N, M이 한 직선 위에 있으므로

$\overrightarrow{\mathrm{DN}}=s\overrightarrow{\mathrm{DM}} \ (s\neq0)$

인 실수 $s$가 존재한다.

$\overrightarrow{\mathrm{DN}}=\overrightarrow{\mathrm{BN}}-\overrightarrow{\mathrm{BD}}, \overrightarrow{\mathrm{DM}}=\overrightarrow{\mathrm{BM}}-\overrightarrow{\mathrm{BD}}$이므로

$\overrightarrow{\mathrm{BN}}-(\vec{a}+\vec{b})=s\left\{\dfrac{1}{2}\vec{a}-(\vec{a}+\vec{b})\right\}$

$\therefore \overrightarrow{\mathrm{BN}}=\left(1-\dfrac{1}{2}s\right)\vec{a}+(1-s)\vec{b}$ ······㉡

㉠, ㉡에서

$(1-t)\vec{a}+t\vec{b}=\left(1-\dfrac{1}{2}s\right)\vec{a}+(1-s)\vec{b}$

이때, $\vec{a}, \vec{b}$가 서로 평행하지 않으므로

$1-t=1-\dfrac{1}{2}s, t=1-s$

$\therefore 2t-s=0, t+s=1$

두 식을 연립하여 풀면

$t=\dfrac{1}{3}, s=\dfrac{2}{3}$

따라서 $\overrightarrow{\mathrm{BN}}=\dfrac{2}{3}\vec{a}+\dfrac{1}{3}\vec{b}=\dfrac{2}{3}\overrightarrow{\mathrm{BA}}+\dfrac{1}{3}\overrightarrow{\mathrm{BC}}$이므로

$m=\dfrac{2}{3}, n=\dfrac{1}{3}$

$\therefore m-n=\dfrac{1}{3}$

---

# 4 | 평면벡터의 성분과 내적

## 1 위치벡터

### 개념 확인

86쪽~87쪽

1 (가) $\vec{b}-\vec{a}$ (나) $\vec{a}-\vec{c}$ (다) $2\vec{b}-2\vec{c}$

2 (1) $\vec{p}=\dfrac{4}{7}\vec{a}+\dfrac{3}{7}\vec{b}$ (2) $\vec{q}=4\vec{a}-3\vec{b}$ (3) $\vec{m}=\dfrac{\vec{a}+\vec{b}}{2}$

1 $\overrightarrow{\mathrm{OA}}=\vec{a}, \overrightarrow{\mathrm{OB}}=\vec{b}, \overrightarrow{\mathrm{OC}}=\vec{c}$이므로

$\overrightarrow{\mathrm{AB}}=\overrightarrow{\mathrm{OB}}-\overrightarrow{\mathrm{OA}}=\boxed{\vec{b}-\vec{a}}$,

$\overrightarrow{\mathrm{BC}}=\overrightarrow{\mathrm{OC}}-\overrightarrow{\mathrm{OB}}=\vec{c}-\vec{b}$,

$\overrightarrow{\mathrm{CA}}=\overrightarrow{\mathrm{OA}}-\overrightarrow{\mathrm{OC}}=\boxed{\vec{a}-\vec{c}}$

$\therefore 3\overrightarrow{\mathrm{AB}}+\overrightarrow{\mathrm{BC}}+3\overrightarrow{\mathrm{CA}}=3(\boxed{\vec{b}-\vec{a}})+(\vec{c}-\vec{b})+3(\boxed{\vec{a}-\vec{c}})$

$\qquad\qquad\qquad\qquad\quad = \boxed{2\vec{b}-2\vec{c}}$

2 (1) $\vec{p}=\dfrac{3\vec{b}+4\vec{a}}{3+4}=\dfrac{4}{7}\vec{a}+\dfrac{3}{7}\vec{b}$

(2) $\vec{q}=\dfrac{3\vec{b}-4\vec{a}}{3-4}=4\vec{a}-3\vec{b}$

(3) $\vec{m}=\dfrac{\vec{a}+\vec{b}}{2}$

## STEP 1 개념 드릴 ─────────| 89쪽 |

### 개념 check

1-1 $-4\vec{a}+5\vec{b}-\vec{c}$

2-1 $-4\vec{a}+4\vec{b}$

3-1 (1) $\dfrac{5}{8}\vec{a}+\dfrac{3}{8}\vec{b}$ (2) $-\dfrac{3}{2}\vec{a}+\dfrac{5}{2}\vec{b}$

### 스스로 check

1-2 답 $-\vec{a}-\vec{b}+2\vec{c}$

$\overrightarrow{\mathrm{OA}}=\vec{a}, \overrightarrow{\mathrm{OB}}=\vec{b}, \overrightarrow{\mathrm{OC}}=\vec{c}$이므로

$\overrightarrow{\mathrm{BA}}=\overrightarrow{\mathrm{OA}}-\overrightarrow{\mathrm{OB}}=\vec{a}-\vec{b}$,

$\overrightarrow{\mathrm{CA}}=\overrightarrow{\mathrm{OA}}-\overrightarrow{\mathrm{OC}}=\vec{a}-\vec{c}$

$\therefore \overrightarrow{\mathrm{BA}}-2\overrightarrow{\mathrm{CA}}=(\vec{a}-\vec{b})-2(\vec{a}-\vec{c})$

$\qquad\qquad\qquad = -\vec{a}-\vec{b}+2\vec{c}$

**2-2** 답 $-4\vec{a}+\vec{b}$

$\overrightarrow{OC}=\vec{a}+3\vec{b}=\vec{c}$라 하면

$$\begin{aligned}
3\overrightarrow{AB}-\overrightarrow{BC}&=3(\vec{b}-\vec{a})-(\vec{c}-\vec{b})\\
&=-3\vec{a}+4\vec{b}-\vec{c}\\
&=-3\vec{a}+4\vec{b}-(\vec{a}+3\vec{b})\\
&=-4\vec{a}+\vec{b}
\end{aligned}$$

**3-2** 답 (1) $\vec{p}=\dfrac{3}{4}\vec{a}+\dfrac{1}{4}\vec{b}$  (2) $\vec{q}=-\dfrac{1}{2}\vec{a}+\dfrac{3}{2}\vec{b}$

(1) $\vec{p}=\dfrac{\vec{b}+3\vec{a}}{1+3}=\dfrac{3}{4}\vec{a}+\dfrac{1}{4}\vec{b}$

(2) $\vec{q}=\dfrac{3\vec{b}-\vec{a}}{3-1}=-\dfrac{1}{2}\vec{a}+\dfrac{3}{2}\vec{b}$

---

**STEP 2 필수 유형** ─────── |90쪽~92쪽|

**01-1** 답 $\vec{b}-\vec{a}$

|해결 전략| $\overrightarrow{OC}=\overrightarrow{AB}$임을 이용하여 점 C의 위치벡터를 $\vec{a}, \vec{b}$로 나타낸다.

$\overrightarrow{OC}=\overrightarrow{AB}=\overrightarrow{OB}-\overrightarrow{OA}=\vec{b}-\vec{a}$

**02-1** 답 $m=\dfrac{32}{15}, n=-\dfrac{2}{15}$

|해결 전략| $\vec{p}, \vec{q}$를 각각 $\vec{a}, \vec{b}$로 나타낸 후 $\vec{p}+\vec{q}$를 계산한다.

$\vec{p}=\dfrac{\vec{b}+4\vec{a}}{1+4}=\dfrac{4}{5}\vec{a}+\dfrac{1}{5}\vec{b}$, $\vec{q}=\dfrac{\vec{b}-4\vec{a}}{1-4}=\dfrac{4}{3}\vec{a}-\dfrac{1}{3}\vec{b}$이므로

$$\begin{aligned}
\vec{p}+\vec{q}&=\left(\dfrac{4}{5}\vec{a}+\dfrac{1}{5}\vec{b}\right)+\left(\dfrac{4}{3}\vec{a}-\dfrac{1}{3}\vec{b}\right)\\
&=\dfrac{32}{15}\vec{a}-\dfrac{2}{15}\vec{b}
\end{aligned}$$

$\therefore m=\dfrac{32}{15}, n=-\dfrac{2}{15}$

**02-2** 답 $m=\dfrac{1}{3}, n=\dfrac{1}{6}$

|해결 전략| $\overrightarrow{AD}, \overrightarrow{AE}$를 각각 $\vec{a}, \vec{b}$로 나타내어 $\overrightarrow{DE}=\overrightarrow{AE}-\overrightarrow{AD}$에 대입한다.

점 D는 $\overline{AC}$의 중점이므로

$\overrightarrow{AD}=\dfrac{1}{2}\overrightarrow{AC}=\dfrac{1}{2}\vec{b}$

또, 점 E는 $\overline{BC}$를 $2:1$로 내분하는 점이므로

$$\begin{aligned}
\overrightarrow{AE}&=\dfrac{2\overrightarrow{AC}+\overrightarrow{AB}}{2+1}=\dfrac{2\vec{b}+\vec{a}}{3}\\
&=\dfrac{1}{3}\vec{a}+\dfrac{2}{3}\vec{b}
\end{aligned}$$

$\overrightarrow{DE}=\overrightarrow{AE}-\overrightarrow{AD}$이므로

$$\begin{aligned}
\overrightarrow{DE}&=\left(\dfrac{1}{3}\vec{a}+\dfrac{2}{3}\vec{b}\right)-\dfrac{1}{2}\vec{b}\\
&=\dfrac{1}{3}\vec{a}+\dfrac{1}{6}\vec{b}
\end{aligned}$$

$\therefore m=\dfrac{1}{3}, n=\dfrac{1}{6}$

**03-1** 답 풀이 참조

|해결 전략| 네 점 A, B, C, G의 위치벡터를 각각 $\vec{a}, \vec{b}, \vec{c}, \vec{g}$라 하면 $\vec{g}=\dfrac{\vec{a}+\vec{b}+\vec{c}}{3}$임을 이용한다.

세 점 A, B, C의 위치벡터를 각각 $\vec{a}, \vec{b}, \vec{c}$라 하고 삼각형 ABC의 무게중심 G의 위치벡터를 $\vec{g}$라 하면

$\vec{g}=\dfrac{\vec{a}+\vec{b}+\vec{c}}{3}$이므로

$$\begin{aligned}
\overrightarrow{GA}+\overrightarrow{GB}+\overrightarrow{GC}&=(\overrightarrow{OA}-\overrightarrow{OG})+(\overrightarrow{OB}-\overrightarrow{OG})+(\overrightarrow{OC}-\overrightarrow{OG})\\
&=(\vec{a}-\vec{g})+(\vec{b}-\vec{g})+(\vec{c}-\vec{g})\\
&=(\vec{a}+\vec{b}+\vec{c})-3\vec{g}\\
&=(\vec{a}+\vec{b}+\vec{c})-(\vec{a}+\vec{b}+\vec{c})=\vec{0}
\end{aligned}$$

**03-2** 답 $m=\dfrac{1}{3}, n=-\dfrac{2}{3}$

|해결 전략| $\triangle AOB$의 무게중심 G는 $\overline{OM}$을 $2:1$로 내분하는 점임을 이용한다.

점 M은 변 AB의 중점이므로

$\overrightarrow{OM}=\dfrac{\vec{a}+\vec{b}}{2}=\dfrac{1}{2}\vec{a}+\dfrac{1}{2}\vec{b}$

또, 점 G는 $\overline{OM}$을 $2:1$로 내분하는 점이므로

$$\begin{aligned}
\overrightarrow{OG}&=\dfrac{2}{3}\overrightarrow{OM}=\dfrac{2}{3}\left(\dfrac{1}{2}\vec{a}+\dfrac{1}{2}\vec{b}\right)\\
&=\dfrac{1}{3}\vec{a}+\dfrac{1}{3}\vec{b}
\end{aligned}$$

따라서 $\overrightarrow{BG}=\overrightarrow{OG}-\overrightarrow{OB}=\left(\dfrac{1}{3}\vec{a}+\dfrac{1}{3}\vec{b}\right)-\vec{b}=\dfrac{1}{3}\vec{a}-\dfrac{2}{3}\vec{b}$이므로

$m=\dfrac{1}{3}, n=-\dfrac{2}{3}$

---

## 2 평면벡터의 성분

**개념 확인** 93쪽~95쪽

**1** (1) $(-1, 1)$  (2) $(3, -1)$
**2** (1) 5  (2) $\sqrt{5}$
**3** $k=1, l=-3$
**4** (1) $(0, 11)$  (2) $(7, 12)$

**1** (1) $\vec{a}=-\vec{e_1}+\vec{e_2}$를 성분으로 나타내면 $(-1, 1)$
 (2) $\vec{b}=3\vec{e_1}-\vec{e_2}$를 성분으로 나타내면 $(3, -1)$

**2** (1) $|\vec{a}|=\sqrt{3^2+(-4)^2}=5$
 (2) $|\vec{b}|=\sqrt{(-2)^2+1^2}=\sqrt{5}$

**3** $\vec{a}=\vec{b}$이므로 $(2k, -3)=(2, l)$

따라서 $2k=2$, $-3=l$이므로

$k=1$, $l=-3$

**4** (1) $\vec{a}+2\vec{b}=(2, 5)+2(-1, 3)$

$=(2, 5)+(-2, 6)$

$=(0, 11)$

(2) $3\vec{a}-\vec{b}=3(2, 5)-(-1, 3)$

$=(6, 15)-(-1, 3)$

$=(7, 12)$

---

## STEP ❶ 개념 드릴 ──────────── | 96쪽 |

**개념 check**

**1-1** (1) $3$  (2) $\sqrt{34}$

**2-1** (1) $3, 1$  (2) $\dfrac{3}{2}, -\dfrac{7}{2}$

**3-1** (1) $(-12, 2)$  (2) $(-18, 18)$

**스스로 check**

**1-1** 답 (1) $\sqrt{17}$  (2) $3\sqrt{2}$

(1) $|\vec{a}|=\sqrt{(-4)^2+1^2}=\sqrt{17}$

(2) $|\vec{b}|=\sqrt{(-3)^2+(-3)^2}=3\sqrt{2}$

**2-2** 답 (1) $k=2, l=6$  (2) $k=9, l=1$

(1) $(3k-3, 5)=(3, l-1)$에서

$3k-3=3$, $5=l-1$이므로

$k=2$, $l=6$

(2) $(6, k+2l)=(k-3l, 11)$에서

$6=k-3l$, $k+2l=11$이므로

$k=9$, $l=1$

**3-2** 답 (1) $(0, 23)$  (2) $(2, 28)$

(1) $3\vec{a}+5\vec{b}=3(5, 1)+5(-3, 4)$

$=(15, 3)+(-15, 20)$

$=(0, 23)$

(2) $5(\vec{a}+\vec{b})-(\vec{a}-\vec{b})=4\vec{a}+6\vec{b}$

$=4(5, 1)+6(-3, 4)$

$=(20, 4)+(-18, 24)$

$=(2, 28)$

---

## STEP ❷ 필수 유형 ──────────── | 97쪽~100쪽 |

**01-1** 답 $(-41, -33)$

|해결 전략| 주어진 벡터를 간단히 한 후 성분으로 나타낸다.

$2(-\vec{a}+\vec{b}+\vec{c})-3(2\vec{a}-\vec{b}+2\vec{c})$

$=-8\vec{a}+5\vec{b}-4\vec{c}$

$=-8(2, 3)+5(-1, -1)-4(5, 1)$

$=(-41, -33)$

**01-2** 답 $(15, 28)$

|해결 전략| $\vec{x}$를 $\vec{a}, \vec{b}$로 나타낸 후 성분으로 나타낸다.

$\vec{a}-2\vec{x}=3(\vec{a}-\vec{b}-\vec{x})$에서 $\vec{x}=2\vec{a}-3\vec{b}$

$\therefore \vec{x}=2\vec{a}-3\vec{b}$

$=2(3, 5)-3(-3, -6)$

$=(15, 28)$

**02-1** 답 $2$

|해결 전략| $2\vec{a}-3\vec{b}$를 성분으로 나타낸 후 이 벡터의 크기가 $10$이 되도록 하는 $k$의 값을 구한다.

$2\vec{a}-3\vec{b}=2(-2, 3)-3(2, k)$

$=(-10, 6-3k)$

이때, $|2\vec{a}-3\vec{b}|=10$이므로 $\sqrt{(-10)^2+(6-3k)^2}=10$

양변을 제곱하여 정리하면 $(k-2)^2=0$

$\therefore k=2$

**02-2** 답 $2\sqrt{2}$

|해결 전략| $\vec{p}$를 성분으로 나타낸 후 $|\vec{p}|$를 구한다.

$\vec{p}=k\vec{a}+\vec{b}=k(-1, 1)+(1, 3)$

$=(-k+1, k+3)$

$\therefore |\vec{p}|=\sqrt{(-k+1)^2+(k+3)^2}$

$=\sqrt{2k^2+4k+10}$

$=\sqrt{2(k+1)^2+8}$

따라서 $|\vec{p}|$는 $k=-1$일 때 최솟값 $\sqrt{8}=2\sqrt{2}$를 갖는다.

**03-1** 답 $\vec{c}=\vec{a}-\vec{b}$

|해결 전략| $\vec{c}=k\vec{a}+l\vec{b}$라 하고 이것을 성분으로 나타낸 후 두 벡터가 서로 같을 조건을 이용한다.

$\vec{c}=k\vec{a}+l\vec{b}$라 하면

$(-3, 1)=k(2, -2)+l(5, -3)$

$=(2k+5l, -2k-3l)$

$\therefore 2k+5l=-3$, $-2k-3l=1$

두 식을 연립하여 풀면 $k=1$, $l=-1$이므로

$\vec{c}=\vec{a}-\vec{b}$

**03-2** 📝 $p=2, q=-4$

|해결 전략| $\vec{c}=\vec{a}+2\vec{b}$를 성분으로 나타낸 후 두 벡터가 서로 같을 조건을 이용한다.

$\vec{c}=\vec{a}+2\vec{b}$에서

$(-3q, 4)=(p, -8)+2(5, p-q)$

$\qquad\quad =(p+10, -8+2p-2q)$

$\therefore -3q=p+10, 4=-8+2p-2q$

두 식을 연립하여 풀면 $p=2, q=-4$

**04-1** 📝 $(6, 5)$

|해결 전략| 점 D의 좌표를 $(x, y)$라 하고 $\overrightarrow{AB}=\overrightarrow{CD}$임을 이용한다.

점 D의 좌표를 $(x, y)$라 하면

$\overrightarrow{AB}=\overrightarrow{OB}-\overrightarrow{OA}=(0, 3)-(-3, 4)=(3, -1)$

$\overrightarrow{CD}=\overrightarrow{OD}-\overrightarrow{OC}=(x, y)-(3, 6)=(x-3, y-6)$

이때, $\overrightarrow{AB}=\overrightarrow{CD}$이므로 $3=x-3, -1=y-6$

$\therefore x=6, y=5$

따라서 점 D의 좌표는 $(6, 5)$이다.

**04-2** 📝 5

|해결 전략| $\overrightarrow{PA}-\overrightarrow{PB}$를 성분으로 나타낸 후 $|\overrightarrow{PA}-\overrightarrow{PB}|$를 구한다.

$\overrightarrow{PA}=\overrightarrow{OA}-\overrightarrow{OP}=(4, 2)-(k, 0)=(4-k, 2)$,

$\overrightarrow{PB}=\overrightarrow{OB}-\overrightarrow{OP}=(1, -2)-(k, 0)=(1-k, -2)$

이므로

$\overrightarrow{PA}-\overrightarrow{PB}=(4-k, 2)-(1-k, -2)=(3, 4)$

이때, $|\overrightarrow{PA}-\overrightarrow{PB}|=\sqrt{3^2+4^2}=5$이므로 $k=5$

따라서 $\overrightarrow{PA}=(-1, 2), \overrightarrow{PB}=(-4, -2)$이므로

$\overrightarrow{PA}+\overrightarrow{PB}=(-1, 2)+(-4, -2)=(-5, 0)$

$\therefore |\overrightarrow{PA}+\overrightarrow{PB}|=\sqrt{(-5)^2+0^2}=5$

## **3** 평면벡터의 내적

| 개념 확인 | 101쪽~105쪽 |
|---|---|
| **1** (1) 6　(2) $-6\sqrt{3}$ | |
| **2** (1) 6　(2) $-20$ | |
| **3** (가) $\vec{a}-\vec{b}$　(나) $\vec{a}\cdot\vec{a}$　(다) $\vec{b}\cdot\vec{b}$ | |
| **4** $135°$ | |
| **5** 5 | |

**1** (1) $\vec{a}\cdot\vec{b}=|\vec{a}||\vec{b}|\cos 60°$

$\qquad\quad =3\times 4\times\dfrac{1}{2}=6$

(2) $\vec{a}\cdot\vec{b}=-|\vec{a}||\vec{b}|\cos(180°-150°)$

$\qquad\quad =-|\vec{a}||\vec{b}|\cos 30°$

$\qquad\quad =-1\times 3\times 4\times\dfrac{\sqrt{3}}{2}=-6\sqrt{3}$

**2** (1) $\vec{a}\cdot\vec{b}=(-2)\times 0+3\times 2=6$

(2) $\vec{a}\cdot\vec{b}=5\times(-4)+0\times(-3)=-20$

**3** $(\vec{a}+\vec{b})\cdot(\vec{a}-\vec{b})=\vec{a}\cdot(\vec{a}-\vec{b})+\vec{b}\cdot(\boxed{\vec{a}-\vec{b}})$

$\qquad\qquad\qquad\quad =\boxed{\vec{a}\cdot\vec{a}}-\vec{a}\cdot\vec{b}+\vec{b}\cdot\vec{a}-\boxed{\vec{b}\cdot\vec{b}}$

$\qquad\qquad\qquad\quad =|\vec{a}|^2-|\vec{b}|^2$

**4** $\vec{a}\cdot\vec{b}=1\times 1+2\times(-3)=-5<0$이므로

$\cos(180°-\theta)=-\dfrac{-5}{\sqrt{1^2+2^2}\sqrt{1^2+(-3)^2}}$

$\qquad\qquad\quad =\dfrac{5}{\sqrt{5}\sqrt{10}}=\dfrac{\sqrt{2}}{2}$

따라서 $180°-\theta=45°$이므로 $\theta=135°$

**5** $\vec{a}\perp\vec{b}$이므로 $\vec{a}\cdot\vec{b}=0$에서

$1\times x+(-5)\times 1=0$

$\therefore x=5$

## STEP **1** 개념 드릴 —————— |106쪽~107쪽|

| 개념 check |
|---|
| **1-1** (1) 1, 6　(2) $\dfrac{\sqrt{3}}{2}, 3\sqrt{3}$　(3) $\dfrac{1}{2}, -3$ |
| **2-1** (1) 2, $-3$, 8　(2) $-3$, 5, 2 |
| **3-1** $\vec{a}\cdot\vec{b}$, 1, 1 |
| **4-1** (1) $45°$　(2) $120°$ |
| **5-1** (1) 0, 2　(2) $\dfrac{2}{5}, -\dfrac{19}{5}$ |

( 스스로 check )

**1-2** 📝 (1) $\dfrac{15\sqrt{2}}{2}$　(2) $\dfrac{15}{2}$　(3) $-15$

(1) $\vec{a}\cdot\vec{b}=|\vec{a}||\vec{b}|\cos 45°$

$\qquad\quad =3\times 5\times\dfrac{\sqrt{2}}{2}=\dfrac{15\sqrt{2}}{2}$

(2) $\vec{a}\cdot\vec{b}=|\vec{a}||\vec{b}|\cos 60°$

$\qquad\quad =3\times 5\times\dfrac{1}{2}=\dfrac{15}{2}$

(3) $\vec{a}\cdot\vec{b}=-|\vec{a}||\vec{b}|\cos(180°-180°)$

$\qquad\quad =-|\vec{a}||\vec{b}|\cos 0°$

$\qquad\quad =-1\times 3\times 5\times 1=-15$

**2-2** 🖹 (1) $-18$ (2) $3$

(1) $\vec{a} \cdot \vec{b} = (-3) \times 6 + 4 \times 0 = -18$

(2) $\vec{a} \cdot \vec{b} = 5 \times 3 + (-3) \times 4 = 3$

**3-2** 🖹 $-135$

$$
\begin{aligned}
(2\vec{a}-\vec{b}) \cdot (\vec{a}+3\vec{b}) &= 2\vec{a} \cdot \vec{a} + 6\vec{a} \cdot \vec{b} - \vec{b} \cdot \vec{a} - 3\vec{b} \cdot \vec{b} \\
&= 2|\vec{a}|^2 + 5\vec{a} \cdot \vec{b} - 3|\vec{b}|^2 \\
&= 2 \times 3^2 + 5 \times (-9) - 3 \times 6^2 \\
&= -135
\end{aligned}
$$

**4-2** 🖹 (1) $60°$ (2) $150°$

(1) $\vec{a} \cdot \vec{b} = \sqrt{3} \times 0 + 1 \times \sqrt{3} = \sqrt{3} > 0$이므로 두 벡터가 이루는 각의 크기를 $\theta$ $(0° \le \theta \le 180°)$라 하면

$$
\begin{aligned}
\cos\theta &= \frac{\sqrt{3}}{\sqrt{(\sqrt{3})^2+1^2}\sqrt{0^2+(\sqrt{3})^2}} \\
&= \frac{\sqrt{3}}{2\sqrt{3}} = \frac{1}{2}
\end{aligned}
$$

$\therefore \theta = 60°$

(2) $\vec{a} \cdot \vec{b} = \sqrt{3} \times (-3) + (-1) \times 3\sqrt{3} = -6\sqrt{3} < 0$이므로 두 벡터가 이루는 각의 크기를 $\theta$ $(0° \le \theta \le 180°)$라 하면

$$
\begin{aligned}
\cos(180°-\theta) &= -\frac{-6\sqrt{3}}{\sqrt{(\sqrt{3})^2+(-1)^2}\sqrt{(-3)^2+(3\sqrt{3})^2}} \\
&= \frac{6\sqrt{3}}{2 \times 6} = \frac{\sqrt{3}}{2}
\end{aligned}
$$

따라서 $180°-\theta = 30°$이므로 $\theta = 150°$

**5-2** 🖹 (1) $7$ (2) $\dfrac{1}{3}$

(1) $\vec{a} \perp \vec{b}$이므로 $\vec{a} \cdot \vec{b} = 0$에서

$3 \times (x+1) + (-6) \times (x-3) = 0$

$-3x + 21 = 0$

$\therefore x = 7$

(2) $\vec{b} = k\vec{a}$ ($k$는 $0$이 아닌 실수)라 하면

$(x+1, x-3) = k(3, -6)$

$x+1 = 3k, x-3 = -6k$

$\therefore k = \dfrac{4}{9}, x = \dfrac{1}{3}$

---

**STEP ② 필수 유형** ──────── |108쪽~111쪽|

**01-1** 🖹 $1$

|해결 전략| 두 벡터 $\vec{a}=(a_1, a_2)$, $\vec{b}=(b_1, b_2)$에 대하여 $\vec{a} \cdot \vec{b} = a_1 b_1 + a_2 b_2$임을 이용하여 $x$에 대한 식을 세운다.

$\vec{a} \cdot \vec{b} = 5$에서

$(2, x) \cdot (1, x+2) = 5$

$2 + x(x+2) = 5$

$x^2 + 2x - 3 = 0$, $(x+3)(x-1) = 0$

$\therefore x = 1 \ (\because x > 0)$

**01-2** 🖹 $1$

|해결 전략| 정사각형 ABCD를 점 B를 원점으로 하는 좌표평면 위에 놓고 $\overrightarrow{BQ}$, $\overrightarrow{PQ}$를 성분으로 나타낸다.

오른쪽 그림과 같이 정사각형 ABCD를 점 B를 원점으로 하는 좌표평면 위에 놓으면 점 P의 좌표는 $(2, 1)$이고 점 Q의 좌표는 $(1, 2)$이다.

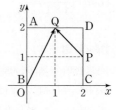

따라서 두 벡터 $\overrightarrow{BQ}$, $\overrightarrow{PQ}$를 각각 성분으로 나타내면

$\overrightarrow{BQ} = (1, 2)$,

$\overrightarrow{PQ} = \overrightarrow{BQ} - \overrightarrow{BP} = (1, 2) - (2, 1) = (-1, 1)$

이므로

$\overrightarrow{BQ} \cdot \overrightarrow{PQ} = 1 \times (-1) + 2 \times 1 = 1$

**02-1** 🖹 $-2$

|해결 전략| $|\vec{a}-3\vec{b}| = 8$의 양변을 제곱하여 $|\vec{a}| = 4$, $|\vec{b}| = 2$를 각각 대입한다.

$|\vec{a}-3\vec{b}| = 8$의 양변을 제곱하면

$|\vec{a}|^2 - 6\vec{a} \cdot \vec{b} + 9|\vec{b}|^2 = 64$

$4^2 - 6\vec{a} \cdot \vec{b} + 9 \times 2^2 = 64$

$\therefore \vec{a} \cdot \vec{b} = -2$

**02-2** 🖹 $\sqrt{2}$

|해결 전략| $|\vec{b}| = k(k \ge 0)$라 하고 $\vec{a} \cdot \vec{b} = |\vec{a}||\vec{b}|\cos 45°$임을 이용하여 $\vec{a} \cdot \vec{b}$를 $k$로 나타낸다.

$|\vec{b}| = k$ $(k \ge 0)$라 하면

$\vec{a} \cdot \vec{b} = |\vec{a}||\vec{b}|\cos 45° = 2 \times k \times \dfrac{\sqrt{2}}{2} = \sqrt{2}k$

$|\vec{a}-\vec{b}| = \sqrt{2}$의 양변을 제곱하면

$|\vec{a}|^2 - 2\vec{a} \cdot \vec{b} + |\vec{b}|^2 = 2$

$2^2 - 2 \times \sqrt{2}k + k^2 = 2$

$k^2 - 2\sqrt{2}k + 2 = 0$

$(k-\sqrt{2})^2 = 0$ $\therefore k = \sqrt{2}$

**03-1** 🖹 $\dfrac{4}{5}$

|해결 전략| 벡터의 성분을 이용하여 $\vec{a}-\vec{b}$, $\vec{b}-\vec{c}$를 각각 구하고 $(\vec{a}-\vec{b}) \cdot (\vec{b}-\vec{c})$를 구한다.

$\vec{a}-\vec{b} = (2, 1) - (1, -1) = (1, 2)$,

$\vec{b}-\vec{c} = (1, -1) - (-3, -3) = (4, 2)$이므로

$(\vec{a}-\vec{b}) \cdot (\vec{b}-\vec{c}) = 1 \times 4 + 2 \times 2 = 8 > 0$

$\therefore \cos\theta = \dfrac{8}{\sqrt{1^2+2^2}\sqrt{4^2+2^2}} = \dfrac{8}{\sqrt{5} \times 2\sqrt{5}} = \dfrac{4}{5}$

**03-2** 답 $60°$

|해결 전략| $|\vec{a}-\vec{b}|=1$의 양변을 제곱하고 $|\vec{a}|=|\vec{b}|=1$임을 이용한다.

$|\vec{a}-\vec{b}|=1$의 양변을 제곱하면

$|\vec{a}|^2-2\vec{a}\cdot\vec{b}+|\vec{b}|^2=1$

$1^2-2\vec{a}\cdot\vec{b}+1^2=1$ $\quad\therefore \vec{a}\cdot\vec{b}=\dfrac{1}{2}$

두 벡터 $\vec{a},\vec{b}$가 이루는 각의 크기를 $\theta$ $(0°\leq\theta\leq180°)$라 하면
$\vec{a}\cdot\vec{b}>0$이므로

$\cos\theta=\dfrac{\dfrac{1}{2}}{1\times1}=\dfrac{1}{2}$ $\quad\therefore \theta=60°$

**04-1** 답 $-3$

|해결 전략| 두 벡터가 서로 수직일 조건을 이용한다.

$k\vec{a}+\vec{b}=k(-1,2)+(1,3)=(-k+1,2k+3)$,

$\vec{a}-2\vec{b}=(-1,2)-2(1,3)=(-3,-4)$

이때, $k\vec{a}+\vec{b}$와 $\vec{a}-2\vec{b}$가 서로 수직이므로

$(k\vec{a}+\vec{b})\cdot(\vec{a}-2\vec{b})=0$

$(-k+1,2k+3)\cdot(-3,-4)=0$

$-3(-k+1)-4(2k+3)=0$

$5k=-15$ $\quad\therefore k=-3$

**04-2** 답 $\dfrac{5}{9}$

|해결 전략| 두 벡터가 서로 수직일 조건을 이용하여 $\vec{a}\cdot\vec{b}$를 구한다.

$2\vec{a}+\vec{b}$와 $\vec{a}-2\vec{b}$가 서로 수직이므로

$(2\vec{a}+\vec{b})\cdot(\vec{a}-2\vec{b})=0$

$2|\vec{a}|^2-3\vec{a}\cdot\vec{b}-2|\vec{b}|^2=0$

$2\times2^2-3\vec{a}\cdot\vec{b}-2\times3^2=0$

$\therefore \vec{a}\cdot\vec{b}=-\dfrac{10}{3}$

두 벡터 $\vec{a},\vec{b}$가 이루는 각의 크기가 $\theta$이고 $\vec{a}\cdot\vec{b}<0$이므로

$\cos(180°-\theta)=-\dfrac{-\dfrac{10}{3}}{2\times3}=\dfrac{5}{9}$

## 4 직선과 원의 방정식

**개념 확인** 112쪽~117쪽

**1** $\dfrac{x+3}{2}=\dfrac{y-3}{-1}$

**2** (1) $\dfrac{x-5}{-8}=\dfrac{y-1}{5}$ (2) $\dfrac{x+3}{2}=\dfrac{y-4}{-1}$

**3** $3x+4y+11=0$

**4** $\dfrac{\sqrt{10}}{10}$

**5** (1) $-\dfrac{1}{3}$ (2) 3

**6** 중심이 $C(3,-1)$이고 반지름의 길이가 3인 원

**1** 점 $(-3,3)$을 지나고 방향벡터가 $\vec{u}=(2,-1)$인 직선의 방정식은

$\dfrac{x-(-3)}{2}=\dfrac{y-3}{-1}$

$\therefore \dfrac{x+3}{2}=\dfrac{y-3}{-1}$

**2** (1) 구하는 직선의 방향벡터는 $\overrightarrow{AB}$이므로

$\overrightarrow{AB}=(-3-5,6-1)=(-8,5)$

따라서 점 $A(5,1)$을 지나고 방향벡터가 $\overrightarrow{AB}=(-8,5)$인
직선의 방정식은

$\dfrac{x-5}{-8}=\dfrac{y-1}{5}$

(2) 구하는 직선의 방향벡터는 $\overrightarrow{AB}$이므로

$\overrightarrow{AB}=(-1-(-3),3-4)=(2,-1)$

따라서 점 $A(-3,4)$를 지나고 방향벡터가 $\overrightarrow{AB}=(2,-1)$인
직선의 방정식은

$\dfrac{x-(-3)}{2}=\dfrac{y-4}{-1}$

$\therefore \dfrac{x+3}{2}=\dfrac{y-4}{-1}$

**3** 점 $(-5,1)$을 지나고 법선벡터가 $\vec{n}=(3,4)$인 직선의 방정식은

$3\{x-(-5)\}+4(y-1)=0$

$\therefore 3x+4y+11=0$

**4** 두 직선 $\dfrac{x-1}{-3}=y+2$, $\dfrac{x-3}{3}=\dfrac{y}{4}$의 방향벡터를 각각 $\vec{u_1}$, $\vec{u_2}$라
하면

$\vec{u_1}=(-3,1)$, $\vec{u_2}=(3,4)$

두 직선이 이루는 각의 크기가 $\theta$이므로

$\cos\theta=\dfrac{|-3\times3+1\times4|}{\sqrt{(-3)^2+1^2}\sqrt{3^2+4^2}}$

$\qquad=\dfrac{5}{\sqrt{10}\times5}=\dfrac{\sqrt{10}}{10}$

**5** 두 직선 $\dfrac{x+1}{a}=y-12$, $\dfrac{x-3}{3}=y-5$의 방향벡터를 각각 $\vec{u_1}$, $\vec{u_2}$
라 하면

$\vec{u_1}=(a,1)$, $\vec{u_2}=(3,1)$

(1) 두 직선이 서로 수직이려면 $\vec{u_1}\perp\vec{u_2}$이어야 하므로

$\vec{u_1}\cdot\vec{u_2}=0$

$(a,1)\cdot(3,1)=0$

$3a+1=0$ $\quad\therefore a=-\dfrac{1}{3}$

(2) 두 직선이 서로 평행하려면 $\vec{u_1}/\!/\vec{u_2}$이어야 하므로

$\vec{u_1}=k\vec{u_2}$ $(k\neq0)$

을 만족시키는 실수 $k$가 존재한다.

$(a,1)=k(3,1)$에서

$a=3k, 1=k$ $\quad\therefore k=1, a=3$

**6** $|\vec{p}-\vec{c}|=|(x-3,\,y+1)|=3$이므로

$(x-3,\,y+1)\cdot(x-3,\,y+1)=3^2$

$(x-3)^2+(y+1)^2=9$

따라서 점 P가 나타내는 도형은 중심이 C$(3,\,-1)$이고 반지름의 길이가 3인 원이다.

---

## STEP **1** 개념 드릴
| 118쪽~119쪽 |

**개념 check**

**1-1** (1) 3, $-2$   (2) 2, $-3$, 2, $-3$

**2-1** (1) 3, 5, 3, 5   (2) 3, 4, 3, 4

**3-1** (1) 4, 5   (2) $-4$, 3, 17

**4-1** 45°

**5-1** 2, 3, 1

**스스로 check**

**1-2** 답 (1) $\dfrac{x-3}{-1}=\dfrac{y-1}{2}$   (2) $\dfrac{x+4}{5}=\dfrac{y-1}{-2}$

(1) 점 $(3,\,1)$을 지나고 방향벡터가 $\vec{u}=(-1,\,2)$인 직선의 방정식은

$\dfrac{x-3}{-1}=\dfrac{y-1}{2}$

(2) 방향벡터가 $\vec{u}=(5,\,-2)$이므로

$\dfrac{x-(-4)}{5}=\dfrac{y-1}{-2}$

$\therefore \dfrac{x+4}{5}=\dfrac{y-1}{-2}$

**2-2** 답 (1) $\dfrac{x-2}{-5}=\dfrac{y+3}{4}$   (2) $\dfrac{x-3}{2}=\dfrac{y-5}{-1}$

(1) 구하는 직선의 방향벡터는 $\overrightarrow{AB}$이므로

$\overrightarrow{AB}=(-3-2,\,1-(-3))=(-5,\,4)$

따라서 점 A$(2,\,-3)$을 지나고 방향벡터가 $\overrightarrow{AB}=(-5,\,4)$인 직선의 방정식은

$\dfrac{x-2}{-5}=\dfrac{y-(-3)}{4}$

$\therefore \dfrac{x-2}{-5}=\dfrac{y+3}{4}$

(2) 구하는 직선의 방향벡터는 $\overrightarrow{AB}$이므로

$\overrightarrow{AB}=(5-3,\,4-5)=(2,\,-1)$

따라서 점 A$(3,\,5)$를 지나고 방향벡터가 $\overrightarrow{AB}=(2,\,-1)$인 직선의 방정식은

$\dfrac{x-3}{2}=\dfrac{y-5}{-1}$

---

**3-2** 답 (1) $-x+3y-18=0$   (2) $3x-4y+13=0$

(1) $-1\times\{x-(-3)\}+3(y-5)=0$에서

$-x+3y-18=0$

(2) 법선벡터가 $\vec{n}=(3,\,-4)$이므로

$3(x-1)-4(y-4)=0$

$\therefore 3x-4y+13=0$

**4-2** 답 90°

두 직선 $\dfrac{x+1}{4}=\dfrac{3-y}{3}$, $\dfrac{x-1}{3}=\dfrac{y-2}{4}$의 방향벡터를 각각 $\vec{u_1}$, $\vec{u_2}$라 하면

$\vec{u_1}=(4,\,-3)$, $\vec{u_2}=(3,\,4)$

두 직선이 이루는 각의 크기가 $\theta$이므로

$\cos\theta=\dfrac{|4\times3+(-3)\times4|}{\sqrt{4^2+(-3)^2}\sqrt{3^2+4^2}}=0$

이때, $0°\leq\theta\leq90°$이므로 $\theta=90°$

**5-2** 답 중심이 C$(-3,\,5)$이고 반지름의 길이가 5인 원

$|\vec{p}-\vec{c}|=|(x+3,\,y-5)|=5$이므로

$(x+3,\,y-5)\cdot(x+3,\,y-5)=5^2$

$(x+3)^2+(y-5)^2=25$

따라서 점 P가 나타내는 도형은 중심이 C$(-3,\,5)$이고 반지름의 길이가 5인 원이다.

---

## STEP **2** 필수 유형
| 120쪽~124쪽 |

**01-1** 답 $-1$

**|해결 전략|** 직선 $3(x-5)=4(y+7)$의 방향벡터를 구하여 직선의 방정식을 구한다.

$3(x-5)=4(y+7)$의 양변을 12로 나누면 $\dfrac{x-5}{4}=\dfrac{y+7}{3}$이므로 이 직선의 방향벡터를 $\vec{u}$라 하면

$\vec{u}=(4,\,3)$

따라서 점 $(1,\,2)$를 지나고 방향벡터가 $\vec{u}=(4,\,3)$인 직선의 방정식은 $\dfrac{x-1}{4}=\dfrac{y-2}{3}$

이 직선이 점 $(-3,\,k)$를 지나므로

$\dfrac{-3-1}{4}=\dfrac{k-2}{3}$

$\therefore k=-1$

## 01-2 답 $-7$

|해결 전략| 직선의 방정식을 구하여 $y=0$을 대입한다.

두 점 $A(-2, 3)$, $B(3, 1)$을 지나는 직선의 방향벡터는
$$\overrightarrow{AB}=(3, 1)-(-2, 3)=(5, -2)$$
따라서 점 $(3, -4)$를 지나고 방향벡터가 $\overrightarrow{AB}=(5, -2)$인 직선의 방정식은
$$\frac{x-3}{5}=\frac{y+4}{-2}$$
$y=0$을 위의 식에 대입하면
$$\frac{x-3}{5}=-2 \qquad \therefore x=-7$$
따라서 구하는 $x$절편은 $-7$이다.

## 02-1 답 5

|해결 전략| 직선 $x+6=-3(y-4)$의 방향벡터가 구하는 직선의 법선벡터임을 이용한다.

$x+6=-3(y-4)$의 양변을 3으로 나누면 $\dfrac{x+6}{3}=\dfrac{y-4}{-1}$이고, 이 직선의 방향벡터는 $(3, -1)$이므로 구하는 직선의 법선벡터를 $\vec{n}$이라 하면
$$\vec{n}=(3, -1)$$
따라서 점 $(1, 2)$를 지나고 법선벡터가 $\vec{n}=(3, -1)$인 직선의 방정식은
$$3(x-1)-(y-2)=0$$
$$\therefore 3x-y-1=0$$
이 직선이 점 $(2, k)$를 지나므로
$$6-k-1=0 \qquad \therefore k=5$$

## 02-2 답 $\dfrac{1}{9}$

|해결 전략| 두 점 $A$, $B$를 지나는 직선의 방향벡터가 구하는 직선의 법선벡터임을 이용한다.

두 점 $A(-2, -3)$, $B(3, 6)$을 지나는 직선의 방향벡터는
$$\overrightarrow{AB}=(3, 6)-(-2, -3)=(5, 9)$$
이므로 구하는 직선의 법선벡터는 $\overrightarrow{AB}=(5, 9)$이다.
따라서 점 $(2, -1)$을 지나고 법선벡터가 $\overrightarrow{AB}=(5, 9)$인 직선의 방정식은
$$5(x-2)+9(y+1)=0$$
$$\therefore 5x+9y-1=0$$
$x=0$을 위의 식에 대입하면
$$9y-1=0 \qquad \therefore y=\frac{1}{9}$$
따라서 구하는 $y$절편은 $\dfrac{1}{9}$이다.

## 03-1 답 2

|해결 전략| 두 직선의 방향벡터 $\vec{u_1}$, $\vec{u_2}$를 구하고, $\cos 45°=\dfrac{|\vec{u_1}\cdot\vec{u_2}|}{|\vec{u_1}||\vec{u_2}|}$임을 이용하여 $a$의 값을 구한다.

두 직선 $\dfrac{x-3}{a}=y-1$, $\dfrac{x+5}{-3}=y-2$의 방향벡터를 각각 $\vec{u_1}$, $\vec{u_2}$라 하면
$$\vec{u_1}=(a, 1), \vec{u_2}=(-3, 1)$$
따라서
$$\cos 45°=\frac{|\vec{u_1}\cdot\vec{u_2}|}{|\vec{u_1}||\vec{u_2}|}=\frac{|-3a+1|}{\sqrt{a^2+1^2}\sqrt{(-3)^2+1^2}}$$
$$=\frac{|-3a+1|}{\sqrt{a^2+1}\sqrt{10}}=\frac{\sqrt{2}}{2}$$
이므로
$$|-3a+1|=\sqrt{5(a^2+1)}$$
양변을 제곱하면
$$9a^2-6a+1=5a^2+5, \quad 2a^2-3a-2=0$$
$$(2a+1)(a-2)=0 \qquad \therefore a=2 \ (\because a>0)$$

## 04-1 답 (1) $-\dfrac{8}{3}$ (2) $-1$

|해결 전략| 두 직선의 방향벡터를 구하고, 수직 조건과 평행 조건을 이용한다.

두 직선 $l$, $m$의 방향벡터를 각각 $\vec{u_1}$, $\vec{u_2}$라 하면
$$\vec{u_1}=\overrightarrow{AB}=(3, -1)-(2, 1)=(1, -2),$$
$$\vec{u_2}=(a, 2a+4)$$
(1) 두 직선 $l$, $m$이 서로 수직이려면 $\vec{u_1}\perp\vec{u_2}$이어야 하므로
$$\vec{u_1}\cdot\vec{u_2}=0$$
$$(1, -2)\cdot(a, 2a+4)=0$$
$$a-2(2a+4)=0$$
$$\therefore a=-\frac{8}{3}$$
(2) 두 직선 $l$, $m$이 서로 평행하려면 $\vec{u_1}/\!/\vec{u_2}$이어야 하므로
$$\vec{u_2}=k\vec{u_1} \ (k\neq 0)$$
을 만족시키는 실수 $k$가 존재한다.
$(a, 2a+4)=k(1, -2)$에서
$$a=k, 2a+4=-2k$$
$$\therefore k=-1, a=-1$$

## 05-1 답 $2\sqrt{13}\pi$

|해결 전략| 두 점 $A$, $B$의 위치벡터를 각각 구하고 $(\vec{p}-\vec{a})\cdot(\vec{p}-\vec{b})=0$임을 이용한다.

두 점 $A(-1, -2)$, $B(3, 4)$의 위치벡터는 각각
$$\vec{a}=(-1, -2), \vec{b}=(3, 4)$$
점 $P$의 위치벡터를 $\vec{p}=(x, y)$라 하면
$(\vec{p}-\vec{a})\cdot(\vec{p}-\vec{b})=0$에서 $(x+1, y+2)\cdot(x-3, y-4)=0$
$$(x+1)(x-3)+(y+2)(y-4)=0$$
$$\therefore (x-1)^2+(y-1)^2=13$$
따라서 점 $P$가 나타내는 도형은 중심의 좌표가 $(1, 1)$이고 반지름의 길이가 $\sqrt{13}$인 원이므로 구하는 둘레의 길이는
$$2\pi\times\sqrt{13}=2\sqrt{13}\pi$$

## 05-2 답 $13\pi$

|해결 전략| 두 점 A, B의 위치벡터를 각각 구하고 $\overrightarrow{AP} \cdot \overrightarrow{BP} = 0$임을 이용한다.

두 점 A$(3, 1)$, B$(-1, 7)$의 위치벡터는 각각
$$\vec{a} = (3, 1),\ \vec{b} = (-1, 7)$$
점 P의 위치벡터를 $\vec{p} = (x, y)$라 하면
$\overrightarrow{AP} \cdot \overrightarrow{BP} = 0$에서 $(x-3, y-1) \cdot (x+1, y-7) = 0$
$(x-3)(x+1) + (y-1)(y-7) = 0$
$\therefore (x-1)^2 + (y-4)^2 = 13$
따라서 점 P가 나타내는 도형은 중심의 좌표가 $(1, 4)$이고 반지름의 길이가 $\sqrt{13}$인 원이므로 구하는 넓이는
$$\pi \times (\sqrt{13})^2 = 13\pi$$

#### 다른 풀이

$\overrightarrow{AP} \cdot \overrightarrow{BP} = 0$에서 $\angle APB = 90°$이므로 점 P가 나타내는 도형은 두 점 A$(3, 1)$, B$(-1, 7)$을 지름의 양 끝점으로 하는 원이다.
따라서 원의 반지름의 길이는
$$\frac{1}{2}\overline{AB} = \frac{1}{2}\sqrt{(-1-3)^2 + (7-1)^2} = \sqrt{13}$$
이므로 구하는 넓이는
$$\pi \times (\sqrt{13})^2 = 13\pi$$

## STEP 3 유형 드릴 ──────────── |125쪽~127쪽|

### 1-1 답 2

|해결 전략| 선분의 내분점과 외분점의 위치벡터 공식을 이용하여 두 점 P, Q의 위치벡터를 $\vec{a}, \vec{b}$로 나타낸다.

$$\vec{p} = \frac{\vec{b} + 2\vec{a}}{1+2} = \frac{2}{3}\vec{a} + \frac{1}{3}\vec{b},\ \vec{q} = \frac{2\vec{b} - \vec{a}}{2-1} = -\vec{a} + 2\vec{b}$$이므로
$$\vec{p} + \vec{q} = \left(\frac{2}{3}\vec{a} + \frac{1}{3}\vec{b}\right) + (-\vec{a} + 2\vec{b}) = -\frac{1}{3}\vec{a} + \frac{7}{3}\vec{b}$$
따라서 $m = -\frac{1}{3}$, $n = \frac{7}{3}$이므로
$$m + n = -\frac{1}{3} + \frac{7}{3} = 2$$

### 1-2 답 $\frac{11}{4}$

|해결 전략| 선분의 내분점과 외분점의 위치벡터 공식을 이용하여 두 점 P, Q의 위치벡터를 $\vec{a}, \vec{b}$로 나타낸다.

두 점 P, Q의 위치벡터를 각각 $\vec{p}, \vec{q}$라 하면
$$\vec{p} = \frac{2\vec{b} + \vec{a}}{2+1} = \frac{1}{3}\vec{a} + \frac{2}{3}\vec{b},\ \vec{q} = \frac{\vec{b} - k\vec{a}}{1-k} = \frac{k}{k-1}\vec{a} - \frac{1}{k-1}\vec{b}$$

선분 PQ의 중점의 위치벡터를 $\vec{m}$이라 하면
$$\vec{m} = \frac{\vec{p} + \vec{q}}{2} = \frac{1}{2}\left(\frac{1}{3}\vec{a} + \frac{2}{3}\vec{b} + \frac{k}{k-1}\vec{a} - \frac{1}{k-1}\vec{b}\right)$$
$$= \left(\frac{1}{6} + \frac{k}{2k-2}\right)\vec{a} + \left(\frac{1}{3} - \frac{1}{2k-2}\right)\vec{b}$$
선분 PQ의 중점이 점 A이면
$$\left(\frac{1}{6} + \frac{k}{2k-2}\right)\vec{a} + \left(\frac{1}{3} - \frac{1}{2k-2}\right)\vec{b} = \vec{a}$$에서
$$\frac{1}{6} + \frac{k}{2k-2} = 1,\ \frac{1}{3} - \frac{1}{2k-2} = 0$$
따라서 $k = \frac{5}{2}$이므로 $\alpha = \frac{5}{2}$
선분 PQ의 중점이 점 B이면
$$\left(\frac{1}{6} + \frac{k}{2k-2}\right)\vec{a} + \left(\frac{1}{3} - \frac{1}{2k-2}\right)\vec{b} = \vec{b}$$에서
$$\frac{1}{6} + \frac{k}{2k-2} = 0,\ \frac{1}{3} - \frac{1}{2k-2} = 1$$
따라서 $k = \frac{1}{4}$이므로 $\beta = \frac{1}{4}$
$$\therefore \alpha + \beta = \frac{5}{2} + \frac{1}{4} = \frac{11}{4}$$

### 2-1 답 10

|해결 전략| 주어진 식을 네 점 A, B, C, P의 위치벡터로 나타낸다.

네 점 A, B, C, P의 위치벡터를 각각 $\vec{a}, \vec{b}, \vec{c}, \vec{p}$라 하면
$2\overrightarrow{PA} + 5\overrightarrow{PB} - \overrightarrow{CP} = \overrightarrow{BC}$에서
$2(\vec{a} - \vec{p}) + 5(\vec{b} - \vec{p}) - (\vec{p} - \vec{c}) = \vec{c} - \vec{b}$
$$\therefore \vec{p} = \frac{\vec{a} + 3\vec{b}}{4} = \frac{3\vec{b} + \vec{a}}{3+1}$$
따라서 점 P는 선분 AB를 $3 : 1$로 내분하는 점이므로
$$\triangle PBC = \frac{1}{4} \times \triangle ABC$$
$$= \frac{1}{4} \times 40 = 10$$

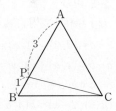

#### 다른 풀이

$\overrightarrow{BC} = \overrightarrow{PC} - \overrightarrow{PB}$, $-\overrightarrow{CP} = \overrightarrow{PC}$이므로
$2\overrightarrow{PA} + 5\overrightarrow{PB} - \overrightarrow{CP} = \overrightarrow{BC}$에서
$2\overrightarrow{PA} + 5\overrightarrow{PB} + \overrightarrow{PC} = \overrightarrow{PC} - \overrightarrow{PB}$
$\therefore \overrightarrow{PA} = -3\overrightarrow{PB}$
따라서 세 점 A, P, B는 한 직선 위에 있고 점 P는 선분 AB를 $3 : 1$로 내분하는 점이므로
$$\triangle PBC = \frac{1}{4} \times \triangle ABC = \frac{1}{4} \times 40 = 10$$

#### LECTURE

$\overrightarrow{PB} = -k\overrightarrow{PC}\ (k > 0)$이면 점 P는 $\overrightarrow{BC}$를 $k : 1$로 내분하는 점이다.
➡ $\triangle ABP : \triangle ACP = k : 1$

**2-2** 답 $1:1$

|해결 전략| 주어진 식을 변형하여 점 P의 위치를 알아본다.

$\overrightarrow{PA}+2\overrightarrow{PB}+\overrightarrow{PC}=\vec{0}$에서

$$\overrightarrow{PB}=-\frac{\overrightarrow{PA}+\overrightarrow{PC}}{2}$$

변 AC의 중점을 M이라 하면

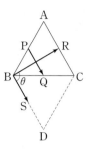

$\overrightarrow{PM}=\dfrac{\overrightarrow{PA}+\overrightarrow{PC}}{2}$이므로 $\overrightarrow{PB}=-\overrightarrow{PM}$

즉, 점 P는 선분 BM의 중점이므로

$$\overline{BP}:\overline{PM}=1:1$$

$$\triangle PAB=\frac{1}{2}\triangle ABM=\frac{1}{2}\times\frac{1}{2}\triangle ABC=\frac{1}{4}\triangle ABC$$

$$\triangle PBC=\frac{1}{2}\triangle BCM=\frac{1}{2}\times\frac{1}{2}\triangle ABC=\frac{1}{4}\triangle ABC$$

따라서 $\triangle PAB$와 $\triangle PBC$의 넓이의 비는 $1:1$이다.


**3-1** 답 $(8, 3)$

|해결 전략| $\overrightarrow{DE}=\overrightarrow{OE}-\overrightarrow{OD}$를 성분으로 나타낸다.

$\vec{a}=(1, 0), \vec{b}=(-2, 1), \vec{c}=(2, -3)$이므로

$$\begin{aligned}\overrightarrow{DE}&=-2\vec{a}+3\vec{b}+\vec{c}\\&=-2(1, 0)+3(-2, 1)+(2, -3)\\&=(-2, 0)+(-6, 3)+(2, -3)\\&=(-6, 0)\end{aligned}$$

$\overrightarrow{DE}=\overrightarrow{OE}-\overrightarrow{OD}$이므로 점 D의 좌표를 $(p, q)$라 하면

$$(-6, 0)=(2, 3)-(p, q)$$
$$(p, q)=(2, 3)-(-6, 0)=(8, 3)$$

따라서 점 D의 좌표는 $(8, 3)$이다.


**3-2** 답 $3$

|해결 전략| $\vec{c}-\vec{a}, \vec{a}+\vec{b}$를 각각 성분으로 나타내어 주어진 식에 대입한다.

$\vec{c}-\vec{a}=(\beta, 2)-(1, \alpha)=(\beta-1, 2-\alpha)$,

$\vec{a}+\vec{b}=(1, \alpha)+(3, 4)=(4, \alpha+4)$이므로

$\vec{c}-\vec{a}=k(\vec{a}+\vec{b})$에서

$$(\beta-1, 2-\alpha)=k(4, \alpha+4)$$
$$(\beta-1, 2-\alpha)=(4k, k(\alpha+4))$$
$$\therefore \beta-1=4k, 2-\alpha=k(\alpha+4)$$

이때, $\alpha=-4$이면 $2-\alpha=k(\alpha+4)$에서 $6=0$이 되어 모순이므로

$\alpha\neq-4$

따라서 $k=\dfrac{\beta-1}{4}=\dfrac{2-\alpha}{\alpha+4}$이므로

$$(\beta-1)(\alpha+4)=4(2-\alpha), \alpha\beta+3\alpha+4\beta-12=0$$
$$(\alpha+4)(\beta+3)=24$$

이때, $\alpha, \beta$가 자연수이므로 $\alpha+4$는 $5$ 이상의 자연수이고 $\beta+3$은 $4$ 이상의 자연수이다.

따라서 $(\alpha+4)(\beta+3)=24$가 되는 경우는 $\alpha+4=6, \beta+3=4$인 경우뿐이다.

즉, $\alpha=2, \beta=1$이므로

$$\alpha+\beta=3$$


**4-1** 답 $0$

|해결 전략| $\triangle BDC$가 정삼각형이 되도록 점 D를 잡아 $\overrightarrow{PQ}$와 같은 벡터를 구한다.

오른쪽 그림과 같이 정삼각형 BDC를 그리고 $\overrightarrow{BD}$의 중점을 S라 하면 $\overrightarrow{PQ}=\overrightarrow{BS}$이다.

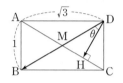

두 벡터 $\overrightarrow{BR}, \overrightarrow{BS}$가 이루는 각의 크기를 $\theta$라 하면 $\angle RBC=30°, \angle CBS=60°$이므로

$$\theta=30°+60°=90°$$

두 벡터 $\overrightarrow{BR}, \overrightarrow{PQ}$가 이루는 각의 크기는 두 벡터 $\overrightarrow{BR}, \overrightarrow{BS}$가 이루는 각의 크기와 같으므로

$$\overrightarrow{BR}\cdot\overrightarrow{PQ}=\overrightarrow{BR}\cdot\overrightarrow{BS}=|\overrightarrow{BR}||\overrightarrow{BS}|\cos 90°=0$$


**4-2** 답 $\dfrac{3}{2}$

|해결 전략| $\triangle ACD$에서 $\overline{AD}\times\overline{DC}=\overline{AC}\times\overline{DH}$임을 이용하여 $|\overrightarrow{DH}|$를 구한다.

$\overline{AC}=\overline{BD}=\sqrt{1^2+(\sqrt{3})^2}=2$이므로

$\triangle ACD$에서

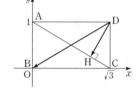

$$\sqrt{3}\times 1=2\times\overline{DH}$$
$$\therefore \overline{DH}=\frac{\sqrt{3}}{2}$$

두 대각선 AC, BD의 교점을 M이라 하고 $\overrightarrow{DB}, \overrightarrow{DH}$가 이루는 각의 크기를 $\theta$라 하면 $\triangle MHD$에서

$$\cos\theta=\frac{\overline{DH}}{\overline{MD}}=\frac{\sqrt{3}}{2}$$
$$\therefore \overrightarrow{DB}\cdot\overrightarrow{DH}=|\overrightarrow{DB}||\overrightarrow{DH}|\cos\theta$$
$$=2\times\frac{\sqrt{3}}{2}\times\frac{\sqrt{3}}{2}=\frac{3}{2}$$

**다른 풀이**

오른쪽 그림과 같이 직사각형 ABCD를 점 B를 원점으로 하는 좌표평면 위에 놓으면 $D(\sqrt{3}, 1)$이다.

직선 AC는 기울기가 $-\dfrac{\sqrt{3}}{3}$이고 점 $A(0, 1)$을 지나는 직선이므로 직선 AC의 방정식은

$$y=-\frac{\sqrt{3}}{3}x+1$$

직선 DH는 기울기가 $\sqrt{3}$이고 점 $D(\sqrt{3}, 1)$을 지나는 직선이므로 직선 DH의 방정식은

$$y-1=\sqrt{3}(x-\sqrt{3}) \qquad \therefore y=\sqrt{3}x-2$$

두 직선 AC, DH의 교점 H의 $x$좌표는

$-\dfrac{\sqrt{3}}{3}x+1=\sqrt{3}x-2$에서 $x=\dfrac{3\sqrt{3}}{4}$

$$\therefore H\left(\frac{3\sqrt{3}}{4}, \frac{1}{4}\right)$$

$\overrightarrow{DB}, \overrightarrow{DH}$를 각각 성분으로 나타내면

$$\overrightarrow{DB}=-\overrightarrow{BD}=(-\sqrt{3}, -1),$$
$$\overrightarrow{DH}=\overrightarrow{BH}-\overrightarrow{BD}=\left(\frac{3\sqrt{3}}{4}, \frac{1}{4}\right)-(\sqrt{3}, 1)=\left(-\frac{\sqrt{3}}{4}, -\frac{3}{4}\right)$$
$$\therefore \overrightarrow{DB}\cdot\overrightarrow{DH}=(-\sqrt{3}, -1)\cdot\left(-\frac{\sqrt{3}}{4}, -\frac{3}{4}\right)$$
$$=(-\sqrt{3})\times\left(-\frac{\sqrt{3}}{4}\right)+(-1)\times\left(-\frac{3}{4}\right)=\frac{3}{2}$$

## 5-1 답 $-2\sqrt{3}$

**|해결 전략|** $\vec{a}\cdot\vec{b}$를 구하여 $|x\vec{a}+\vec{b}|=2$의 양변을 제곱한 식에 대입한다.

$\vec{a}\cdot\vec{b}=|\vec{a}||\vec{b}|\cos30°=1\times2\times\dfrac{\sqrt{3}}{2}=\sqrt{3}$

$|x\vec{a}+\vec{b}|=2$의 양변을 제곱하면

$x^2|\vec{a}|^2+2x\vec{a}\cdot\vec{b}+|\vec{b}|^2=4$

$x^2+2\sqrt{3}x+4=4,\ x(x+2\sqrt{3})=0$

$\therefore x=-2\sqrt{3}\ (\because\ x\neq0)$

## 5-2 답 320

**|해결 전략|** $|p\vec{a}+q\vec{b}|=k$의 양변을 제곱하면 $p^2|\vec{a}|^2+2pq\vec{a}\cdot\vec{b}+q^2|\vec{b}|^2=k^2$임을 이용한다.

$|\vec{a}+\vec{b}|=4$의 양변을 제곱하면

$|\vec{a}|^2+2\vec{a}\cdot\vec{b}+|\vec{b}|^2=16$ ······㉠

$|\vec{a}-\vec{b}|=6$의 양변을 제곱하면

$|\vec{a}|^2-2\vec{a}\cdot\vec{b}+|\vec{b}|^2=36$ ······㉡

㉠+㉡을 하면

$2(|\vec{a}|^2+|\vec{b}|^2)=52$    $\therefore |\vec{a}|^2+|\vec{b}|^2=26$

㉠-㉡을 하면

$4\vec{a}\cdot\vec{b}=-20$    $\therefore \vec{a}\cdot\vec{b}=-5$

$\therefore |\vec{a}-3\vec{b}|^2+|3\vec{a}-\vec{b}|^2$

$\quad=|\vec{a}|^2-6\vec{a}\cdot\vec{b}+9|\vec{b}|^2+9|\vec{a}|^2-6\vec{a}\cdot\vec{b}+|\vec{b}|^2$

$\quad=10(|\vec{a}|^2+|\vec{b}|^2)-12\vec{a}\cdot\vec{b}$

$\quad=10\times26-12\times(-5)=320$

## 6-1 답 $45°$

**|해결 전략|** $\overrightarrow{CA}$, $\overrightarrow{CB}$를 각각 성분으로 나타내고 두 벡터 $\overrightarrow{CA}$, $\overrightarrow{CB}$가 이루는 각의 크기를 구한다.

$\overrightarrow{CA}=\overrightarrow{OA}-\overrightarrow{OC}=(5,3)-(4,0)=(1,3)$,

$\overrightarrow{CB}=\overrightarrow{OB}-\overrightarrow{OC}=(6,1)-(4,0)=(2,1)$

이므로

$\overrightarrow{CA}\cdot\overrightarrow{CB}=1\times2+3\times1=5$

두 벡터 $\overrightarrow{CA}$, $\overrightarrow{CB}$가 이루는 각의 크기를 $\theta\ (0°\le\theta\le180°)$라 하면 $\overrightarrow{CA}\cdot\overrightarrow{CB}>0$이므로

$\cos\theta=\dfrac{5}{\sqrt{1^2+3^2}\sqrt{2^2+1^2}}=\dfrac{5}{\sqrt{10}\sqrt{5}}=\dfrac{\sqrt{2}}{2}$

$\therefore \theta=45°$

## 6-2 답 $\dfrac{\sqrt{2}}{2}$

**|해결 전략|** $\vec{a}+\vec{b}$를 성분으로 나타내고 $|\vec{a}+\vec{b}|=\sqrt{5}$임을 이용한다.

$\vec{a}+\vec{b}=(-x,-1)+(x+2,x+1)=(2,x)$이므로

$|\vec{a}+\vec{b}|=\sqrt{5}$에서

$\sqrt{2^2+x^2}=\sqrt{5}$

양변을 제곱하면 $4+x^2=5$

$x^2=1$    $\therefore x=-1\ (\because x<0)$

따라서 $\vec{a}=(1,-1)$, $\vec{b}=(1,0)$이므로

$\vec{a}\cdot\vec{b}=1\times1+(-1)\times0=1>0$

$\therefore \cos\theta=\dfrac{1}{\sqrt{1^2+(-1)^2}\sqrt{1^2+0^2}}=\dfrac{1}{\sqrt{2}}=\dfrac{\sqrt{2}}{2}$

## 7-1 답 $120°$

**|해결 전략|** $\overrightarrow{PQ}$를 $\vec{a}$, $\vec{b}$로 나타낸 후 $|\overrightarrow{PQ}|=3\sqrt{3}$의 양변을 제곱하여 $\vec{a}\cdot\vec{b}$를 구한다.

$\overrightarrow{PQ}=\overrightarrow{OQ}-\overrightarrow{OP}=(2\vec{a}+\vec{b})-(\vec{a}-\vec{b})=\vec{a}+2\vec{b}$이므로

$|\overrightarrow{PQ}|=3\sqrt{3}$에서 $|\vec{a}+2\vec{b}|=3\sqrt{3}$

양변을 제곱하면 $|\vec{a}|^2+4\vec{a}\cdot\vec{b}+4|\vec{b}|^2=27$

$3^2+4\vec{a}\cdot\vec{b}+4\times3^2=27$    $\therefore \vec{a}\cdot\vec{b}=-\dfrac{9}{2}$

두 벡터 $\vec{a}$, $\vec{b}$가 이루는 각의 크기를 $\theta\ (0°\le\theta\le180°)$라 하면 $\vec{a}\cdot\vec{b}<0$이므로

$\cos(180°-\theta)=-\dfrac{-\dfrac{9}{2}}{3\times3}=\dfrac{1}{2}$

따라서 $180°-\theta=60°$이므로 $\theta=120°$

## 7-2 답 $\dfrac{3}{4}$

**|해결 전략|** $|\vec{a}+\vec{b}|=\sqrt{2}|2\vec{a}-\vec{b}|$의 양변을 제곱하여 $\vec{a}\cdot\vec{b}$를 구한다.

$|\vec{a}+\vec{b}|=\sqrt{2}|2\vec{a}-\vec{b}|$의 양변을 제곱하면

$|\vec{a}|^2+2\vec{a}\cdot\vec{b}+|\vec{b}|^2=8|\vec{a}|^2-8\vec{a}\cdot\vec{b}+2|\vec{b}|^2$

$10\vec{a}\cdot\vec{b}=7|\vec{a}|^2+|\vec{b}|^2=8|\vec{a}|^2\ (\because |\vec{a}|=|\vec{b}|)$

$\therefore \vec{a}\cdot\vec{b}=\dfrac{4}{5}|\vec{a}|^2$

두 벡터 $\vec{a}$, $\vec{b}$가 이루는 각의 크기가 $\theta$이고 $\vec{a}\cdot\vec{b}>0$이므로

$\cos\theta=\dfrac{\vec{a}\cdot\vec{b}}{|\vec{a}||\vec{b}|}=\dfrac{\dfrac{4}{5}|\vec{a}|^2}{|\vec{a}||\vec{a}|}=\dfrac{4}{5}$

이때, 오른쪽 그림에서

$\tan\theta=\dfrac{3}{4}$

## 8-1 답 29

**|해결 전략|** $\angle B=90°$이므로 $\overrightarrow{AB}\cdot\overrightarrow{BC}=0$임을 이용한다.

$\triangle ABC$에서 $\angle B=90°$이므로

$\overrightarrow{AB}\cdot\overrightarrow{BC}=0$

$\overrightarrow{BC}=\overrightarrow{AC}-\overrightarrow{AB}$

$\quad=(x,x^2+1)-(2,5)$

$\quad=(x-2,x^2-4)$

따라서 $(2,5)\cdot(x-2,x^2-4)=0$이므로

$2(x-2)+5(x^2-4)=0$

$5x^2+2x-24=0$

$(5x+12)(x-2)=0$

그런데 $x=2$인 경우 $\overrightarrow{BC}=(0,0)$이 되므로 $\triangle ABC$가 만들어지지 않는다.

$\therefore x=-\dfrac{12}{5}$

즉, $\overrightarrow{AC}=\left(-\dfrac{12}{5},\dfrac{169}{25}\right)$이므로

$\overrightarrow{AB}\cdot\overrightarrow{AC}=(2,5)\cdot\left(-\dfrac{12}{5},\dfrac{169}{25}\right)$

$\qquad\qquad=-\dfrac{24}{5}+\dfrac{169}{5}=29$

## 8-2 답 $\dfrac{36}{5}$

|해결 전략| 두 평면벡터가 평행할 조건과 수직일 조건을 각각 이용한다.

$\overrightarrow{AP}\,/\!/\,\overrightarrow{OB}$이므로

$\overrightarrow{AP}=k\overrightarrow{OB}\,(k\neq0)$

인 실수 $k$가 존재한다.

$\therefore\;\overrightarrow{AP}=k(-2,1)=(-2k,k)$

또, $\overrightarrow{OP}\perp\overrightarrow{OB}$이므로 $\overrightarrow{OP}\cdot\overrightarrow{OB}=0$

이때, $\overrightarrow{OP}=\overrightarrow{OA}+\overrightarrow{AP}=(2,5)+(-2k,k)=(2-2k,k+5)$이므로

$(2-2k,k+5)\cdot(-2,1)=0$

$-2(2-2k)+(k+5)=0$

$5k+1=0$ $\qquad\therefore\;k=-\dfrac{1}{5}$

따라서 $\overrightarrow{OP}=\left(\dfrac{12}{5},\dfrac{24}{5}\right)$이므로

$a=\dfrac{12}{5},\,b=\dfrac{24}{5}$

$\therefore\;a+b=\dfrac{12}{5}+\dfrac{24}{5}=\dfrac{36}{5}$

## 9-1 답 4

|해결 전략| 두 점 $A(2,4),B(1,6)$을 지나는 직선의 방향벡터를 구하여 직선의 방정식을 구한다.

두 점 $A(2,4),B(1,6)$을 지나는 직선의 방향벡터는

$\overrightarrow{AB}=(1,6)-(2,4)=(-1,2)$

이므로 점 $(1,2)$를 지나고 방향벡터가 $\overrightarrow{AB}=(-1,2)$인 직선의 방정식은

$\dfrac{x-1}{-1}=\dfrac{y-2}{2}$

$\therefore\;y=-2x+4$

따라서 직선 $y=-2x+4$와 $x$축 및 $y$축으로 둘러싸인 도형의 넓이는

$\dfrac{1}{2}\times2\times4=4$

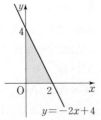

## 9-2 답 6

|해결 전략| 두 직선의 방정식을 각각 구하여 연립방정식을 푼다.

점 $A(5,8)$을 지나고 방향벡터가 $\vec{u}=(3,4)$인 직선의 방정식은

$\dfrac{x-5}{3}=\dfrac{y-8}{4}$

$\therefore\;y=\dfrac{4}{3}x+\dfrac{4}{3}$ ...... ㉠

두 점 $B(1,5),C(3,3)$을 지나는 직선의 방향벡터는

$\overrightarrow{BC}=(3,3)-(1,5)=(2,-2)$

따라서 점 $B(1,5)$를 지나고 방향벡터가 $\overrightarrow{BC}=(2,-2)$인 직선의 방정식은

$\dfrac{x-1}{2}=\dfrac{y-5}{-2}$

$\therefore\;y=-x+6$ ...... ㉡

㉠, ㉡을 연립하여 풀면 $x=2,\,y=4$

따라서 $p=2,\,q=4$이므로

$p+q=6$

## 10-1 답 6

|해결 전략| 세 직선의 방향벡터를 구하고 두 직선의 평행 조건과 수직 조건을 이용한다.

세 직선 $l,\,m,\,n$의 방향벡터를 각각 $\vec{u_1},\,\vec{u_2},\,\vec{u_3}$이라 하면

$\vec{u_1}=(2,3),\,\vec{u_2}=(a,6),\,\vec{u_3}=(3,-b)$

$l\,/\!/\,m$에서 $\vec{u_1}\,/\!/\,\vec{u_2}$이어야 하므로

$\vec{u_2}=k\vec{u_1}\,(k\neq0)$

을 만족시키는 실수 $k$가 존재한다.

$(a,6)=k(2,3)$에서

$a=2k,\,6=3k$

$\therefore\;k=2,\,a=4$

$l\perp n$에서 $\vec{u_1}\perp\vec{u_3}$이어야 하므로

$\vec{u_1}\cdot\vec{u_3}=0$

$(2,3)\cdot(3,-b)=0$

$6-3b=0$ $\qquad\therefore\;b=2$

$\therefore\;a+b=4+2=6$

## 10-2 답 $-\dfrac{8}{3}$

|해결 전략| 세 직선의 방향벡터를 구하고 두 직선의 평행 조건과 수직 조건을 이용한다.

세 직선 $l,\,m,\,n$의 방향벡터를 각각 $\vec{u_1},\,\vec{u_2},\,\vec{u_3}$이라 하면

$\vec{u_1}=(-3,2),\,\vec{u_2}=(6,a),\,\vec{u_3}=(b,2)$

$l\,/\!/\,m$에서 $\vec{u_1}\,/\!/\,\vec{u_2}$이어야 하므로

$\vec{u_2}=k\vec{u_1}\,(k\neq0)$

을 만족시키는 실수 $k$가 존재한다.

$(6,a)=k(-3,2)$에서

$6=-3k,\,a=2k$

$\therefore\;k=-2,\,a=-4$

$l\perp n$에서 $\vec{u_1}\perp\vec{u_3}$이어야 하므로

$\vec{u_1}\cdot\vec{u_3}=0$

$(-3,2)\cdot(b,2)=0$

$-3b+4=0$ $\qquad\therefore\;b=\dfrac{4}{3}$

$\therefore\;a+b=-4+\dfrac{4}{3}=-\dfrac{8}{3}$

## 11-1 답 $8\pi$

| 해결 전략 | 주어진 식의 양변을 제곱하여 내적으로 나타낸다.

두 점 $A(1, 1)$, $B(4, 4)$의 위치벡터는 각각

$\vec{a}=(1, 1)$, $\vec{b}=(4, 4)$

점 P의 위치벡터를 $\vec{p}=(x, y)$라 하면

$2|\vec{p}-\vec{a}|=|\vec{p}-\vec{b}|$에서 $4|\vec{p}-\vec{a}|^2=|\vec{p}-\vec{b}|^2$

$4(\vec{p}-\vec{a})\cdot(\vec{p}-\vec{a})=(\vec{p}-\vec{b})\cdot(\vec{p}-\vec{b})$

$4\{(x-1)^2+(y-1)^2\}=(x-4)^2+(y-4)^2$

$\therefore x^2+y^2=8$

따라서 점 P가 나타내는 도형은 중심의 좌표가 $(0, 0)$이고 반지름의 길이가 $2\sqrt{2}$인 원이므로 구하는 넓이는

$\pi\times(2\sqrt{2})^2=8\pi$

## 11-2 답 $6\sqrt{5}\pi$

| 해결 전략 | 주어진 식의 양변을 제곱하여 내적으로 나타낸다.

두 점 $A(1, 1)$, $B\left(-4, -\dfrac{3}{2}\right)$의 위치벡터는 각각

$\vec{a}=(1, 1)$, $\vec{b}=\left(-4, -\dfrac{3}{2}\right)$

점 P의 위치벡터를 $\vec{p}=(x, y)$라 하면

$3|\vec{p}-\vec{a}|=2|\vec{p}-\vec{b}|$에서 $9|\vec{p}-\vec{a}|^2=4|\vec{p}-\vec{b}|^2$

$9(\vec{p}-\vec{a})\cdot(\vec{p}-\vec{a})=4(\vec{p}-\vec{b})\cdot(\vec{p}-\vec{b})$

$9\{(x-1)^2+(y-1)^2\}=4\left\{(x+4)^2+\left(y+\dfrac{3}{2}\right)^2\right\}$

$\therefore (x-5)^2+(y-3)^2=45$

따라서 점 P가 나타내는 도형은 중심의 좌표가 $(5, 3)$이고 반지름의 길이가 $3\sqrt{5}$인 원이므로 구하는 둘레의 길이는

$2\pi\times3\sqrt{5}=6\sqrt{5}\pi$

---

# 5 | 공간도형

## 1 위치 관계

개념 확인                    130쪽~136쪽

**1** ㄱ, ㄴ, ㄹ

**2** (1) 직선 AB, 직선 AC, 직선 BE, 직선 CD

(2) 직선 ED

(3) 직선 AD, 직선 AE

**3** (1) 평면 ABC, 평면 BCDE

(2) 평면 ABE, 평면 ACD

(3) 평면 AED

(4) 평면 ABE, 교선은 직선 AB

평면 BCDE, 교선은 직선 BC

평면 ACD, 교선은 직선 AC

**4** ㄱ

**5** (1) 90° (2) 60°

**6** (가) $m'$ (나) $m$

---

**1** ㄱ. 세 점 A, B, D는 한 직선 위에 있지 않으므로 한 평면을 결정한다.

ㄴ. 직선 AD와 이 직선 위에 있지 않은 한 점 C는 한 평면을 결정한다.

ㄷ. 직선 AB와 직선 CD는 꼬인 위치에 있으므로 두 직선 AB와 CD를 포함하는 평면은 존재하지 않는다.

ㄹ. 직선 BE와 직선 CD는 평행하므로 한 평면을 결정한다.

따라서 한 평면을 결정할 수 있는 것은 ㄱ, ㄴ, ㄹ이다.

**4** ㄱ. 오른쪽 그림과 같은 직육면체에서 $l /\!/ m$, $m /\!/ n$이면 $l /\!/ n$이다. (참)

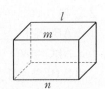

ㄴ. [반례] 오른쪽 그림과 같은 직육면체에서 $l /\!/ \alpha$, $m /\!/ \alpha$이지만 두 직선 $l$, $m$은 만날 수 있다. (거짓)

참고 $l$과 $m$은 꼬인 위치에 있을 수도 있다.

따라서 옳은 것은 ㄱ이다.

**5** (1) $\overline{CF} /\!/ \overline{BE}$이고 $\overline{AB}\perp\overline{BE}$이므로

$\overline{AB}\perp\overline{CF}$

따라서 두 직선 AB와 CF가 이루는 각의 크기는 90°이다.

(2) $\overline{AC} /\!/ \overline{DF}$이고 $\triangle DEF$는 정삼각형이므로

$\angle DFE=60°$

즉, 두 직선 DF와 EF가 이루는 각의 크기가 60°이므로 두 직선 AC와 EF가 이루는 각의 크기는 60°이다.

## STEP ❶ 개념 드릴 ——————— | 137쪽~138쪽 |

| 개념 check |

**1-1** ACH, 7

**2-1** JF, 7

**3-1** 50°, 50°

**4-1** AMD, AMD, 90°

| 스스로 check |

**1-2** 답 (1) 4  (2) 점 G

(1) (i) 두 직선으로 만들어지는 평면은

    평면 AFH의 1개

  (ii) 한 직선과 그 위에 있지 않은 한 점으로 만들어지는 평면은

    평면 ABF, AFG, ABH의 3개

    (∵ 평면 ABH와 평면 AGH는 같은 평면이다.)

  (i), (ii)에 의하여 만들 수 있는 서로 다른 평면의 개수는 4이다.

(2) 직선 AB와 직선 GH가 평행하므로 직선 AB와 점 H에 의하여

  결정되는 평면은 평면 ABGH이다.

  따라서 꼭짓점 C, D, E, F, G 중 이 평면 위의 점은 점 G이다.

**2-2** 답 (1) 4  (2) 8

(1) 직선 BC와 꼬인 위치에 있는 직선은

  직선 AE, DH, EF, GH

  따라서 직선 BC와 꼬인 위치에 있는 직선의 개수는 4이다.

(2) 직선 AB와 꼬인 위치에 있는 직선은

  직선 CI, DJ, EK, FL, HI, IJ, KL, LG

  따라서 직선 AB와 꼬인 위치에 있는 직선의 개수는 8이다.

**3-2** 답 (1) 80°  (2) 45°

(1) △ABC에서

  ∠ABC=180°−(40°+60°)=80°

  직선 DE와 직선 AB는 평행하고 직선 AB와 직선 BC가 이루는

  각의 크기는 80°이다.

  따라서 직선 BC와 직선 DE가 이루는 각의 크기는 80°이다.

(2) △ABC는 직각이등변삼각형이므로

  $\angle ACB = \frac{1}{2} \times 90° = 45°$

  직선 EF와 직선 BC는 평행하고 직선 AC와 직선 BC가 이루는

  각의 크기는 45°이다.

  따라서 직선 AC와 직선 EF가 이루는 각의 크기는 45°이다.

**4-2** 답 90°

$\overline{AD} \perp \overline{BD}$, $\overline{AD} \perp \overline{CD}$이므로

$\overline{AD} \perp$ (평면 BCD)

이때, $\overline{BC}$가 평면 BCD 위에 있으므로

$\overline{AD} \perp \overline{BC}$

## STEP ❷ 필수 유형 ——————— | 139쪽~142쪽 |

**01-1** 답 (1) 20  (2) 36

| 해결 전략 | 한 직선 위에 있지 않은 세 점, 한 직선과 그 직선 위에 있지 않은 한 점, 한 점에서 만나는 두 직선으로 평면이 결정됨을 이용한다.

(1) 한 직선 위에 있지 않은 서로 다른 세 점은 한 평면을 결정하므로

  6개의 점에서 3개를 선택하는 조합의 수를 구하면

  $_6C_3 = \frac{6 \times 5 \times 4}{3 \times 2 \times 1} = 20$

(2) 평면의 개수가 가장 많으려면 어느 세 점도 같은 직선 위에 있지

  않아야 하고, 어느 세 직선도 같은 평면 위에 있지 않아야 한다.

  즉, 오른쪽 그림에서

  (i) 점만으로 결정되는 평면의 개수는

    $_5C_3 = _5C_2 = \frac{5 \times 4}{2 \times 1} = 10$

  (ii) 두 직선만으로 결정되는 평면의 개

    수는

    $_4C_2 = \frac{4 \times 3}{2 \times 1} = 6$

  (iii) 점과 직선으로 결정되는 평면의 개수는

    $_5C_1 \times _4C_1 = 20$

  (i), (ii), (iii)에 의하여 만들 수 있는 서로 다른 평면의 최대 개수는

  36

| LECTURE |

서로 다른 $n$개에서 $r(0 \leq r \leq n)$개를 택하는 조합의 수는

$_nC_r = \dfrac{n!}{r!(n-r)!}$

**02-1** 답 8

| 해결 전략 | 주어진 평면과 평행하지 않고 포함되지 않는 직선은 평면과 한 점에서 만나는 직선이다.

평면 BFHD와 한 점에서 만나는 직선은

직선 AB, BC, CD, DA, EF, FG, GH, HE

따라서 평면 BFHD와 한 점에서 만나는 직선의 개수는 8이다.

**02-2** 답 9

| 해결 전략 | 주어진 직선과 꼬인 위치에 있는 직선은 주어진 직선과 한 평면 위에 있지 않고 만나지도 평행하지도 않는 직선이다. 주어진 직선과 평행한 직선은 한 평면 위에 있고 만나지 않는 직선이다.

직선 AG와 꼬인 위치에 있는 직선은

직선 BC, CD, BF, DH, EF, EH의 6개

∴ $m=6$

직선 CD와 평행한 직선은 직선 AB, EF, HG의 3개

∴ $n=3$

따라서 $m+n=9$

## 03-1 답 2

|해결 전략| 주어진 평면과 평행한 직선은 평면과 만나지 않는다.

평면 CEG와 평면 AEGC는 같은 평면이고 이 평면에 평행한 직선은 직선 BF, DH의 2개

따라서 평면 CEG와 평행한 직선의 개수는 2이다.

## 03-2 답 ㄱ, ㄴ

|해결 전략| 직선과 평면의 평행과 수직을 정육면체의 모서리와 면을 이용하여 알아본다.

ㄱ. 오른쪽 그림과 같이

$l\perp\alpha$, $l\perp\beta$이면

$\alpha/\!/\beta$이다. (참)

ㄴ. 오른쪽 그림과 같이

$l\perp\alpha$, $m\perp\beta$, $\alpha\perp\beta$이면

$l\perp m$이다. (참)

따라서 옳은 것은 ㄱ, ㄴ이다.

## 04-1 답 (1) 90° (2) 90°

|해결 전략| 꼬인 위치에 있는 두 직선이 이루는 각의 크기를 구할 때는 어떤 한 직선을 평행이동하여 두 직선이 만나도록 하고, 만나는 두 직선이 이루는 각을 생각한다.

(1) $\overline{BD}$와 $\overline{AC}$가 만나는 점을 O라 하면 $\overline{AC}/\!/\overline{EG}$이므로 두 직선 BD, EG가 이루는 각의 크기는 두 직선 AO, BO가 이루는 ∠AOB의 크기와 같다.

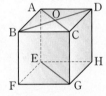

정사각형의 두 대각선은 서로 다른 것을 수직이등분하므로 ∠AOB=90°

따라서 직선 BD와 직선 EG가 이루는 각의 크기는 90°이다.

(2) 오른쪽 그림과 같이 합동인 두 정육면체를 붙여 직육면체를 만들면 $\overline{FH}/\!/\overline{F'G}$이므로 두 직선 AG, FH가 이루는 각의 크기는 두 직선 AG, F'G가 이루는 각의 크기와 같다.

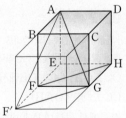

정육면체의 한 모서리의 길이를 $a$라 하면

$\overline{AG}=\sqrt{a^2+a^2+a^2}=\sqrt{3}a$, $\overline{F'G}=\sqrt{a^2+a^2}=\sqrt{2}a$

$\overline{AF'}=\sqrt{(2a)^2+a^2}=\sqrt{5}a$

이므로 $\overline{AF'}^2=\overline{AG}^2+\overline{F'G}^2$

따라서 △AF'G는 ∠AGF'=90°인 직각삼각형이므로 구하는 각의 크기는 90°이다.

## 2 삼수선의 정리

143쪽~146쪽

개념 확인

1 $2\sqrt{5}$

2 45°

3 30°

4 ⊥

1 △PHO는 직각삼각형이므로

$\overline{PO}^2+\overline{OH}^2=\overline{PH}^2$

즉, $2^2+(2\sqrt{3})^2=\overline{PH}^2$이므로

$\overline{PH}=4$

한편, $\overline{PO}\perp\alpha$, $\overline{OH}\perp\overline{AB}$이므로 삼수선의 정리에 의하여

$\overline{PH}\perp\overline{AB}$

따라서 △PAH는 직각삼각형이므로

$\overline{PH}^2+\overline{AH}^2=\overline{PA}^2$

즉, $4^2+2^2=\overline{PA}^2$이므로

$\overline{PA}=2\sqrt{5}$

2 두 평면 ABCD, AFGD의 교선은 $\overline{AD}$이다.

이때, $\overline{AB}$와 $\overline{AF}$는 모두 $\overline{AD}$에 수직이며 $\overline{AD}$ 위의 점 A에서 만난다.

따라서 두 평면 ABCD와 AFGD가 이루는 각의 크기는 $\overline{AB}$와 $\overline{AF}$가 이루는 각의 크기인 45°와 같다.

3 직선 AD는 이면각의 변이다.

이때, 두 반직선 AB, AF는 두 반평면 $\alpha$, $\beta$에 각각 포함되고 $\overline{AD}\perp\overline{AB}$, $\overline{AD}\perp\overline{AF}$이므로 이면각의 크기를 $\theta$라 하면 $\theta$는 ∠BAF의 크기와 같다.

삼각형 ABF에서 $\tan\theta=\dfrac{\overline{BF}}{\overline{AB}}=\dfrac{1}{\sqrt{3}}$이므로

$\theta=30°$

따라서 이면각의 크기는 30°이다.

## STEP 1 개념 드릴 147쪽

개념 check

1-1 5, 5, $5\sqrt{2}$

2-1 $\dfrac{\sqrt{2}}{2}$, $\sqrt{2}$

스스로 check

1-2 답 8

△PHO는 직각삼각형이므로

$\overline{PO}^2+\overline{OH}^2=\overline{PH}^2$

즉, $6^2+4^2=\overline{\mathrm{PH}}^2$이므로

$\overline{\mathrm{PH}}=2\sqrt{13}$

한편, $\overline{\mathrm{PO}}\perp\alpha$, $\overline{\mathrm{OH}}\perp\overline{\mathrm{AB}}$이므로 삼수선의 정리에 의하여

$\overline{\mathrm{PH}}\perp\overline{\mathrm{AB}}$

따라서 △PAH는 직각삼각형이므로

$\overline{\mathrm{PH}}^2+\overline{\mathrm{AH}}^2=\overline{\mathrm{PA}}^2$

즉, $(2\sqrt{13})^2+(2\sqrt{3})^2=\overline{\mathrm{PA}}^2$이므로

$\overline{\mathrm{PA}}=8$

## 2-2 답 $\dfrac{\sqrt{3}}{3}$

$\overline{\mathrm{HF}}$의 중점을 M이라 하면 △CHF, △GHF
는 모두 이등변삼각형이므로

$\overline{\mathrm{CM}}\perp\overline{\mathrm{HF}}$, $\overline{\mathrm{GM}}\perp\overline{\mathrm{HF}}$

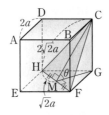

따라서 평면 CHF와 평면 EFGH가 이루는
각의 크기 $\theta$는 $\overline{\mathrm{CM}}$과 $\overline{\mathrm{MG}}$가 이루는 각의
크기와 같으므로

$\angle\mathrm{CMG}=\theta$

이때, 정육면체의 한 모서리의 길이를 $2a$라 하면

$\overline{\mathrm{CH}}=\overline{\mathrm{HF}}=\overline{\mathrm{EG}}=\sqrt{(2a)^2+(2a)^2}=2\sqrt{2}\,a$이므로 △GHM에서

$\overline{\mathrm{MG}}=\overline{\mathrm{HM}}=\dfrac{1}{2}\overline{\mathrm{HF}}=\sqrt{2}\,a$

△CHM은 직각삼각형이므로

$\overline{\mathrm{CM}}=\sqrt{\overline{\mathrm{CH}}^2-\overline{\mathrm{HM}}^2}=\sqrt{(2\sqrt{2}\,a)^2-(\sqrt{2}\,a)^2}=\sqrt{6}\,a$

$\therefore \cos\theta=\dfrac{\overline{\mathrm{MG}}}{\overline{\mathrm{CM}}}=\dfrac{\sqrt{2}\,a}{\sqrt{6}\,a}=\dfrac{\sqrt{3}}{3}$

## STEP 2 필수 유형 ──────── | 148쪽~150쪽 |

### 01-1 답 $3\sqrt{10}$

|해결 전략| 삼수선의 정리를 이용하여 직각삼각형을 찾는다.

△PHC는 직각삼각형이므로

$\overline{\mathrm{PC}}=\sqrt{\overline{\mathrm{PH}}^2+\overline{\mathrm{HC}}^2}$
$=\sqrt{7^2+5^2}=\sqrt{74}$

$\overline{\mathrm{PH}}\perp\alpha$, $\overline{\mathrm{HC}}\perp\overline{\mathrm{AB}}$이므로 삼수선의
정리에 의하여

$\overline{\mathrm{PC}}\perp\overline{\mathrm{AB}}$

따라서 △PCA는 직각삼각형이므로

$\overline{\mathrm{PA}}=\sqrt{\overline{\mathrm{PC}}^2+\overline{\mathrm{AC}}^2}=\sqrt{(\sqrt{74})^2+4^2}=3\sqrt{10}$

### 01-2 답 $2\sqrt{3}$

|해결 전략| 삼수선의 정리를 이용하여 주어진 직선 또는 평면과 수직이 되는 선
분을 찾고 수직 관계를 이용하여 필요한 선분의 길이를 구한다.

$\overline{\mathrm{OA}}\perp\overline{\mathrm{AB}}$, $\overline{\mathrm{OA}}\perp\overline{\mathrm{AC}}$에서

$\overline{\mathrm{OA}}\perp$(평면 ABC) $\cdots\cdots$ ㉠

선분 BC의 중점을 M이라 하면 삼각형
OBC는 정삼각형이므로

$\overline{\mathrm{OM}}\perp\overline{\mathrm{BC}}$ $\cdots\cdots$ ㉡

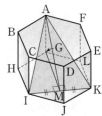

㉠, ㉡이 성립하므로 삼수선의 정리에 의하
여 $\overline{\mathrm{AM}}\perp\overline{\mathrm{BC}}$

삼각형 OBC는 한 변의 길이가 4인 정삼각형이므로

$\overline{\mathrm{OM}}=\dfrac{\sqrt{3}}{2}\times4=2\sqrt{3}$

삼각형 OMA는 $\overline{\mathrm{OM}}$이 빗변인 직각삼각형이므로

$\overline{\mathrm{AM}}=\sqrt{\overline{\mathrm{OM}}^2-\overline{\mathrm{OA}}^2}=\sqrt{(2\sqrt{3})^2-3^2}=\sqrt{3}$

$\therefore \triangle\mathrm{ABC}=\dfrac{1}{2}\times\overline{\mathrm{BC}}\times\overline{\mathrm{AM}}=\dfrac{1}{2}\times4\times\sqrt{3}=2\sqrt{3}$

### 02-1 답 $\sqrt{39}$

|해결 전략| 삼수선의 정리를 이용하여 주어진 직선 또는 평면과 수직이 되는 선
분을 찾고 수직 관계를 이용하여 필요한 선분의 길이를 구한다.

점 A에서 평면 GHIJKL에 내린 수선의 발
이 G이고 선분 IK의 중점을 M이라 하면

$\overline{\mathrm{AM}}\perp\overline{\mathrm{IK}}$이므로 삼수선의 정리에 의하여

$\overline{\mathrm{GM}}\perp\overline{\mathrm{IK}}$

$\overline{\mathrm{GM}}=3$이고 삼각형 AGM은 선분 AM이
빗변인 직각삼각형이므로 피타고라스 정리
에 의하여

$\overline{\mathrm{AM}}=\sqrt{\overline{\mathrm{AG}}^2+\overline{\mathrm{GM}}^2}=\sqrt{2^2+3^2}=\sqrt{13}$

$\overline{\mathrm{IK}}=2\overline{\mathrm{MK}}=2\sqrt{2^2-1^2}=2\sqrt{3}$이므로

$\triangle\mathrm{AIK}=\dfrac{1}{2}\times\overline{\mathrm{IK}}\times\overline{\mathrm{AM}}$
$=\dfrac{1}{2}\times2\sqrt{3}\times\sqrt{13}=\sqrt{39}$

### 02-2 답 $\dfrac{16}{5}$

|해결 전략| 삼수선의 정리를 이용하여 주어진 직선 또는 평면과 수직이 되는 선
분을 찾고 수직 관계를 이용하여 필요한 선분의 길이를 구한다.

$\overline{\mathrm{OC}}\perp\overline{\mathrm{OA}}$, $\overline{\mathrm{OC}}\perp\overline{\mathrm{OB}}$에서

$\overline{\mathrm{OC}}\perp$(평면 OAB)

점 C에서 선분 AB에 내린 수선의 발을 H
라 하면 삼수선의 정리에 의하여

$\overline{\mathrm{OH}}\perp\overline{\mathrm{AB}}$

직각삼각형 OAB에서 피타고라스 정리에 의하여

$\overline{\mathrm{AB}}=\sqrt{\overline{\mathrm{OA}}^2+\overline{\mathrm{OB}}^2}=5$

$\triangle\mathrm{OAB}=\dfrac{1}{2}\times\overline{\mathrm{OA}}\times\overline{\mathrm{OB}}=\dfrac{1}{2}\times\overline{\mathrm{AB}}\times\overline{\mathrm{OH}}$이므로

$3 \times 4 = 5 \times \overline{\mathrm{OH}}$에서 $\overline{\mathrm{OH}} = \dfrac{12}{5}$

또, $\triangle \mathrm{ABC} = \dfrac{1}{2} \times \overline{\mathrm{AB}} \times \overline{\mathrm{CH}}$이므로

$10 = \dfrac{1}{2} \times 5 \times \overline{\mathrm{CH}}$에서 $\overline{\mathrm{CH}} = 4$

삼각형 COH는 $\overline{\mathrm{CH}}$가 빗변인 직각삼각형이므로

$a = \sqrt{\overline{\mathrm{CH}}^2 - \overline{\mathrm{OH}}^2} = \sqrt{4^2 - \left(\dfrac{12}{5}\right)^2} = \sqrt{\dfrac{256}{25}} = \dfrac{16}{5}$

## 03-1 답 $\dfrac{\sqrt{3}}{3}$

|해결 전략| 두 평면이 이루는 각의 크기를 두 직선이 이루는 각의 크기로 변형한다.

점 O에서 □ABCD에 내린 수선의 발을 H라 하면 점 H는 선분 AC와 선분 BD의 교점과 같다.

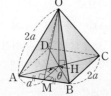

이때, 선분 AB의 중점을 M이라 하면 $\overline{\mathrm{OM}} \perp \overline{\mathrm{AB}}$, $\overline{\mathrm{HM}} \perp \overline{\mathrm{AB}}$

따라서 평면 OAB와 평면 ABCD가 이루는 각의 크기는 $\overline{\mathrm{OM}}$과 $\overline{\mathrm{MH}}$가 이루는 각의 크기와 같으므로

$\angle \mathrm{OMH} = \theta$

정사각뿔의 한 모서리의 길이를 $2a$라 하면

$\overline{\mathrm{OM}} = \dfrac{\sqrt{3}}{2} \times 2a = \sqrt{3}a$, $\overline{\mathrm{HM}} = \dfrac{1}{2}\overline{\mathrm{BC}} = a$

따라서 직각삼각형 OMH에서

$\cos \theta = \dfrac{\overline{\mathrm{HM}}}{\overline{\mathrm{OM}}} = \dfrac{a}{\sqrt{3}a} = \dfrac{\sqrt{3}}{3}$

## ③ 정사영

### 개념 확인      151쪽~153쪽

**1** (1) 선분 FE    (2) 선분 HE    (3) 삼각형 FHE

**2** (1) 6    (2) 45°

**3** $4\sqrt{2}\pi$

**2** (1) $\overline{\mathrm{A'B'}} = \overline{\mathrm{AB}} \cos 60° = 12 \times \dfrac{1}{2} = 6$

(2) $\cos \theta = \dfrac{\overline{\mathrm{A'B'}}}{\overline{\mathrm{AB}}} = \dfrac{3\sqrt{2}}{6} = \dfrac{\sqrt{2}}{2}$이므로

$\theta = 45°$

**3** 원기둥을 자를 때 생기는 단면의 넓이를 $S$라 하자.

잘린 단면의 밑면을 포함하는 평면 위로의 정사영이 원기둥의 밑면인 원이므로

$S \times \cos 45° = \pi \times 2^2$

$\therefore S = \dfrac{4\pi}{\cos 45°} = \dfrac{4\pi}{\dfrac{\sqrt{2}}{2}} = 4\sqrt{2}\pi$

### 개념 check

**1-1** $\dfrac{1}{2}$, 4

**2-1** 45°, $15\sqrt{2}$

### 스스로 check

**1-2** 답 $3\sqrt{2}$

선분 AB의 평면 $\alpha$ 위로의 정사영의 길이는

$6 \cos 45° = 6 \times \dfrac{\sqrt{2}}{2} = 3\sqrt{2}$

**2-2** 답 24

한 변의 길이가 8인 정삼각형 ABC의 넓이는

$\dfrac{\sqrt{3}}{4} \times 8^2 = 16\sqrt{3}$

삼각형 ABC의 평면 $\beta$ 위로의 정사영의 넓이는

$16\sqrt{3} \cos 30° = 16\sqrt{3} \times \dfrac{\sqrt{3}}{2} = 24$

## 01-1 답 5

|해결 전략| 주어진 도형의 끝점에서 평면에 내린 수선의 발을 고려하여 평면 위로의 정사영을 구한다.

두 점 B, M의 평면 EFGH 위로의 정사영은 각각 점 F, H이다.

따라서 $\overline{\mathrm{BM}}$의 평면 EFGH 위로의 정사영은 $\overline{\mathrm{FH}}$이다.

직각삼각형 EFH에서

$\overline{\mathrm{FH}} = \sqrt{\overline{\mathrm{EF}}^2 + \overline{\mathrm{EH}}^2}$

$= \sqrt{3^2 + 4^2} = 5$

## 01-2 답 $\dfrac{116}{13}$

|해결 전략| 주어진 도형의 끝점에서 평면에 내린 수선의 발을 고려하여 평면 위로의 정사영을 구한다.

점 G에서 선분 FH에 내린 수선의 발을 I라 하면 $\overline{\mathrm{GI}} \perp \overline{\mathrm{FH}}$, $\overline{\mathrm{GI}} \perp \overline{\mathrm{DH}}$이므로 $\overline{\mathrm{GI}} \perp$ (평면 BFHD)

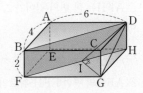

따라서 $\overline{\mathrm{DG}}$의 평면 BFHD 위로의 정사영은 $\overline{\mathrm{DI}}$이므로 $\overline{\mathrm{DI}} = l$

직각삼각형 FGH에서

$\overline{\mathrm{FH}} = \sqrt{6^2 + 4^2} = 2\sqrt{13}$

$\triangle FGH = \dfrac{1}{2} \times \overline{FG} \times \overline{GH} = \dfrac{1}{2} \times \overline{FH} \times \overline{GI}$ 이므로

$6 \times 4 = 2\sqrt{13} \times \overline{GI}$ 에서 $\overline{GI} = \dfrac{12}{\sqrt{13}}$

$\overline{DG} = \sqrt{2^2 + 4^2} = 2\sqrt{5}$ 이므로 직각삼각형 DIG에서

$l^2 = \overline{DI}^2 = \overline{DG}^2 - \overline{GI}^2 = 20 - \dfrac{144}{13} = \dfrac{116}{13}$

## 02-1 답 72

|해결 전략| $\overline{AG}$의 각 평면 위로의 정사영을 생각한다.

$\overline{AG}$의 평면 ABFE, 평면 AEHD, 평면 ABCD 위로의 정사영의 길이를 각각 $l$, $m$, $n$이라 하면

$\overline{AF} = l = 6\cos\alpha = \sqrt{\overline{AB}^2 + \overline{AE}^2}$

$\overline{AH} = m = 6\cos\beta = \sqrt{\overline{AD}^2 + \overline{AE}^2}$

$\overline{AC} = n = 6\cos\gamma = \sqrt{\overline{AB}^2 + \overline{AD}^2}$

$\therefore 36(\cos^2\alpha + \cos^2\beta + \cos^2\gamma) = 2(\overline{AB}^2 + \overline{AD}^2 + \overline{AE}^2)$
$\qquad\qquad\qquad\qquad\qquad\quad = 2 \times \overline{AG}^2 = 72$

## 03-1 답 (1) $\dfrac{4\sqrt{3}}{3}$ (2) $\dfrac{1}{3}$

|해결 전략| 정사면체의 꼭짓점 A에서 평면 BCD에 내린 수선의 발은 삼각형 BCD의 무게중심이 됨을 이용한다.

(1) 꼭짓점 A에서 평면 BCD에 내린 수선의 발을 H라 하면 점 H는 $\triangle$BCD의 무게중심과 같으므로 $\triangle$ABC의 평면 BCD 위로의 정사영인 $\triangle$HBC의 넓이는

$\triangle HBC = \dfrac{1}{3}\triangle BCD = \dfrac{1}{3} \times \left(\dfrac{\sqrt{3}}{4} \times 4^2\right)$
$\qquad = \dfrac{4\sqrt{3}}{3}$ → 점 H가 $\triangle$BCD의 무게중심이므로 $\triangle$HBC=$\triangle$HCD=$\triangle$HDB

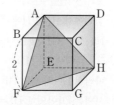

$\therefore \triangle HBC = \dfrac{1}{3}\triangle BCD$

(2) $\triangle$ABC의 넓이는

$\triangle ABC = \dfrac{\sqrt{3}}{4} \times 4^2 = 4\sqrt{3}$

따라서 $\triangle HBC = \triangle ABC\cos\theta$ 이므로

$\dfrac{4\sqrt{3}}{3} = 4\sqrt{3}\cos\theta \qquad \therefore \cos\theta = \dfrac{1}{3}$

## 04-1 답 $\dfrac{2\sqrt{3}}{3}$

|해결 전략| 두 평면이 이루는 각의 크기 $\theta$에 대하여 $\cos\theta$의 값을 구한 다음 정사영의 넓이를 구한다.

$\triangle$AFH는 한 변의 길이가 $2\sqrt{2}$인 정삼각형이므로

$\triangle AFH = \dfrac{\sqrt{3}}{4} \times (2\sqrt{2})^2 = 2\sqrt{3}$

$\triangle$AFH의 평면 EFH 위로의 정사영은 $\triangle$EFH이고

$\triangle EFH = \dfrac{1}{2} \times 2 \times 2 = 2$

두 평면 AFH와 EFH가 이루는 각의 크기를 $\theta$라 하면 $\triangle EFH = \triangle AFH\cos\theta$ 에서

$2 = 2\sqrt{3}\cos\theta \qquad \therefore \cos\theta = \dfrac{1}{\sqrt{3}}$

따라서 $\triangle$EFH의 평면 AFH 위로의 정사영의 넓이를 $S$라 하면

$S = \triangle EFH \times \cos\theta = 2 \times \dfrac{1}{\sqrt{3}} = \dfrac{2\sqrt{3}}{3}$

## 04-2 답 $\dfrac{5\sqrt{34}}{4}\pi$

|해결 전략| 두 평면이 이루는 각의 크기 $\theta$에 대하여 $\cos\theta$의 값을 구한 다음 정사영의 넓이를 구한다.

오른쪽 그림과 같이 $\triangle$ABC는 직각삼각형이므로

$\overline{AB} = \sqrt{5^2 + 3^2} = \sqrt{34}$

한편, 잘린 단면과 원기둥의 밑면이 이루는 각의 크기를 $\theta$라 하면 $\angle ABC = \theta$이므로

$\cos\theta = \dfrac{\overline{BC}}{\overline{AB}} = \dfrac{5}{\sqrt{34}}$

이때, 잘린 단면의 밑면을 포함하는 평면 위로의 정사영이 원기둥의 밑면인 원이므로 잘린 단면의 넓이를 $S$, 원기둥의 밑면의 넓이를 $S'$이라 하면 $S' = S\cos\theta$ 에서

$\pi \times \left(\dfrac{5}{2}\right)^2 = S \times \dfrac{5}{\sqrt{34}} \qquad \therefore S = \dfrac{5\sqrt{34}}{4}\pi$

## STEP ③ 유형 드릴 ———————— |159쪽~161쪽|

### 1-1 답 12

|해결 전략| 한 점에서 만나는 두 직선과 서로 평행한 두 직선은 각각 하나의 평면을 결정한다.

(i) 두 직선이 정육면체의 각 면을 결정하는 경우: 6개
    평면 ABCD, BFGC, CGHD, AEHD, ABFE, EFGH

(ii) 두 직선이 다음 평면을 결정하는 경우: 6개
    평면 AEGC, BFHD, ABGH, EFCD, AFGD, BEHC

따라서 구하는 평면의 개수는 $6 + 6 = 12$

### 1-2 답 11

|해결 전략| 한 점에서 만나는 두 직선과 서로 평행한 두 직선은 각각 하나의 평면을 결정한다.

(i) 두 직선이 정팔면체의 각 면을 결정하는 경우: 8개
    평면 ABC, ACD, AED, ABE, BCF, CDF, EDF, BEF

(ii) 두 직선이 다음 평면을 결정하는 경우: 3개
    평면 ABFD, BCDE, AEFC

따라서 구하는 평면의 개수는 $8 + 3 = 11$

## 2-1 답 6

|해결 전략| 공간에서 두 직선의 위치 관계는 한 점에서 만나는 경우, 평행한 경우, 서로 꼬인 위치에 있는 경우의 3가지 경우가 있다.

직선 AB와 만나는 직선은 직선 OA, OB, AD, BC의 4개

∴ $m=4$

직선 AB와 꼬인 위치에 있는 직선은 직선 OC, OD의 2개

∴ $n=2$

따라서 $m+n=6$

## 2-2 답 5

|해결 전략| 공간에서 두 직선의 위치 관계는 한 점에서 만나는 경우, 평행한 경우, 서로 꼬인 위치에 있는 경우의 3가지 경우가 있다.

직선 AB와 만나는 직선은 직선 AC, AD, BC, BD의 4개

∴ $m=4$

직선 AB와 꼬인 위치에 있는 직선은 직선 CD의 1개

∴ $n=1$

따라서 $m+n=5$

## 3-1 답 ㄱ

|해결 전략| 직선과 평면의 평행과 수직을 정육면체의 모서리와 면을 이용하여 알아본다.

ㄱ. 오른쪽 그림과 같이
$l\perp\alpha, m\perp\alpha$이면
$l/\!/m$이다. (참)

ㄴ. [반례] 오른쪽 그림과 같이
$l\perp m, m\perp n$이지만
$l\perp n$일 수 있다. (거짓)

ㄷ. [반례] 오른쪽 그림과 같이
$l/\!/\alpha, \alpha\perp\beta$이지만
$l\perp\beta$일 수 있다. (거짓)

따라서 옳은 것은 ㄱ이다.

## 3-2 답 ㄱ, ㄷ

|해결 전략| 직선과 평면의 평행과 수직을 정육면체의 모서리와 면을 이용하여 알아본다.

ㄱ. 오른쪽 그림과 같이
$l\perp\alpha, m/\!/\alpha$이면
$l\perp m$이다. (참)

---

ㄴ. [반례] 오른쪽 그림과 같이
$\alpha\perp\beta, \beta\perp\gamma$이지만
$\alpha\perp\gamma$일 수 있다. (거짓)

ㄷ. 오른쪽 그림과 같이
$l\perp\alpha, l/\!/m$이면
$m\perp\alpha$이다. (참)

따라서 옳은 것은 ㄱ, ㄷ이다.

## 4-1 답 $\dfrac{\sqrt{21}}{7}$

|해결 전략| 꼬인 위치에 있는 두 직선이 이루는 각의 크기를 구할 때는 어떤 한 직선을 평행이동하여 두 직선이 만나도록 하고, 만나는 두 직선이 이루는 각을 생각한다.

$\overline{EH}/\!/\overline{AD}$이므로 두 직선 AG, EH가 이루는 각의 크기 $\theta$는 두 직선 AG, AD가 이루는 ∠DAG의 크기와 같다.

한편, $\overline{AD}\perp$(평면 DHGC)이므로 △AGD는 ∠ADG$=90°$인 직각삼각형이다.

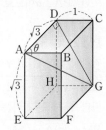

이때, $\overline{AD}=\sqrt{3}$,

$\overline{AG}=\sqrt{(\sqrt{3})^2+1^2+(\sqrt{3})^2}=\sqrt{7}$이므로

$\cos\theta=\dfrac{\overline{AD}}{\overline{AG}}=\dfrac{\sqrt{3}}{\sqrt{7}}=\dfrac{\sqrt{21}}{7}$

## 4-2 답 $\dfrac{\sqrt{3}}{2}$

|해결 전략| 꼬인 위치에 있는 두 직선이 이루는 각의 크기를 구할 때는 어떤 한 직선을 평행이동하여 두 직선이 만나도록 하고, 만나는 두 직선이 이루는 각을 생각한다.

$\overline{CF}/\!/\overline{BE}$이므로 두 직선 AE, CF가 이루는 각의 크기 $\theta$는 두 직선 AE, BE가 이루는 ∠AEB의 크기와 같다.

이때, $\overline{AE}=\sqrt{1^2+(\sqrt{3})^2}=2$이므로

$\cos\theta=\dfrac{\overline{BE}}{\overline{AE}}=\dfrac{\sqrt{3}}{2}$

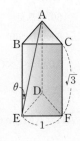

## 5-1 답 $3\sqrt{7}$

|해결 전략| 삼각형 ABP의 넓이를 이용하여 $\overline{PQ}$의 길이를 구한 후 삼수선의 정리를 이용한다.

$\triangle ABP=\dfrac{1}{2}\times\overline{AB}\times\overline{PQ}=\dfrac{1}{2}\times6\times\overline{PQ}=12$에서

$\overline{PQ}=4$

삼각형 PQH는 $\overline{PQ}$가 빗변인 직각삼
각형이므로

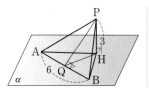

$\overline{HQ}=\sqrt{\overline{PQ}^2-\overline{PH}^2}$
$\quad=\sqrt{4^2-3^2}=\sqrt{7}$

$\overline{PH}\perp\alpha$, $\overline{PQ}\perp\overline{AB}$이므로 삼수선의
정리에 의하여
$\overline{HQ}\perp\overline{AB}$

$\therefore \triangle ABH=\dfrac{1}{2}\times\overline{AB}\times\overline{HQ}=\dfrac{1}{2}\times6\times\sqrt{7}=3\sqrt{7}$

## 5-2 답 3

|해결 전략| 한 점과 주어진 직선 사이의 거리는 그 점에서 직선에 내린 수선의
길이와 같다.

$\overline{BC}$의 중점을 M이라 하면 $\triangle ABC$는
이등변삼각형이므로
$\overline{AM}\perp\overline{BC}$

또한, $\overline{PA}\perp\alpha$이므로 삼수선의 정리에
의하여
$\overline{PM}\perp\overline{BC}$

직각삼각형 ABM에서
$\overline{AM}=\sqrt{\overline{AB}^2-\overline{BM}^2}=\sqrt{3^2-2^2}=\sqrt{5}$

따라서 구하는 거리는 $\overline{PM}$의 길이와 같고 직각삼각형 PMA에서
$\overline{PM}=\sqrt{\overline{PA}^2+\overline{AM}^2}=\sqrt{2^2+(\sqrt{5})^2}=3$

## 6-1 답 $14\sqrt{3}$

|해결 전략| 삼수선의 정리를 이용하여 주어진 직선 또는 평면과 수직이 되는 선
분을 찾는다.

점 A에서 면 BCD에 내린 수선의 발을 H,
점 H에서 선분 CD에 내린 수선의 발을 M
이라 하면 삼수선의 정리에 의하여
$\overline{AM}\perp\overline{CD}$

면 BCD와 면 ACD가 이루는 각의 크기
는 $60°$이므로
$\angle AMH=60°$

$\triangle ACD=\dfrac{1}{2}\times\overline{CD}\times\overline{AM}$에서 $16=\dfrac{1}{2}\times8\times\overline{AM}$

$\therefore \overline{AM}=4$

$\overline{AH}=\overline{AM}\sin60°=4\times\dfrac{\sqrt{3}}{2}=2\sqrt{3}$

따라서 구하는 사면체 ABCD의 부피는

$\dfrac{1}{3}\times\triangle BCD\times\overline{AH}=\dfrac{1}{3}\times21\times2\sqrt{3}=14\sqrt{3}$

## 6-2 답 $\dfrac{\sqrt{5}}{5}$

|해결 전략| 삼수선의 정리를 이용하여 주어진 직선 또는 평면과 수직이 되는 선
분을 찾는다.

점 C에서 밑면 $\alpha$에 내린 수선의 발을 H라 하면
$\overline{CH}\perp\alpha$이고 $\overline{CO}\perp\overline{AB}$이므로 삼수선의 정리
에 의하여 $\overline{HO}\perp\overline{AB}$

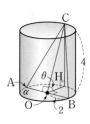

직각삼각형 COH에서
$\overline{CO}=\sqrt{\overline{CH}^2+\overline{OH}^2}=\sqrt{4^2+2^2}=2\sqrt{5}$

$\therefore \cos\theta=\dfrac{\overline{OH}}{\overline{CO}}=\dfrac{2}{2\sqrt{5}}=\dfrac{\sqrt{5}}{5}$

## 7-1 답 $\sqrt{6}$

|해결 전략| $\overline{AF}$의 평면 DHFB 위로의 정사영이 점 F와 $\overline{BD}$의 중점을 연결한
선분임을 이용한다.

$\overline{BD}$의 중점을 M이라 하면 $\overline{AM}\perp\overline{BD}$이
므로 $\overline{AF}$의 평면 DHFB 위로의 정사영은
$\overline{MF}$이다.

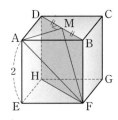

따라서 $\triangle BMF$는 $\angle MBF=90°$인 직각
삼각형이므로
$\overline{MF}=\sqrt{\overline{FB}^2+\overline{BM}^2}=\sqrt{2^2+(\sqrt{2})^2}=\sqrt{6}$

## 7-2 답 $\dfrac{\sqrt{34}}{2}$

|해결 전략| $\overline{DG}$의 평면 AEGC 위로의 정사영이 점 G와 $\overline{AC}$의 중점을 연결한
선분임을 이용한다.

$\overline{AC}$의 중점을 M이라 하면 $\overline{DM}\perp\overline{AC}$
이므로 $\overline{DG}$의 평면 AEGC 위로의 정
사영은 $\overline{MG}$이다.

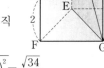

따라서 $\triangle GMC$는 $\angle MCG=90°$인 직
각삼각형이므로

$\overline{MG}=\sqrt{\overline{CG}^2+\overline{CM}^2}=\sqrt{2^2+\left(\dfrac{3\sqrt{2}}{2}\right)^2}=\dfrac{\sqrt{34}}{2}$

## 8-1 답 $\dfrac{\sqrt{3}}{3}$

|해결 전략| 모서리 AB, BF, FG, GH, HD, AD의 중점을 연결한 도형과 그
도형의 평면 EFGH 위로의 정사영의 넓이를 각각 구한다.

모서리 AB, BF, FG, GH, HD, AD의 중
점을 연결한 도형은 한 변의 길이가 $\sqrt{2}$인 정
육각형이므로 그 넓이는

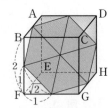

$\dfrac{\sqrt{3}}{4}\times(\sqrt{2})^2\times6=3\sqrt{3}$

이 정육각형의 평면 EFGH 위로의 정사영
의 넓이는 오른쪽 그림에서

$2^2-\dfrac{1}{2}\times1\times1\times2=3$

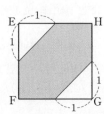

$\therefore \cos\theta=\dfrac{3}{3\sqrt{3}}=\dfrac{\sqrt{3}}{3}$

## 8-2 답 $\dfrac{\sqrt{6}}{3}$

|해결 전략| 삼각형 CEK의 평면 EFGH 위로의 정사영이 삼각형 GEF임을 이용하여 $\cos\theta$의 값을 구한다.

삼각형 CEK의 평면 EFGH 위로의 정사영은 삼각형 GEF이므로
$$\triangle GEF = \triangle CEK\cos\theta$$
삼각형 CEK에서
$$\overline{KC} = \overline{KE} = \sqrt{1^2+2^2} = \sqrt{5}$$
$$\overline{CE} = \sqrt{2^2+2^2+2^2} = 2\sqrt{3}$$
$\overline{CE}$의 중점을 M이라 하면
$$\overline{KM} = \sqrt{\overline{KE}^2 - \overline{EM}^2} = \sqrt{(\sqrt{5})^2 - (\sqrt{3})^2} = \sqrt{2}\text{이므로}$$
$$\triangle CEK = \frac{1}{2} \times \overline{CE} \times \overline{KM} = \frac{1}{2} \times 2\sqrt{3} \times \sqrt{2} = \sqrt{6}$$
또, 삼각형 GEF는 직각이등변삼각형이므로
$$\triangle GEF = \frac{1}{2} \times 2 \times 2 = 2$$
$$\therefore \cos\theta = \frac{\triangle GEF}{\triangle CEK} = \frac{2}{\sqrt{6}} = \frac{\sqrt{6}}{3}$$

## 9-1 답 $3\sqrt{3}$

|해결 전략| 두 평면이 이루는 각의 크기 $\theta$에 대하여 $\cos\theta$의 값을 구한 다음 정사영의 넓이를 구한다.

꼭짓점 O에서 평면 ABCD에 내린 수선의 발이 점 E와 일치하므로
$\triangle OAB$의 평면 ABCD 위로의 정사영은 $\triangle EAB$이다.
두 평면 OAB와 ABCD가 이루는 각의 크기를 $\theta$라 하면
$$\triangle OAB\cos\theta = \triangle EAB$$
$\triangle OAB = \dfrac{\sqrt{3}}{4} \times 6^2 = 9\sqrt{3}$, $\triangle EAB = \dfrac{1}{4} \times 6^2 = 9$이므로
$$9\sqrt{3}\cos\theta = 9 \qquad \therefore \cos\theta = \frac{\sqrt{3}}{3}$$
따라서 $\triangle EAB$의 평면 OAB 위로의 정사영의 넓이를 $S$라 하면
$$S = \triangle EAB \times \cos\theta = 9 \times \frac{\sqrt{3}}{3} = 3\sqrt{3}$$

## 9-2 답 $\dfrac{16\sqrt{5}}{5}$

|해결 전략| 두 평면이 이루는 각의 크기 $\theta$에 대하여 $\cos\theta$의 값을 구한 다음 정사영의 넓이를 구한다.

두 평면 AEFB와 NEFM이 이루는 각의 크기를 $\theta$라 하고 $\overline{BF}$의 중점을 P라 하면 직각삼각형 MPF에서
$$\cos\theta = \frac{\overline{PF}}{\overline{MF}} = \frac{1}{\sqrt{5}}$$
따라서 □AEFB의 평면 NEFM 위로의 정사영의 넓이를 $S$라 하면
$$S = □AEFB \times \cos\theta$$
$$= 16 \times \frac{1}{\sqrt{5}} = \frac{16\sqrt{5}}{5}$$

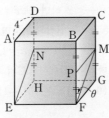
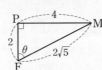

---

## 1 점의 좌표

### 개념 확인       164쪽~166쪽

**1** (1) A$(0, 0, 1)$    (2) G$(0, 3, 0)$    (3) E$(2, 0, 0)$
**2** (1) $(0, -2, 3)$    (2) $(1, 2, 3)$
**3** (1) $\sqrt{6}$    (2) $\sqrt{17}$    (3) $\sqrt{14}$

**2** (1) $yz$평면에 내린 수선의 발은 $x$좌표가 0이므로
$$(0, -2, 3)$$
(2) $zx$평면에 대하여 대칭이동한 점은 $y$좌표의 부호가 반대이므로
$$(1, 2, 3)$$

**3** (1) $\overline{AB} = \sqrt{(1-2)^2 + \{0-(-1)\}^2 + (3-1)^2} = \sqrt{6}$
(2) $\overline{AB} = \sqrt{(1-0)^2 + \{1-(-3)\}^2 + (2-2)^2} = \sqrt{17}$
(3) $\overline{OA} = \sqrt{1^2 + 2^2 + 3^2} = \sqrt{14}$

## STEP **1** 개념 드릴      |167쪽|

### 개념 check

**1-1** 2, 6, 4
**2-1** (1) 0, 0    (2) 0, 0, 0    (3) $x$, $-1$    (4) $z$, $-1$, $-2$
**3-1** (1) $-2$, $-3$    (2) $-2$, $-3$, $2\sqrt{13}$

### 스스로 check

**1-2** 답 P$(0, 3, 2)$, Q$(-4, 3, 0)$, R$(0, 0, 2)$
세 점 P, Q, R의 좌표는 각각
P$(0, 3, 2)$, Q$(-4, 3, 0)$, R$(0, 0, 2)$

**2-2** 답 (1) $(-3, 2, 0)$    (2) $(0, 2, 0)$
         (3) $(-3, -2, -5)$    (4) $(3, -2, -5)$
(1) $xy$평면에 내린 수선의 발은 $z$좌표가 0이므로
$$(-3, 2, 0)$$
(2) $y$축에 내린 수선의 발은 $x$, $z$좌표가 0이므로
$$(0, 2, 0)$$
(3) $zx$평면에 대하여 대칭이동한 점은 $y$좌표의 부호가 반대이므로
$$(-3, -2, -5)$$
(4) $z$축에 대하여 대칭이동한 점은 $x$, $y$좌표의 부호가 반대이므로
$$(3, -2, -5)$$

**3-2** 답 (1) $Q(5, 7, -1)$  (2) $2\sqrt{26}$

(1) $y$축에 대하여 대칭이동한 점은 $x$, $z$좌표의 부호가 반대이므로
$$Q(5, 7, -1)$$
(2) $\overline{PQ}=\sqrt{\{5-(-5)\}^2+(7-7)^2+(-1-1)^2}$
$$=2\sqrt{26}$$

# STEP 2 필수 유형 ──────────── | 168쪽~171쪽 |

## 01-1 답 4

|해결 전략| 수선의 발의 좌표를 구할 때는 관계없는 좌표를 0으로 놓고, 대칭이동한 점의 좌표를 구할 때는 관계없는 좌표의 부호를 반대로 바꾼다.

점 $A(1, 2, a)$에서 $yz$평면에 내린 수선의 발 $P$는 $x$좌표가 0이므로
$P(0, 2, a)$
점 $P(0, 2, a)$를 $y$축에 대하여 대칭이동한 점 $Q$는 $x$, $z$좌표의 부호가 반대이므로
$Q(0, 2, -a)$
이때, $Q(b, c, -2)$이므로 $0=b$, $2=c$, $-a=-2$
즉, $a=2$, $b=0$, $c=2$
$\therefore a+b+c=4$

## 01-2 답 4

|해결 전략| 대칭이동한 점의 좌표를 구할 때는 관계없는 좌표의 부호를 반대로 바꾼다.

점 $P(a-b, 3a+b, c-1)$을 $z$축에 대하여 대칭이동한 점은 $x$, $y$좌표의 부호가 반대이므로
$(-a+b, -3a-b, c-1)$  ······ ㉠
점 $Q(7, -3, 2)$를 $xy$평면에 대하여 대칭이동한 점은 $z$좌표의 부호가 반대이므로
$(7, -3, -2)$  ······ ㉡
이때, ㉠=㉡에서
$-a+b=7$, $-3a-b=-3$, $c-1=-2$
세 식을 연립하여 풀면
$a=-1$, $b=6$, $c=-1$
$\therefore a+b+c=4$

## 02-1 답 $2\sqrt{2}$

|해결 전략| 좌표공간에서 두 점 $A(x_1, y_1, z_1)$, $B(x_2, y_2, z_2)$ 사이의 거리 $\overline{AB}$는 $\sqrt{(x_2-x_1)^2+(y_2-y_1)^2+(z_2-z_1)^2}$이다.

$\overline{AB}=\sqrt{(-a)^2+(1-b)^2+(a-4)^2}$
$\quad\ =\sqrt{2a^2-8a+(b-1)^2+16}$
$\quad\ =\sqrt{2(a-2)^2+(b-1)^2+8}$
따라서 두 점 $A$, $B$ 사이의 거리의 최솟값은 $a=2$, $b=1$일 때 $2\sqrt{2}$이다.

## 02-2 답 $3\sqrt{13}$

|해결 전략| 두 점 사이의 거리와 피타고라스 정리를 이용하여 삼각형의 넓이를 구한다.

$x$축에 내린 수선의 발 $A$의 좌표는 $(2, 0, 0)$
$zx$평면에 내린 수선의 발 $B$의 좌표는 $(2, 0, 6)$
$yz$평면에 내린 수선의 발 $C$의 좌표는 $(0, 3, 6)$
이때, $\overline{AB}=\sqrt{0+0+6^2}=6$,
$\overline{BC}=\sqrt{(-2)^2+3^2+0}=\sqrt{13}$,
$\overline{CA}=\sqrt{2^2+(-3)^2+(-6)^2}=7$
$\therefore \overline{AB}^2+\overline{BC}^2=\overline{CA}^2$
따라서 삼각형 $ABC$는 $\overline{CA}$를 빗변으로 하는 직각삼각형이므로

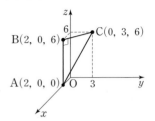

$\triangle ABC=\dfrac{1}{2}\times\overline{AB}\times\overline{BC}=\dfrac{1}{2}\times6\times\sqrt{13}=3\sqrt{13}$

## 03-1 답 $P(0, 8, 0)$

|해결 전략| $y$축 위의 점 $P$의 좌표를 $(0, b, 0)$으로 놓고 $\overline{AP}=\overline{BP}$임을 이용한다.

두 점 $A$, $B$에서 같은 거리에 있는 $y$축 위의 점을 $P(0, b, 0)$이라 하면
$\overline{AP}=\sqrt{(-2)^2+(b+1)^2+(-3)^2}=\sqrt{b^2+2b+14}$
$\overline{BP}=\sqrt{(-3)^2+(b-1)^2+(-6)^2}=\sqrt{b^2-2b+46}$
$\overline{AP}=\overline{BP}$에서 $\overline{AP}^2=\overline{BP}^2$이므로
$b^2+2b+14=b^2-2b+46$, $4b=32$  $\therefore b=8$
따라서 구하는 점 $P$의 좌표는
$(0, 8, 0)$

## 03-2 답 $C(0, 0, 4)$ 또는 $C(3, 0, 1)$

|해결 전략| $zx$평면 위의 점 $C$의 좌표를 $(a, 0, c)$로 놓고 $\overline{AC}=\overline{BC}=\overline{AB}$임을 이용한다.

$zx$평면 위의 점을 $C(a, 0, c)$라 하면 $\triangle ABC$는 정삼각형이므로
$\overline{AC}=\overline{BC}=\overline{AB}$에서 $\overline{AC}^2=\overline{BC}^2=\overline{AB}^2$  ······ ㉠
이때, $\overline{AB}^2$을 구하면
$\overline{AB}^2=(2-1)^2+(-1-1)^2+(3-2)^2=6$
㉠에 의하여 $\overline{AC}^2=\overline{BC}^2=6$이므로
$\overline{AC}^2=(a-1)^2+(-1)^2+(c-2)^2=6$에서
$a^2-2a+c^2-4c=0$  ······ ㉡
$\overline{BC}^2=(a-2)^2+1^2+(c-3)^2=6$에서
$a^2-4a+c^2-6c=-8$  ······ ㉢
㉡-㉢을 하면 $a+c=4$  ······ ㉣
㉡, ㉣을 연립하여 풀면
$a=0$, $c=4$ 또는 $a=3$, $c=1$
따라서 구하는 점 $C$의 좌표는
$(0, 0, 4)$ 또는 $(3, 0, 1)$

## 04-1 답 (1) 6  (2) $2\sqrt{6}$

|해결 전략| 두 점 $A$, $B$가 좌표평면을 기준으로 같은 쪽에 있는지 서로 반대쪽에 있는지 확인한다.

(1) 두 점 A, B의 $y$좌표의 부호가 같으므로 두 점 A, B는 좌표공간에서 $zx$평면을 기준으로 같은 쪽에 있다.

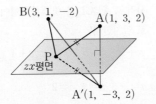

점 A와 $zx$평면에 대하여 대칭인 점을 A′이라 하면

A′$(1, -3, 2)$

이때, $\overline{AP} + \overline{BP} = \overline{A′P} + \overline{BP} \geq \overline{A′B}$이므로 $\overline{AP} + \overline{BP}$의 최솟값은 $\overline{A′B}$의 길이와 같다.

$\overline{A′B} = \sqrt{(3-1)^2 + (1+3)^2 + (-2-2)^2} = 6$

따라서 구하는 최솟값은 6이다.

(2) 두 점 A, B의 $z$좌표의 부호가 $+$, $-$로 다르므로 두 점 A, B는 좌표공간에서 $xy$평면을 기준으로 서로 반대쪽에 있다.

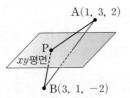

이때, $\overline{AP} + \overline{BP}$의 최솟값은 $\overline{AB}$의 길이와 같으므로

$\overline{AB} = \sqrt{(3-1)^2 + (1-3)^2 + (-2-2)^2} = 2\sqrt{6}$

따라서 구하는 최솟값은 $2\sqrt{6}$이다.

## 2 선분의 내분점과 외분점

| 개념 확인 | 172쪽~174쪽 |

**1** $P(1, -1, 1), Q(1, -13, -11)$

**2** $G(1, 2, -1)$

**1** 선분 AB를 $3 : 2$로 내분하는 점 P의 좌표는

$\left( \dfrac{3 \times 1 + 2 \times 1}{3+2}, \dfrac{3 \times (-3) + 2 \times 2}{3+2}, \dfrac{3 \times (-1) + 2 \times 4}{3+2} \right)$

즉, $P(1, -1, 1)$

선분 AB를 $3 : 2$로 외분하는 점 Q의 좌표는

$\left( \dfrac{3 \times 1 - 2 \times 1}{3-2}, \dfrac{3 \times (-3) - 2 \times 2}{3-2}, \dfrac{3 \times (-1) - 2 \times 4}{3-2} \right)$

즉, $Q(1, -13, -11)$

**2** 삼각형 ABC의 무게중심 G의 좌표는

$\left( \dfrac{0+2+1}{3}, \dfrac{1+3+2}{3}, \dfrac{2-1-4}{3} \right)$

즉, $G(1, 2, -1)$

## STEP ❶ 개념 드릴 ────── | 175쪽 |

개념 check

**1-1** (1) $1, \dfrac{1}{5}$  (2) $3, \dfrac{1}{3}$  (3) $2, 1$

**2-1** $2, 1, 0, 2, 1, 0$

---

스스로 check

**1-2** 🔁 (1) $P(0, 1, 2)$  (2) $Q(-4, 5, 6)$  (3) $M\left( \dfrac{1}{2}, \dfrac{1}{2}, \dfrac{3}{2} \right)$

(1) 선분 AB를 $1 : 2$로 내분하는 점 P의 좌표는

$\left( \dfrac{1 \times 2 + 2 \times (-1)}{1+2}, \dfrac{1 \times (-1) + 2 \times 2}{1+2}, \dfrac{1 \times 0 + 2 \times 3}{1+2} \right)$

즉, $P(0, 1, 2)$

(2) 선분 AB를 $1 : 2$로 외분하는 점 Q의 좌표는

$\left( \dfrac{1 \times 2 - 2 \times (-1)}{1-2}, \dfrac{1 \times (-1) - 2 \times 2}{1-2}, \dfrac{1 \times 0 - 2 \times 3}{1-2} \right)$

즉, $Q(-4, 5, 6)$

(3) 선분 AB의 중점 M의 좌표는

$\left( \dfrac{-1+2}{2}, \dfrac{2-1}{2}, \dfrac{3+0}{2} \right)$

즉, $M\left( \dfrac{1}{2}, \dfrac{1}{2}, \dfrac{3}{2} \right)$

**2-2** 🔁 $B(-1, 2, 4)$

점 B의 좌표를 $(a, b, c)$라 하면 △ABC의 무게중심 G의 좌표는

$\left( \dfrac{3+a+10}{3}, \dfrac{-1+b-4}{3}, \dfrac{5+c+3}{3} \right)$

이 점이 $G(4, -1, 4)$와 같으므로

$\dfrac{3+a+10}{3} = 4, \dfrac{-1+b-4}{3} = -1, \dfrac{5+c+3}{3} = 4$

$\therefore a = -1, b = 2, c = 4$

따라서 점 B의 좌표는

$(-1, 2, 4)$

## STEP ❷ 필수 유형 ────── | 176쪽~179쪽 |

**01-1** 🔁 $Q\left( -\dfrac{7}{3}, \dfrac{10}{3}, -\dfrac{13}{3} \right)$

| 해결 전략 | 주어진 조건에 맞게 점 P의 좌표를 구한 후 선분 PA를 내분하는 점 Q의 좌표를 구한다.

선분 AB를 $2 : 1$로 외분하는 점 P의 좌표는

$\left( \dfrac{2 \times (-1) - 1 \times 3}{2-1}, \dfrac{2 \times 2 - 1 \times (-2)}{2-1}, \dfrac{2 \times (-3) - 1 \times 1}{2-1} \right)$

즉, $P(-5, 6, -7)$

선분 PA를 $1 : 2$로 내분하는 점 Q의 좌표는

$\left( \dfrac{1 \times 3 + 2 \times (-5)}{1+2}, \dfrac{1 \times (-2) + 2 \times 6}{1+2}, \dfrac{1 \times 1 + 2 \times (-7)}{1+2} \right)$

즉, $Q\left( -\dfrac{7}{3}, \dfrac{10}{3}, -\dfrac{13}{3} \right)$

## 01-2 답 $M\left(-2, \dfrac{3}{2}, \dfrac{1}{2}\right)$

|해결 전략| 주어진 조건에 맞게 두 점 P, Q의 좌표를 구한 후 선분 PQ의 중점 M의 좌표를 구한다.

선분 AB를 2 : 1로 외분하는 점 P의 좌표는

$$\left(\frac{2\times(-3)-1\times1}{2-1}, \frac{2\times1-1\times3}{2-1}, \frac{2\times(-1)-1\times5}{2-1}\right)$$

즉, P$(-7, -1, -7)$

선분 AB를 1 : 3으로 외분하는 점 Q의 좌표는

$$\left(\frac{1\times(-3)-3\times1}{1-3}, \frac{1\times1-3\times3}{1-3}, \frac{1\times(-1)-3\times5}{1-3}\right)$$

즉, Q$(3, 4, 8)$

선분 PQ의 중점 M의 좌표는

$$\left(\frac{-7+3}{2}, \frac{-1+4}{2}, \frac{-7+8}{2}\right)$$

즉, M$\left(-2, \dfrac{3}{2}, \dfrac{1}{2}\right)$

## 02-1 답 $-3$

|해결 전략| $\overline{AB}$ 가 $xy$평면에 의하여 내분되면 내분점의 $z$좌표는 0이고, $\overline{AB}$ 가 $z$축에 의하여 외분되면 외분점의 $x$좌표, $y$좌표는 0임을 이용한다.

선분 AB를 1 : 2로 내분하는 점의 좌표는

$$\left(\frac{1\times a+2\times3}{1+2}, \frac{1\times b+2\times(-2)}{1+2}, \frac{1\times c+2\times(-1)}{1+2}\right)$$

즉, $\left(\dfrac{a+6}{3}, \dfrac{b-4}{3}, \dfrac{c-2}{3}\right)$

이때, 내분하는 점이 $xy$평면 위에 있으므로 $z$좌표는 0이다.

즉, $\dfrac{c-2}{3}=0$ ∴ $c=2$

선분 AB를 2 : 1로 외분하는 점의 좌표는

$$\left(\frac{2\times a-1\times3}{2-1}, \frac{2\times b-1\times(-2)}{2-1}, \frac{2\times c-1\times(-1)}{2-1}\right)$$

즉, $(2a-3, 2b+2, 2c+1)$

이때, 외분하는 점이 $z$축 위에 있으므로 $x$좌표, $y$좌표는 모두 0이다.

즉, $2a-3=0, 2b+2=0$

∴ $a=\dfrac{3}{2}, b=-1$

∴ $abc=-3$

## 03-1 답 3

|해결 전략| 사각형 ABCD가 평행사변형이면 $\overline{AC}$ 의 중점과 $\overline{BD}$ 의 중점이 서로 일치한다.

$\overline{AC}$ 의 중점의 좌표는 $\left(\dfrac{3-1}{2}, \dfrac{-2+b}{2}, \dfrac{2+4}{2}\right)$

즉, $\left(1, \dfrac{b-2}{2}, 3\right)$

$\overline{BD}$ 의 중점의 좌표는 $\left(\dfrac{a+5}{2}, \dfrac{3-1}{2}, \dfrac{4+c}{2}\right)$

즉, $\left(\dfrac{a+5}{2}, 1, \dfrac{c+4}{2}\right)$

사각형 ABCD가 평행사변형이므로 $\overline{AC}$의 중점과 $\overline{BD}$의 중점이 서로 일치한다.

$\dfrac{a+5}{2}=1, \dfrac{b-2}{2}=1, \dfrac{c+4}{2}=3$에서

$a=-3, b=4, c=2$

∴ $a+b+c=3$

## 03-2 답 C$(7, -1, 3)$, D$(3, 2, 11)$

|해결 전략| 사각형 ABCD가 평행사변형이면 $\overline{AC}$의 중점과 $\overline{BD}$ 의 중점이 서로 일치한다.

사각형 ABCD가 평행사변형이므로 $\overline{AC}$의 중점과 $\overline{BD}$의 중점이 서로 일치한다.

이때, 두 점 C, D의 좌표를 각각 C$(a, b, c)$, D$(d, e, f)$라 하면

$\overline{AC}$의 중점의 좌표는

$$\left(\frac{-3+a}{2}, \frac{1+b}{2}, \frac{5+c}{2}\right)$$

$\overline{BD}$의 중점의 좌표는

$$\left(\frac{1+d}{2}, \frac{-2+e}{2}, \frac{-3+f}{2}\right)$$

한편, 두 대각선 AC, BD의 중점은 점 M$(2, 0, 4)$와 일치하므로

$\dfrac{-3+a}{2}=2, \dfrac{1+b}{2}=0, \dfrac{5+c}{2}=4$에서

$a=7, b=-1, c=3$ ∴ C$(7, -1, 3)$

$\dfrac{1+d}{2}=2, \dfrac{-2+e}{2}=0, \dfrac{-3+f}{2}=4$에서

$d=3, e=2, f=11$ ∴ D$(3, 2, 11)$

## 04-1 답 G$\left(\dfrac{2}{3}, -3, -\dfrac{11}{3}\right)$

|해결 전략| 먼저 두 점 A, C의 좌표를 미지수를 이용하여 정한다.

두 점 A, C의 좌표를 A$(x_1, y_1, z_1)$, C$(x_2, y_2, z_2)$라 하면

선분 AB의 중점의 좌표는

$$\left(\frac{x_1+2}{2}, \frac{y_1-3}{2}, \frac{z_1+1}{2}\right)$$

선분 BC의 중점의 좌표는

$$\left(\frac{x_2+2}{2}, \frac{y_2-3}{2}, \frac{z_2+1}{2}\right)$$

점 D$(1, -2, -3)$이므로

$\dfrac{x_1+2}{2}=1, \dfrac{y_1-3}{2}=-2, \dfrac{z_1+1}{2}=-3$에서

$x_1=0, y_1=-1, z_1=-7$ ∴ A$(0, -1, -7)$

점 E$(1, -4, -2)$이므로

$\dfrac{x_2+2}{2}=1, \dfrac{y_2-3}{2}=-4, \dfrac{z_2+1}{2}=-2$에서

$x_2=0, y_2=-5, z_2=-5$ ∴ C$(0, -5, -5)$

따라서 삼각형 ABC의 무게중심 G의 좌표는

$$\left(\frac{0+2+0}{3}, \frac{-1-3-5}{3}, \frac{-7+1-5}{3}\right)$$

즉, G$\left(\dfrac{2}{3}, -3, -\dfrac{11}{3}\right)$

## 3 구의 방정식

| 180쪽~182쪽 |

**개념 확인**

**1** (1) $(x-1)^2+(y-5)^2+(z+2)^2=16$
  (2) $x^2+y^2+z^2=9$
**2** (1) $(x+1)^2+(y-2)^2+(z-5)^2=1$
  (2) $(x+1)^2+(y-2)^2+(z-5)^2=5$
**3** (개) 1  (내) 9  (대) 3

**1** (1) 중심이 $C(1, 5, -2)$이고 반지름의 길이가 4인 구의 방정식은
$$(x-1)^2+(y-5)^2+(z+2)^2=16$$
(2) 중심이 원점이고 반지름의 길이가 3인 구의 방정식은
$$x^2+y^2+z^2=9$$

**2** (1) 구가 $yz$평면에 접하므로
(반지름의 길이)$=|$중심의 $x$좌표$|=1$
따라서 구하는 구의 방정식은
$$(x+1)^2+(y-2)^2+(z-5)^2=1$$
(2) 구가 $z$축에 접하므로
(반지름의 길이)$=\sqrt{(-1)^2+2^2}=\sqrt{5}$
따라서 구하는 구의 방정식은
$$(x+1)^2+(y-2)^2+(z-5)^2=5$$

## STEP 1 개념 드릴

| 183쪽 |

**개념 check**

**1-1** (1) 4, 9, 9  (2) 4, 22, 22
**2-1** (1) $y$, 1, 1  (2) 2, 13, 13
**3-1** 4, 4, $-1$, 2

**스스로 check**

**1-2** (1) $(x-2)^2+(y-1)^2+(z-3)^2=14$
  (2) $(x-2)^2+(y+1)^2+(z-2)^2=9$
(1) 중심이 $C(2, 1, 3)$이고 반지름의 길이가 $r$인 구의 방정식은
$$(x-2)^2+(y-1)^2+(z-3)^2=r^2$$
이 구가 원점을 지나므로
$4+1+9=r^2, r^2=14$
$\therefore (x-2)^2+(y-1)^2+(z-3)^2=14$
(2) 중심이 $C(2, -1, 2)$이고 반지름의 길이가 $r$인 구의 방정식은
$$(x-2)^2+(y+1)^2+(z-2)^2=r^2$$
이 구가 점 $A(0, 1, 3)$을 지나므로
$4+4+1=r^2, r^2=9$
$\therefore (x-2)^2+(y+1)^2+(z-2)^2=9$

**2-2** (1) $(x+5)^2+(y-1)^2+(z-6)^2=36$
  (2) $(x+5)^2+(y-1)^2+(z-6)^2=26$
(1) 구가 $xy$평면에 접하므로
(반지름의 길이)$=|$중심의 $z$좌표$|=6$
따라서 구하는 구의 방정식은
$$(x+5)^2+(y-1)^2+(z-6)^2=36$$
(2) 구가 $z$축에 접하므로
(반지름의 길이)$=\sqrt{(-5)^2+1^2}=\sqrt{26}$
따라서 구하는 구의 방정식은
$$(x+5)^2+(y-1)^2+(z-6)^2=26$$

**3-2** 중심의 좌표: $(-2, 1, -3)$, 반지름의 길이: 1
$x^2+y^2+z^2+4x-2y+6z+13=0$에서
$(x^2+4x+4)+(y^2-2y+1)+(z^2+6z+9)=1$
즉, $(x+2)^2+(y-1)^2+(z+3)^2=1$
$\therefore$ 중심의 좌표: $(-2, 1, -3)$, 반지름의 길이: 1

## STEP 2 필수 유형

| 184쪽~187쪽 |

**01-1** (1) $(x-5)^2+(y+3)^2+(z-1)^2=36$
  (2) $x^2+y^2+z^2-16x+4z=0$

|해결 전략| 지름의 양 끝점의 좌표를 알 때는 표준형을 이용하고, 구가 지나는 네 점의 좌표를 알 때는 일반형을 이용한다.

(1) 구의 중심은 $\overline{AB}$의 중점이므로 중심의 좌표는
$$\left(\frac{3+7}{2}, \frac{-7+1}{2}, \frac{-3+5}{2}\right), 즉 (5, -3, 1)$$
구의 반지름의 길이는 $\frac{1}{2}\overline{AB}$이므로
$\overline{AB}=\sqrt{(7-3)^2+(1+7)^2+(5+3)^2}=12$에서
반지름의 길이는 $\frac{1}{2}\overline{AB}=\frac{1}{2}\times 12=6$
따라서 구하는 구의 방정식은
$$(x-5)^2+(y+3)^2+(z-1)^2=36$$
(2) 구하는 구의 방정식을 $x^2+y^2+z^2+Ax+By+Cz+D=0$으로 놓고 네 점의 좌표를 대입하면
$O(0, 0, 0)$ ➡ $D=0$
$A(0, 2, -2)$ ➡ $8+2B-2C+D=0$
  $B-C=-4$ ⋯⋯ ㉠
$B(2, -4, 2)$ ➡ $24+2A-4B+2C+D=0$
  $A-2B+C=-12$ ⋯⋯ ㉡
$C(0, -2, -2)$ ➡ $8-2B-2C+D=0$
  $B+C=4$ ⋯⋯ ㉢
㉠, ㉡, ㉢을 연립하여 풀면 $A=-16$, $B=0$, $C=4$
따라서 구하는 구의 방정식은
$$x^2+y^2+z^2-16x+4z=0$$

## 02-1 🔑 12

|해결 전략| 구가 $xy$평면, $yz$평면, $zx$평면에 동시에 접하면 구의 중심에서 $xy$평면, $yz$평면, $zx$평면에 이르는 거리가 모두 구의 반지름의 길이와 같다.

점 A와 구의 중심이 $xy$평면, $yz$평면, $zx$평면에 대하여 각각 같은 영역에 존재해야 하므로 구의 중심을 $(a, b, c)$라 하면
$a>0, b>0, c>0$
구의 반지름의 길이를 $r$라 하면 구가 $xy$평면, $yz$평면, $zx$평면에 모두 접하므로
$|a|=|b|=|c|=r$
이때, 구하는 구의 방정식을 $(x-r)^2+(y-r)^2+(z-r)^2=r^2$이라 하자.
점 A$(2, 4, 2)$를 지나므로
$(2-r)^2+(4-r)^2+(2-r)^2=r^2$
$\therefore r^2-8r+12=0$
따라서 두 구의 반지름의 길이의 곱은 이차방정식의 근과 계수의 관계에 의하여
$\dfrac{12}{1}=12$

## 02-2 🔑 $(x-\sqrt{2})^2+(y-\sqrt{2})^2+(z-\sqrt{2})^2=4$

|해결 전략| 구가 $x$축, $y$축, $z$축에 동시에 접하면 구의 중심에서 $x$축, $y$축, $z$축에 이르는 거리가 모두 구의 반지름의 길이와 같다.

구의 중심의 $x$좌표, $y$좌표, $z$좌표가 모두 양수이고 구가 $x$축, $y$축, $z$축에 동시에 접하려면 중심 $(a, b, c)$에서 $x$축, $y$축, $z$축에 이르는 거리가 모두 같아야 하므로
$a=b=c$
즉, 구의 중심은 C$(a, a, a)$로 놓을 수 있다. (단, $a>0$)
이때, 이 구와 $x$축, $y$축, $z$축과의 접점을 각각 P$(a, 0, 0)$, Q$(0, a, 0)$, R$(0, 0, a)$라 하면 $\overline{CP}=\overline{CQ}=\overline{CR}=2$에서
$\sqrt{(a-a)^2+a^2+a^2}=2$, $\sqrt{2}a=2$
$\therefore a=\sqrt{2}$
따라서 중심의 좌표가 $(\sqrt{2}, \sqrt{2}, \sqrt{2})$이고 반지름의 길이가 2이므로 구하는 구의 방정식은
$(x-\sqrt{2})^2+(y-\sqrt{2})^2+(z-\sqrt{2})^2=4$

## 03-1 🔑 $2\sqrt{11}\pi$

|해결 전략| 구와 $zx$평면이 만나서 생기는 교선의 방정식은 구의 방정식에 $y=0$을 대입하여 구한다.

$x^2+y^2+z^2-12x-12y+6z+34=0$에 $y=0$을 대입하면
$x^2+z^2-12x+6z+34=0$
$\therefore (x-6)^2+(z+3)^2=11$
즉, 구와 $zx$평면이 만나서 생기는 도형은 중심의 좌표가 $(6, 0, -3)$이고 반지름의 길이가 $\sqrt{11}$인 원이다.
따라서 구하는 도형의 둘레의 길이는
$2\pi \times \sqrt{11}=2\sqrt{11}\pi$

## 03-2 🔑 $24\pi$

|해결 전략| 구와 $xy$평면이 만나서 생기는 교선의 방정식은 구의 방정식에 $z=0$을 대입하여 구하고, 구와 $yz$평면이 만나서 생기는 교선의 방정식은 구의 방정식에 $x=0$을 대입하여 구한다.

$(x-1)^2+(y-2)^2+(z-3)^2=r^2$에 $z=0$을 대입하면
$(x-1)^2+(y-2)^2=r^2-9$
즉, 구와 $xy$평면이 만나서 생기는 도형은 중심의 좌표가 $(1, 2, 0)$이고 반지름의 길이가 $\sqrt{r^2-9}$인 원이다.
이 원의 넓이가 $16\pi$이므로
$r^2-9=16$에서 $r^2=25$
$\therefore (x-1)^2+(y-2)^2+(z-3)^2=25$
구 $(x-1)^2+(y-2)^2+(z-3)^2=25$에 $x=0$을 대입하면
$(y-2)^2+(z-3)^2=24$
즉, 구와 $yz$평면이 만나서 생기는 도형은 중심의 좌표가 $(0, 2, 3)$이고 반지름의 길이가 $2\sqrt{6}$인 원이다.
따라서 구하는 도형의 넓이는
$\pi \times (2\sqrt{6})^2=24\pi$

## 04-1 🔑 2

|해결 전략| 주어진 점에서 구의 중심까지의 거리와 구의 반지름의 길이를 구한 후 피타고라스 정리를 이용한다.

$x^2+y^2+z^2-2x+4z-2=0$을 변형하면
$(x-1)^2+y^2+(z+2)^2=7$
즉, 구의 중심의 좌표는 $(1, 0, -2)$이고 반지름의 길이는 $\sqrt{7}$이다.
오른쪽 그림과 같이 구의 중심을 C, 점 P에서 구에 그은 접선의 접점을 Q라 하면 △PQC는 직각삼각형이므로

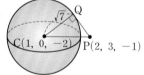

$\overline{PQ}=\sqrt{\overline{PC}^2-\overline{CQ}^2}$
$=\sqrt{(1-2)^2+(-3)^2+(-2+1)^2-(\sqrt{7})^2}$
$=2$

## 04-2 🔑 32

|해결 전략| 주어진 구의 방정식에서 구의 중심의 좌표와 반지름의 길이를 먼저 파악한다.

$x^2+y^2+z^2+12x-2z+a=0$을 변형하면
$(x+6)^2+y^2+(z-1)^2=37-a$
즉, 구의 중심의 좌표는 $(-6, 0, 1)$이고 반지름의 길이는 $\sqrt{37-a}$이다.
오른쪽 그림과 같이 구의 중심을 C, 점 P에서 구에 그은 접선의 접점을 Q라 하면 △PQC는 직각삼각형이므로

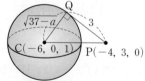

$\overline{CQ}=\sqrt{\overline{PC}^2-\overline{PQ}^2}$
$=\sqrt{(-6+4)^2+(-3)^2+1^2-3^2}$
$=\sqrt{5}$
따라서 $\sqrt{37-a}=\sqrt{5}$이므로 $a=32$

**1-1** 답 $-7$

|해결 전략| 수선의 발의 좌표를 구할 때는 관계없는 좌표를 0으로 놓고, 대칭이 동한 점의 좌표를 구할 때는 관계없는 좌표의 부호를 반대로 바꾼다.

점 $A(a, b, c)$에서 $z$축에 내린 수선의 발의 좌표가 $(0, 0, 4)$이므로 $c=4$

점 $B(d, e, f)$에서 $xy$평면에 내린 수선의 발의 좌표가 $(1, 2, 0)$이므로 $d=1, e=2$

또, 두 점 $A(a, b, c)$, $B(d, e, f)$가 $xy$평면에 대하여 대칭이므로

$a=d=1, b=e=2, c=\underset{\underset{f=-4}{\smile}}{-f}=4$

$\therefore (a+b+c)(d+e+f)=(1+2+4)\{1+2+(-4)\}$
$=-7$

**1-2** 답 $-27$

|해결 전략| 수선의 발의 좌표를 구할 때는 관계없는 좌표를 0으로 놓고, 대칭이 동한 점의 좌표를 구할 때는 관계없는 좌표의 부호를 반대로 바꾼다.

점 $A(a, b, c)$에서 $yz$평면에 내린 수선의 발의 좌표가 $(0, -2, 3)$이므로 $b=-2, c=3$

점 $B(d, e, f)$에서 $x$축에 내린 수선의 발의 좌표가 $(4, 0, 0)$이므로 $d=4$

또, 두 점 $A(a, b, c)$, $B(d, e, f)$가 $z$축에 대하여 대칭이므로

$a=-d=-4, b=\underset{\underset{e=2}{\smile}}{-e}=-2, c=f=3$

$\therefore (a+b+c)(d+e+f)=\{-4+(-2)+3\}(4+2+3)$
$=-27$

**2-1** 답 $\sqrt{21}$

|해결 전략| 좌표공간에서 두 점 $A(x_1, y_1, z_1)$, $B(x_2, y_2, z_2)$ 사이의 거리 $\overline{AB}$는 $\sqrt{(x_2-x_1)^2+(y_2-y_1)^2+(z_2-z_1)^2}$이다.

$\overline{AP}=\sqrt{(1-a)^2+(-1-a)^2+2^2}=\sqrt{2a^2+6}$

$\overline{BP}=\sqrt{(1-3)^2+(-1-1)^2+(2-4)^2}=2\sqrt{3}$

$\overline{AP}=2\overline{BP}$에서 $\sqrt{2a^2+6}=4\sqrt{3}$,

$2a^2+6=48, a^2=21$ $\therefore a=\sqrt{21}$ $(\because a>0)$

**2-2** 답 $0$

|해결 전략| 좌표공간에서 두 점 $A(x_1, y_1, z_1)$, $B(x_2, y_2, z_2)$ 사이의 거리 $\overline{AB}$는 $\sqrt{(x_2-x_1)^2+(y_2-y_1)^2+(z_2-z_1)^2}$이다.

$\overline{AP}=\sqrt{(1-2)^2+(-3-a)^2+(3-a)^2}=\sqrt{2a^2+19}$

$\overline{BP}=\sqrt{(1+1)^2+(-3-3)^2+(4+2)^2}=\sqrt{76}=2\sqrt{19}$

$\overline{AP}=\dfrac{1}{2}\overline{BP}$에서 $\sqrt{2a^2+19}=\sqrt{19}$

$2a^2+19=19, a^2=0$ $\therefore a=0$

**3-1** 답 $C(0, 1, 0)$

|해결 전략| $y$축 위의 점 $C$의 좌표를 $(0, p, 0)$으로 놓고 $\overline{AC}=\overline{BC}$임을 이용한다.

$y$축 위의 점 $C$의 좌표를 $(0, p, 0)$이라 하면

$\overline{AC}=\sqrt{(-1)^2+(p-2)^2+(-3)^2}=\sqrt{p^2-4p+14}$

$\overline{BC}=\sqrt{1^2+(p-4)^2+(-1)^2}=\sqrt{p^2-8p+18}$

$\overline{AC}=\overline{BC}$에서 $\overline{AC}^2=\overline{BC}^2$이므로

$p^2-4p+14=p^2-8p+18, 4p=4$

$\therefore p=1$

따라서 구하는 점 $C$의 좌표는

$(0, 1, 0)$

**3-2** 답 $C\left(-\dfrac{1}{2}, 0, 0\right)$

|해결 전략| $x$축 위의 점 $C$의 좌표를 $(p, 0, 0)$으로 놓고 $\overline{AC}=\overline{BC}$임을 이용한다.

$x$축 위의 점 $C$의 좌표를 $(p, 0, 0)$이라 하면

$\overline{AC}=\sqrt{(p-2)^2+(-3)^2+2^2}=\sqrt{p^2-4p+17}$

$\overline{BC}=\sqrt{(p+2)^2+(-1)^2+(-4)^2}=\sqrt{p^2+4p+21}$

$\overline{AC}=\overline{BC}$에서 $\overline{AC}^2=\overline{BC}^2$이므로

$p^2-4p+17=p^2+4p+21, 8p=-4$

$\therefore p=-\dfrac{1}{2}$

따라서 구하는 점 $C$의 좌표는

$\left(-\dfrac{1}{2}, 0, 0\right)$

**4-1** 답 $2$

|해결 전략| 두 점 $A$, $B$가 좌표평면을 기준으로 같은 쪽에 있는지 서로 반대쪽에 있는지 확인한다.

$p$가 양수이므로 두 점 $A$, $B$의 $x$좌표의 부호가 같고, 두 점 $A$, $B$는 좌표공간에서 $yz$평면을 기준으로 같은 쪽에 있다.

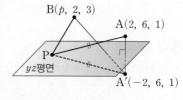

점 $A$와 $yz$평면에 대하여 대칭인 점을 $A'$이라 하면

$A'(-2, 6, 1)$

이때, $\overline{AP}+\overline{BP}=\overline{A'P}+\overline{BP}\geq\overline{A'B}$이므로

$\overline{AP}+\overline{BP}$의 최솟값은 $\overline{A'B}$의 길이와 같다.

$\overline{A'B}=\sqrt{(p+2)^2+(2-6)^2+(3-1)^2}=\sqrt{p^2+4p+24}=6$

즉, $p^2+4p+24=36$에서 $p^2+4p-12=0$

$(p+6)(p-2)=0$ $\therefore p=2$ $(\because p>0)$

**4-2** 답 $1$

|해결 전략| 두 점 $A$, $B$가 좌표평면을 기준으로 같은 쪽에 있는지 서로 반대쪽에 있는지 확인한다.

$p$가 양수이므로 두 점 A, B의 $y$좌표의
부호가 같고, 두 점 A, B는 좌표공간
에서 $zx$평면을 기준으로 같은 쪽에 있
다.
점 A와 $zx$평면에 대하여 대칭인 점을
A′이라 하면
A′$(1, -3, 5)$
이때, $\overline{AP}+\overline{BP}=\overline{A'P}+\overline{BP}\geq\overline{A'B}$
이므로 $\overline{AP}+\overline{BP}$의 최솟값은 $\overline{A'B}$의 길이와 같다.
$\overline{A'B}=\sqrt{(3-1)^2+(p+3)^2+(1-5)^2}=\sqrt{p^2+6p+29}=6$
즉, $p^2+6p+29=36$에서 $p^2+6p-7=0$
$(p+7)(p-1)=0$ ∴ $p=1$ (∵ $p>0$)

A$(1, 3, 5)$
B$(3, p, 1)$
P
$zx$평면
A′$(1, -3, 5)$

## 5-1 답 $\dfrac{2\sqrt{41}}{3}$

|해결 전략| 주어진 조건에 맞게 두 점 P, Q의 좌표를 구한 후 $\overline{PQ}$의 길이를 구
한다.

선분 AB를 2 : 1로 내분하는 점 P의 좌표는

$\left(\dfrac{2\times0+1\times4}{2+1}, \dfrac{2\times3+1\times(-1)}{2+1}, \dfrac{2\times(-1)+1\times2}{2+1}\right)$

즉, P$\left(\dfrac{4}{3}, \dfrac{5}{3}, 0\right)$

선분 PA를 1 : 2로 외분하는 점 Q의 좌표는

$\left(\dfrac{1\times4-2\times\frac{4}{3}}{1-2}, \dfrac{1\times(-1)-2\times\frac{5}{3}}{1-2}, \dfrac{1\times2-2\times0}{1-2}\right)$

즉, Q$\left(-\dfrac{4}{3}, \dfrac{13}{3}, -2\right)$

∴ $\overline{PQ}=\sqrt{\left(-\dfrac{4}{3}-\dfrac{4}{3}\right)^2+\left(\dfrac{13}{3}-\dfrac{5}{3}\right)^2+(-2-0)^2}$

$=\dfrac{2\sqrt{41}}{3}$

## 5-2 답 $4\sqrt{3}$

|해결 전략| 주어진 조건에 맞게 두 점 P, Q의 좌표를 구한 후 $\overline{PQ}$의 길이를 구
한다.

선분 AB를 1 : 2로 내분하는 점 P의 좌표는

$\left(\dfrac{1\times3+2\times(-1)}{1+2}, \dfrac{1\times(-4)+2\times0}{1+2}, \dfrac{1\times(-2)+2\times2}{1+2}\right)$

즉, P$\left(\dfrac{1}{3}, -\dfrac{4}{3}, \dfrac{2}{3}\right)$

선분 PA를 3 : 2로 외분하는 점 Q의 좌표는

$\left(\dfrac{3\times(-1)-2\times\frac{1}{3}}{3-2}, \dfrac{3\times0-2\times\left(-\frac{4}{3}\right)}{3-2}, \dfrac{3\times2-2\times\frac{2}{3}}{3-2}\right)$

즉, Q$\left(-\dfrac{11}{3}, \dfrac{8}{3}, \dfrac{14}{3}\right)$

∴ $\overline{PQ}=\sqrt{\left(-\dfrac{11}{3}-\dfrac{1}{3}\right)^2+\left(\dfrac{8}{3}+\dfrac{4}{3}\right)^2+\left(\dfrac{14}{3}-\dfrac{2}{3}\right)^2}$

$=4\sqrt{3}$

## 6-1 답 $m=3, n=1$

|해결 전략| $\overline{AB}$가 $zx$평면에 의하여 내분되면 내분점의 $y$좌표는 0이다.

두 점 A, B의 $y$좌표의 부호가 $-$, $+$로 다르므로 두 점 A, B는 좌표
공간에서 $zx$평면을 기준으로 서로 반대쪽에 있다.
따라서 $\overline{AB}$는 $zx$평면에 의하여 $m : n$으로 내분된다.
$\overline{AB}$를 $m : n$으로 내분하는 점을 P라 하면 점 P의 좌표는

$\left(\dfrac{-5m+2n}{m+n}, \dfrac{m-3n}{m+n}, \dfrac{-3m+n}{m+n}\right)$

$\overline{AB}$가 $zx$평면에 의하여 $m : n$으로 내분되므로 점 P는 $zx$평면 위의
점이다.
$zx$평면 위의 점의 $y$좌표는 0이므로

$\dfrac{m-3n}{m+n}=0$, $m=3n$

∴ $m=3, n=1$ (∵ $m, n$은 서로소인 자연수)

## 6-2 답 $m=1, n=1$

|해결 전략| $\overline{AB}$가 $xy$평면에 의하여 내분되면 내분점의 $z$좌표는 0이다.

두 점 A, B의 $z$좌표의 부호가 $-$, $+$로 다르므로 두 점 A, B는 좌표
공간에서 $xy$평면을 기준으로 서로 반대쪽에 있다.
따라서 $\overline{AB}$는 $xy$평면에 의하여 $m : n$으로 내분된다.
$\overline{AB}$를 $m : n$으로 내분하는 점을 P라 하면 점 P의 좌표는

$\left(\dfrac{m+4n}{m+n}, \dfrac{-2m+n}{m+n}, \dfrac{3m-3n}{m+n}\right)$

$\overline{AB}$가 $xy$평면에 의하여 $m : n$으로 내분되므로 점 P는 $xy$평면 위의
점이다.
$xy$평면 위의 점의 $z$좌표는 0이므로

$\dfrac{3m-3n}{m+n}=0$, $m=n$

∴ $m=1, n=1$ (∵ $m, n$은 서로소인 자연수)

## 7-1 답 $-\dfrac{1}{2}$

|해결 전략| 사각형 ABCD가 평행사변형이면 $\overline{AC}$의 중점과 $\overline{BD}$의 중점이 서
로 일치한다.

$\overline{AC}$의 중점의 좌표는

$\left(\dfrac{3-2}{2}, \dfrac{-2+a-2b}{2}, \dfrac{-2+2}{2}\right)$

즉, $\left(\dfrac{1}{2}, \dfrac{a-2b-2}{2}, 0\right)$

$\overline{BD}$의 중점의 좌표는

$\left(\dfrac{a+2b+4}{2}, \dfrac{3-2}{2}, \dfrac{-1+c}{2}\right)$

즉, $\left(\dfrac{a+2b+4}{2}, \dfrac{1}{2}, \dfrac{c-1}{2}\right)$

사각형 ABCD가 평행사변형이므로 $\overline{AC}$의 중점과 $\overline{BD}$의 중점이 서
로 일치한다.

$$\frac{a+2b+4}{2}=\frac{1}{2},\ \frac{a-2b-2}{2}=\frac{1}{2},\ \frac{c-1}{2}=0$$에서

$$a=0,\ b=-\frac{3}{2},\ c=1$$

$$\therefore a+b+c=-\frac{1}{2}$$

## 7-2  답 12

|해결 전략| 사각형 ABCD가 평행사변형이면 $\overline{AC}$의 중점과 $\overline{BD}$의 중점이 서로 일치한다.

$\overline{AC}$의 중점의 좌표는

$$\left(\frac{1-1}{2},\ \frac{-2+a+3b}{2},\ \frac{3+4}{2}\right)$$

즉, $\left(0,\ \dfrac{a+3b-2}{2},\ \dfrac{7}{2}\right)$

$\overline{BD}$의 중점의 좌표는

$$\left(\frac{a-b+2}{2},\ \frac{2+2}{2},\ \frac{-3+c}{2}\right)$$

즉, $\left(\dfrac{a-b+2}{2},\ 2,\ \dfrac{c-3}{2}\right)$

사각형 ABCD가 평행사변형이므로 $\overline{AC}$의 중점과 $\overline{BD}$의 중점이 서로 일치한다.

$$\frac{a-b+2}{2}=0,\ \frac{a+3b-2}{2}=2,\ \frac{c-3}{2}=\frac{7}{2}$$에서

$$a=0,\ b=2,\ c=10$$

$$\therefore a+b+c=12$$

## 8-1  답 $G\left(2,\ \dfrac{8}{3},\ \dfrac{5}{3}\right)$

|해결 전략| 점 B의 좌표를 $(a, b, c)$로 놓는다.

$A(2, 1, -3)$이고 선분 AB의 중점 D의 좌표가 $(2, 3, 4)$이므로 점 B의 좌표를 $(a, b, c)$라 하면

$$\frac{a+2}{2}=2,\ \frac{b+1}{2}=3,\ \frac{c-3}{2}=4$$에서

$$a=2,\ b=5,\ c=11 \qquad \therefore B(2, 5, 11)$$

따라서 삼각형 ABC의 무게중심 G의 좌표는

$$\left(\frac{2+2+2}{3},\ \frac{1+5+2}{3},\ \frac{-3+11-3}{3}\right)$$

즉, $G\left(2,\ \dfrac{8}{3},\ \dfrac{5}{3}\right)$

## 8-2  답 $G\left(\dfrac{5}{3},\ -\dfrac{5}{3},\ \dfrac{2}{3}\right)$

|해결 전략| 점 B의 좌표를 $(a, b, c)$로 놓는다.

$A(-2, 2, 3)$이고 선분 AB의 중점 D의 좌표가 $(1, -2, 3)$이므로 점 B의 좌표를 $(a, b, c)$라 하면

$$\frac{a-2}{2}=1,\ \frac{b+2}{2}=-2,\ \frac{c+3}{2}=3$$에서

$$a=4,\ b=-6,\ c=3 \qquad \therefore B(4, -6, 3)$$

따라서 삼각형 ABC의 무게중심 G의 좌표는

$$\left(\frac{-2+4+3}{3},\ \frac{2-6-1}{3},\ \frac{3+3-4}{3}\right)$$

즉, $G\left(\dfrac{5}{3},\ -\dfrac{5}{3},\ \dfrac{2}{3}\right)$

## 9-1  답 $(x+5)^2+(y-1)^2+(z+3)^2=24$

|해결 전략| 두 점 P, Q를 지름의 양 끝점으로 하는 구의 방정식을 구할 때는 선분 PQ의 중점 C를 중심으로 하고 $\overline{PC}$를 반지름의 길이로 하는 구의 방정식을 구하면 된다.

선분 AB를 $2 : 1$로 내분하는 점 P의 좌표는

$$\left(\frac{2\times(-3)+1\times3}{2+1},\ \frac{2\times2+1\times5}{2+1},\ \frac{2\times(-2)+1\times1}{2+1}\right)$$

즉, $P(-1, 3, -1)$

선분 AB를 $2 : 1$로 외분하는 점 Q의 좌표는

$$\left(\frac{2\times(-3)-1\times3}{2-1},\ \frac{2\times2-1\times5}{2-1},\ \frac{2\times(-2)-1\times1}{2-1}\right)$$

즉, $Q(-9, -1, -5)$

이때, 선분 PQ의 중점을 C라 하면 점 C의 좌표는

$$\left(\frac{-1-9}{2},\ \frac{3-1}{2},\ \frac{-1-5}{2}\right)$$

즉, $C(-5, 1, -3)$ ← 구의 중심

또, $\overline{PC}=\sqrt{(-5+1)^2+(1-3)^2+(-3+1)^2}=2\sqrt{6}$ ← 구의 반지름

따라서 구하는 구의 방정식은

$$(x+5)^2+(y-1)^2+(z+3)^2=24$$

## 9-2  답 $(x+5)^2+(y-8)^2+(z-7)^2=108$

|해결 전략| 두 점 P, Q를 지름의 양 끝점으로 하는 구의 방정식을 구할 때는 선분 PQ의 중점 C를 중심으로 하고 $\overline{PC}$를 반지름의 길이로 하는 구의 방정식을 구하면 된다.

선분 AB를 $3 : 2$로 내분하는 점 P의 좌표는

$$\left(\frac{3\times(-1)+2\times4}{3+2},\ \frac{3\times4+2\times(-1)}{3+2},\ \frac{3\times3+2\times(-2)}{3+2}\right)$$

즉, $P(1, 2, 1)$

선분 AB를 $3 : 2$로 외분하는 점 Q의 좌표는

$$\left(\frac{3\times(-1)-2\times4}{3-2},\ \frac{3\times4-2\times(-1)}{3-2},\ \frac{3\times3-2\times(-2)}{3-2}\right)$$

즉, $Q(-11, 14, 13)$

이때, 선분 PQ의 중점을 C라 하면 점 C의 좌표는

$$\left(\frac{1-11}{2},\ \frac{2+14}{2},\ \frac{1+13}{2}\right)$$

즉, $C(-5, 8, 7)$ ← 구의 중심

또, $\overline{PC}=\sqrt{(-5-1)^2+(8-2)^2+(7-1)^2}=6\sqrt{3}$ ← 구의 반지름

따라서 구하는 구의 방정식은

$$(x+5)^2+(y-8)^2+(z-7)^2=108$$

## 10-1  답 $\sqrt{3}$

|해결 전략| 구와 $xy$평면이 만나서 생기는 교선의 방정식은 구의 방정식에 $z=0$을 대입하여 구하고, 구와 $yz$평면이 만나서 생기는 교선의 방정식은 구의 방정식에 $x=0$을 대입하여 구한다.

$(x-a)^2+(y-1)^2+(z-2)^2=r^2$에 $z=0$을 대입하면
$(x-a)^2+(y-1)^2=r^2-4$
즉, 구와 $xy$평면이 만나서 생기는 도형은 중심의 좌표가 $(a, 1, 0)$이고 반지름의 길이가 $\sqrt{r^2-4}$인 원이다.
이 도형의 넓이가 $5\pi$이므로
$r^2-4=5$에서 $r^2=9$
$\therefore (x-a)^2+(y-1)^2+(z-2)^2=9$
구 $(x-a)^2+(y-1)^2+(z-2)^2=9$에 $x=0$을 대입하면
$(y-1)^2+(z-2)^2=9-a^2$
즉, 구와 $yz$평면이 만나서 생기는 도형은 중심의 좌표가 $(0, 1, 2)$이고 반지름의 길이가 $\sqrt{9-a^2}$인 원이다.
이 도형의 넓이가 $6\pi$이므로
$9-a^2=6$에서 $a^2=3$
$\therefore a=\sqrt{3} \ (\because a>0)$

## 10-2 답 4

|해결 전략| 구와 $xy$평면이 만나서 생기는 교선의 방정식은 구의 방정식에 $z=0$을 대입하여 구하고, 구와 $zx$평면이 만나서 생기는 교선의 방정식은 구의 방정식에 $y=0$을 대입하여 구한다.
$(x+2)^2+(y-b)^2+(z-3)^2=r^2$에 $z=0$을 대입하면
$(x+2)^2+(y-b)^2=r^2-9$
즉, 구와 $xy$평면이 만나서 생기는 도형은 중심의 좌표가 $(-2, b, 0)$이고 반지름의 길이가 $\sqrt{r^2-9}$인 원이다.
이 도형의 넓이가 $16\pi$이므로
$r^2-9=16$에서 $r^2=25$
$\therefore (x+2)^2+(y-b)^2+(z-3)^2=25$
구 $(x+2)^2+(y-b)^2+(z-3)^2=25$에 $y=0$을 대입하면
$(x+2)^2+(z-3)^2=25-b^2$
즉, 구와 $zx$평면이 만나서 생기는 도형은 중심의 좌표가 $(-2, 0, 3)$이고 반지름의 길이가 $\sqrt{25-b^2}$인 원이다.
이 도형의 넓이가 $9\pi$이므로
$25-b^2=9$에서 $b^2=16$
$\therefore b=4 \ (\because b>0)$

## 11-1 답 $2\sqrt{3}$

|해결 전략| $x$축 위의 점 P에서 구의 중심까지의 거리와 구의 반지름의 길이를 구한 후 피타고라스 정리를 이용한다.
$x$축 위의 점 P의 좌표를 $(a, 0, 0)$이라 하자.
$x^2+y^2+z^2-2x-4y-6z+13=0$을 변형하면
$(x-1)^2+(y-2)^2+(z-3)^2=1$
즉, 구의 중심의 좌표는 $(1, 2, 3)$이고 반지름의 길이는 1이다.
오른쪽 그림과 같이 구의 중심을 C, 점 P에서 구에 그은 접선의 접점을 Q라 하면 $\triangle$PQC는 직각삼각형이므로

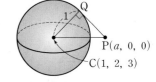

$\begin{aligned} \overline{PQ} &=\sqrt{\overline{PC}^2-\overline{CQ}^2} \\ &=\sqrt{(1-a)^2+2^2+3^2-1^2} \\ &=\sqrt{(a-1)^2+12} \end{aligned}$

따라서 점 P에서 구에 그은 접선의 길이는 $a=1$일 때, 즉 점 P의 좌표가 $(1, 0, 0)$일 때 최솟값 $\sqrt{12}=2\sqrt{3}$을 갖는다.

## 11-2 답 1

|해결 전략| $y$축 위의 점 P에서 구의 중심까지의 거리와 구의 반지름의 길이를 구한 후 피타고라스 정리를 이용한다.
$y$축 위의 점 P의 좌표를 $(0, b, 0)$이라 하자.
$x^2+y^2+z^2-2x+4y+2z+5=0$을 변형하면
$(x-1)^2+(y+2)^2+(z+1)^2=1$
즉, 구의 중심의 좌표는 $(1, -2, -1)$이고 반지름의 길이는 1이다.
오른쪽 그림과 같이 구의 중심을 C, 점 P에서 구에 그은 접선의 접점을 Q라 하면 $\triangle$PQC는 직각삼각형이므로

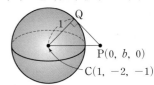

$\begin{aligned} \overline{PQ} &=\sqrt{\overline{PC}^2-\overline{CQ}^2} \\ &=\sqrt{1^2+(-2-b)^2+(-1)^2-1^2} \\ &=\sqrt{(b+2)^2+1} \end{aligned}$

따라서 점 P에서 구에 그은 접선의 길이는 $b=-2$일 때, 즉 점 P의 좌표가 $(0, -2, 0)$일 때 최솟값 1을 갖는다.

# Memo

Memo

Memo

# Memo